MW00860658

Costa ardiente

Biblioteca Wilbur Smith

Biografía

Wilbur Smith nació en África central en 1933. Recibió su educación en el Michaelhouse College y en la Rhodes University. A partir de 1964, tras el éxito de Cuando comen los leones, se dedicó de lleno a la escritura. Desde entonces ha dado a conocer más de treinta novelas, fruto de minuciosas investigaciones realizadas en sus viajes alrededor del mundo. Sus libros han sido traducidos a veintiséis idiomas. A la fecha ha vendido ciento veinte millones de ejemplares de sus inolvidables historias en todo el mundo, de los cuales tres millones y medio fueron en la Argentina.

Wilbur Smith
Costa ardiente

Traducción de Edith Zilli

Smith, Wilbur
Costa ardiente.- 4ª ed. – Buenos Aires : Booket, 2013.
552 p. ; 19x13 cm.

Traducido por: Edith Zilli

ISBN 978-987-580-030-9

1. Narrativa Africana I. Zilli, Edith, trad. II. Título
CDD 896

Diseño de cubierta: Peter Tjebbes
Diseño de interior: Orestes Pantelides

Título original: *The Burning Shore*

First published in 1985

Publicado bajo el sello Booket®
Independencia 1682, (1100) C.A.B.A.
www.editorialplaneta.com.ar

4ª edición del sello Booket: julio de 2013
2.000 ejemplares

ISBN 978-987-580-030-9

Impreso en Grupo Maorí,
Av. Mitre 3027, Munro, provincia de Buenos Aires
en el mes de julio de 2013.

Hecho el depósito que prevé la ley 11.723
Impreso en la Argentina

Este libro es para mi mujer y la perla de mi vida, Mokhiniso, con todo mi amor y agradecimiento por los maravillosos años de nuestro matrimonio.

Así he oído, en la costa ardiente de África,
un león hambriento dar su doliente rugido.

Bombastes Furioso,
sc. IV, WILLIAM BARNES RHODES

Michael despertó ante la insensata furia de los cañones. Era un rito obsceno, celebrado en la oscuridad antes de cada amanecer, en el cual las grandes baterías de artillería, a ambos lados de los barrancos, ejecutaban su salvaje sacrificio a los dioses de la guerra.

Michael permaneció tendido en la oscuridad, bajo el peso de seis frazadas de lana, contemplando el centelleo de los disparos a través de la lona, como una horrible aurora boreal. Las frazadas estaban frías y húmedas como la piel de un muerto; una leve lluvia tamborileaba sobre la carpa, por encima de su cabeza. El frío se hacía sentir a pesar de los cobertores, y sin embargo él tenía un destello de esperanza. Con ese tiempo no podían volar.

Las falsas esperanzas se diluyeron rápidamente, pues cuando volvió a prestar atención a los cañones, esa vez con más concentración, pudo apreciar la dirección del viento por el ruido de las descargas. Había vuelto a ser del sudeste, apagando la espantosa cacofonía; estremecido, tiró de las frazadas hasta su mentón. Como para confirmar sus apreciaciones, la leve brisa cesó de pronto. En el silencio se oía gotear a los árboles del manzanar. Y de repente se levantó una ráfaga; las ramas se sacudieron como un Spaniel al salir del agua, soltando una densa descarga de gotas sobre el techo de la carpa.

Decidió no estirar la mano hasta el reloj de oro dejado sobre el cajón invertido que servía como mesa de noche. Demasiado pronto llegaría la hora. Por lo tanto, se acurrucó entre las frazadas húmedas, pensando en su miedo. Todos ellos sufrían de miedo, pero las rígidas convenciones bajo las cuales vivían, volaban y morían les prohibían hablar de ello, o hacer siquiera la referencia más indirecta.

Michael se preguntó si le hubiera servido de consuelo, la noche anterior, decir a Andrew, mientras analizaban la misión de la mañana siguiente con la botella de whisky entre ambos: "Andrew, me muero de miedo por lo que vamos a hacer".

Sonrió en la oscuridad, imaginando el azoramiento de Andrew; sin embargo, sabía que ambos compartían lo mismo. Estaba en sus ojos, en el modo en que se le contraía un nervio en la mejilla, obligándolo a tocarlo constantemente con la punta del dedo para inmovilizarlo. Todos los veteranos tenían sus pequeñas características: Andrew, el nervio de su mejilla y la boquilla vacía, que usaba como un bebé su chupete. Michael rechinaba los dientes al dormir, con tanta fuerza que se despertaba; se mordía la uña del pulgar izquierdo hasta la carne y, cada pocos minutos, soplaba sobre los dedos de la mano derecha, como si acabara de tocar una brasa.

El miedo los enloquecía un poco a todos, obligándolos a beber demasiado, lo suficiente como para aniquilar los reflejos de un hombre normal. Pero ellos no eran hombres normales y el alcohol no parecía afectarlos; no les acortaba la vista ni hacía lentos sus pies en las barras del timón de cola. Los hombres normales morían en las tres primeras semanas; caían en llamas, como los abetos en un incendio forestal, o se estrellaban en la tierra arada por las bombas, con una fuerza que hacía añicos sus huesos.

Andrew había sobrevivido por catorce meses; Michael, por once: muchas veces el período de vida que los dioses de la guerra habían asignado a quienes piloteaban esos frágiles artefactos de alambre, madera y lona. Por eso se retorcían con movimientos inquietos, parpadeaban a cada instante y bebían whisky por cualquier cosa, reían nerviosamente, para mover en seguida los pies, abochornados, y al amanecer permanecían tendidos en sus colchones, tiesos de espanto, esperando el ruido de pasos.

Michael oyó el ruido de pasos. Debía de ser más tarde de lo que había pensado. Biggs, ante la carpa, murmuró una maldición al pisar un charco; sus botas hicieron ruiditos obscenos en el lodo. Su lámpara relumbró a través de la lona, en tanto luchaba con la solapa de la carpa antes de entrar, inclinado.

—Muy buenos días, señor. —Su tono era alegre, pero lo mantenía bajo, por gentileza para con los oficiales de las carpas vecinas que no volaban esa mañana. —El viento ha virado al sur-sudeste, señor, y está despejando que es una belleza. Sobre Cambrai asoman las estrellas.

Biggs dejó la bandeja sobre el cajón invertido y se dedicó a recoger la ropa que Michael había dejado caer sobre los tablones del piso, la noche anterior.

—¿Qué hora es? —Michael se sometió a la pantomima de despertar de un sueño profundo, estirándose, bostezando, para que Biggs no sospechara su hora de terror, para que la leyenda no sufriera mella.

—Las cinco y media, señor. —Biggs terminó de doblar las ropas y se acercó para entregarle el tazón de cacao. —Y Lord Killigerran ya está levantado y en el comedor.

—Ese maldito es de hierro —se quejó Michael, mientras Biggs recogía la botella de whisky vacía, dejada junto al colchón, para ponerla en la bandeja.

Michael bebió el cacao, en tanto el otro preparaba espuma en el jarrito de afeitar; luego le acercó el espejo de acero pulido y la lámpara, para que el piloto se afeitara con la navaja recta, sentado en su colchón, con las frazadas sobre los hombros.

—¿Cómo andan las apuestas? —preguntó Michael, con voz nasal, mientras se levantaba la punta de la nariz para afeitarse sobre el labio superior.

—Ofrecen tres a uno a que usted y el mayor vuelven sin la cuenta del carnicero.

Michael limpió la navaja, en tanto estudiaba las posibilidades. El sargento que manejaba las apuestas había operado una cabina en el hipódromo antes de la guerra. Y él decidía que aún había una posibilidad entre tres de que Andrew o Michael, o ambos, murieran antes del mediodía; "sin la cuenta del carnicero" significaba "sin bajas".

—Poco razonable, ¿no te parece, Biggs? —comentó—. Mira que ambos... qué embromar...

—Aposté cinco por usted, señor —murmuró el otro.

—Bien por ti, Biggs. Pon otros cinco en mi nombre.

Y señaló la caja de soberanos que tenía junto al reloj. Biggs sacó cinco monedas de oro y se las metió en el bolsillo. Michael siempre apostaba por sí mismo. Era cosa segura: si perdía la apuesta, no dolería mucho pagarla, de todos modos.

Biggs calentó los pantalones de Michael sobre el tubo de la lámpara y se los tendió, mientras él salía de entre las frazadas para ponérselos. Metió la camisa de dormir dentro de los *breeches*, en tanto Biggs realizaba el complicado procedimiento de vestir al piloto contra el frío mortal de un vuelo a cabina abierta. Seguía un chaleco de seda sobre la camisa de dormir, dos gruesos suéteres de pescador, una chaqueta de cuero y, finalmente, un sobretodo de oficial, con los faldones cortados para que no se enredaran con los mandos del aeroplano.

A esa altura, Michael estaba tan acolchado que no podía agacharse para ponerse el calzado. Biggs se arrodilló frente a él y le puso calcetines de seda; luego, dos pares de medias de lana y, finalmente, las botas altas de piel de kudu, que el piloto se hacía fabricar en África. Las suelas blandas le permitían sentir las barras del timón de cola. Cuando se levantó, su cuerpo delgado y musculoso parecía informe bajo la ropa; los brazos le sobresalían como alas de pingüino. Biggs le sostuvo la solapa de la carpa y le alumbró el camino a lo largo del entablado que cruzaba la huerta, hacia el comedor.

Al pasar frente a otras carpas oscuras, cobijadas en el manzanar, Michael oyó pequeñas toses y movimientos leves. Todos estaban despiertos, escuchando sus pasos, temiendo por él; tal vez algunos disfrutaban el alivio de no ser ellos quienes saldrían a pelear contra los globos, esa mañana.

Michael se detuvo por un momento, al salir de la huerta, y levantó la mirada al cielo. Las nubes oscuras retrocedían hacia el norte y las estrellas comenzaban a asomar, pero ya pálidas por la amenaza de la aurora. Esas estrellas eran aún desconocidas para Michael; aunque podía reconocer sus constelaciones, no eran como sus amadas estrellas del sur: la Cruz del Sur, Achernar, Argos y las otras. Por eso bajó la mirada y siguió marchando tras Biggs y la lámpara bamboleante.

El comedor del escuadrón era una ruinosa *chaumière* de trabajadores, requisada y vuelta a pintar, donde el raído empajado había sido cubierto con tela alquitranada, a fin de hacer el interior caliente y cómodo.

Biggs se hizo a un lado en cuanto llegaron a la puerta.

—Cuando vuelva, señor, le tendré listos sus quince de ganancia —murmuró.

Nunca le deseaba buena suerte, pues eso atraía la peor de las fortunas.

En el hogar había un fuego de leños. El mayor Lord Andrew Killigerran estaba sentado, con los pies, calzados con botas, cruzados ante el fuego.

—*Porridge*, muchacho —saludó a Michael, quitándose la boquilla de ámbar de entre los dientes blancos y parejos—, con manteca derretida y dorado jarabe. Arenques remojados en leche...

Michael se estremeció.

—Comeré cuando vuelva.

Su estómago, ya anudado por la tensión, se estremecía ante el fuerte olor del arenque. Con la cooperación de un tío que formaba parte del personal encargado de los transportes urgentes, Andrew mantenía al escuadrón provisto de los mejores alimentos que se producían en las propiedades de su familia, en las tierras altas de Escocia: carne escocesa, urogallos, salmón y venado cuando correspondía a la estación, huevos, quesos y jamones, frutas en conserva y un raro, único whisky de malta, de nombre impronunciable, proveniente de la destilería de la familia.

—Café para el capitán Courtney —pidió Andrew al cabo que atendía el comedor.

En cuanto llegó el café, metió la mano en el profundo bolsillo de su chaqueta de piloto y sacó una petaca de plata, de la que echó una generosa medida en el tazón humeante.

Michael retuvo en la boca el primer sorbo, haciéndolo girar, dejando que el fragante licor le escociera la lengua. Luego lo tragó. El calor lo golpeó en el estómago vacío, y casi de inmediato sintió la carga del alcohol por la corriente sanguínea.

Sonrió a Andrew por sobre la mesa.

—Mágico —susurró, con voz ronca, mientras se soplaba la punta de los dedos.

—El agua de la vida, muchacho.

Michael amaba a ese hombrecito pulcro como no había amado a otro hombre en su vida; más que a su propio padre, más que a su tío Sean, que había sido antes el pilar de su existencia.

No fue así desde un principio. A primera vista, Andrew le había resultado sospechoso, con su apostura extravagante, casi afeminada, las pestañas largas y curvas, los labios suaves y plenos, el cuerpo pequeño y limpio, las manos y los pies elegantes y el porte altanero.

Un atardecer, poco después de su llegada al escuadrón, Michael se dedicó a enseñar a los recién incorporados el juego de Bok-Bok. Bajo su dirección, un equipo formó una pirámide humana contra una pared del comedor, mientras el otro equipo intentaba derribarla lanzándose a toda carrera contra la estructura. Andrew esperó a que el juego terminara, en un ruidoso caos, y luego llevó a Michael aparte para decirle:

—Sabemos, por cierto, que usted viene del lado sur del Ecuador, y tratamos de ser benignos con ustedes, los de las colonias. Pero…

Desde entonces, la relación entre ambos fue fría y distante, en tanto se observaban disparar y volar.

Siendo niño, Andrew aprendió a calcular el desvío del urogallo, que se lanzaba a favor del viento a pocos centímetros del brezal. Michael adquirió la misma habilidad al disparar contra la agachadiza etíope; que picaba en rápidos aleteos desde el cielo africano. Ambos habían podido adaptar esa destreza al problema de disparar con una ametralladora Vickers desde la inestable plataforma de un Sopwith Pup que volaba en las tres dimensiones del espacio.

Y se observaban mutuamente. Volar era un don. Los que no lo poseían, murieron las tres primeras semanas; los que sí, duraban un poquito más. Al cabo de un mes, Michael seguía con vida. Entonces Andrew le dirigió la palabra por primera vez desde el juego de Bok-Bok.

—Courtney, hoy volará junto a mí —fue todo lo que dijo.

Iba a ser un vuelo de rutina, línea abajo, para "iniciar" a dos muchachos nuevos que se habían unido al escuadrón el día anterior, recién llegados de Inglaterra, con un total de catorce horas de vuelo como experiencia conjunta. Andrew los llamaba "pasto de los Fokker"; ambos tenían dieciocho años, rostros mudos y ojos ansiosos.

—¿Aprendieron acrobacia aérea? —les preguntó Andrew.

—Sí, señor. —Respondieron al unísono. —Ambos hemos hecho el *looping the loop*.

—¿Cuántas veces?

Avergonzados, bajaron la mirada brillante.

—Una —admitieron.

—¡Dios! —murmuró Andrew, mientras chupaba con fiereza su boquilla.

—¿Pérdidas?

Ambos pusieron cara de desconcierto. Andrew se agarró la cabeza, con un gruñido.

—Pérdidas —intervino Michael, con voz amable—. Ya saben, cuando uno baja la velocidad de vuelo y el aparato cae bruscamente.

Los dos sacudieron la cabeza y volvieron a contestar, siempre al unísono:

—No, señor, no nos enseñaron eso.

—Ustedes van a hacer la delicia de los alemanes —murmuró Andrew. Luego prosiguió, enérgicamente: —Número uno: se olvidan todo lo de la acrobacia aérea, *looping the loop* y toda esa basura; de lo contrario, cuando estén allá arriba, cabeza abajo, los alemanes les van a sacar el ano por la nariz. ¿Entendido?

Los muchachos asintieron vigorosamente.

—Número dos: síganme, hagan lo que yo haga, fíjense en las señales que les haga con las manos y obedezcan instantáneamente. ¿Entendido? —Andrew se puso la gorra escocesa en la cabeza y la sujetó con una bufanda verde, que era como su marca distintiva. —Vamos, chicos.

Con los dos novicios metidos entre ellos, volaron sobre Arras, a tres mil metros de altitud; los motores Le Rhône de los Sopwith Pups aullaban con los ochenta caballos de fuerza, príncipes del firmamento, en las máquinas voladoras más perfectas que el hombre hubiera inventado para la guerra, las que habían derribado del cielo a Max Immelmann y a sus jactanciosos Fokker Eindekkers.

Era un día glorioso; apenas había unos ligeros cúmulos demasiado altos como para ocultar un Jagdstaffel; el aire era tan límpido y luminoso que Michael detectó al viejo biplano

Rumpler para reconocimiento desde una distancia de quince kilómetros. Estaba describiendo círculos a baja altura, por sobre las líneas francesas, dirigiendo el fuego de las baterías alemanas hacia las zonas de la retaguardia.

Andrew distinguió al Rumpler un momento después que él, y efectuó una lacónica señal con la mano. Iba a dejar que los muchachos nuevos le dispararan. Michael no sabía de otro comandante de escuadrón capaz de negarse una victoria fácil, que lo pondría en la buena ruta al ascenso y a la codiciada condecoración. De todos modos, asintió para mostrar su acuerdo y entre ambos condujeron a los jóvenes pilotos hacia abajo, señalándoles con paciencia el lento biplaza alemán. Pero ninguno de ellos, dada la falta de adiestramiento visual, pudo distinguirlo. No hacían sino echar miradas de desconcierto a los dos veteranos.

Los alemanes estaban tan concentrados en los estallidos de abajo que no repararon en la mortífera formación, que se cerraba velozmente desde lo alto. De pronto, el novicio más próximo a Michael sonrió, lleno de alivio y deleite, señalando hacia adelante. Por fin había visto al Rumpler.

Andrew alzó el puño por sobre la cabeza, con la antigua orden de caballería que significaba: "¡A la carga!", y el joven apuntó la nariz hacia abajo, sin cerrar el cebador. El Sopwith entró en una aullante picada, tan abrupta que Michael hizo una mueca de horror al ver el modo en que se curvaban hacia atrás *las alas dobles*, bajo la tensión, arrugando la tela en el nacimiento de las alas. El segundo novicio lo siguió con la misma precipitación. Michael los comparó con dos cachorros de león, que había visto cierta vez tratando de derribar a una vieja cebra macho, cubierta de heridas; ambos habían caído dando tumbos, en cómica confusión, al esquivarlos la cebra, desdeñosa.

Ambos pilotos novicios abrieron fuego a una distancia de mil metros, y el piloto alemán levantó la mirada ante esa oportuna advertencia; luego, calculando su impulso, descendió finamente bajo las narices de los aviones, obligándolos a un torpe vuelo largo que los llevó, aún disparando locamente, setecientos metros más allá de su víctima. Michael los vio girar desesperadamente la cabeza, en las cabinas abiertas, tratando de hallar al Rumpler.

Andrew meneó tristemente la cabeza y condujo a Michael hacia abajo. Descendieron limpiamente bajo la cola del Rumpler. El piloto alemán se ladeó agudamente a babor, en un giro ascendente, para dar a su artillero posterior la oportunidad de dispararles. Andrew y Michael, a la vez, viraron en dirección opuesta para frustrarlo y, en cuanto el enemigo dio por fallada su maniobra y corrigió su desvío, condujeron a los Sopwith de modo tal de cruzar bruscamente tras su popa.

Andrew era quien guiaba. Disparó una ráfaga breve con las Vickers, a treinta metros, y el artillero alemán alzó los brazos, dejando que la ametralladora Spandau girara sin sentido en su montaje, en tanto las balas .303 lo hacían pedazos. El piloto trató de lanzarse en picada; el Sopwith de Andrew estuvo a punto de chocar con su ala superior, al pasar por encima.

Entonces intervino Michael. Juzgando el desvío del Rumpler, tocó la barra del timón de babor, de modo tal que su máquina virara apenas, justo como si estuviera haciendo girar una ametralladora; ensartó el índice de la mano derecha bajo el seguro de la Vickers y disparó una ráfaga de un solo segundo: quince balas de calibre .303. La tela del fuselaje del Rumpler se desgarró en harapos, justo bajo el aro de la cabina, en la línea en que debía estar el torso del piloto.

El alemán había girado el cuerpo para mirar a Michael, desde una distancia que apenas llegaba a quince metros. Michael pudo verle los ojos, tras los vidrios de las antiparras; eran de un azul asustado; parecía no haberse afeitado esa mañana, pues tenía el mentón cubierto de barba dorada. Abrió la boca ante el impacto de los disparos; la sangre de los pulmones destrozados escapó de entre sus labios, convirtiéndose en humo rosado tras la corriente del Rumpler. Un momento después, Michael había pasado y seguía ascendiendo. El Rumpler cayó hacia tierra con los muertos prendidos de sus correas. Golpeó en el centro de un campo abierto y se derrumbó en un patético bulto de tela y tensores destrozados.

Mientras Michael ponía su Sopwith nuevamente en posición con el ala de Andrew, éste le echó una mirada, hizo un gesto desenvuelto y le hizo señas de que lo ayudara a recoger a los dos novicios, quienes aún seguían buscando al Rumpler desaparecido, en círculos frenéticos. Eso les llevó más tiempo del que calcularon; cuando los tuvieron a salvo bajo su protección, todo el grupo se hallaba más hacia el oeste de lo que Andrew y Michael habían volado anteriormente. En el horizonte se veía la serpiente gorda y brillante del río Somme, zigzagueando por el verde litoral, en su descanso hacia el mar.

Se apartaron de él para encaminarse hacia Arras, en dirección este, ascendiendo a ritmo regular para reducir las posibilidades de que algún Fokker Jagdstaffel los atacara desde atrás.

A medida que ganaban altura, el vasto panorama de la Francia septentrional y la Bélgica meridional se iba abriendo por debajo; los sembrados eran un acolchado de parches, en diez tonos distintos de verde, intercalados por el pardo oscuro de la tierra arada. Los frentes de batalla eran difíciles de distinguir; desde tan arriba, la estrecha cinta de suelo bombardeado parecía insignificante; la angustia, el barro y la muerte, allá abajo, eran ilusorios.

Los dos pilotos veteranos no dejaban, ni por un instante, de escrutar el cielo y el espacio circundante. La cabeza giraba en un ritmo fijo, sin permitir que los ojos descansaran nunca, sin dejarse hipnotizar por un solo instante por la hélice que giraba ante ellos. En cambio, los dos novicios iban muy despreocupados y satisfechos de sí mismos. Cada vez que Michael miraba en esa dirección, ellos sonreían y saludaban alegremente. Al fin abandonó el intento de instarlos a vigilar el cielo; no comprendían las señales.

Tomaron la horizontal a cuatro mil quinientos metros, el techo efectivo de los Sopwiths; entonces pasó la sensación de intranquilidad que había perseguido a Michael hasta entonces, por volar a altitudes inferiores sobre territorios desconocidos: la ciudad de Arras estaba allá delante. Sabía que ningún Fokker podía estar acechando por encima de ellos, en ese bonito banco de cúmulos; esos aviones no podían volar tan alto.

Echó otra mirada a lo largo de las líneas. Apenas al sur de Mons había dos globos de observación alemanes; por debajo de ellos, una escuadrilla amiga de monoplazas DH2 se encaminaba hacia Amiens, lo cual significaba que eran del Escuadrón Nº 24.

En diez minutos más estarían aterrizan...

Michael no llegó a terminar el pensamiento. Súbita, milagrosamente, el cielo, en torno de ellos, se colmó de aeroplanos vistosamente coloreados y del sonido que emitían las ametralladoras Spandau.

A pesar de su total desconcierto, Michael reaccionó con lógica. En el momento en que imprimía al Sopwith un giro muy cerrado, un aparato con forma de tiburón, a cuadros rojos y negros, con una sonriente calavera blanca sobrepuesta a la cruz de Malta negra, pasó como un relámpago por delante la nariz del avión. Un centésimo de segundo después, sus Spandaus hubieran destrozado a Michael. El piloto comprendió que habían llegado desde lo alto; aunque fuera increíble, habían estado en el banco de nubes, por sobre los Sopwiths.

Uno de ellos, pintado de rojo sangre, se instaló tras la cola de Andrew; sus Spandaus ya estaban destrozando el borde del ala inferior y giraban inexorablemente hacia el sitio que ocupaba Andrew, agazapado en la cabina abierta; su rostro era una burbuja blanca bajo la gorra escocesa y la bufanda verde. Instintivamente Michael se lanzó hacia él. El alemán, para no arriesgar una colisión, se alejó en un giro.

—*Ngi dla!*

Michael dio el grito de guerra de los zulúes, y se lanzó hacia la cola roja. De inmediato, incrédulo, lo vio alejarse antes de que él pudiera apuntar la Vickers. El Sopwith se estremeció brutalmente ante el impacto de un disparo. Un cable del armazón, por sobre su cabeza, se cortó con un tañido como el de un arco al dispararse, recibiendo el ataque desde proa de otra de esas máquinas terribles.

Se apartó. Andrew iba por debajo de él, tratando de ascender para alejarse de otra máquina alemana que lo acosaba velozmente, acercándose al límite de la línea mortífera. Michael se lanzó de cabeza contra el alemán, y las alas negras y rojas pasaron muy cerca de él... pero de inmediato apareció otro alemán para reemplazarlo, y en esa oportunidad Michael no pudo quitárselo de encima; la reluciente máquina era demasiado veloz, demasiado poderosa. Comprendió entonces que era hombre muerto.

De pronto cesó el fuego de Spandau. Andrew se lanzó en picada junto al ala de Michael, alejando de él al alemán. Desesperadamente, Michael siguió a su compañero. Ambos formaron el círculo defensivo, cada uno de ellos cubriendo el vientre y la cola del otro, mientras la nube de artefactos alemanes se agrupaba en derredor de ellos, en asesina frustración.

Sólo una parte de la mente de Michael registró el hecho de que los dos pilotos nuevos habían muerto en los primeros segundos del ataque. Uno de ellos iba en picada vertical a toda velocidad; las alas mutiladas del Sopwith se curvaban ante la tensión; por fin se desgarraron por completo. El otro era una antorcha ardiente, que dejaba una gruesa humareda negra en el cielo, al caer.

Tan milagrosamente como habían aparecido, los alemanes se fueron: intactos e invulnerables, desaparecieron hacia atrás, en dirección a sus propias líneas, dejando que la pareja de maltratados Sopwiths renqueara hasta su sede.

Andrew aterrizó delante de Michael; ambos estacionaron, ala con ala, en los bordes de la huerta. Cada uno de ellos se descolgó del aparato y dio una vuelta en torno de su propia máquina, inspeccionando los daños. Sólo entonces se detuvieron uno frente al otro, con las caras pétreas de espanto.

Andrew metió la mano en el bolsillo y sacó la petaca de plata; después de destaparla, limpió la boca de la botella con un extremo de su bufanda verde y la entregó a Michael.

—Toma un trago, muchacho —dio, cauteloso—. Creo que te lo has ganado. Sí, lo creo.

Así, el día en que la superioridad de los Aliados fue barrida de los cielos sobre Francia, por obra de los Albatros con nariz de tiburón enviados por los Jagdstaffels alemanes, ellos se convirtieron en camaradas por desesperación y necesidad. Volaban ala con ala, formando el círculo de mutua defensa siempre que los coloridos mensajeros de la muerte caían sobre ellos. Al principio se contentaban con defenderse; más tarde, juntos, probaron la capacidad de ese nuevo y mortífero enemigo, estudiando por la noche los informes de inteligencia que les llegaban tardíamente.

Aprendieron así que el Albatros estaba impulsado por un motor Mercedes de ciento sesenta caballos de fuerza, dos veces más poderoso que Le Rhône del Sopwith, y que tenía ametralladoras gemelas de 7,92 milímetros, tipo Spandau, o con equipo de interrupción que disparaba hacia adelante, por el arco de la hélice. El Sopwith contaba con una sola Vickers .303. Habían sido superados en potencia y en armamento. El Albatros pesaba trescientos cincuenta kilos más que el Pup y podía adquirir un tremendo peso de disparo antes de lanzarse en picada.

—Así que tendremos que descubrir el modo de embromarlos volando, viejito —comentó Andrew.

Y ambos salieron contra las macizas formaciones de Jastas, para descubrir sus puntos débiles. Eran sólo dos. Los Sopwiths tenían menos radio de giro, y el radiador del Albatros estaba situado en el ala superior, directamente sobre la cabina. Un disparo en el tanque saltaba un torrente de refrigerante hirviendo sobre el piloto, matándolo de un modo horrible. Utilizando ese conocimiento hicieron sus primeras víctimas y descubrieron que, al poner a prueba al Albatros, se habían puesto a prueba mutuamente, sin hallar fallas. La camaradería se convirtió en amistad, que profundizaron hasta convertir en un amor y un respeto más grandes que los existentes entre hermanos de sangre.

Por eso, en ese momento estaban tranquilamente sentados frente a frente, al amanecer, bebiendo café con whisky mientras esperaban la hora de salir a atacar a los globos, y buscar cada uno en el otro consuelo y fortaleza.

—¿Lo echamos a la suerte? —Michael rompió el silencio; era hora de partir.

Andrew revoleó un soberano en el aire y lo plantó sobre la mesa, cubriéndolo con la mano.

—Cara —anunció Michael.

Andrew levantó la mano.

—¡Suerte perra! —gruñó, mientras ambos contemplaban el perfil serio y barbado de Jorge V.

—Elijo el segundo puesto —dijo Michael. Andrew abrió la boca para protestar, pero Michael puso fin a la discusión antes de que comenzara: —Gané yo, elijo yo.

Salir a atacar a los globos era como tropezar con una serpiente dormida, de las grandes y torpes que habitan la planicie africana: el primer hombre la despierta, y la víbora arquea el cuello en la ese del ataque; el segundo es el que recibe los colmillos largos y curvados en la pantorrilla. En el caso de los globos, era preciso atacar en fila india; el primero alertaba a las defensas de tierra; el segundo recibía toda su furia. Michael eligió deliberadamente el puesto número dos. De haber ganado, Andrew habría hecho lo mismo.

Se detuvieron a la puerta del comedor, hombro a hombro, para ponerse los guantes, abotonarse las chaquetas y contemplar el cielo, mientras oían la furia de los cañones y calculaban el viento.

—Todavía habrá neblina en los valles —murmuró Michael—. El viento no se la llevará por un rato.

—Recemos porque así sea, muchacho —replicó Andrew.

Entorpecidos por la ropa, ambos anadearon por los tablones hasta donde estaban los Sopwiths, al borde de la huerta.

Qué nobles los había visto Michael en otros tiempos, y qué feos le parecían en ese momento, comparando el enorme motor rotatorio, que limitaba la visión hacia adelante, con la esbelta nariz del Albatros, que tenía un Mercedes en línea. Qué frágil, por contraste con la robusta armazón alemana.

—Por Dios, cuándo nos van a dar aeroplanos de verdad —gruñó.

Andrew no dijo nada. Demasiado frecuentes eran sus lamentos por la interminable espera de los nuevos SE5a prometidos: el Scout Experimental Nº 5a, que tal vez les permitiría enfrentar a los Jastas en términos de igualdad.

El Sopwith de Andrew estaba pintado de verde brillante, haciendo juego con su bufanda, y el fuselaje, debajo de la cabina, lucía catorce círculos blancos: uno por cada victoria confirmada, como si fueran muescas en el fusil de un tirador. El nombre del avión estaba pintado en la caseta del motor: *El pastel volador**.

* *Flying Haggis*: El *haggis* es un budín escocés preparado con carne, hígado y riñones de oveja, todo picado y cocido dentro del vientre del animal. *(N. de la T.)*

Michael había elegido amarillo intenso; bajo su cabina había una tortuga alada con cara de preocupación, que decía: *A mí no me pregunten nada; soy empleado, no más*. En su fuselaje se veían seis círculos blancos.

Ayudados por la tripulación de tierra, subieron al ala inferior y desde ahí se deslizaron en las estrechas cabinas. Michael apoyó los pies en las barras de timón y las bombeó a derecha e izquierda, mirando por sobre el hombro para observar la respuesta del timón de cola. Satisfecho, levantó el pulgar para beneficio de su mecánico, que había pasado la mayor parte de la noche trabajando para reemplazar uno de los cables, roto en la última salida. El mecánico respondió con una gran sonrisa y corrió hacia la nariz de la máquina.

—¿Contacto apagado? —preguntó.

—¡Contacto apagado! —confirmó Michael, inclinándose desde la cabina para mirar el monstruoso motor.

—¡Chupada!

—¡Chupada! —repitió Michael. Y trabajó con la manivela de la bomba manual de combustible. Cuando el mecánico hizo girar la hélice se oyó el borboteo de combustible en el carburador, cebado ya el motor.

—¡Contacto!

—¡Contacto!

A la siguiente vuelta de la hélice, el motor encendió. Por los tubos de escape salió humo azul, con olor a aceite de castor hirviendo. El motor vaciló por un momento o dos, hasta establecerse en un latido regular.

En tanto Michael completaba sus verificaciones previas, su estómago se revolvía en los espasmos del cólico. Los motores de precisión se lubricaban con aceite de castor, y sus vapores les provocaban a todos una leve diarrea permanente. Los veteranos pronto aprendían a controlarla; el whisky surtía efectos maravillosos, tomado en cantidades suficientes. Pero los novicios recibían los afectuosos apodos de "trasero con gotera"" o "pantalón resbaloso" cuando volvían de una salida, ruborizados y malolientes.

Michael se puso las antiparras y miró a Andrew. Ambos hicieron una señal de asentimiento. El escocés abrió su cebador y carreteó por la hierba mojada. Michael lo siguió, con el mecánico trotando junto al ala de estribor, para ayudarlo a girar en la estrecha pista lodosa que corría entre los manzanos.

Allá adelante, Andrew alzó vuelo. Michael abrió por completo su cebador. Casi de inmediato, el Sopwith levantó la cola, despejando la visión hacia adelante, y el piloto sintió remordimiento de conciencia por su anterior deslealtad. Era un avión maravilloso, la alegría de los pilotos. A pesar del barro pegajoso de la pista, se desprendió con facilidad y niveló el avión a treinta metros, siguiendo la máquina de Andrew. Ya había luz suficiente como para permitirles distinguir, a la derecha, la verde cúpula de cobre que coronaba la iglesia, en la pequeña aldea de Mort Homme; hacia adelante se veía el bosquecillo de robles y hayas, en forma de T, con la pata larga perfectamente alineada con la pista de aterrizaje del escuadrón, lo cual constituía un buen auxilio para la navegación aérea cuando los aviones venían con mal tiempo. Más allá de los árboles se levantaba el *château* de techo rosado, entre sus prados y sus jardines formales; detrás del *château*, una colina baja.

Andrew se desvió un poco hacia la derecha para pasar la colina, Michael hizo otro tanto, espiando hacia adelante por sobre el borde de su cabina. ¿Estaría ella por allí? Era demasiado temprano; la colina estaba desierta. Sintió el filo de la desilusión y el miedo. Y de pronto la vio: iba galopando por el sendero, hacia la cima. El gran semental blanco volaba, poderoso, bajo el cuerpo esbelto y casi infantil.

La muchacha del caballo blanco era un talismán para todos ellos. Si estaba en la colina, esperando para despedirlos con la mano, todo iría bien. Ese día la necesitaban, al salir para atacar a los globos. Con cuánta desesperación necesitaban la bendición de esa jovencita.

Ella alcanzó la cima de la colina y sofrenó al semental. Apenas unos segundos antes de que ellos pasaran por encima, se quitó el sombrero para sacudirlo en el aire; una gruesa mata de pelo oscuro estalló en libertad, Andrew movió las alas al pasar.

Michael se acercó un poco más a la cresta. El caballo blanco retrocedió, con cabeceos nerviosos, al ver que la máquina amarilla se acercaba, aullando. Empero, la muchacha siguió montada sobre él, tranquilamente, saludando con la mano, llena de ánimo. Michael quería verle la cara. Por un instante la miró a los ojos. Eran enormes y oscuros; su corazón le dio un vuelco. Se tocó el casco, a manera de saludo, y supo, muy dentro de sí, que esa mañana todo saldría bien. Luego apartó de sí el recuerdo de esos ojos y miró hacia adelante.

A quince kilómetros de allí, vio con alivio que no se había equivocado: la brisa aún no había podido disipar la niebla matinal que cubría el valle. Los barrancos estaban horriblemente carcomidos por el bombardeo; en ellos no quedaba vegetación alguna; los tocones de los robles desgajados no alcanzaban, en ninguna parte, el metro y medio de altura, y los cráteres dejados por las bombas se superponían, desbordantes de agua estancada. Se había peleado por esos barrancos mes tras mes, pero en ese momento estaban en manos de los Aliados, después de haber sido tomados, a principios del invierno precedente, a un costo en vidas humanas que desafiaba la imaginación. La tierra leprosa y carcomida parecía desierta, pero estaba poblada por legiones de vivos y de muertos que se pudrían juntos en el suelo inundado. El olor de la muerte, llevado por la brisa, llegó hasta los hombres, en su vuelo bajo, en una obscenidad que les untó la garganta, haciéndoles dar arcadas.

Detrás de los riscos, las tropas aliadas, formadas por sudafricanos y neocelandeses del Tercer Ejército, estaban preparando posiciones de reserva para enfrentar la gran ofensiva alemana que les esperaba; todo el mundo, desde el generalato hasta los soldados rasos del frente, sabía que se desataría sobre ellos en cuanto se estabilizara el clima.

Los preparativos de la nueva línea de defensas se veían seriamente estorbados por la artillería alemana agrupada al norte de los riscos, que asolaba la zona con una descarga casi constante de fuertes explosivos. En tanto avanzaban hacia el frente, Michael vio un resplandor amarillo, proveniente de los proyectiles que estallaban, dejando un banco de niebla venenosa por debajo de los barrancos. Imaginó entonces la angustia de los hombres que forcejeaban en el lodo, enloquecidos por la incesante caída de explosivos.

Mientras velaba hacia los barrancos, el ruido de las descargas se elevó hasta cubrir el mismo tronar del gran motor Le Rhône y las ráfagas de viento. Era como un mar embravecido contra una costa rocosa, como el redoble de un tambor demencial, como el pulso afiebrado de ese mundo enfermo y loco. El feroz resentimiento de Michael contra quienes les habían ordenado atacar a los globos cedió en tanto crecía el rugir de los explosivos. Había que hacer ese trabajo. Se dio cuenta al ver tanto sufrimiento.

Pero los globos eran los blancos más temidos y odiados de los pilotos. Por eso Andrew Killigerran no quería mandar a ninguna otra persona. De pronto Michael los vio; eran gordas babosas plateadas que pendían del cielo, muy altos por encima de los barrancos. Uno estaba bien hacia adelante; el otro, pocos kilómetros hacia el este. A esa distancia, los cables que los amarraban a tierra resultaban invisibles; la cesta de mimbre desde donde los observadores obtenían tan buen campo visual sobre la retaguardia de los Aliados eran meras motas oscuras, suspendidas bajo la esfera reluciente de seda inflada de hidrógeno.

En ese momento se produjo una sorpresiva ráfaga de aire que golpeó a los Sopwith, agitando sus alas. Justo hacia adelante, una fuente de humo y llamas saltó hacia lo alto, enroscada en sí misma, en negro y anaranjado brillante, y obligó a los Sopwith a ladearse abruptamente para esquivar su feroz columna. Un proyectil alemán, lanzado desde uno de los globos, había alcanzado un depósito de municiones de los Aliados. Michael sintió que su miedo y su resentimiento cedían paso a un odio ardiente contra los artilleros y los hombres que pendían del cielo, con ojos de buitres, proclamando la muerte con fría calma.

Andrew volvió hacia los barrancos, dejando la alta columna de humo a la derecha, y bajó más y más, hasta que su panza rozó los parapetos cubiertos con bolsas de arena, hasta que vieron a las tropas sudafricanas avanzando en fila a lo largo de las trincheras de comunicación, como rojizas bestias de carga, no del todo humanas, trajinando bajo el peso de mochilas y equipo. Muy pocos de ellos se molestaron en levantar la mirada hacia las coloridas máquinas que tronaban en lo alto. Aquellos que lo hicieron tenían los rostros grises manchados de barro, la expresión opaca y los ojos indiferentes.

Hacia adelante se abría la boca de uno de los pasos bajos que dividían los barrancos. El paso estaba tapado por la niebla matinal. Impulsado por la brisa del amanecer, el banco ondulaba suavemente, como si la tierra estuviera haciendo el amor bajo un cobertor plateado.

Más adelante se oyó el tableteo de una ametralladora Vickers. Andrew estaba probando su arma. Michael se apartó un poco de la línea para disponer de lugar al frente y disparó una breve ráfaga. Las balas incendiarias, con punta de fósforo, describían lindos surcos blancos en el aire claro.

Michael volvió a ponerse detrás de Andrew y ambos se zambulleron en la niebla, entrando en una nueva dimensión de luz y sonidos apagados. La luz difusa tejía halos de arco iris en torno de ambos aviones. En las antiparras de Michael se condensó la humedad; él las levantó hasta la frente para mirar hacia adelante.

La tarde anterior, él y Andrew hicieron un cuidadoso reconocimiento de ese estrecho paso entre los barrancos, asegurándose de que no hubiera obstáculos ni obstrucciones, memorizando sus sueltas y sus giros por las tierras altas. Sin embargo, seguía siendo un pasaje peligroso, donde la visibilidad se reducía a menos de ciento ochenta metros y las cuestas blanquecinas se elevaban, empinadas, en la punta de cada ala.

Michael se aproximó a la cola verde y voló guiándose por ella, confiando en que Andrew sabría llevarlo; el frío helado de la neblina le corroía las ropas, entumeciéndole la punta de los dedos a pesar de los guantes de cuero.

Andrew se ladeó bruscamente. Michael, al seguirlo, divisó un alambre de púas, pardo de herrumbre y enredado como maleza bajo sus ruedas.

—Tierra de nadie —murmuró.

Y el frente alemán centelleó bajo ellos: una fugaz visión de parapetos, bajo los cuales se agazapaban hombres de uniforme gris, con feos cascos similares a cubos para carbón.

Segundos después salieron de la niebla a un mundo iluminado por los primeros rayos del sol, en un cielo que los deslumbró con su claridad. Michael comprendió entonces que habían logrado una sorpresa total. El banco de niebla los había ocultado a los observadores del globo, apagando el ruido de sus motores.

Directamente hacia adelante, el primer globo pendía suspenido en el cielo, quinientos metros por encima de ellos. Su cable de acero, fino como la hebra de una telaraña, lo ligaba a una fea grúa de vapor, medio enterrada en su emplazamiento, entre bolsas de arena. Parecía sumamente vulnerable hasta que la vista descendía hacia los campos, de apacible apariencia, abiertos por debajo del globo. Allí estaban las armas.

Los nidos de ametralladoras parecían los hoyuelos que las hormigas león abren en el suelo africano: diminutos, rodeados por bolsas de arena. En los breves segundos de que disponía no pudo contarlos; eran demasiados. En cambio distinguió los cañones antiaéreos, altos y desgarbados como jirafas en sus bases circulares, con los largos caños ya apuntados hacia arriba, listos para lanzar sus proyectiles a seis mil metros de altura.

Estaban esperando. Sabían que los aviones llegarían tarde o temprano, y estaban preparados. Michael comprendió que la neblina sólo les había dado pocos segundos de ventaja, pues veía que los artilleros corrían a sus armas. Uno de los largos cañones antiaéreos comenzó a moverse, girando en dirección a ellos. En el momento en que Michael empujaba con fuerza la palanca del cebador, llevándola al máximo pasa que el Sopwith diera un salto hacia adelante, vio una nube de vapor blanco que surgía de la grúa: la tripulación de tierra comenzaba, desesperadamente, a arriar el globo para ponerlo bajo el fuego protector de las armas. La centelleante esfera de seda se hundió velozmente hacia tierra.

Andrew alzó la nariz de su máquina y se lanzó hacia arriba.

Con el cebador bien abierto y el gran motor aullando a todo poder, Michael lo siguió, apuntando su ascenso a los cables que pendían entre la tierra y el globo, allí donde estaría el globo cuando él lo alcanzara: eran apenas ciento cincuenta metros por sobre la cabeza de los artilleros.

Andrew le llevaba cuatrocientos metros de ventaja y las armas aún no habían abierto fuego. En ese momento estaba en línea con el globo y apuntando. Michael oyó claramente el parloteo de su Vickers y vio los rastros fosfóricos de las balas incendiarias, que cruzaban el aire gélido del amanecer, uniendo al globo con el aparato verde por fugaces instantes. De inmediato, Andrew se ladeó hacia un costado; la punta de su ala rozó la seda henchida, meciéndola tranquilamente en la corriente de aire.

Le tocaba el turno a Michael. En el momento en que ponía el globo en su mira, los artilleros abrieron fuego. Oyó el estallido de la metralla; el Sopwith se meció peligrosamente en el tornado de disparos, pero las balas estaban preparadas para estallar demasiado lejos: reventaron en brillantes bolas de humo plateado a noventa o cien metros de distancia.

Los de las ametralladoras eran más exactos, pues él ofrecía un blanco perfecto. Michael sintió el fuerte impacto en el avión, y las balas se espesaron a su alrededor. Pateó la barra del timón de cola y, al mismo tiempo, manoteó en dirección opuesta a la palanca de mando, de modo de provocar un desplazamiento lateral capaz de hacer un nudo con las entrañas; así escapó por un momento a la lluvia de fuego, mientras apuntaba hacia el globo.

Éste pareció precipitarse hacia él; la seda tenía el brillo repulsivamente suave de una babosa. Vio a los dos observadores alemanes que se balanceaban en el cesto de mimbre, ambos envueltos en ropas para resistir al frío. Uno lo miraba con rostro pétreo; el rostro del otro estaba contraído de terror y furia; su grito de maldición o desafío se perdió en el estruendo de los motores y el tableteo de las ametralladoras.

Apenas fue necesario apuntar la Vickers, pues el globo llenaba todo su campo visual. Michael abrió el seguro y presionó la palanca de operación; la ametralladora martilleó, sacudiendo todo el aparato, y el humo del fósforo quemado por las balas incendiarias le voló a la cara, sofocándolo.

Como volaba en línea recta y en la horizontal, los artilleros de tierra volvieron a hallarlo y dispararon para reducir al Sopwith a añicos... pero Michael se mantenía, apretando timones alternados para menear ligeramente la nariz, dirigiendo las balas incendiarias hacia el globo como si estuviera manejando una manguera de riego.

—¡Arde! —gritó—. ¡Arde, maldito, arde!

El hidrógeno puro no es inflamable; debe mezclarse con oxígeno en proporciones de uno a dos para que se torne violentamente explosivo. El globo absorbió ese fuego sin efectos visibles.

—¡Arde! —aulló Michael.

Su mano crispada se cerró contra la manivela de la ametralladora, y las cápsulas de bronce descartadas fueron brotando como escupidas de la brecha. El hidrógeno debía estar escapando a chorros de los cien agujeros abiertos en la seda por él y por Andrew; el gas tenía que estar mezclándose con aire.

—¿Por qué no ardes?

Percibió la angustia y la desesperación en su propio grito enloquecido. Estaba sobre el globo; tenía que apartarse inmediatamente para evitar la colisión. Todo había sido en vano. En ese instante de fracaso supo que no renunciaría jamás. Supo que iba a estrellarse contra el globo, si era preciso.

Mientras lo pensaba, el globo le estalló en la cara. Pareció hincharse hasta centuplicar su tamaño, colmando el cielo y, al mismo tiempo, convirtiéndose en llamas. Fue un tremendo aliento de dragón, que lamió a Michael y al Sopwith, chamuscándole la piel de las mejillas, cegándolo, arrojando a hombre y máquina de un lado a otro, como si hubieran sido la hoja verde escapada de una fogata. Michael forcejó por recuperar el control, en tanto el Sopwith trataba de invertir su posición, a tumbos por el cielo. Logró dominarlo antes de que se estrellara contra la tierra y, mientras ascendía, miró hacia atrás.

El gas de hidrógeno se había consumido por completo en esa única bocanada demoníaca; el sudario de seda, vacío, ferozmente incendiado, se hundía, esparciéndose como un terrible paraguas sobre la cesta y su carga humana.

Uno de los observadores alemanes saltó limpiamente del habitáculo, cayó desde noventa metros, y desapareció abruptamente, sin ruido ni señales, en el pasto verde y corto de la pradera. El segundo observador permaneció dentro de la cesta, envuelto en nubes de seda incendiada.

En tierra, los artilleros escapaban del emplazamiento como insectos de nido invadido, pero la seda ardiente cayó con demasiada celeridad, atrapándolos en sus fieros pliegues. Michael no sintió pena por ninguno de ellos. En cambio se vio invadido por una salvaje sensación de triunfo, por una reacción primitiva ante su propio terror. Abrió la boca para lanzar su grito de guerra. En ese momento, una cápsula de metralla, disparada por uno de los cañones próximos al límite norte del sembrado, estalló por debajo del Sopwith.

Una vez más se vio lanzado hacia arriba. Unos fragmentos de acero, zumbantes, siseantes, desgarraron la panza del fuselaje. Mientras Michael trataba de dominar ese segundo tumbo, el suelo de la cabina se desgarró de punta a punta, dejándole ver la tierra allá abajo; un viento ártico aulló bajo su sobretodo, hinchando los pliegues.

Logró dominar la máquina, pero estaba muy dañada. Tenía algo suelto bajo el fuselaje, que golpeaba ante el viento; una de las alas parecía pesada; era preciso mantenerla arriba... pero al menos estaba, por fin, fuera del alcance de las ametralladoras.

En eso apareció Andrew, junto a la punta de su ala, y estiró el cuello para mirarlo en un gesto ansioso. Michael, sonriendo, lanzó una exclamación de triunfo. Andrew le estaba haciendo señas, como para llamarle la atención, y levantaba el pulgar en el gesto que significaba: "Volvemos a la base".

Michael miró a su alrededor. Mientras él trataba de recobrar el control, se habían alejado hacia el norte, muy dentro de territorio alemán. Volaron por sobre un cruce de rutas atestado de vehículos motorizados o de tracción animal, asustando a varias siluetas de uniforme gris, que corrieron a refugiarse en las zanjas. Michael, sin prestarles atención, giró en la cabina; a cinco kilómetros de distancia aún navegaba serenamente el segundo de los globos, por sobre los barrancos.

Michael hizo a Andrew una cortante señal de negativa y señaló el globo restante.

—No, continuemos el ataque.

El ademán de Andrew fue perentorio.

—¡Volvemos a la base! —Y señaló la máquina de Michael, pasándose un dedo por el cuello para indicar: —¡Peligro!

Michael miró por el agujero abierto entre sus pies. Ese golpeteo debía provenir de una de las ruedas de aterrizaje, que probablemente colgaba de los cables. Los agujeros perforados por las balas salpicaban las alas y el cuerpo del aparato; en la corriente de aire flameaban cintas sueltas de tela desgarrada, como las banderas de oración de los budistas. Pero el motor Le Rhône rugía furiosamente, aún a toda potencia, sin vacilaciones en su latido guerrero.

Andrew volvía a instarlo a regresar, pero Michael le respondió con un seco ademán: "¡Sígueme!", y lanzó el Sopwith sobre la punta de un ala, haciéndole describir un giro cerrado que puso en peligro su cuerpo dañado.

Michael estaba perdido en los arrebatos de la demencia guerrera, la salvaje pasión del implacable, en la cual el peligro de muerte o de herida grave no tiene importancia. Con la vista aguzada por una claridad antinatural, piloteaba el dañado Sopwith como si fuera una extensión de su propio cuerpo; era, en parte, golondrina que roza el agua para beber en pleno vuelo, por la ligereza con que rozaba los setos y tocaba el pasto crecido de los campos con su única rueda; en parte, halcón, por lo cruel de su mirada fija en tanto castigaba al globo que descendía con prudencia.

Habían visto, por supuesto, la feroz destrucción del primer globo, y estaban descendiendo. Estarían abajo antes de que Michael llegara a ese punto. Los artilleros, bien alertados, lo esperaban con los dedos en el gatillo. Sería un ataque a la altura del suelo, contra una posición preparada... pero aun en su ira suicida Michael no había perdido la astucia del cazador. Estaba utilizando cada ramita que pudiera ofrecerle escondrijo en ese acercamiento.

Delante de él se abría un camino estrecho; la hilera de álamos esbeltos y rectos que lo flanqueaba era la única señal distintiva en esa horrible planicie, por debajo del barranco. Michael utilizó la alameda, ladeándose bruscamente para volar en línea paralela a ella, para ocultarse del puesto del globo. Levantó la vista hacia el espejo fijo a la sección del ala, por sobre su cabeza. El Sopwith verde lo seguía tan de cerca que su hélice estaba casi rozando el timón de cola. Michael sonrió como un tiburón, tomó al Sopwith en sus manos y lo elevó por sobre la empalizada de álamo, tal como el cazador franquea una cerca a todo galope.

El puesto del globo estaba a trescientos metros de distancia, y el artefacto de seda acababa de llegar a tierra. Los artilleros estaban ayudando a los observadores para que bajaran de la cesta; de inmediato corrieron en grupo, para ponerse a cubierto en la trinchera más próxima. Los operadores de las ametralladoras, frustrados hasta ese momento por la hilera de álamos, contaban por fin con un buen blanco y abrieron fuego a la par.

Michael voló hacia un torrente de fuego que colmaba el aire a su alrededor. Los proyectiles absorbían el aire al pasar, haciéndole doler los oídos por la falta de presión. Los artilleros en los emplazamientos, volvieron la cara hacia él: eran pálidas burbujas tras los caños acortados que giraban para seguirlo; los destellos de cada mira parecían bellas luciérnagas. Sin embargo, el Sopwith se aproximaba a más de ciento cincuenta kilómetros por hora y sólo debía cubrir trescientos metros escasos. Ni siquiera el fuerte impacto de las balas contra el pesado bloque del motor logró distraer a Michael, en tanto alineaba las miras, con toques a la barra de timón.

El grupo de hombres que escapaba del globo a toda carrera estaba directamente hacia adelante, huyendo hacia la trinchera. Los dos observadores iban en el medio, lentos y torpes, aún tiesos por el frío de las alturas y cargados de ropa pesada. Michael los odió como hubiera podido odiar a una serpiente venenosa; bajó un poquito la nariz del Sopwith y tocó la palanca de disparo. El grupo voló como humo gris, desapareciendo en el pasto. De inmediato Michael elevó la mira de la Vickers.

El globo estaba amarrado a tierra; parecía la carpa de un circo. Él disparó; las balas, con sus estelas plateadas de humo fosfórico, se hundieron en la masa de seda sin efecto visible.

En la furia del guerrero implacable, el cerebro de Michael mantenía una claridad total de pensamiento, tan veloz que el tiempo parecía correr cada vez con mayor lentitud. Los microsegundos que tardó en arrimarse al monstruo de seda parecieron durar una eternidad, a tal punto que le era posible seguir el vuelo de cada bala disparada por su Vickers.

—¿Por qué no arde? —gritó una vez más.

Y entonces se le ocurrió la respuesta.

El átomo de hidrógeno es el de menor peso de todos. El gas, al escapar, se elevaba para mezclarse con oxígeno por encima del globo. Era obvio, entonces, que estaba disparando demasiado bajo. ¿Cómo no se había dado cuenta antes? Levantó al Sopwith sobre la cola, volcando su fuego hacia arriba, a través del flanco henchido del globo, más y más arriba, hasta disparar en el aire vacío, por sobre la seda... y el aire se convirtió súbitamente en llama. Cuando la gran exhalación de fuego rodó hacia él, Michael hizo que el Sopwith siguiera ascendiendo verticalmente y, de pronto, cerró el cebador. Al verse privado de potencia, el aparato pendió por un instante sobre su nariz; luego cayó. Michael pateó con fuerza la barra de timón, haciéndola girar del modo clásico, en tanto volvía a abrir el cebador; así salió disparado en dirección inversa, alejándose de la inmensa pira funeraria que había creado. Debajo de él se vio un destello verde: Andrew se ladeaba en un giro muy cerrado, casi chocando con la panza de Michael, para seguirlo.

Ya no había más disparos desde tierra. La súbita acrobacia de los dos atacantes y la rugiente columna de gas encendido distraían a los artilleros por completo. Michael volvió a dejarse caer tras la protección de los álamos. Todo había pasado y su furia se abatió, casi con la misma celeridad con que surgió. Entonces estudió los cielos, comprendiendo que las columnas de humo llamarían a los Albatros Jagdstaffels como otros tantos faros. Descontando el humo, el cielo estaba despejado; con un arrebato de alivio, buscó a Andrew, en tanto se ladeaba de costado a baja altura, por sobre los setos. Allá estaba, algo más arriba que Michael, dirigiéndose ya hacia los barrancos, pero describiendo un ángulo para interceptarlo.

Ambos se reunieron. Era extraño que se pudiera sentir tanto consuelo por ver a Andrew ala con ala, sonriéndole y sacudiendo la cabeza, como si desaprobara burlonamente su desobediencia y su ataque asesino.

Juntos volvieron a pasar a baja altura por sobre el frente alemán, despreciando los disparos que atraían. En el momento en que comenzaba a ascender para cruzar el barranco, el motor de Michael tartamudeó y perdió potencia.

Se dejó caer hacia la tierra alcalina; en eso el motor volvió a funcionar y dio impulso, elevándolo apenas a tiempo para pasar la cima, antes de volver a fallar. Andrew seguía junto a él, alentándolo con gestos... y la máquina volvió a rugir. Luego falló una vez más, en un *pop-pop-pop*.

Michael hacía lo posible, bombeando el cobertor, luchando con la instalación de contacto, en tanto susurraba al Sopwith herido:

—Vamos, querido, fuerza. Resiste, viejo. Ya estemos cerca de casa. Quiero ver a mi buen muchachito...

De pronto sintió que algo se rompía en el armazón: uno de los tirantes principales se había quebrado. Los controles quedaron blandos en sus manos y el aparato se hundió, enfermo de muerte.

—Aguanta —lo exhortaba Michael.

Pero entonces sintió el hedor penetrante de la gasolina; un goteo transparente brotaba de la caseta del motor, convirtiéndose en vapor blanco en la corriente de aire.

—Fuego. —Era la pesadilla del piloto, pero en Michael perduraban vestigios de furia que le hicieron murmurar, tozudo: —Vamos a casa, viejo. Aguanta un poco más.

Habían cruzado los barrancos. Hacia adelante había terreno llano y ya se distinguía el oscuro bosque en forma de T que marcaba la proximidad de la pista.

—Vamos, amiguito.

Allá abajo los hombres salían de las trincheras y se alineaban frente a los parapetos, agitando los brazos para saludar al dañado Sopwith, que farfullaba a poca altura, con una sola rueda colgando contra la panza.

Michael vio que lo llamaban, con las bocas bien abiertas. Habían oído la tormenta de disparos que anunciaba el ataque y visto las grandes bolas de hidrógeno ardiendo más allá de los riscos. Sabían que, por un tiempo, cesaría el tormento de los cañones. Por eso vitoreaban a los pilotos en su regreso, gritando hasta quedar roncos.

Michael los dejó atrás, pero esa gratitud le había levantado el ánimo; allá adelante tenía las señales familiares: la cúpula de la iglesia, el techo rosado del *château*, la pequeña colina.

—Vamos a llegar, amiguito —anunció al Sopwith.

Pero bajo la caja del motor, un cable colgante tocó el metal; una chispa azul, diminuta, cruzó el vacío. Se produjo la bocanada de la combustión explosiva y la estela blanca de vapor se convirtió en llamarada. El calor inundó la cabina abierta; Michael, instintivamente, puso al Sopwith en otro deslizamiento lateral, para que las llamas surgieran oblicuamente, lejos de su cara, sin impedirle la visión.

Debía aterrizar, en cualquier parte, de cualquier modo, pero pronto, muy pronto, antes de que se quemara vivo. Se lanzó en picada hacia el campo abierto ante él. Su sobretodo ardía también.

Llevó al Sopwith hasta tierra, manteniendo la nariz en alto para quitarle velocidad. De todos modos, el aparato aterrizó con una fuerza que le hizo entrechocar los dientes. De inmediato giró sobre la única rueda y cayó a los tumbos, perdiendo un ala, hasta estrellarse contra el seto que bordeaba el sembrado.

Michael se golpeó la cabeza contra el borde de la cabina y quedó aturdido. Pero por todos lados saltaban llamas que lo obligaron a salir de allí a duras penas; cayó sobre el ala rota y rodó hasta el suelo cenagoso. Sobre manos y rodillas, se arrastró desesperadamente para alejarse de los restos incendiados. La lana del sobretodo ardió con más fuerza, y el calor lo instó a levantarse con un alarido. Desgarró los botones, tratando de liberarse de ese tormento, y corrió, agitando locamente los brazos, con lo cual las llamas se tornaron más potentes.

El rugido del incendio no le permitió oír el galope de un caballo.

La muchacha puso el gran potro blanco ante el cerco. Ambos lo franquearon como al vuelo. En cuanto caballo y amazona recuperaron el equilibrio, se lanzaron hacia la silueta en llamas que aullaba en medio del sembrado. La joven liberó su pierna de la montura lateral y, en tanto se acercaba a Michael por detrás, sofrenó al semental para arrojarse desde su lomo.

Aterrizó con todo su peso entre los omóplatos de Michael, rodeándole el cuello con ambos brazos, con lo que lo arrojó de bruces al suelo, despatarrado. De inmediato se levantó y quitó velozmente de su cintura la gruesa falda de gabardina que componía su traje de amazona, para tenderla sobre el cuerpo en llamas. Luego cayó de rodillas junto a él y lo envolvió fuertemente con la falda, apagando con las manos descubiertas los pequeños tentáculos de fuego que aún escapaban en derredor.

En cuanto las llamas quedaron sofocadas, apartó la falda y ayudó a Michael a sentarse en el suelo cenagoso. Sus dedos veloces desabotonaron el sobretodo humeante y se lo quitaron de los hombros, arrojándolo a un lado. También le quitó los suéteres; había sólo un sitio en donde las llamas le habían llegado a la carne: en el hombro, descendiendo por el brazo. Cuando ella trató de quitarle la camisa interior, Michael lanzó un grito de dolor.

—¡Por el amor de Dios!

La camisa de algodón se había pegado a las quemaduras.

La muchacha se inclinó sobre él y, tomando la tela entre los dientes, tironeó hasta desgarrarla un poco; luego continuó haciéndolo con las manos. Entonces cambió de expresión.

—*Mon Dieu!* —exclamó, levantándose de un brinco.

Y apagó a pisotones la lana que aún ardía en el sobretodo.

Michael la miraba fijamente; el tormento del brazo quemado iba cediendo. Quitada la falda larga, la muchacha sólo estaba cubierta hasta la parte alta de los muslos por la chaqueta de montar. Iba calzada con botas de cuero negro, abrochadas al costado. Tenía las rodillas desnudas, y la piel era lisa e impecable como el interior de una caracola; en cambio, tenía las rótulas embarradas por haberse arrodillado al ayudarlo. Por sobre las rodillas la cubría una combinación de camisa y bragas de tela fina, que dejaba traslucir claramente el brillo de su piel. Las perneras de las bragas se sujetaban en el muslo con cintas rosadas, adhiriéndose a las piernas y a la parte inferior del cuerpo como si estuviera desnuda. No: las líneas veladas a medias eran aun más tentadoras de lo que hubiera sido la carne desnuda.

Michael sintió que se le hinchaba la garganta; no podía respirar. Cuando ella se inclinó para recoger el sobretodo chamuscado, tuvo una visión de nalgas pequeñas y firmes, redondas como huevos de avestruz, que relumbraban pálidamente a la luz de la mañana. Miró con tanta fijeza que le lagrimearon los ojos. Al girar ella, vio en la horquilla formada por sus muslos duros y firmes una sombra triangular, oscura, bajo la seda fina. Y ella le puso esa sombra hipnótica a quince centímetros de la nariz, para tenderle suavemente el sobretodo sobre los hombros quemados, murmurándole algo en el tono que las madres usan para calmar a los niños lastimados.

Michael sólo captó las palabras *froid y brûlé*. Ella estaba tan cerca que hasta la podía olfatear; despedía el olor natural de una mujer joven y saludable, sudorosa por el esfuerzo de una buena cabalgata, mezclado con un perfume parecido al de las rosas marchitas. Michael trató de darle las gracias, pero estaba temblando de dolor y espanto. Movió los labios y emitió un balbuceo incomprensible.

—*Mon pauvre* —lo arrulló la muchacha, dando un paso atrás.

Su voz sonaba ronca de preocupación. Tenía el rostro de un duende, con enormes ojos celtas, oscuros. Michael se preguntó si tendría las orejas en punta, pero se las ocultaba la mata de pelo negro, enmarañado por el viento, abultado en densos rizos elásticos. La sangre celta teñía su piel del color del marfil antiguo, y sus cejas eran gruesas y oscuras como su cabellera.

Comenzó a hablar otra vez, pero él, sin poder evitarlo, volvió a echar un vistazo hacia aquella pequeña sombra inquietante bajo la seda. La joven vio el movimiento de sus ojos y las mejillas se le encendieron de rosa oscuro, en tanto levantaba bruscamente su falda embarrada para envolverla en su cintura. Y Michael se sintió más dolorido por el bochorno que por las quemaduras.

El rugido del Sopwith verde, allá arriba, les dio a ambos un respiro; los dos levantaron la mirada, agradecidos, en tanto Andrew describía círculos por sobre el sembrado. Michael, dolorosamente, inseguro, se puso de pie, en tanto la muchacha se acomodaba la falda, y levantó un brazo en señal de saludo. Vio que Andrew alzaba la mano, haciéndole la venia con alivio; de inmediato, el Sopwith voló en un círculo y volvió en línea recta, a no más de quince metros de altura... y la bufanda verde, con algo atado en un extremo, cayó flameando hasta hundirse en el lodo, a pocos metros de distancia.

La muchacha corrió a buscarlo y se lo trajo a Michael. Él desató la punta de la bufanda y sonrió de costado: contenía la petaca de plata. Desenroscó la tapa y levantó el recipiente hacia el cielo. Vio el destello de los dientes blancos de su amigo en la cabina abierta y la mano enguantada que lo saludaba. Luego, Andrew se alejó hacia el aeropuerto.

Michael se llevó la petaca a los labios y tragó dos veces. Los ojos se le nublaron de lágrimas; ese líquido celestial le bajó por la garganta, quemante, haciéndolo toser. Cuando bajó el recipiente, la muchacha lo estaba observando. Él le ofreció la petaca.

Ella sacudió la cabeza, preguntando, con toda seriedad:

—*Anglais?*

—*Oui... non... Sud-Africain.* —Le temblaba la voz.

—*Ah, vous parlez français!* —La muchacha sonrió por primera vez; era un fenómeno casi tan abrumador como su perlado traserito.

—*À peine* —apenas, negó él, rápidamente, para frenar el torrente de voluble francés que (lo sabía por experiencia) le hubiera acarreado una afirmativa.

—Tiene sangre.

El inglés de esa muchacha era espantoso; él sólo comprendió lo que había querido decir cuando ella le señaló la cabeza. Levantó la mano libre para tocar el hilo de sangre que había escapado por debajo del casco e inspeccionó sus dedos manchados.

—Sí —admitió—, me temo que mucha.

El casco lo había salvado de una herida seria al golpearse la cabeza contra el costado de la cabina.

—*Pardon?* —preguntó ella, confundida.

—*J'en ai beaucoup* —tradujo él.

—Ah, sí que habla francés. —Palmoteó en un gesto de deleite encantador, infantil, y lo tomó del brazo con aire de propiedad. —Venga —ordenó.

Llamó con un chasquido de los dedos al potro, que estaba pastando y fingió no oír.

—*Viens ici tout de suite, Nuage!* —exclamó ella, golpeando el suelo con un pie—. ¡Ven aquí inmediatamente, Nube!

El potro tomó otro bocado de pasto para dejar demostrada su independencia y luego se acercó tranquilamente.

—Por favor —pidió ella.

Michael formó un estribo con las manos entrecruzadas para subirla a la montura. La muchacha era muy liviana y ágil.

—Suba.

Con ayuda de ella, Michael se instaló en la amplia grupa del caballo; la joven tomó una de las manos de su compañero y se la puso en la cintura. Bajo los dedos, su carne era firme; se sentía su calor a través del paño.

—*Tenez!* ¡Sujétese! —fue la nueva indicación.

Y el potro se alejó al trote largo hacia el portón abierto en un extremo del sembrado, el más próximo al *château.*

Michael se volvió a mirar las ruinas humeantes de su Sopwith. Sólo quedaba el bloque del motor; la madera y la lona se habían consumido. La destrucción le hizo sentir una sombra de profunda pena: habían cubierto juntos un trayecto muy largo.

—¿Cómo se llama? —preguntó la muchacha, por sobre el hombro.

—*Michel. Michel* Courtney.

—*Michel* Courtney —repitió ella, experimentando. Y luego: —Yo soy la señorita Centaine de Thiry.

—*Enchanté, mademoiselle.* —Michael se detuvo a componer otra gema de la conversación, en un laborioso francés escolar. —Centaine es un nombre extraño —dijo. Y sintió que ella se ponía rígida bajo su mano. Al traducir directamente del inglés, había empleado la palabra *drôle,* cómico, en vez de extraño. Se apresuró a corregir: —Un nombre excepcional.

De pronto lamentó no haberse aplicado más vigorosamente a ese idioma; aturdido y abrumado como estaba, tenía que concentrarse mucho para seguir las rápidas explicaciones de la muchacha.

—Nací un minuto después de medianoche, el primero de enero de 1900.

Conque tenía diecisiete años y tres meses; rayaba en el umbral de la edad en que se la podía considerar mujer. En eso recordó que su madre lo había dado a luz teniendo apenas diecisiete años. La idea lo alegró tanto que tomó otro apresurado sorbo de la petaca arrojada por Andrew.

—¡Usted es mi salvadora!

Quiso decirlo en tono ligero, pero sonaba torpe. Se quedó esperando que ella soltara una carcajada burlona, pero la muchacha asintió, muy seria. El sentimiento estaba de acuerdo con las emociones rápidamente desarrolladas en ella.

Su animal favorito, aparte de Nuage, el semental, había sido un cachorro mestizo y flaco, encontrado en la zanja, manchado de sangre y temblando. Ella lo había curado y amado hasta que, un mes atrás, había muerto bajo las ruedas de un camión del ejército, de los que avanzaban hacia el frente. Su muerte dejaba un vacío doloroso en su existencia. Michael estaba muy delgado; parecía casi muerto de hambre bajo esas ropas chamuscadas y lodosas; además, aparte de sus heridas físicas, ella sentía el abuso al que ese hombre estaba sujeto. Sus ojos lucían un azul maravillosamente claro, pero en ellos se leía un sufrimiento terrible. También se estremecía, temblando tal como su pequeño mestizo.

—Sí —dijo, con firmeza—. Yo lo voy a cuidar.

El *château* era más grande de lo que parecía desde el aire, pero mucho menos bello. Casi todas las ventanas estaban rotas y cerradas con tablas. Las paredes mostraban las huellas de los disparos, pero los cráteres dejados por los proyectiles en el prado se habían llenado de pasto. En el otoño anterior, la lucha había llegado hasta donde la artillería podía afectar la propiedad, antes de que un último impulso de los Aliados rechazara a los alemanes hasta detrás de los riscos.

La casona tenía un aspecto triste y descuidado; Centaine se disculpó:

—El ejército se ha llevado a todos nuestros peones; casi todas las mujeres y todos los niños han huido a París o a Amiens. Sólo quedamos tres. —Se irguió en la silla de montar para llamar ásperamente, en otro idioma: —¡Anna! ¡Ven a ver lo que he encontrado!

La mujer que salió de la huerta sembrada tras las cocinas era baja y maciza, con lomo de percherón y enormes pechos informes bajo la blusa manchada. Su grueso pelo negro, veteado de gris, estaba recogido en un rodete sobre la coronilla; la cara era roja y redonda como un rabanito; los brazos, desnudos hasta los codos, gruesos y musculosos como los de un hombre, debajo del barro que los cubría.

—¿Qué pasa, *Kleinjie*, pequeña?

—He rescatado a un gallardo piloto inglés, pero está muy herido...

—A mí me parece que está muy bien.

—¡Anna, no seas gallina vieja! Ven a ayudarme. Tenemos que llevarlo a la cocina.

Michael, atónito, descubrió que entendía, palabra por palabra, la discusión entre ambas.

—No voy a permitir que ningún soldado entre en la casa. ¡Ya lo sabes, *Kleinjie*! No quiero a ningún gato de albañal en la misma casa que mi gatito...

—No es un soldado, Anna. Es un piloto.

—Y probablemente tan sinvergüenza como cualquier gato de albañal...

La mujer había empleado la palabra *firs*. Centaine le espetó:

—Eres una vieja asquerosa. Ahora ven a ayudarme.

Anna miró a Michael con mucha cautela. Por fin reconoció, a desgano:

—Tiene lindos ojos, pero aun así no confío en él. Oh, está bien, pero si llega a...

—*Mevrou* —intervino Michael, hablando por primera vez—, su virtud está a salvo conmigo; le doy mi solemne palabra. Por arrebatadora que sea, me voy a dominar.

Centaine giró en redondo en la silla para mirarlo fijamente. Anna retrocedió, espantada, para acabar soltando un bufido de placer.

—¡Habla flamenco!

—¡Usted habla flamenco! —repitió Centaine.

—No es flamenco —corrigió él—. Es *afrikaans*, el holandés de Sudáfrica.

—Es flamenco —dijo Anna, adelantándose—. Y cualquier persona que hable flamenco será bienvenida a esta casa.

Y alargó una mano hacia Michael.

—Con cuidado —dijo Centaine, preocupada—. El hombro...

Se deslizó a tierra y, entre las dos, ayudaron a Michael a desmontar para conducirlo hasta la puerta de la cocina.

En esa cocina hubieran podido trabajar doce *chefs*, preparando un banquete para quinientos invitados, pero sólo había un pequeño fuego de leña ardiendo en uno de los fogones. Las mujeres sentaron a Michael en un banquillo, frente a esa hoguera.

—Trae un poco de tu famoso ungüento —ordenó Centaine.

Anna salió apresuradamente.

—¿Ustedes son flamencas? —pregunté Michael, encantado de que hubiera desaparecido la barrera idiomática.

—No, no. —Centaine, con un enorme par de pinzas, estaba retirando de las quemaduras los restos chamuscados de la camisa. —Anna es del norte. Cuando mi madre murió, ella era mi niñera. Ahora cree que es mi madre y no sólo una criada. Ella me enseñó ese idioma desde la cuna. Pero usted, ¿dónde lo aprendió?

—Allí de donde vengo lo habla todo el mundo.

—Me alegro —replicó ella.

Y Michael no pudo saber con certeza qué había querido decir, pues tenía los ojos fijos en su tarea.

—La busco a usted todas las mañanas —comentó él, suavemente—. Todos la buscamos cuando salimos a volar.

Centaine no dijo nada, pero él vio que las mejillas volvían a tomar ese adorable rosado oscuro.

—La llamamos nuestro ángel de la buena suerte, *L'ange du bonheur*.

Ella se echó a reír.

—Yo lo llamo *le petit jaune*, el pequeño amarillo —respondió. Por el Sopwith amarillo; Michael sintió un arrebato de júbilo. Ella lo identificaba entre todos. —Siempre los espero a todos cuando salen. Cuento a mis pollos. Pero con mucha frecuencia no regresan, sobre todo los nuevos. Entonces lloro por ellos y rezo. Pero usted y el verde siempre vuelven, y entonces me alegro.

—Qué bondadosa es —comenzó a decir Michael.

Pero Anna irrumpió desde la despensa, trayendo un frasco que olía a trementina. Eso quebró el clima.

—¿Donde está papá? —preguntó Centaine.

—En el sótano, atendiendo a los animales.

—Tenemos que tener a los animales en los sótanos —explicó Centaine, mientras se acercaba al tope de la escalera de piedra—. De lo contrario, los soldados nos roban los pollos, los gansos y hasta las vacas lechera. He tenido que pelear para quedarme con Nuage, siquiera. —Y chilló, hacia abajo: —¡Papá! ¿Dónde estás?

Desde abajo llegó una respuesta apagada. La muchacha volvió a gritar:

—¡Necesitamos una botella de coñac! —Luego su tono se tornó severo. —Sin abrir, papá. No es para un caso de sociabilidad, sino para usarlo como medicina. No es para ti, sino para un paciente que tenemos aquí.

Arrojó un manojo de llaves por la escalera. Minutos después se oyó un paso pesado y entró en la cocina un hombre corpulento, desaliñado, de vientre gordo, que llevaba una botella de coñac contra el pecho como si se tratara de un bebé. Tenía la misma mata de pelo rizado que Centaine, pero entretejida con vetas grises y caída sobre la frente. Sus bigotes eran enormes; la cera de abejas los convertía en unos picos impresionantes. Clavó en Michael un solo ojo oscuro y centelleante. El otro estaba cubierto por un parche negro.

—¿Quién es éste? —preguntó.

—Un piloto inglés.

El ceño se distendió enseguida.

—Un colega guerrero. Un camarada de armas. ¡Otro destructor de los malditos boches!

—Hace más de cuarenta años que usted no destruye a ningún boche —le recordó Anna, sin apartar la vista de las quemaduras de Michael.

Pero el hombre, sin prestarle atención, avanzó hacia Michael, abriendo los brazos como un oso.

—Cuidado, papá. Está herido.

—¡Herido! —gritó papá—. ¡Coñac!

Como si las dos palabras estuvieran vinculadas entre sí. Sacó dos grandes vasos y los puso sobre la mesa de la cocina. Les echó un aliento decididamente perfumado de ajo, los limpió con sus faldones y rompió la cera roja que cubría el cuello de la botella.

—No eres tú el herido, papá —le dijo Centaine, severamente, viendo que llenaba ambos vasos hasta los bordes.

—No voy a insultar a un hombre de tan obvio coraje pidiéndole que beba solo —replicó el padre, alcanzando un vaso a Michael.

—El conde Louis de Thiry, a su servicio, Monsieur.

—El capitán Michael Courtney, del Cuerpo Real de Vuelo.

—*À votre santé, capitaine!*

—*À la vôtre, Monsieur le Comte!*

El conde bebió sin disimular su deleite; luego, con un suspiro, se enjugó los magníficos bigotes oscuros con el dorso de la mano y dijo, dirigiéndose a Anna.

—Siga con el tratamiento, mujer.

—Esto va a arder —advirtió la criada.

Por un momento, Michael pensó que se refería al coñac, pero ella tomó un puñado del ungüento y lo plantó sobre las quemaduras abiertas. Michael dejó escapar un quejido de angustia y trató de levantarse, pero Anna lo retuvo en el asiento con una manaza roja, curtida por el trabajo.

—Véndalo —ordenó a Centaine.

Mientras la muchacha aplicaba el vendaje, el tormento se fue convirtiendo en un calor reconfortante.

—Duele mucho menos —reconoció Michael.

—Por supuesto —replicó Anna, tranquilamente—. Mi ungüento es famoso para todo, desde la varicela a las almorranas.

—Y también mi coñac —murmuró el conde, mientras volvía a llenar ambos vasos.

Centaine se acercó al cesto de la ropa que estaba sobre la mesa de la cocina y volvió con una de las camisas del conde, recién planchadas. Contra las protestas de su padre, ayudó a Michael a ponérsela. Luego armó un cabestrillo para el brazo herido. En ese momento se oyó, ante las ventanas de la cocina, el ajetreado matraqueo de un motor, y Michael divisó una silueta familiar, en una motocicleta igualmente conocida, que se detenía en una llovizna de grava.

El motor, entre escupidas e hipos, quedó en silencio. Una voz llamó:

—Michael, muchacho, ¿dónde estás?

La puerta se abrió de par en par, dando paso a Lord Andrew Killigerran, con su gorra escocesa, seguido de cerca por un joven oficial que llevaba el uniforme del cuerpo médico.

—Estabas aquí, gracias a Dios. No te asustes. Te traje un matasanos... —Andrew acercó al médico a tirones hasta el banquillo de Michael. De pronto dijo, con un dejo de fastidio en la voz aliviada. —Pero pareces estar arreglándotelas muy bien sin nosotros, para qué negarlo. Asalté el hospital de la zona, secuestré a este médico a punta de pistola y salí volando, con el corazón en la boca por ti. Y aquí te encuentro, con un vaso en la mano y...

Andrew se interrumpió, viendo a Centaine por primera vez, y olvidó por completo el estado de su amigo para quitarse bruscamente la gorra.

—¡Era verdad! —declaró, en francés perfecto y sonoro, arrastrando las erres de modo auténticamente galo—. ¡Es cierto que hay ángeles sobre la tierra!

—Ve a tu cuarto inmediatamente, niña —saltó Anna, con la cara fruncida como la de esos temibles dragones tallados que custodian la entrada de los templos chinos.

—No soy una niña. —Centaine le clavó una mirada igualmente feroz y se volvió hacia Andrew. —¿Por qué le dice "muchacho"? ¡Usted es mucho mayor que él!

—Porque es escocés —explicó Michael, ya atacado de celos—, y los escoceses son todos locos. Además, tiene esposa y cuatro hijos.

—Ésa es una sucia mentira —protestó Andrew—. Hijos sí, lo admito, pobrecitos. Pero esposa no, definitivamente no tengo esposa.

—*Écossais* —murmuró el conde—. Grandes guerreros y grandes bebedores. —Luego, en pasable inglés: —¿Puedo ofrecerle un coñac, Monsieur?

Estaban cayendo en una mezcla de idiomas. Pasaban de uno a otro en medio de cualquier frase.

—¿Quiere alguien presentarme a este parangón entre los hombres, para que pueda aceptar su generoso ofrecimiento?

—*Le comte de Thiry*, tengo el honor de presentarle a Lord Andrew Killigerran. —Michael los unió con un gesto y ellos se estrecharon la mano.

—*Tiens!* ¡Un verdadero lord inglés!

—Escocés, querido amigo. Hay una gran diferencia. —Saludó al conde con el vaso en alto. —Encantado, sin duda. Y esta hermosa señorita es su hija. El parecido… hermosa…

—Centaine —intervino Anna—, lleva tu caballo al establo y atiéndelo.

Centaine, sin prestarle atención, sonrió a Andrew. La sonrisa interrumpió hasta las bravatas de Michael, porque la transformaba.

—Creo que debo echar un vistazo a nuestro paciente.

Fue el médico del ejército quien quebró el hechizo, al adelantarse para retirar los vendajes de Michael. Anna, al comprender el gesto, aunque no las palabras, se interpuso con toda su mole.

—Dígale que si toca mi obra le rompo el brazo.

—Temo que sus servicios ya no hacen falta —tradujo Michael, en beneficio del joven médico.

—Tome un poco de coñac —lo consoló Andrew—. No es malo, nada malo.

—¿Usted es terrateniente, milord? —preguntó el conde a Andrew con sutileza—. ¿Por supuesto?

—*Bien sûr…* —Andrew hizo un gesto expansivo que representaba miles de hectáreas y, al mismo tiempo, puso el vaso al alcance del conde, que estaba llenando un vaso al médico. Mientras el anfitrión volvía a llenárselo, el piloto repitió: —Por supuesto, las propiedades de la familia… ¿comprende usted?

—Ah. —El único ojo del conde centelleó al echar un vistazo a su hija. —¿Y su difunta esposa le ha dejado cuatro hijos?

Por lo visto no había comprendido con mucha claridad el diálogo anterior.

—No tengo hijos ni esposa. Mi alegre amigo —explicó Andrew, señalando a Michael— gusta de hacer bromas. Bromas inglesas muy malas.

—¡Ja, bromas inglesas!

El conde bramaba de risa. Hubiera dado una palmada contra el hombro de Michael, si Centaine no se hubiera apurado a protegerlo del golpe.

—Ten cuidado, papá. Está herido.

—Se quedan todos a almorzar, por supuesto —declaró el

conde—. Verá usted, milord, mi hija es una de las mejores cocineras de la provincia.

—Con un poquito de ayuda —murmuró Anna, disgustada.

—Me parece que debería volver al hospital —murmuró el joven médico, tímidamente—. Me siento inútil aquí.

—Estamos invitados a almorzar —le indicó Andrew—. Tome coñac.

—Bien podría. —El médico sucumbió sin protestar.

Entonces el conde anunció:

—Es necesario descender a la bodega.

—Papá… —comenzó Centaine, amenazadora.

—¡Tenemos invitados! —El conde mostró la botella de coñac, ya vacía, y ella se encogió de hombros.

—Milord, ¿me ayudará usted a seleccionar bebidas adecuadas?

—Es un honor, *Monsieur le Comte*.

Bajo la mirada de Centaine, los dos bajaron del brazo por la escalera de piedra. En los ojos de la muchacha había una expresión pensativa.

—Es *drôle*, su amigo… y muy leal. Fíjese cómo ha corrido en su auxilio, y cómo ha conquistado a mi papá.

A Michael le sorprendió la creciente antipatía que le inspiraba Andrew en ese momento.

—Olfateó el coñac —murmuró—. Sólo por eso vino.

—Pero, ¿y los cuatro hijos? —inquirió Anna—. ¿Y la madre? Le costaba tanto como al conde seguir la conversación.

—Cuatro madres diferentes —explicó el piloto—. Cuatro hijos de cuatro madres diferentes.

—¡Es un polígamo! —chilló Anna, henchida de espanto y afrenta.

—No, no —la tranquilizó Michael—. Ya ha oído que él lo negó. Es hombre de honor, incapaz de hacer semejante cosa. No está casado con ninguna de ellas.

Michael mentía sin ningún reparo. Necesitaba tener un aliado dentro de la familia, pero en ese momento la pareja feliz volvió de las bodegas cargada de botellas.

—Es la caverna de Alí Babá —se regocijó Andrew—. El conde la tiene llena de buen material. —Dejó cinco o seis botellas sobre la mesa de la cocina, frente a Michael. —¡Fíjate en esto! Treinta años de añejamiento, cuanto menos. —Entonces miró a su amigo con más atención. —Se te ve horrible, muchacho. Pareces un muerto resucitado.

—Gracias, muy amable —sonrió Michael, débilmente.

—La preocupación lógica entre hermanos... —Andrew forcejeaba para descorchar una de las botellas. Su voz se redujo a un susurro conspiratorio. —¡Por Dios, qué bocado! —Echó un vistazo al otro extremo de la cocina, donde las mujeres estaban ocupadas junto a la gran cacerola de cobre. —Me gustaría echarle mano.

La antipatía que Andrew inspiraba a Michael se convirtió en odio declarado.

—Ese comentario me resulta absolutamente repulsivo —dijo—. Mira que hablar así de una muchacha tan inocente, tan buena, tan... ta... —Michael tartamudeó hasta quedar en silencio.

Andrew volvió la cabeza para mirarlo, extrañado.

—Michael, muchacho, aquí no se trata sólo de unas cuantas quemaduras y magullones, sino de algo más grave. Hará falta una terapia intensiva. —Llenó un vaso. —Para comenzar, prescribo una dosis liberal de este excelente clarete.

A la cabecera de la mesa, el conde había descorchado otra botella para llenar el vaso del médico.

—¡Un brindis! —gritó—. ¡Abajo los malditos boches!

—*A bas les boches!* —gritaron todos.

En cuanto bebieron por ese brindis, el conde apoyó una mano sobre el parche negro que le cubría el ojo faltante.

—Ellos me hicieron esto, en Sedan, en 1870. Me quitaron el ojo, pero lo pagaron caro, los demonios. *Sacré bleu*, ¡cómo peleamos! ¡Como tigres! ¡Tigres, éramos!

—Gatos de albañal —corrigió Anna, desde el otro lado de la cocina.

—Tú no sabes nada de batallas ni de guerra. Estos valientes jóvenes sí, ellos entienden. ¡Brindo por ellos! —Y lo hizo, copiosamente, para luego preguntar: —Bueno, ¿dónde está la comida?

Era un sabroso *ragoût* de jamón, salchichas y huesos de caracú. Anna llevó unos platos hondos, humeantes, desde la cocina, mientras Centaine amontonaba pequeñas hogazas de pan fresco sobre la mesa desnuda.

—Ahora digan, ¿cómo anda la batalla? —preguntó el conde, mientras partía un poco de pan para sumergirlo en su plato—. ¿Cuándo termina esta guerra?

—No arruinemos tan buena comida —replicó Andrew, desechando la pregunta.

Pero el conde, con migas y salsa en el bigote, insistió:

—¿Qué se sabe de una nueva ofensiva aliada?

—Será en el oeste, otra vez en el río Somme. Es allí donde debemos quebrar las líneas alemanas.

Había sido Michael quien contestó, con tranquila autoridad. Casi de inmediato concentró la atención general. Hasta las dos mujeres se acercaron desde el fogón. Centaine ocupó el banco vecino al suyo, clavando en él los ojos serios, esforzándose por entender la conversación en inglés.

—Y usted, ¿cómo sabe todo eso? —interrumpió el conde.

—Porque el tío es general —explicó Andrew.

—¡General! —El anfitrión miró a Michael con renovado interés. —Centaine, ¿no ves que nuestro anfitrión tiene dificultades?

Mientras Anna gruñía, ceñuda, Centaine se inclinó hacia el plato de Michael para cortarle la carne en porciones fáciles de manejar.

—¡Siga! ¡Continúe! —urgió el dueño de casa a Michael—. ¿Y después?

—El general Haig girará hacia la derecha. Esta vez logrará atravesar la retaguardia alemana y hacerlos retroceder.

—¡Ja! ¡Conque aquí estamos a salvo!

El conde alargó la mano hacia la botella de clarete, tranquilizado, pero Michael sacudió la cabeza.

—Temo que no, al menos no del todo. Esta sección de la línea se halla carente de reservas; los frentes de regimiento están reducidos a la fuerza de un batallón. Todo aquello de lo que se puede prescindir está siendo llevado para participar en un nuevo ataque contra el Somme.

El conde puso cara de alarma.

—Eso es una estupidez criminal. Sin duda, los alemanes contraatacarán aquí para tratar de reducir la presión en el frente del Somme.

—¿Y la línea de aquí podrá resistir? —preguntó Centaine ansiosa.

Involuntariamente, levantó la mirada hacia las ventanas de la cocina. Desde allí se podían ver los barrancos, en el horizonte. Michael vaciló.

—Oh, no dudo que podremos retenerlos por tiempo suficiente, sobre todo si la batalla en el Somme resulta tan rápida y eficaz como esperamos. Entonces la presión sobre esta zona se aliviará prontamente, según las avanzadas aliadas barran la retaguardia alemana.

—Pero ¿y si la batalla se estanca y vuelve a ser pareja para ambos bandos? —preguntó la muchacha en flamenco, suavemente.

Para ser mujer, y dado su poco dominio del inglés, captaba bien las cosas esenciales. Michael consideró su pregunta con respeto y respondió, en *afrikaans*, como si estuviera hablando con otro hombre.

—En ese caso nos veremos muy presionados, sobre todo porque los alemanes cuentan con superioridad en el aire. Tal vez volvamos a perder los barrancos. —Hizo una pausa, con el entrecejo fruncido. —Tendremos que traer reservas rápidamente. Hasta es posible que nos veamos forzados a retroceder hasta Arras...

—¡Hasta Arras! —exclamó Centaine—. Eso significa que...

No concluyó. En cambio echó una mirada en derredor, como si ya se estuviera despidiendo de su hogar. Arras estaba muy lejos en dirección a la retaguardia. Michael asintió.

—Una vez que se inicie el ataque, ustedes se verán en un extremo peligro. Harían bien en evacuar el *château* y retroceder hasta Arras, quizás hasta París.

—¡Jamás! —gritó el conde, volviendo a hablar en francés—. ¡Un de Thiry no retrocede!

—Salvo en Sedan —murmuró Anna.

Pero el conde no se molestó en escuchar semejante comentario.

—Aquí estaré, en mis propias tierras. —Señaló el antiguo rifle *chassepot* que pendía en la pared de la cocina. —Allí está el arma que llevaba en Sedan. Los boches aprendieron a temerle. Y volverán a aprender esa lección. ¡Louis de Thiry les enseñará!

—¡Valor! —gritó Andrew—. Quiero brindar. ¡Por el valor francés y el triunfo de las armas francesas!

Naturalmente, el conde tuvo que retribuir con un brindis por "el general Haig y nuestros gallardos Aliados británicos".

—El capitán Courtney es sudafricano —apuntó Andrew—. Deberíamos brindar por ellos.

—¡Ah! —exclamó el conde en inglés, entusiasmado—. ¡Por el general...! ¿Cómo se llama su tío, el general? ¡Por el general Sean Courtney y sus valientes sudafricanos!

—Este caballero —observó Andrew, señalando al médico que, con ojos de búho, se balanceaba suavemente en el banco, a su lado— es oficial del Cuerpo Médico. ¡Un gran servicio, digno de un brindis!

—¡Por el Cuerpo Médico!

El conde había aceptado el desafío, pero al alargar la mano hacia su vaso los dedos se le estremecieron sin tocarlo. La superficie del vino rojo se agitó en pequeñas ondulaciones circulares, que lamieron el cristal. El conde quedó petrificado. Todas las cabezas se levantaron.

Los vidrios de las ventanas temblaban en los marcos. En eso se oyó otra vez el rumor de los cañones, desde el norte. Una vez más, las armas alemanas estaban atacando los barrancos, ladrando como perros salvajes. Mientras escuchaban, en silencio, todos imaginaron el tormento de los hombres refugiados en las trincheras lodosas, a pocos kilómetros de aquella cocina cálida, donde ellos se llenaban el estómago de buena comida y buen vino.

Andrew levantó el vaso, diciendo suavemente:

—Por aquellos pobres hombres que están en el barro.

Y esa vez hasta Centaine tomó un sorbo, del vaso de Michael; sus ojos se llenaron de lágrimas.

—Detesto comportarme como un aguafiestas —dijo el joven médico, mientras se levantaba con movimientos inseguros—, pero esa descarga de artillería es como el silbato de una fábrica, para mí. Creo que los carros de carnicería ya estarán en camino.

Michael trató de levantarse con él, pero tuvo que apoyarse apresuradamente en la mesa.

—Quisiera agradecerle, *Monsieur le Comte* —comenzó, formalmente—, por su gentileza... —La palabra se le enredó en la lengua y tuvo que repetirla, pero entonces perdió el hilo de su discurso. —Saludo a su hija, *Mademoiselle de Thiry, l'ange du bonheur...*

Se le doblaron las rodillas y cayó suavemente.

—¡Está herido! —gritó Centaine, levantándose de un salto para sostenerlo antes de que llegara al suelo, con uno de sus esbeltos hombros bajo la axila. —Ayúdenme —suplicó.

Andrew se adelantó, zigzagueante, para acudir en su auxilio. Entre ambos lo llevaron, medio a la rastra, por la puerta de la cocina.

—Con cuidado. Su pobre brazo... —Centaine jadeaba bajo el peso al levantar a Michael, para introducirlo en el *sidecar* de la motocicleta. —¡No le haga daño!

El piloto se acurrucó en el asiento acolchado, con una sonrisa beatífica en las facciones pálidas.

—¡Quédese tranquila, mademoiselle, que no sufre, el muy maldito! —aseguró Andrew, mientras se hacía cargo de los mandos.

—¡Espéreme! —gritó el médico.

Él y el conde, prestándose mutuo apoyo, descendieron los peldaños, en una involuntaria arremetida lateral.

—Suba —invitó Andrew.

Al tercer intento logró poner en marcha el Ariel, en un rugir de humo azul. El médico subió mientras el conde metía una de las dos botellas de clarete que llevaba en el bolsillo lateral de Andrew.

—Para el frío —explicó.

—Usted es un príncipe en esta tierra.

Andrew soltó el freno y el Ariel tomó la curva, chirriando.

—¡Cuide bien de Michael! —gritó Centaine.

—¡Mis repollos! —aulló Anna, al ver que el piloto cortaba camino por su huerta.

—*À bas les boches!* —bramó el conde.

Y bebió un último y subrepticio trago de la otra botella, antes de que Centaine pudiera confiscarla y quitarle de encima el peso de las llaves de la bodega.

Al final del largo camino que bajaba desde el *château,* Andrew frenó la motocicleta; luego, a ritmo más tranquilo, se unió a la patética procesión que venía desde los barrancos, por la cenagosa y maltratada ruta principal.

Los carros del carnicero, como se llamaba irreverentemente a las ambulancias, estaban muy cargados con los frutos del renovado bombardeo alemán. Avanzaban trabajosamente entre los charcos, con hileras de camillas en la parte posterior, sacudidas por cada tumbo del camino. La sangre de los heridos que ocupaban el nivel superior empapaba la lona y goteaba sobre los que iban debajo.

En los márgenes de la senda iban pequeños grupos de heridos en condiciones de caminar, ya sin fusiles, prestándose mutuo apoyo, con abultados vendajes de primeros auxilios atados en sus heridas; todos, con la cara pálida de sufrimiento y los ojos vacíos de toda expresión. Los uniformes estaban cubiertos de barro; en general, los movimientos eran mecánicos, como si ya nada les importara.

El médico, que empezaba a recobrar la sobriedad, bajó del pequeño asiento y seleccionó a los más graves de los heridos que iban caminando. Cargaron a dos de ellos en el asiento, uno a horcajadas sobre el tanque de nafta, frente a Andrew, y a otros tres en el *sidecar*, con Michael. El médico corría tras la sobrecargada Ariel, empujándola para que cruzara los hoyos de barro. Un kilómetro y medio más adelante cuando llegaron al hospital, frente a la entrada de la aldea de Mort Homme, estaba completamente sobrio. Ayudó a sus nuevos pacientes para que descendieran del *sidecar* y se volvió hacia Andrew.

—Gracias —dijo—. Ese descanso me hacía falta. —Echó un vistazo a Michael, que seguía desmayado en el *sidecar*. —Mírelo. No podemos seguir eternamente así.

—Michael está algo bebido, nada más.

Pero el médico sacudió la cabeza.

—Fatiga de batalla —dijo—. Neurosis de guerra. Todavía no lo entendemos bien, pero parece que existe un límite a lo que estos pobres diablos pueden soportar. ¿Cuánto tiempo lleva él volando sin descanso? ¿Tres meses?

—No le pasa nada —afirmó el compañero, con ferocidad—. Ya se le va a pasar.

Y puso una mano protectora sobre el hombro herido de

Michael, recordando que habían pasado seis meses desde su última licencia.

—Mírelo: tiene todos los síntomas. Flaco como si pasara hambre; se retuerce, tiembla. Y esos ojos... Apostaría a que muestra una conducta desequilibrada, ilógica; ¿alterna un humor sombrío con grandes entusiasmos? ¿Me equivoco?

Andrew asintió, a su pesar.

—Si ahora llama el enemigo "sabandija asquerosa" y ametralla a los sobrevivientes de algún avión alemán estrellado, dentro de un minuto dirá que son tipos gallardos y dignos de aprecio. La semana pasada dio una trompada a un piloto que recién se incorporaba, por tratarlos de hunos.

—¿Valentía sin miramientos?

Andrew recordó el episodio de los globos, esa mañana, pero no contestó.

—¿Qué se puede hacer? —preguntó, desalentado.

El médico se encogió de hombros, con un suspiro, y le tendió la mano.

—Adiós y buena suerte, mayor.

Mientras se alejaba ya iba quitándose la chaqueta y arremangándose la camisa.

A la entrada de la huerta, poco antes de llegar al campamento del escuadrón, Michael se incorporó súbitamente y, con la solemnidad del juez al pronunciar la sentencia de muerte, dijo:

—Voy a vomitar.

Andrew frenó la motocicleta junto a la ruta y le sostuvo la frente.

—Ese clarete excelente —se lamentó—. ¡Y ese coñac Napoleón! ¡Si hubiera algún modo de salvarlo!

Michael, después de vomitar ruidosamente, volvió a dejarse caer en el *sidecar* y anunció, con la misma solemnidad:

—Quiero que sepas que estoy enamorado.

La cabeza se le cayó hacia atrás y volvió a desmayarse.

Andrew, sentado en la Ariel, descorchó con los dientes la botella.

—Eso, definitivamente, merece un brindis. Bebamos por tu auténtico amor. —Y ofreció la botella a la silueta inconsciente. —¿No te interesa?

Bebió del pico, y al bajar la botella, se echó a sollozar, inexplicable, incontrolablemente. Trató de contener las lágrimas, pues no lloraba desde los seis años, y de pronto recordó las palabras del joven médico: "conducta desequilibrada e ilógica". El llanto lo abrumó. Le corrieron las lágrimas por las mejillas sin que tratara siquiera de enjugarlas. Sentado en el asiento de la motocicleta, se estremecía de silencioso dolor.

—Michael, muchacho —susurró—, ¿qué va a ser de nosotros? Estamos condenados; no tenemos esperanza, Michael; no hay esperanza para ninguno de nosotros.

Se cubrió la cara con ambas manos y sollozó como si se le partiera corazón.

Michael despertó ante el tintineo de la bandeja que Biggs estaba poniendo sobre su colchón. Trató de incorporarse, con un gruñido, pero las heridas volvieron a tumbarlo.

—¿Qué hora es, Biggs?

—Siete y media, señor, de una encantadora mañana primaveral.

—Biggs, por el amor de Dios… ¿por qué no me despertaste? Me perdí la patrulla del amanecer…

—No, no la perdimos, señor —murmuró Biggs, consolándolo—; nos quedamos en tierra.

—¿En tierra?

—Órdenes de Lord Killigerran; fuimos gravemente atacados por una botella de coñac, señor.

—Antes de eso estrellé a la vieja tortuga voladora —comentó Michael, que comenzaba a recordar.

—La desparramó por toda Francia, señor, como a manteca sobre una tostada.

—¡Pero se la dimos, Biggs, a los alemanes!

—A los dos globos, sí, señor.

—¿Supongo que se pagaron las apuestas, Biggs? ¿O perdiste tu dinero?

—Nos llenamos bien los bolsillos, gracias a usted, señor Michael. —Biggs tocó los otros artículos que acompañaban al cacao—. Aquí tiene su botín. —Había un buen fajo de billetes de una libra. —Tres a uno, señor, más su apuesta original.

—Tienes derecho al diez por ciento de la comisión, Biggs.
—Dios lo bendiga, señor.—Dos billetes desaparecieron en el bolsillo de Biggs, como por arte de magia.
—Bueno, Biggs, ¿qué otra cosa hay aquí?
—Cuatro Aspros, por gentileza de Lord Killigerran.
—Él salió a volar, por supuesto, ¿no? —Michael, agradecido, tragó las píldoras.
—Por supuesto, señor. Salieron al alba.
—¿Con quién va?
—Con el señor Banner, señor.
—Uno de los nuevos —caviló Michael, entristecido.
—A Lord Andrew no le pasará nada. No se preocupe, señor.
—Sí, por supuesto. ¿Y qué es esto? —inquirió el piloto, despabilándose.
—Las llaves de la motocicleta de Lord Killigerran, señor. Dice que usted debe llevar al conde sus *salaams*, sea eso lo que fuera, señor, y su tierna admiración a la señorita.
—Biggs... —Los Aspros habían hecho un milagro; de pronto, Michael se sintió ligero, libre de preocupaciones, alegre. Las heridas ya no le dolían; tampoco la cabeza. —Biggs, ¿podrías sacar mi uniforme de gala, lustrar un poco las botas y pulir las hebillas de bronce?
El criado le dedicó una cariñosa sonrisa.
—¿Conque vamos de visita, señor?
—Vamos, Biggs, en efecto.

Centaine despertó en la oscuridad, escuchando los cañones. La aterrorizaban. Jamás podría acostumbrarse a la tormenta bestial, insensata, que tan impersonalmente repartía muerte y daños indecibles. Recordó los meses del verano anterior en que, por un período breve, las baterías alemanas estuvieron cerca del *château*. Fue por entonces cuando abandonaron las plantas superiores de la casona para mudarse al piso inferior. Los criados habían huido mucho antes (todos menos Anna, por supuesto); la diminuta celda que Centaine ocupaba en ese momento había pertenecido a una de las mucamas.
Todo su modo de vida cambió dramáticamente desde que las olas de guerra se abatían sobre ellos. Aunque no eran adic-

tos al estilo grandioso que observaban otras familias de la provincia, siempre habían dado cenas y fiestas, contando con veinte criados para encargarse de todo. En ese momento llevaban una existencia casi tan simple como la de sus servidores antes de la guerra.

Centaine apartó sus malos pensamientos junto con los cobertores y corrió descalza por el estrecho pasillo. En la cocina estaba Anna, ya ante el fuego, alimentándolo con trozos de roble.

—Ya iba a despertarte con una jarra de agua fría —dijo, gruñona.

Centaine la abrazó y la llenó de besos hasta hacerla sonreír. Luego fue a calentarse ante la cocina. Anna virtió agua hirviendo en la vasija de cobre puesta en el suelo; luego agregó agua fría.

—Vamos, señorita —ordenó.

—Oh, Anna, ¿es forzoso?

—¡Muévete!

Centaine, a su pesar, se quitó el camisón por la cabeza y se estremeció; el frío le erizaba la piel de los antebrazos y del trasero redondo.

—Apúrate.

Se metió dentro de la tina, y Anna, arrodillada ante ella, sumergió una franela. Con movimientos metódicos y prácticos, enjabonó todo el cuerpo de Centaine, empezando por los hombros para bajar hasta los dedos de las manos. Aun así podía disimular el orgullo y el amor que suavizaban su cara fea.

Esa criatura estaba deliciosamente formada, aunque quizá los pechos y el trasero eran demasiado pequeños. Anna tenía esperanzas de engordarlos con una dieta rica en féculas, cuando fuera posible obtenerlas fácilmente otra vez. Su piel era suave, del color de la manteca, allí donde el sol no la tocaba; en cambio, en los sitios expuestos tendía a tomar un oscuro brillo de bronce que a Anna le parecía muy inapropiado.

—Tienes que ponerte guantes y mangas largas, este verano —la regañó.

—Apresúrate, Anna. —Centaine, estremecida, ocultó tras los brazos los pechos enjabonados.

Anna le levantó los brazos, de a uno por vez, para frotarle

las axilas. Las burbujas corrieron en largos trazos de encaje por los flancos delgados, donde se veía el ondular de las costillas.

—No seas tan brusca —se quejó la muchacha.

La antigua niñera le examinó críticamente los miembros; eran rectos y largos, aunque demasiado fuertes para una dama; demasiado montar a caballo, caminar y correr. Anna meneó la cabeza.

—¿Y ahora qué pasa? —protestó Centaine.

—Estás dura como un muchacho; tienes la panza demasiado musculosa para tener bebés —replicó Anna, deslizándole la franela por el cuerpo.

—¡Aay!

—Quédate quieta. ¿O prefieres oler como las cabras?

—Anna, ¿no te gustan los ojos azules?

La vieja niñera gruñó; sabía, instintivamente, hacia dónde se encaminaba la discusión.

—¿De qué color pueden ser los ojos de un bebé, si la madre los tiene castaños y el padre de un azul adorable, brillante?

Anna la azotó en el trasero con la franela.

—Basta ya con eso. A tu padre no le gustará esa conversación.

Centaine, sin tomar en serio la amenaza, siguió soñando.

—Los pilotos son muy valientes, ¿no te parece, Anna? Han de ser los hombres más valientes del mundo. —De pronto se puso enérgica. —Eh, Anna, se me hace tarde para contar los pollos.

Y salió de la tina con un solo brinco, esparciendo gotas de agua sobre las lajas del piso, mientras Anna la envolvía en una toalla calentada frente a la cocina.

—Anna, ya está aclarando.

—Después vuelves inmediatamente —ordenó la criada—. Hoy tenemos mucho que hacer. Tu padre nos ha reducido al hambre con su equivocada generosidad.

—Había que ofrecer una buena comida a esos gallardos pilotos.

Centaine se puso la ropa y se sentó en el banquillo para atarse las botas de montar.

—No se te ocurra ir a tontear al bosque.

—Oh, Anna, basta. —La muchacha se levantó de un salto y bajó ruidosamente la escalera.

—¡Te vienes inmediatamente, oyes! —le chilló la mujer.

Nuage, al oírla llegar, lanzó un leve relincho. Centaine le echó ambos brazos al cuello para besarle el hocico aterciopelado.

—*Bonjour*, querido mío.

Había robado dos terrones de azúcar bajo las narices de Anna, y Nuage le humedeció la palma al comerlos. La muchacha se limpió la mano en el cuello del animal; cuando giró para descolgar la montura, recibió un hocicazo en la parte baja de la espalda; el caballo pedía más.

Afuera estaba oscuro y hacía frío; azuzó al caballo hasta ponerlo al trote largo, disfrutando de la helada corriente de aire que le castigaba el rostro; la nariz y las orejas comenzaban a ponérsele rosadas y le lloraban los ojos. En lo alto de la colina, sofrenó a Nuage para contemplar el suave lustre metálico del alba en el largo horizonte, que iba tomando el color de las naranjas maduras. A su espalda centelleaba ocasionalmente la falsa aurora provocada por los ataques de artillería, pero ella los ignoró empecinadamente, esperando la llegada de los aviones.

De pronto llegó el batir distante de los motores, imponiéndose al ruido mismo de los cañonazos, y un momento después aparecieron en el cielo amarillo, fieros, veloces y bellos como halcones. Como siempre, la muchacha sintió que su pulso se precipitaba y se levantó en la montura para saludarlos.

Llevaba la delantera el aparato verde, con sus rayas de victoria: el loco escocés. Ella alzó ambos brazos, estirándolos mucho.

—¡Vayan con Dios... y vuelvan sanos y salvos! —gritó, a modo de bendición.

Le respondió un destello de dientes blancos bajo el casco ridículo, y la máquina meneó las alas, un momento antes de perderse en las nubes sombrías, siniestras, que pendían sobre las líneas alemanas.

Ella siguió contemplándolos, mientras los otros aparatos se cerraban en torno del jefe, en formación de batalla. La sobrecogía una enorme tristeza, una horrible sensación de impotencia.

—¡Por qué no seré hombre! —gritó—. ¡Oh, por qué no puedo ir con ustedes!

Pero ya se habían perdido de vista. Entonces inició el descenso de la colina.

—Todos ellos van a morir —se dijo—. Todos los hombres jóvenes, fuertes y hermosos. Y sólo quedarán los viejos, los baldados y feos. —El tronar de los cañones lejanos hizo de contrapunto a su miedo. —Ojalá, oh, ojalá…

El potro echó las orejas hacia atrás, pero ella no terminó la frase, pues no sabía qué deseaba. Sólo sabía que, en su interior, un vacío enorme ansiaba ser llenado; era un vasto deseo de algo imposible de identificar y un dolor terrible por el mundo entero. Soltó a Nuage para que pastara en el pequeño prado, detrás del *château*, y cargó al hombro la silla de montar.

Al entrar besó a su padre, que estaba sentado a la mesa de la cocina. El parche del ojo le daba un aspecto pícaro, aunque tenía el otro ojo inyectado en sangre; su cara era arrugada, como la de un sabueso; olía a ajos y a vino rancio.

Como de costumbre, estaba riñendo con Anna, en un tono amistoso. Al sentarse frente a él, con el tazón de café entre las manos, Centaine se preguntó, súbitamente, si Anna y su padre formaban pareja. Inmediatamente después se preguntó cómo era posible que esa idea no se le hubiera ocurrido antes.

Como para toda muchacha criada en el campo, el proceso de la procreación no era un misterio para ella. A pesar de las primeras protestas de Anna, ella ayudaba siempre cuando traían a las yeguas del distrito para aparearlas con Nuage. Sólo ella podía calmar al gran semental una vez que olfateaba a la yegua, a fin de que cumpliera con su función sin lastimarse ni herir al objeto de sus arrebatos.

Por un proceso de lógica, había llegado a la conclusión de que el hombre y la mujer debían funcionar según principios similares. Cuando interrogó a Anna, la mujer comenzó amenazando con denunciarla ante su papá y lavarle la boca con jabón de lejía. La muchachita insistió, con paciencia, hasta que la vieja niñera, en un susurro áspero, la confirmó en sus sospechas. Entonces miró al conde, sentado en el otro extremo de la cocina, con una expresión que Centaine nunca le había visto. Por entonces no había podido sondearla, pero en ese momento le encontraba sentido lógico.

Mientras los observaba reír y discutir, todo encajó en su sitio: la cama vacía de Anna, en ocasiones, cuando ella despertaba por algunas pesadillas e iba a su cuarto; la desconcertante aparición de alguna enagua, cuando barría bajo la cama de su padre. Apenas la semana anterior, Anna había salido del sótano, después de ayudar al conde a limpiar los establos improvisados, con briznas de paja en el dorso de las faldas y en el rodete de pelo gris que le coronaba la cabeza.

De algún modo, el descubrimiento pareció acrecentar la desolación de Centaine, su sensación de vacío. Estaba realmente sola, aislada, carente de sentido, vacía y doliente.

—Voy a salir —anunció, levantándose de la mesa.

—Oh, no. —Anna le cerró el paso. —Tenemos que traer un poco de comida a esta casa, ya que tu padre ha repartido cuanto poseíamos. ¡Y usted, señorita, tendrá que ayudarme!

Centaine necesitaba escapar de ella, estar a solas. Esquivó ágilmente el brazo tendido y voló hacia la puerta de la cocina.

En el umbral se encontró con la persona más bella que viera en toda su vida.

Iba vestido con botas relucientes e inmaculados pantalones de montar, de un tostado apenas más claro que el de la chaqueta de uniforme. Le ceñía la cintura estrecha un lustroso cinturón de cuero con hebilla pulida. La cartuchera le cruzaba el pecho, destacando los anchos hombros. A la izquierda lucía las alas del Cuerpo de Vuelo y una hilera de cintas coloridas; en las charreteras centelleaban las insignias de su rango y la gorra había sido cuidadosamente aplastada, a la manera de los pilotos veteranos, para formar un ángulo audaz sobre los ojos, imposiblemente azules.

Centaine retrocedió un paso para mirarlo, pues se erguía muy alto ante ella, como un joven dios. Entonces cobró conciencia de una sensación totalmente nueva. Su estómago quería convertirse en gelatina, en gelatina caliente, que chorreaba hacia abajo, densa como plomo fundido, por la parte inferior del cuerpo, hasta que sus piernas estuvieron a punto de ceder bajo tanto peso. Al mismo tiempo, tenía una gran dificultad para respirar.

—*Mademoiselle De Thiry.*

Aquella visión de esplendor matinal saludó y se tocó la visera de la gorra, haciéndole la venia. La voz era familiar. Reconoció esos ojos azules. El hombre llevaba el brazo izquierdo sostenido por una estrecha lonja de cuero…

—*Michel…* —Su voz era inestable. —Capitán Courtney —se corrigió. Y de inmediato cambió de idioma. —¿*Mijnheer* Courtney?

El joven dios le sonrió. Parecía imposible que fuera el mismo hombre, despeinado, lleno de barro y sangre, envuelto en harapos chamuscados, tembloroso y patético, que ella había ayudado a cargar, en un estupor de dolor, debilidad y borrachera, en el *sidecar* de una motocicleta, la tarde anterior.

Como volvió a sonreírle, Centaine sintió que el mundo daba un corcovo bajo sus pies. Cuando se asentó, la órbita había cambiado y el planeta llevaba un nuevo rumbo entre las estrellas. Ya nada volvería a ser igual.

—*Entrez, Monsieur.*

Retrocedió. Al cruzar el hombre ese umbral, el conde se levantó de la mesa para correr a su encuentro.

—¿Cómo le va, capitán? —Estrechó la mano de Michael. —¿Sus heridas?

—Están mucho mejor, gracias.

—Un poco de coñac las mejoraría —sugirió el conde, mirando astutamente a su hija.

Pero el estómago de Michael se estrujó ante la sugerencia, haciendo sacudir la cabeza, vehemente.

—No —dijo Centaine, con firmeza. Y se volvió hacia Anna. —Debemos cambiar los vendajes al capitán.

Michael, entre protestas muy mansas, fue conducido hasta el banquillo, frente a la cocina. Anna le desabrochó el cinturón, mientras Centaine, desde atrás, le quitaba la chaqueta de los hombros. La antigua niñera retiró las vendas y emitió un gruñido de aprobación.

—Agua caliente, niña —ordenó.

Con mucho cuidado, le lavaron y secaron las quemaduras, para volver a cubrirlas con ungüento fresco y vendarlas con nuevas tiras de hilo.

—Están cicatrizando muy bien —afirmó Anna, mientras Centaine lo ayudaba a ponerse la camisa.

Hasta entonces no se había dado cuenta de lo suave que podía ser la piel de los hombres, en los flancos y en la espalda. El vello oscuro se le rizaba en la base del cuello. Michael estaba tan flaco que cada vértebra de la columna sobresalía como las cuentas de un rosario, con dos cordones de músculo a ambos lados.

Dio la vuelta para abotonarle la camisa.

—Usted es muy gentil —dijo él, suavemente.

Centaine no se atrevió a mirarlo a los ojos por no traicionarse delante de Anna.

El pecho del piloto estaba cubierto de vello grueso, resistente, elástico; ella lo rozó con la punta de los dedos, casi sin intención; las tetillas, duras y planas, eran muy pequeñas y rosadas, pero se pusieron rígidas y puntiagudas bajo su mirada. Ese fenómeno la dejó sorprendida y encantada; nunca hubiera soñado que a los hombres también les podía ocurrir.

—Vamos, Centaine —la regañó Anna.

Sobresaltada, ella se dio cuenta de que se había dejado estar, con la vista fija en el cuerpo del joven.

—Vine a darles las gracias —explicó Michael—. No tenía intención de darles más trabajo.

—No es ningún trabajo —dijo Centaine, aún sin atreverse a levantar la mirada.

—Sin su ayuda, señorita, bien podría haber muerto quemado.

—¡No! —protestó ella, con innecesario énfasis.

La idea de la muerte relacionada con esa maravillosa criatura le era totalmente inaceptable. Por fin volvió a mirarlo a la cara, y fue como si el cielo estival asomara por las grietas de su cráneo: ese azul era el de sus ojos.

—Centaine, tenemos mucho que hacer.

El tono de Anna en aún más áspero.

—Dejen que las ayude —intervino Michael, ansioso—. Me han dejado en tierra... Es decir, no me permiten volar.

Anna parecía dubitativa, pero el conde se encogió de hombros.

—Otro par de manos no nos vendría mal.

—Sería una forma de devolverles en parte... —insistió él.

—Pero con ese lindo uniforme...

Anna estaba buscando excusas. También echó un vistazo a las botas bien lustradas.

—Tenemos mamelucos y botas de goma —interrumpió Centaine.

La niñera alzó los brazos, renunciando.

Centaine se dijo que hasta el dril azul y las botas de goma negra lucían elegantes en ese cuerpo esbelto, que descendía al sótano para ayudar al conde con la limpieza de los establos.

Ella y Anna pasaron el resto de la mañana en la huerta, preparando el suelo para la siembra de primavera.

Cada vez que la muchacha bajaba a los sótanos, con las más endeble de las excusas, se detenía dondequiera Michael estuviera trabajando, bajo las indicaciones del conde, y ambos conversaban, vacilantes, tímidos, hasta que Anna bajaba la escalera.

—¡Y ahora dónde se ha metido esa niña! ¡Centaine! ¿Qué estás haciendo aquí?

Como si no lo supiera.

Los cuatro almorzaron en la cocina: tortillas aderezadas con cebollas y trufas, queso y pan moreno y una botella de vino tinto que Centaine autorizó, pero no tanto como para entregar a su padre las llaves de la bodega: fue ella misma a buscarla.

El vino suavizó el clima general; hasta Anna tomó un vaso y permitió que Centaine hiciera lo mismo. Entonces la conversación se tornó cómoda y fácil, puntuada por carcajadas.

—Ahora bien, capitán. —El conde se volvió finalmente hacia Michael, con un brillo calculador en el único ojo. —Usted y su familia, ¿a qué se dedican, allá en África?

—Somos granjeros —respondió el joven.

—¿Arrendatarios? —averiguó el conde, cauteloso.

—No, no —rió Michael—. Cultivamos nuestras propias tierras.

—Ah, son terratenientes. —El tono del francés cambió. Como todo el mundo sabía, la tierra era la única riqueza verdadera. —¿Y qué extensión tienen las propiedades de su familia?

—Bueno… —balbuceó el piloto, con cara de azoramiento—. Son bastante grandes. La mayor parte está en poder de una empresa formada por la familia, mi padre y mi tío…

—¿Su tío el general? —lo instó el conde.

—Sí, mí tío Sean.

—¿Cien hectáreas, tal vez?

—Un poco más —dijo Michael, inquieto en su banco, jugueteando con su panecillo.

—¿Doscientas?

El conde parecía tan expectante que él no pudo evadir más el tema.

—En total, comprendiendo las plantaciones y los ranchos de ganado, más algunas tierras que poseemos en el norte, son más o menos cuarenta mil hectáreas.

—¿Cuarenta mil? —repitió el francés, mirándolo fijamente. Por las dudas hubiera algún malentendido, lo dijo en inglés. —¿Cuarenta mil hectáreas, dijo?

Michael asintió, incómodo. Sólo en tiempos recientes había comenzado a sentir cierta timidez en cuanto a las posesiones de su familia.

—¡Cuarenta mil hectáreas! —exclamó el conde, reverencialmente. Y agregó: —Y usted tiene muchos hermanos, claro.

El piloto sacudió la cabeza.

—Por desgracia, soy hijo único.

—¡Ja! —le espetó el francés, con transparente alivio—. ¡No lo sienta tanto! —Y le palmeó el brazo, en un gesto paternal. Echó un vistazo a su hija y, por primera vez, reconoció la expresión con que estaba mirando al piloto.

"Y está bien", pensó, tranquilamente. "Cuarenta mil hectáreas. Hijo único".

Su hija era una mujer francesa; conocía bien el valor de cada centavo, *sacré bleu*; lo conocía mejor que él mismo. Le dedicó una sonrisa amorosa por sobre la mesa. En muchos aspectos era una niña, pero en otros era una joven y astuta mujer, mujer francesa. Desde que el capataz huyó a París, dejando en el caos las cuentas y los libros de la propiedad, había sido Centaine quien se hizo cargo de las finanzas. El conde nunca se había interesado mucho por el dinero; para él siempre sería la tierra la única riqueza verdadera; pero su hija era avispada. Hasta contaba las botellas del sótano y los jamones colgados a ahumar.

Tomó un sorbo de vino tinto y siguió cavilando, alegremente. ¡Habría tan pocos buenos partidos después de esa matanza, esa carnicería! ¡Y cuarenta mil hectáreas!

—*Chérie* —propuso—, si el capitán quisiera tomar el rifle y cazarnos unas cuantas palomas bien gordas, y si tú llenaras un cesto de trufas, que tal vez haya unas cuantas todavía, ¡qué cena podríamos preparar para esta noche!

Centaine palmoteó, encantada, pero Anna lo fulminó, con la cara roja de indignación, desde el otro lado de la mesa.

—Anna los acompañará, por supuesto —se apresuró a agregar el padre—. No es cuestión de provocar escándalos indebidos, ¿verdad?

"Bien se puede sembrar una semilla", pensó, "si es que no está ya germinando bien. ¡Cuarenta mil hectáreas, *merde*!"

El cerdo se llamaba Káiser Wilhelm; Klein Willie, para abreviar. Era tan gordo que Michael, al verlo entrar en el bosque de robles, se acordó de los hipopótamos machos. Las orejas en punta le caían sobre los ojos; la cola se curvaba como un rollo de alambre de púas sobre el lomo, exponiendo generosamente los testículos, albergados en una bolsa rosada y brillante que parecía hervida en aceite.

—*Vas-y, Willie! Cherche!* —gritaban Centaine y Anna, al unísono. Al mismo tiempo, ambas debían tirar de la traílla con todas sus fuerzas para contener a la enorme bestia. —*Cherche!* ¡Busca!

Y el cerdo olfateaba, ansioso, la tierra húmeda, de color de chocolate, bajo los robles, arrastrando tras de sí a las dos mujeres. Michael los seguía con una pala al hombro, riendo de placer ante lo novedoso de la caza, al trote para no perderlas.

Al adentrarse en el bosque cruzaron un arroyo estrecho, que corría con fuerza. Siguieron por la orilla, entre resoplidos y gritos de aliento. De pronto, el cerdo dejó escapar un chillido goloso y comenzó a escarbar en la tierra suelta con el hocico blando.

—¡Encontró una! —exclamó Centaine, llena de entusiasmo.

Ella y Anna tironearon con energía de la traílla.

—¡Michael! —jadeó la muchacha, por sobre el hombro—. En cuanto lo saquemos usted tendrá que darle a la pala, muy de prisa. ¿Está dispuesto?

—¡Sí!

Centaine sacó, del bolsillo de su falda, una trufa marchita y enmohecida por la vejez. Cortó una rodaja con la navajita plegadiza y la acercó al hocico del cerdo, hasta donde le fue posible. Por algunos segundos el animal no le prestó atención. De pronto captó el aroma de la trufa cortada y emitió un gruñido glotón, tratando de tomarle la mano en la boca chorreante, mientras ella la apartaba y retrocedía, con el cerdo tras ella.

—¡Pronto, Michael! —gritó.

Él excavó la tierra con la pala. En media docena de golpes había puesto al descubierto el hongo enterrado. Anna se dejó caer de rodillas y lo liberó de la tierra, a mano limpia.

—¡Miren qué belleza! —les mostró al sacarlo; estaba lleno de tierra oscura y tenía casi el tamaño de un puño.

Por fin Centaine dio al cerdo la tajada de trufa; una vez que el animal la tragó, se le permitió volver al agujero vacío y olfatear la tierra suelta, para asegurarse de que el hongo había desaparecido.

—*Cherche!*

Y la cacería recomenzó. Al cabo de una hora, el cestito estaba lleno de bultos desiguales, de aspecto poco apetitoso. Anna declaró:

—Basta con esto. Si siguiéramos juntando, el resto se echaría a perder. Ahora, algunas palomas. ¡Veremos si el capitán africano sabe disparar!

Ambos corrieron tras el cerdo, riendo y jadeando por las praderas hasta el *château*, donde Centaine guardó las trufas en la alacena y Anna volvió el cerdo a su sitio, para luego descolgar el rifle de la pared. Entregó el arma a Michael y lo observó, en tanto él revisaba los caños, los cerraba y se llevaba el fusil al hombro para probar el equilibrio. A pesar de las quemaduras que lo estorbaban, Anna sabía reconocer al buen obrero por la forma de manejar sus herramientas, y su expresión se suavizó, aprobadora.

Michael, por su parte, quedó encantado al descubrir que el

arma era un venerable Holland y Holland; sólo los ingleses eran capaces de crear un caño que disparara de modo tan parejo.

—¡Excelente! —comentó a Anna, que le entregaba la bolsa de balas.

—Yo le mostraré un buen lugar. —Centaine lo tomó de la mano para conducirlo, pero al ver la expresión de Anna se la soltó apresuradamente. —Por la tarde, las palomas vuelven al bosque —explicó.

Caminaron por los lindes del bosque; Centaine iba delante, alzando sus faldas para esquivar los charcos, de modo tal que Michael divisaba ocasionalmente sus pantorrillas blancas; entonces el pulso se le aceleraba más de lo que justificaba el esfuerzo de seguirla. Anna, con sus piernas cortas y regordetas, se quedó muy atrás, sin que ellos prestaran atención a sus reclamos de:

—¡Esperen! ¡Espérenme!

En el rincón del bosque, en el ángulo de la T que los pilotos utilizaban como señal geográfica en su regreso a las pistas, había una senda bajo nivel, con altos bordes a cada lado.

—Las palomas vienen desde allí. —Centaine señaló al otro lado de los campos y los viñedos, todos llenos de hierbas. —Aquí deberíamos esperar.

Los setos les ofrecían un excelente escondrijo. Cuando Anna los alcanzó, los tres se escondieron para vigilar el cielo. Unas nubes bajas, densas, habían vuelto a formarse desde el norte, amenazando lluvia; formaban un fondo perfecto contra el cual se recortaron claramente las pequeñas motas de una bandada, a la vista adiestrada del piloto.

—Allá vienen —dijo.

—No las veo. —Centaine buscó, agitada. —¿Adónde...? Oh, sí, allá están.

Aunque volaban de prisa, iban descendiendo muy suavemente hacia el bosque. Para un tirador del calibre de Michael, era tarea fácil. Esperó a que dos aves volaran sobrepuestas y las bajó con el primer disparo; ambas chocaron en el aire, mientras el resto de la bandada se esparcía; él aprovechó para derribar a una tercera paloma, en un estallido de plumas, con el segundo caño.

Las dos mujeres corrieron al prado para traer los pájaros.

—Tres con dos disparos —comentó Centaine, a su espalda, acariciando el cuerpo caliente y suave de la paloma muerta.

—Fue un golpe de suerte —gruñó Anna—. Nadie puede derribar dos palomas a propósito, cuando van volando.

La siguiente bandada era más numerosa y las aves volaban muy agrupadas. Michael bajó tres con el primer caño y una cuarta con el segundo. Centaine se volvió hacia su niñera, triunfal.

—Otro golpe de suerte —se jactó—. Parece que el capitán anda de parabienes, hoy.

En el curso de la media hora siguiente aparecieron dos bandadas más, hasta que Centaine preguntó, muy seria:

—¿Usted nunca falla, *Mijnheer*?

Michael miró al cielo.

—Allá arriba, señorita, el que falla muere. Hasta ahora no fallé nunca.

Centaine se estremeció. Otra vez esa palabra, morir. La muerte estaba por doquier, en derredor, en los barrancos, donde el cañoneo; por el momento, era sólo un tronar grave en el cielo, sobre ella. Miró a Michael, pensando: "No quiero que muera. ¡Nunca, jamás!"

Pero apartó de sí el pensamiento sombrío y sonrió pidiendo:

—Enséñeme a disparar.

El pedido fue una inspiración. Permitía que Michael la tocara, aun bajo la mirada celosa de Anna. De pie tras ella, el piloto le enseñó a adoptar la postura clásica, con el pie izquierdo hacia adelante.

—Este hombro, un poco más bajo. —Ambos tenían eléctrica conciencia de cada contacto. —Gire un poquito las caderas hacia aquí. —Y le ponía las manos en ellas.

La voz de Michael sonaba como si se estuviera sofocando. Ella se echó hacia atrás, apoyando en él sus nalgas, en una presión inexperta, pero devastadora.

El primer disparo arrojó a Centaine contra el pecho del piloto, que la abrazó protectoramente, mientras las palomas seguían vuelo hacia el horizonte, intactas.

—Está mirando la boca del arma y no el ave —le explicó Michael, sin soltarla—. Fíjese en el blanco y el arma irá por su cuenta.

Con el siguiente disparo, ella derribó una paloma gorda, entre los gritos de entusiasmo de ambas. Pero cuando Anna corrió a levantarla, la lluvia que permaneciera contenida hasta entonces se precipitó en una cortina plateada.

—¡Al granero! —gritó Centaine, y abrió la marcha por la senda.

La lluvia castigaba las copas de los árboles, estallando sobre la piel en punzadas gélidas. Centaine llegó primera al granero. Tenía la blusa tan adherida al cuerpo que Michael pudo distinguir la forma exacta de sus pechos. Contra la frente se le pegaban mechones de pelo oscuro. Sacudió sus faldas, riéndose de él, sin intentar siquiera ocultarse a su mirada.

El granero estaba frente al camino. Era una construcción de bloques de piedra amarilla, con techo de paja, gastado como una alfombra vieja. Lo llenaban a medias fardos de paja apilados en gradas hasta el techo.

—Esto va a durar —protestó Anna, oscuramente, mientras contemplaba la lluvia torrencial. Se sacudía como un búfalo de agua al salir del pantano. —No podremos salir de aquí.

—Vamos a limpiar las palomas, Anna.

Buscaron sitios cómodos en los fardos de paja; Centaine y Michael se sentaron hombro contra hombro, charlando mientras desplumaban las aves.

—Cuénteme de Africa —exigió ella—. ¿Es tan oscura, en verdad?

—Es la tierra más soleada del mundo. Hasta hay demasiado sol.

—Me encanta el sol. —La muchacha sacudió la cabeza. —Odio el frío y la humedad. Para mí el sol nunca puede ser demasiado.

Él le habló de los desiertos en donde nunca llovía.

—No llueve en todo un año lo que aquí en un solo día.

—Yo creía que en África sólo había salvajes negros.

—No —rió él—, también hay muchos salvajes blancos... y caballeros negros.

Y le describió a los pequeños pigmeos amarillos de las selvas de Ituri, que llegaban a la cintura de un hombre normal, y a los gigantescos watusis, para quienes cualquiera que midiera menos de los dos metros era un enano, y a esos nobles guerreros zulúes, que se hacían llamar hijos del cielo.

—Habla de ellos como si los amara —acusó ella.

—¿A los zulúes? —preguntó Michael— Sí, supongo que sí. Al menos a algunos de ellos. A Mbejane... Un zulú; está con mi tío Sean desde que ambos eran muchachos.

Utilizó la palabra zulú *umfaan* y tuvo que traducírsela. Centaine no quería que él dejara de hablar; hubiera deseado escuchar su voz eternamente.

—Cuénteme de los leones y los tigres.

—No hay tigres —declaró él, sonriendo—, pero sí muchos leones.

Y hasta las manos de Anna, atareadas con el desplume, quedaron inmóviles para escuchar, mientras Michael describía un campamento, en la zona de caza, donde él y su tío Sean se habían visto sitiados por una manada de leones y forzados a permanecer toda la noche junto a los caballos, protegiéndolos, tranquilizándolos mientras los grandes felinos se paseaban en las lindes de la luz arrojada por la hoguera, rugiendo, para incitar a los caballos a perderse en la oscuridad, donde hubieran sido presas fáciles.

—Háblenos de los elefantes.

Y él describió a esas bestias sagaces, que caminaban con lentos pasos de sonámbulos, sacudiendo las orejas para refrescarse la sangre y que se echaban polvo sobre la cabeza para bañarse.

Les habló de las intrincadas estructuras sociales de los rebaños, donde los machos viejos evitaban el escándalo de las crías.

—Tal como tu padre —comentó Anna.

Y de las viejas reinas estériles, que tomaban sobre sí las tareas de parteras y comadronas. Analizó las relaciones que se entablaban entre las grandes bestias grises, casi como entre los seres humanos, y que a veces duraban toda la vida. Les habló de su extraña preocupación por la muerte, que a veces los llevaba, tras matar al cazador que los había acosado y herido, a cubrir el cadáver con hojas verdes, casi como si trataran de expiar el delito. Explicó que, cuando uno de los miembros del rebaño caía herido, los otros trataban de socorrerlo, sosteniéndolo de pie con el cuerpo, apuntalándolo por ambos lados, hasta que al fin caía; y que entonces, si era una hembra, el macho del rebaño la montaba, como tratando de frustrar a la muerte con el acto de la procreación.

Ese último relato arrancó a Anna de su trance, recordándole su papel de chaperona.

—Ha dejado de llover —anunció, rígidamente, mientras comenzaba a recoger las palomas desplumadas.

Centaine seguía observando a Michael con ojos grandes y brillantes.

—Algún día iré a Africa —dijo, suavemente.

Él le devolvió la mirada con la misma firmeza.

—Sí —dijo—. Algún día.

Fue como si hubieran intercambiado un voto. Era algo entre ellos, algo firme y entendido. En ese momento, ella fue su mujer y él, su hombre.

—Vamos —insistió Anna, desde la puerta del granero—. Vamos, antes de que vuelva a llover.

Y a los dos les costó un gran esfuerzo levantarse para seguirla.

Ambos arrastraron pies de plomo por el sendero, hacia el *château*; iban juntos, sin tocarse, pero tan conscientes de la mutua presencia que era como ir muy abrazados.

En eso surgieron los aviones, volaban bajo y rápido; el trueno de los motores se elevó en un crescendo al pasar por encima. Los precedía el Sopwith verde. Desde ese ángulo era imposible ver la cabeza de Andrew, pero distinguieron la luz del día por entre los desgarrones de sus alas, abiertos por las balas de las Spandau. Los cinco aeroplanos que lo seguían habían recibido también abundantes disparos; había desgarrones y agujeros en las alas y en los fuselajes.

—Han pasado un día muy duro —murmuró Michael, echando la cabeza hacia atrás.

Otro Sopwith seguía a los otros, con el motor balbuceante, dejando una estela de vapor detrás de sí; llevaba un ala torcida. Centaine se estremeció, acercándose más a Michael.

—Hoy murieron algunos, allá arriba —susurró.

No hizo falta que él contestara.

—Y mañana usted estará otra vez entre ellos.

—Mañana no.

—O pasado mañana, o al día siguiente.

Una vez más, no fue necesario contestar.

—¡Michael, oh, Michael! —Había un tormento físico en su voz. —Quiero verte a solas. Tal vez jamás... tal vez jamás tengamos otra oportunidad. Desde ahora en adelante debemos vivir cada minuto de nuestra vida como si fuera el último.

El impacto de esas palabras fue como un golpe contra el cuerpo del piloto. No pudo hablar. Ella bajó la voz.

—En el granero —susurró.

—¿Cuándo? —preguntó él, recobrando el uso de su voz, aunque a él mismo le sonó ronca.

—Esta noche, antes de medianoche. Iré en cuanto pueda. Hará frío. —Lo miró directamente a la cara; las conveniencias sociales habían sido consumidas por la caldera de la guerra. —Debes traer una frazada.

Luego giró en redondo y corrió para alcanzar a Anna, dejando a Michael en un aturdimiento de incredulidad y vacilante éxtasis.

Michael se lavó en la bomba, junto a la cocina, y se puso el uniforme. Cuando volvió a entrar, el pastel de palomas olía a trufas frescas bajo la masa dorada. Centaine llenaba y volvía a llenar el vaso de su padre, sin protestas de su parte. Lo mismo hacía con el de Anna, pero empleando más discreción, para que ella no se diera cuenta, aunque el rostro de la mujerona se había puesto más rojo y su risa era más estridente.

Centaine dejó a Michael a cargo del gramófono, su más preciada pertenencia, recomendándole mantenerlo siempre con toda la cuerda y cambiar los discos de pasta a medida que terminaran. Por la enorme bocina de bronce tronaba una grabación de Toscanini, dirigiendo a la orquesta de La Scala en *Aída*, de Verdi. Centaine le llevó el plato, cargado de pastel de paloma, hasta su asiento, frente al conde, y le tocó la parte posterior del cuello (esos rizos oscuros, sedosos), ronroneándole al oído.

—Me encanta *Aída*. ¿Y a usted, capitán?

Cuando el conde lo interrogó más detalladamente sobre la producción de sus propiedades, Michael tuvo dificultades para concentrarse en el tema.

—Estábamos cultivando mucha mimosa para tanino, pero mi padre y mi tío están convencidos de que, después de la guerra, el automóvil desplazará completamente al caballo y, por lo tanto, habrá una drástica reducción del consumo de arneses; por lo tanto, bajará la demanda del tanino de mimosa...

—Es una verdadera pena que el caballo deba ceder paso a esos endemoniados artefactos, ruidosos y malolientes —suspiró el conde—. Pero tienen razón, por supuesto. El futuro es del motor a gasolina.

—Estamos replantando con pinos y eucalipto australiano. Tirantes para las minas de oro y materia prima para papel.

—Muy bien.

—Además, por supuesto, están las plantaciones de azúcar y los ranchos de ganado. Mi tío cree que pronto habrá barcos provistos de cámaras frigoríficas, que llevarán nuestras carnes a todo el mundo.

Cuanto más oía el conde, más complacido quedaba.

—Beba, hijo —instaba a Michael, como muestra de su aprobación—. Apenas ha tomado una gota. ¿Acaso no le gusta?

—Es excelente, de veras. Pero *le foie*, mi hígado...

Michael apretó una mano bajo sus costillas, y el conde emitió algunos ruidos de simpatía y comprensión. Como francés, sabía que casi todas las enfermedades y las penas de este mundo se podían atribuir al mal funcionamiento de ese órgano.

—Nada grave. Pero por favor, no deje que mi pequeña indisposición le impida a usted...

Michael hizo un gesto autodespectivo. El conde, obediente, volvió a llenar su propio vaso.

Después de servir a los hombres, las dos mujeres llevaron sus platos a la mesa para sentarse también. Centaine lo hizo junto a su padre. Hablaba poco, pero giraba la cabeza entre uno y otro de los hombres, como prestando mucha atención, hasta que Michael sintió en su tobillo una leve presión; con un sobresalto, comprendió que ella lo estaba tocando con el pie por debajo de la mesa. Se movió, incómodo, bajo el escrutinio del conde, sin atreverse a mirar a la muchacha. En cambio hizo ese gesto nervioso de soplarse la punta de los dedos, como si se hubiera quemado en el fogón, y parpadeó muy de prisa.

El pie de Centaine se retiró tan discretamente como había avanzado, Michael esperó dos o tres minutos antes de estirar el suyo. Por fin, encontró el de la muchacha y lo tomó entre los suyos; por el rabillo del ojo la vio dar un respingo y notó que un rubor oscuro le cubría el cuello, las mejillas y las orejas. La miró fijamente, tan encantado que no pudo apartar los ojos de ella hasta que el conde levantó la voz.

—¿Cuántos? —repitió el francés, con suave aspereza.

Michael, culpable, retiró los pies.

—Disculpe, conde. No lo oí.

—El capitán no está bien —intervino Centaine, rápidamente, un poco sofocada—. Sus quemaduras no han cicatrizado y hoy trabajó en exceso.

—No debemos retenerlo más de lo necesario —concordó Anna, apresuradamente—, si ha terminado de cenar.

—Claro, claro. —Centaine se levantó. —Debemos dejar que vaya a descansar.

El conde parecía realmente entristecido por verse privado de su compañero de copas, pero la hija lo tranquilizó:

—No te preocupes, papá. Siéntate y termina tu vino.

Anna acompañó a la pareja a la oscuridad del patio posterior y se mantuvo cerca, con ojos de águila y los brazos en jarras, mientras ellos se despedían tímidamente. Había tomado clarete en cantidad suficiente como para mellar el filo de su intuición; de lo contrario se hubiera preguntado a qué venía esa ansiedad de la muchacha por poner a Michael sobre la motocicleta.

—¿Puedo volver a visitarla, *Mademoiselle de Thiry*?

—Si gusta, capitán…

El corazón de Anna, ablandado por el vino, estaba con ellos. Le costó fortalecer su decisión.

—Adiós, *Mijnheer* —dijo, con firmeza—. Esta niña se va a resfriar. Ven adentro, Centaine.

Al conde le había parecido imperativo bajar el clarete con una o dos *fine de champagne*. Cortaba la acidez del vino, según explicó a Centaine, muy serio. Por lo tanto, las dos mujeres se vieron forzadas a ayudarlo para que se acostara. Él realizó su peligroso ascenso cantando la marcha de *Aída*, con más entusiasmo que talento. Cuando llegó a la cama, cayó como un roble hachado, de espaldas. Centaine le tomó una pierna, luego la otra, y se puso a horcajadas sobre ellas para quitarle las botas.

—Bendita seas, pequeña mía. Tu papá te ama.

Entre ambas lo incorporaron para pasarle el camisón por la cabeza; después lo dejaron caer nuevamente. Ya protegido el pudor, le quitaron los pantalones y lo hicieron rodar en la cama.

—Que los ángeles velen tu sueño, linda —murmuró el conde, en tanto lo cubrían con un edredón.

Anna apagó la vela. Protegida por la oscuridad, alargó una mano para acariciar el pelo rizado y revuelto del conde. Recibió como recompensa un reverberante ronquido. Luego siguió a Centaine al pasillo, cerrando suavemente la puerta tras de sí.

Centaine, acostada, oía los gruñidos y crujidos de la vieja casa a su alrededor.

Por prudencia había resistido la tentación de meterse en la cama completamente vestida, y Anna le hizo una de sus inesperadas visitas cuando estaba a punto de apagar la vela. Se sentó en el borde de la cama, charlatana como consecuencia del vino, pero no tan aturdida que no hubiera notado de no estar Centaine con su camisón puesto. La muchacha, mediante bostezos y suspiros, trató, telepáticamente, de inducirla al sueño, pero no dio resultado. La iglesia de Mort Homme dio las diez. Entonces ella misma se fingió dormida. Era un tormento permanecer inmóvil, regulando la respiración, mientras ardía de excitación.

Por fin, Anna comprendió que estaba hablando sola; entonces dio una recorrida por la diminuta alcoba, recogiendo y doblando la ropa de Centaine. Después de inclinarse hacia ella para darle un beso en la mejilla, apagó de un pellizco la mecha de la lámpara.

En cuanto quedó sola, Centaine se incorporó, apretando los brazos al cuerpo, en un fermento de expectativa y entusiasmo. Aunque tenía muy claro en la mente cuál sería el resultado final de su encuentro con Michael, la mecánica en sí aún permanecía tentadoramente oscura para ella. Por un proceso de lógica, suponía que, en términos generales, no diferiría demasiado de lo que había presenciado incontables veces en los campos y en el establo.

Había recibido la confirmación de eso una pesada tarde de verano que cierta leve conmoción, en uno de los establos desocupados, le llamó la atención. Después de trepar a la parte alta, había visto por una ranura a Elsa, la criada de la cocina, y a Jacques, el palafrenero. Su actitud la llenó de asombro hasta que, gradualmente, comprendió que estaban jugando a gallo y gallina, a potro y yegua. Pasó varios días pensando en eso; a partir de entonces escuchó con más atención los chismorreos de las criadas y, por fin, se hizo de coraje para enfrentar a Anna con sus preguntas.

Todas sus investigaciones sirvieron para dejarla confundida e intrigada por las contradicciones. Según Anna, el procedimiento era sumamente doloroso; estaba acompañado por profuso derramamiento de sangre y horribles peligros de embarazo y enfermedad. Eso no coincidía con el desatado júbilo que manifestaban las otras criadas al tratar el tema, ni con las risitas y grititos de placer que le había oído a Elsa en el establo.

Centaine estaba segura de tener una buena resistencia al dolor. Hasta el buen doctor Le Brun lo había comentado, después de acomodarle un brazo fracturado sin necesidad de cloroformo. "Ni una lágrima", había dicho, maravillado. No, Centaine estaba segura de poder soportar el dolor como cualquier campesina. Por otra parte, había sangrado anteriormente, sin contar sus menstruaciones. Con frecuencia, cuando estaba segura de no ser vista, quitaba la incómoda silla lateral del lomo de Nuage para montarlo en cuero, con las faldas recogidas. La primavera anterior, al cabalgar así, puso al potro ante el muro de piedra que bordeaba el campo norte, haciéndolo saltar por el lado bajo, para caer desde dos metros al otro lado de la pared. Al aterrizar cayó con violencia sobre la cruz del caballo, lo que le provocó un dolor como el de la hoja de un cuchillo clavado desde abajo en el cuerpo. Sangró de tal modo que el lomo blanco de Nuage quedó manchado de rosa; en su vergüenza, a pesar del dolor, llevó al animal hasta el estanque para lavarlo, antes de volver a la casa renqueando, con Nuage de la brida.

No, ni el dolor ni la sangre la asustaban. Su miedo provenía de otra fuente. Temía a muerte que Michael se desilusionara de ella. Anna también se lo había advertido.

—Después de eso los hombres siempre pierden el interés, *les cochons*.

"Si Michael pierde el interés por mí, creo que voy a morir", se dijo. Y por un momento vaciló. "No voy. No quiero correr el riesgo".

—Oh, pero ¿cómo hago para no ir? —susurró, sintiendo que el pecho se le henchía con la fuerza del amor y el deseo—. Tengo que ir. Es forzoso.

En un tormento de impaciencia, oyó los ruidos que hacía Anna al acostarse, en la alcoba vecina. Aun cuando se hizo el silencio siguió esperando. El reloj de la iglesia dio el cuarto y la media hora, antes de que ella se deslizara fuera de la cama.

Encontró las enaguas y la prenda interior donde Anna las había dejado, pero se detuvo con un pie en la pernera de las bragas.

—¿Para qué? —se preguntó, sofocando una risita con la mano, mientras las apartaba de un puntapié.

Se abotonó la gruesa falda de montar y la chaqueta. Luego tendió un chal oscuro sobre su cabeza, cubriéndose los hombros, y, con las botas en la mano, salió al pasillo, para escuchar junto a la puerta de Anna.

Los ronquidos eran graves y regulares. Centaine bajó a la cocina y se sentó en el banquillo, ante el fuego, para abrocharse las botas y encender la lámpara. Finalmente abrió la puerta y salió. La luna estaba en el último cuarto; su proa aguda navegaba entre volutas de nubes voladoras.

La muchacha tuvo cuidado de pisar por el costado, donde el pasto había crecido, para no hacer crujir la grava bajo las botas; fue guiándose por la leve luz plateada de la luna. Al norte, en los barrancos, se vio un súbito fulgor, una aurora de luz anaranjada que se apagó lentamente; de inmediato le llegó el rumor de la explosión, apagada por el viento.

—¡Una mina!

Centaine se detuvo por un instante, preguntándose cuántos habrían muerto en esa monstruosa conmoción de tierra y fuego. El pensamiento la acicateó en su resolución. Había tanta muerte, tanto odio, tan poco amor… Era preciso aferrarse a la última esperanza que quedara.

Al ver el granero frente a ella echó a correr. No se veía luz alguna ni señales de la motocicleta.

"No ha venido", pensó, desesperada de deseo. Hubiera querido llamarlo a gritos por su nombre; en el umbral del granero tropezó y estuvo a punto de caer.

—¡Michael! —Ya no podía contenerse más. Oyó el pánico de su propia voz al repetir: —¡Michael!

Y abrió la pantalla de la lámpara.

Él venía en su dirección, saliendo de la penumbra. Alto, ancho de hombros, hermoso el rostro pálido a la luz de la lámpara.

—Oh, temí que no vinieras.

Se detuvo frente a ella, diciendo con suavidad.

—Nada en el mundo hubiera podido impedirme venir.

Permanecieron inmóviles, frente a frente; Centaine, con la barbilla levantada para mirarlo. Se observaban mutuamente, hambrientos, y ninguno de los dos sabía qué hacer, cómo franquear esos pocos centímetros de distancia que parecían el abismo de toda la eternidad.

—¿No te vieron? —balbuceó él.

—No, no. Creo que no.

—Bien.

—¿Michael?

—¿Sí, Centaine?

—Tal vez hice mal en venir. ¿Tal vez debería irme?

Era exactamente lo que convenía decir, pues la amenaza implícita galvanizó a Michael, que alargó las manos para sujetarla casi con rudeza.

—No, jamás. No quiero que te vayas jamás.

Ella se echó a reír, con una risa ronca, sin aliento. Él la estrechó contra sí, tratando de besarla, pero fue un intento lleno de torpeza. La prisa les hizo chocar narices y dientes, antes de hallarse mutuamente los labios. Pero una vez que se encontraron, los de Centaine resultaron cálidos y suaves. El interior de su boca era sedoso; sabía como las manzanas maduras. El chal se deslizó desde su cabeza, ahogándolos a medias. Tuvieron que separarse, sofocados, riendo de entusiasmo.

—Los botones —susurró ella—. Tus botones me hacen mal, y tengo frío. —Se estremeció teatralmente.

—Disculpa.

Él tomó la lámpara y la condujo hasta la parte trasera del granero. Allí la ayudó a subir a los fardos de paja; y a la luz de la lámpara, Centaine vio que había preparado un nido de paja suave entre los fardos, forrándolo con frazadas grises del ejército.

—Volví a mi carpa para traerlas —explicó él, mientras dejaba la lámpara, cuidadosamente, y giraba hacia ella con ansiedad.

—*Attends!* —Ella utilizó la frase familiar para contenerlo y le desabrochó el cinturón. —Me vas a dejar llena de moretones.

Michael dejó el cinturón a un lado y volvió a abrazarla y besarla. Sobre Centaine cayeron grandes olas de sensaciones tan poderosas que la dejaron mareada y débil. Le flaquearon las piernas, pero Michael la levantó. Ella trató de igualar el torrente de besos que estaba recibiendo en la boca, en los ojos, en el cuello... pero también quería caer con él sobre las frazadas. Deliberadamente, aflojó las piernas y le hizo perder el equilibrio, de modo tal que cayó sobre ella, entre las frazadas del nido.

—Lo siento.

Michael trató de desenredarse, pero ella le echó un brazo al cuello y le sostuvo la cara contra su mejilla. Estirando la mano por sobre su hombro, tiró de las frazadas para que los cubrieran. Deslizó las manos por la cara de Michael, hasta enredarlas en su pelo, mientras lo besaba. Era bueno sentir el peso de su cuerpo; cuando él trató de apartarse, Centaine lo detuvo enganchando el tobillo al dorso de su pierna.

—La luz —graznó él, buscando a tientas la lámpara para bajar la llama.

—No. Quiero verte la cara.

Ella lo sujetó por la muñeca y retuvo su mano contra el seno, mirándolo a los ojos. Eran tan bellos a la luz de la lámpara que su corazón estuvo a punto de quebrarse. Y en eso sintió la mano de Michael sobre un pecho. No la dejó escapar; le dolían los pezones de tanto necesitar su contacto.

Todo se convirtió en un delirio de deleite y deseo, más y más poderoso, hasta tornarse insoportable. Tenía que pasar algo antes de que ella se desmayara por tanta potencia... Pero no pasaba, y se sintió caer desde lo alto, impaciente, casi furiosa por la desilusión.

Recobró entonces sus facultades críticas, abotagadas por el deseo, y percibió que Michael vacilaba entre indecisiones. Eso la enojó. Él tenía que mostrarse poderoso, llevarla adonde ella quería estar. Volvió a tomarlo por la muñeca y le llevó la mano hacia abajo, mientras se movía debajo de él, hasta que la gruesa falda de lana se le enrolló a la cintura.

—Centaine —susurró él—, no quiero hacer nada que tú no quieras.

—*Tais-toi!* —lo acalló ella. "¡Silencio!" Y comprendió que sería preciso guiarlo hasta el final, toda la vida, pues había en él cierra inseguridad que sólo en ese momento notaba. De todos modos, eso no la molestó. Por el contrario, la hizo sentir muy fuerte y muy segura de sí misma.

Ambos ahogaron una exclamación cuando él la tocó. Un momento después, Centaine le soltó la muñeca para buscarlo. Cuando lo encontró volvió a gritar: era tan grande y duro que le inspiró miedo; por un momento dudó ser capaz de la tarea que había tomado sobre sí. De inmediato se rehízo. Él se mostraba torpe; tuvo que moverse un poquito, ayudarlo. De pronto, cuando menos lo esperaba, sucedió... y Centaine ahogó un grito de sorpresa.

Pero Anna se había equivocado. No había dolor: sólo una sobrecogedora sensación de estiramiento, de plenitud y, pasada la sorpresa, la seguridad de ejercer un gran poder sobre él.

—Sí, Michael, sí, querido —lo alentó.

En ese momento, manejando el ataque con facilidad, ella

supo que ese hombre le pertenecía por completo y disfrutó de la certeza.

Cuando se debatió en la convulsión final, Centaine, que le observaba el rostro, notó que el color de sus ojos cambiaba a índigo. Sin embargo, aunque lo amaba en ese momento con una intensidad físicamente dolorosa, en la profundidad de su conciencia existía la pequeña sospecha de que le faltaba algo. No había sentido la necesidad de gritar, como Elsa bajo Jacques en el establo.

Y detrás de ese pensamiento sintió un miedo instantáneo.

—Michael —susurró, ansiosa—, ¿todavía me amas? Dime que me amas.

—Te amo más que a mi propia vida —respondió él, con voz quebrada.

Y Centaine no pudo dudar, ni por un instante, de su sinceridad. Sonrió en la oscuridad, llena de alivio, y lo estrechó contra sí. Al sentir que él se empequeñecía y se ablandaba en su interior la asaltó una oleada de compasión.

—Querido mío —susurró—, bueno, bueno, mi querido...

Y le acarició los rizos elásticos de la nuca.

Pasó un ratito antes de que sus emociones se calmaran al punto de permitirle comprender que en su interior algo había cambiado, irrevocablemente, en los breves minutos de ese simple acto realizado a dúo. El hombre que tenía en los brazos era físicamente más fuerte que ella, pero parecía un niño, un niño dormido, así acurrucado contra su pecho. Ella, en cambio, se sentía más sabia, más vital, como si su vida, hasta ese momento, hubiera permanecido varada. Pero acababa de hallar sus vientos alisios y, como un gran barco, navegaba por fin con buen destino.

—Despierta, Michael. —Lo sacudió suavemente. Él murmuró algo, moviéndose. —Ahora no puedes dormir. Háblame.

—¿De qué?

—De cualquier cosa. Háblame de África. Cuéntame cómo iremos juntos a África.

—Ya te lo he dicho.

—Dímelo otra vez. Quiero escuchar todo eso otra vez.

Se recostó contra él, escuchando ávidamente, haciéndole preguntas cada vez que él vacilaba.

—Háblame de tu padre. No me has contado cómo es.

Y así conversaron toda la noche, acurrucados en su capullo de frazadas grises.

Muy pronto para susto de ambos, los cañones reiniciaron su coro de muerte a lo largo de los barrancos. Entonces Centaine lo estrechó contra sí, con ansias desesperadas.

—¡Oh, Michael, no quiero irme!

Y de inmediato se apartó, incorporándose, para comenzar a vestirse.

—Fue lo más maravilloso que me haya pasado en la vida —susurró Michael, mientras la observaba.

A la luz de la lámpara y el centelleo de los cañones, los ojos oscuros lucían enormes y suaves al volverse hacia él.

—Iremos juntos al África, ¿verdad, Michael?

—Te prometo que sí.

—Y tendremos a nuestro hijo a la luz del sol, y viviremos felices por siempre jamás, como en los cuentos de hadas, ¿verdad, Michael?

Subieron juntos por el camino, abrazados bajo el chal de Centaine. En la esquina de los establos volvieron a besarse con silenciosa intensidad, hasta que Centaine quebró el abrazo para huir por el patio.

No miró hacia atrás al llegar a la puerta de la cocina. Desapareció en la casa enorme, oscura, dejando a Michael solo e inexplicablemente triste, en vez de estar lleno de júbilo.

Biggs, de pie junto al colchón, miró con cariño a Michael, que dormía. Su hijo mayor, el que había muerto en las trincheras de Ypres un año atrás, hubiera tenido la misma edad. Michael parecía tan cansado y pálido que a Biggs le costó un esfuerzo tocarlo en el hombro para despertarlo.

—¿Qué hora es, Biggs? —Michael se incorporó, aturdido.

—Es tarde, señor, y brilla el sol. Pero no vamos a volar. Todavía seguimos en tierra, señor.

Y en eso pasó algo extraño: Michael le sonrió con toda la cara, con una sonrisa que Biggs no le había visto nunca. Eso lo alarmó.

—Cielos, Biggs, qué bien me siento.

—Me alegro mucho, señor. —Biggs, con una punzada de miedo, se preguntó si tendría fiebre. —¿Cómo anda nuestro brazo, señor?

—Nuestro brazo está maravillosamente, el condenado. Gracias, Biggs.

—Lo habría dejado dormir, señor, pero el mayor pregunta por usted. Quiere mostrarle algo imponente.

—¿De qué se trata?

—No se me permite decirlo, señor Michael. Son instrucciones estrictas de Lord Killigerran.

—¡Buen hombre, Biggs! —exclamó Michael, sin motivo visible, mientras saltaba de su colchón—. No es cuestión de dejar a Lord Killigerran esperando.

Michael, al irrumpir en el comedor, se llevó la desilusión de encontrarlo desierto. Quería compartir un buen ánimo con alguien, sobre todo con Andrew, pero hasta el cabo que atendía el comedor había abandonado su puesto. Los platos del desayuno seguían amontonados en la mesa; había periódicos y revistas esparcidos por el suelo, obviamente arrojados en un momento de prisa. La pipa del auxiliar, con malolientes volutas de humo brotando aún de ella, yacía en uno de los ceniceros, prueba de una salida precipitada.

En eso Michael oyó voces, lejanas pero excitadas, por la ventana abierta que daba a la huerta, y corrió hacia los árboles.

Todo el escuadrón estaba formado por veinticuatro pilotos, pero después de las últimas salidas se habían visto reducidos a dieciséis, incluidos Andrew y Michael. Y todos ellos estaban reunidos en la orilla del huerto, junto con los mecánicos y el personal de tierra, los artilleros de la batería antiaérea, los criados del comedor y cuanto ser viviente había en la zona. Al parecer, todos ellos estaban hablando al mismo tiempo.

Se habían reunido en torno de un aeroplano estacionado en el puesto Número 1, en el extremo del huerto. Michael sólo pudo ver las alas superiores de la máquina y la caseta del motor sobre la cabeza de la multitud, pero sintió en la sangre un súbito estremecimiento. Nunca había visto nada parecido.

La nariz del aparato era larga; daba la impresión de poseer una gran potencia; las alas poseían un profundo diedro que prometía buena velocidad. Las superficies de mando hablaban de estabilidad y fácil manejo.

Andrew se apartó de la entusiasta muchedumbre y corrió al encuentro de Michael, con la boquilla de ámbar colgando de la boca en un ángulo audaz.

—¡Salve! La bella durmiente se alza como Venus entre las olas.

—Andrew, es el SE5a, por fin, ¿verdad? —gritó Michael, para hacerse oír a pesar del alboroto.

Su amigo lo tomó del brazo para arrastrarlo hasta el aparato.

La multitud se abrió ante ellos. Michael se detuvo en seco, sobrecogido de respeto. Bastaba una mirada para notar que era más pesado y más robusto que el mismo Albatros alemán. ¡Y qué motor! ¡Enorme!

—Doscientos caballos de fuerza —informó Andrew, dando palmaditas amorosas a la caseta del motor.

—Doscientos caballos de fuerza —repitió Michael—. Más que el Mercedes alemán.

Y se acercó para acariciar la bella madera de la hélice, contemplando las armas.

Había una Lewis .303, sobre montura Foster, en el ala superior: un arma liviana, confiable y efectiva, que disparaba por sobre el arco de la hélice; por debajo, montada en el fuselaje, delante de la cabina, se veía una Vickers, más pesada, con interruptor para disparar a través del giro de hélice. Dos armas; por fin tenían dos armas y un motor poderoso, capaz de llevarlos en la batalla.

Michael emitió el grito de las tierras escocesas que le había enseñado Andrew, mientras su amigo destapaba la petaca para esparcir unas pocas gotas de whisky sobre la caseta del motor.

—Bendito sea este barrilete y todos cuantos en él vuelen —entonó.

Luego bebió un trago y pasó la petaca a Michael.

—¿La piloteaste? —preguntó Michael, con voz ronca por el whisky, mientras pasaba la petaca al oficial más próximo.

—¿Quién diablos crees que la trajo de Arras? —inquirió Andrew.

—¿Cómo se porta?

—Como cierta jovencita de Aberdeen que conozco: rápida para subir, rápida para bajar y, entre tanto, dulce y amorosa.

Se produjo un coro de maullidos y silbos entre los pilotos reunidos.

—¿Cuándo tendremos oportunidad de probarla, señor? —gritó alguien.

—Por orden de antigüedad —informó Andrew, dedicando a Michael una sonrisa perversa—. ¡Lástima que el capitán Courtney no esté en condiciones de volar!

Y sacudió la cabeza, fingiendo solidaridad.

—¡Biggs! —gritó Michael—. ¿Dónde está mi chaqueta de piloto, hombre?

—Se me ocurrió que me la pediría, señor.

Biggs salió de entre la muchedumbre, presentándole la chaqueta por la espalda para que pasara los brazos por las mangas.

El poderoso motor Wolseley Viper impulsó al SE5a por la pista, estrecha y fangosa. Al levantarse la cola, Michael disfrutó de una amplia visión hacia adelante, por sobre la caseta del motor. Era como estar sentado en un palco.

—Tengo que decir a Mac que quite este miserable parabrisas —decidió—. Así podré detectar a cualquier huno a ciento cincuenta kilómetros.

Elevó la gran máquina en el aire, sonriendo al sentirla ascender.

"Rápida para subir", había dicho Andrew. Se sintió firmemente presionado hacia abajo en el asiento. Al levantar la nariz sobre el horizonte, ascendieron como un buitre siguiendo a su presa.

—Ningún Albatros podrá superarnos en altura —se enorgulleció.

Niveló el aparato permaneciendo a mil quinientos metros y describió un giro hacia la derecha, cerrándolo cada vez más hasta que, con la palanca bien hacia atrás para mantener la nariz en alto, el ala de estribor apuntó verticalmente hacia tierra; la fuerza centrífuga le vació el cerebro de sangre, de modo tal que su visión quedó en gris. De inmediato la dirigió en sentido opuesto, gritando de regocijo ante las ráfagas de viento, entre el rugir del enorme motor.

—¡Vengan, hijos de puta! —gritó, mirando hacia las líneas alemanas—. ¡Vengan a ver lo que les espera!

Cuando aterrizó, los otros pilotos rodearon a la máquina en una bandada vocinglera.

—¿Cómo es, Mike?

—¿Qué tal sube?

—¿Gira bien?

Michael, de pie en el ala inferior, erguido por sobre todos ellos, formó un manojo con los dedos de la mano derecha y se besó las puntas, abriéndolas hacia el cielo.

Esa tarde, Andrew condujo a la escuadrilla en una formación cerrada de maltratados Sopwith Pups, hasta el aeropuerto principal de Bertangles. Allí esperaron, frente al hangar Número 3, en un grupo impaciente y excitado, mientras la tripulación de tierra sacaba los grandes SE5a para estacionarlos en fila india sobre la pista.

Gracias a su tío, el de los cuarteles de división, Andrew había logrado la presencia de un fotógrafo. Con los nuevos aviones de combate como fondo, los pilotos de la escuadrilla se formaron en torno de él como un equipo de fútbol. Cada uno de ellos vestía a su modo; no había un solo uniforme reglamentario. Se cubrían la cabeza con gorras, viseras y cascos de cuero. Andrew, como siempre, lucía su gorra escocesa. Las chaquetas eran de la marina o de la caballería, cuando no abrigos de cuero, pero todas llevaban las alas de la Fuerza bordadas en el pecho.

El fotógrafo instaló su pesado trípode de madera y desapareció bajo el paño negro. Sólo uno de los pilotos estaba excluido del grupo: Hank Johnson, un pequeño texano, no tenía aún veinte años; era el único norteamericano del escuadrón; antes de la guerra había sido domador de caballos, pero se había pagado el pasaje por sobre el Atlántico para reunirse con el Escuadrón Lafayette y, desde allí, había acabado en el abigarrado grupo de Andrew, entre escoceses, irlandeses y nativos de las colonias, como parte del Escuadrón N° 21.

Hank, de pie tras el trípode con un grueso cigarro en la boca, se dedicó a dar consejos al pobre fotógrafo.

—Ven de una vez, Hank —lo llamó Michael—. Necesitamos tu precioso hocico para dar distinción a la foto.

Hank se frotó la nariz, torcida por uno de sus caballos, y sacudió la cabeza.

—¿Ustedes nunca oyeron decir que es mala suerte tomarse una foto?

Todos se burlaron a gritos, mientras él agitaba su cigarro, afablemente.

—Sigan no más —les propuso—, pero mi papá recibió una picadura de cascabel el mismo día en que se hizo fotografiar por primera vez.

—Allá arriba no hay serpientes de cascabel —replicó uno.

—No —concedió Hank—. Pero hay cosas mucho peores.

Los gritos burlones perdieron fuerza. Todos se miraron mutuamente. Uno de ellos hizo ademán de abandonar el grupo.

—Sonrían, caballeros, por favor.

El fotógrafo acababa de salir de bajo el paño, petrificándolos, pero las sonrisas resultaron un poco duras y enfermizas al grabarse las imágenes en nitrato de plata, en beneficio de la posteridad.

Andrew actuó con rapidez para cambiar el humor sombrío que los dominaba.

—Michael, elige a cinco —ordenó—. Los demás les daremos diez minutos de ventaja. Ustedes tratarán de interceptarnos antes de que lleguemos a Mort Homme.

Michael condujo a su formación de cinco en la clásica posición de emboscada, contra el sol, ocultos tras algunas nubes. Así bloquearon la ruta de regreso a Mort Homme. Aun así Andrew estuvo a punto de burlarlos: llevó a su grupo bien al sur y pasaba casi rozando la tierra. Hubiera dado resultado con una vista menos aguda que la de Michael, pero él divisó el destello de un parabrisas a nueve kilómetros de distancia y lanzó la señal roja que indicaba: "Enemigo a la vista". Andrew, al darse cuenta de que había sido detectado, ascendió para salirles al encuentro. Las dos formaciones se reunieron en un torbellino de giros, picadas y tirabuzones.

Michael eligió al SE5a de Andrew y se lanzó hacia él. Ambos se liaron en un intrincado dúo aéreo, exigiendo a fondo a las poderosas máquinas hasta probar los límites de velocidad y resistencia. Aun así, parejos en habilidad y aviones, ninguno de los dos logró ventaja. Por fin, casi por casualidad, Andrew se elevó sobre la cola, casi en la línea mortífera. Michael pateó el timón de cola sin ladearse y el SE5a se deslizó de costado, plano, sacudiéndolo con una fuerza que estuvo a punto de desnucarlo. De pronto se descubrió lanzándose de cabeza contra Andrew.

Pasaron casi rozándose, a toda velocidad. Sólo los instantáneos reflejos del piloto veterano evitaron el choque. De inmediato, Michael repitió el giro plano y fue violentamente arrojado contra el costado de la cabina. El hombro, parcialmente curado, golpeó contra el borde, haciéndole ver estrellas del dolor. Pero un segundo después estaba otra vez pegado a la cola de Andrew, que se retorcía desesperadamente. Michael copiaba cada uno de sus giros evasivos, manteniéndolo en la mirilla de sus Vickers, cada vez más cerca, hasta que su hélice estuvo muy cerca de rozar el timón de cola.

—*Ngi dla!* —aulló Michael, triunfante, repitiendo el antiguo grito de guerra de los zulúes, "¡He comido!", el mismo que gritaban los guerreros del rey Chaka al hundir el assegai en la carne viva.

Vio el rostro de Andrew reflejado en el espejo retrovisor, por sobre su cabeza; tenía los ojos ensanchados por el espanto y la incredulidad ante esa increíble maniobra.

Andrew disparó una señal verde para convocar a su escuadrón, concediendo la victoria a Michael. La escuadrilla estaba esparcida por el cielo, pero ante la llamada volvieron a formarse tras Andrew, que los condujo hasta Mort Homme.

En cuanto aterrizaron, el escocés saltó de su máquina para volar hacia Michael. Lo tomó por ambos hombros, sacudiéndolo en su impaciencia.

—¿Cómo hiciste eso? ¿Cómo diablos hiciste eso?

Michael se lo explicó rápidamente.

—Es imposible. —Andrew sacudía la cabeza. —Un giro plano... Si no lo hubiera visto... —Se interrumpió. —Vamos. Lo probaremos otra vez.

Los dos aviones, juntos, despegaron de la estrecha pista y sólo regresaron con la última luz del día. Michael y Andrew saltaron de sendas cabinas y cayeron uno contra el otro, palmeándose las espaldas y bailando en círculos, tan acolchados de ropa que parecían un par de osos de circo. La tripulación de tierra los observaba con sonrisas de indulgencia. Por fin se tranquilizaron un poco, permitiendo que Mac, el mecánico en jefe, acercara.

—Con su perdón, señor, esa pintura parece el vestido dominguero de mi suegra. Está opaca, sucia, que Dios me ampare.

Los SE5a llevaban la pintura de fábrica, un color ideado para hacerlos menos visibles al enemigo.

—Verde —dijo Andrew.

Unos pocos pilotos de ambos bandos, tanto alemanes como británicos, preferían el efecto opuesto. En el caso de ellos era cuestión de orgullo tener pintura lo bastante llamativa como para anunciar su presencia al enemigo, en un desafío directo.

—Verde —repitió Andrew—. Verde intenso, haciendo juego con mi bufanda, y no olvides el pastel volador en la nariz.

—Amarillo, Mac, por favor —decidió Michael.

—No sé por qué se me había ocurrido que iba a elegir el amarillo, señor Michael —observó Mac, muy sonriente.

—Ah, Mac, ya que estás, quita ese horrible parabrisas y ajusta los cables, ¿quieres?

Todos los veteranos estaban convencidos de que, al ajustar los cables y aumentando el ángulo diedro de las alas, agregaban unos cuantos nudos de velocidad.

—Me encargaré de eso —prometió Mac.

—Quiero que vuele sin tocarlo con las manos —agregó Michael.

Todos los ases eran maniáticos, era cosa sabida. Si el SE5a se mantenía en la línea de vuelo sin que nadie tocara los mandos, el piloto podía usar ambas manos para las armas.

—¡Así será, señor! —aseguró Mac, indulgente.

—Ah, Mac, prepara las armas para un alcance de cincuenta metros.

—¿Algo más, señor?

—Con eso basta por ahora, Mac —replicó Michael, imitando su amplia sonrisa—, pero ya se me ocurrirá algo más.

—No lo pongo en duda. —El mecánico meneó la cabeza, resignado. —Se lo tendré listo para el amanecer.

—De ser así, hay una botella de ron para ti.

—Y ahora, muchacho —invitó Andrew, echándole un brazo sobre los hombros—, ¿qué te perece si tomamos una copa?

—No veía la hora de que me invitaras —fue la respuesta.

El comedor estaba lleno de jóvenes entusiasmados que analizaban ruidosamente las nuevas máquinas.

—¡Cabo! —llamó Lord Killigerran, por sobre las cabezas de todos, al criado del comedor—. Esta noche, todas las copas corren por mi cuenta, por favor.

Y los pilotos lo vitorearon, encantados, antes de volverse hacia la barra para aprovechar la invitación.

Una hora más tarde, todos los ojos centelleaban febrilmente; las risas habían alcanzado ese tono agudo que Andrew juzgaba apropiado. Entonces descargó unos puñetazos sobre la barra, para llamar la atención, y anunció solemnemente:

—Como campeón de Bok-Bok de Aberdeen y la gran Escocia, para no mencionar las Hébridas exteriores, me honra desafiar a todos los presentes a un partido de ese antiguo y honorable deporte.

—¡Me honra aceptar, señor! —Michael le clavó una mirada burlona—. Tenga a bien escoger su equipo.

Michael perdió al echar suertes y su equipo debió formar la pirámide contra la pared más alejada, mientras los criados del comedor se apresuraban a retirar todo lo rompible. Luego, de a uno por vez, los muchachos de Andrew corrieron para lanzarse con toda la fuerza posible contra la pirámide, tratando de derribarla para un triunfo directo. Sin embargo, si tocaban el suelo con cualquier parte de su cuerpo en el proceso, podían provocar la inmediata descalificación de su equipo.

La pirámide de Michael soportó el peso y la violencia del ataque. Por fin, los ocho compañeros de Andrew quedaron encaramados como tropilla de monos sobre el equipo de Michael, sin que un dedo del pie o de la mano tocara el suelo.

Andrew, desde lo alto de la pila, formuló la pregunta crucial que decidiría la victoria gloriosa o la innoble derrota.

—Bok-Bok, ¿cuántos dedos tengo en alto?

Con la voz apagada por el peso de los otros cuerpos, Michael arriesgó:

—¡Dos!

Andrew reclamó la victoria y, con un gruñido de fastidio, la pirámide se derrumbó deliberadamente. En el caos consiguiente, Michael encontró la oreja de Andrew a pocos centímetros de su boca.

—Oye —preguntó— ¿podrías prestarme la motocicleta, por esta noche?

Andrew, apretado como estaba, no podía mover la cabeza, pero dirigió los ojos hacia su amigo.

—¿Vas a salir otra vez a tomar aire, muchacho?

Y como Michael puso cara de tímido, sin que se le ocurriera ninguna respuesta ingeniosa, agregó:

—Cuanto tengo es tuyo. Ve con mi bendición y da mis más respetuosos saludos a la afortunada damisela, ¿quieres?

Michael estacionó la motocicleta en los bosques, detrás del granero y chapoteó en el lodo hasta la entrada, llevando una brazada de cobertores del ejército. Al detenerse allí vio un destello de luz. Centaine había levantado la pantalla de la lámpara para alumbrarle la cara.

—*Bonsoir, Monsieur.*

Estaba sentada sobre los fardos de paja, con las piernas recogidas bajo el cuerpo y una sonrisa traviesa.

—Qué sorpresa verlo aquí.

Él trepó para abrazarla.

—Llegaste temprano —la acusó.

—Papá se acostó temprano...

No pudo decir más, pues la boca de Michael cubrió la suya. Cuando ambos se apartaron para respirar, jadeó:

—Vi los aviones nuevos, pero no sabía cuál era el tuyo. Son todos iguales. Me afligió no saber en cuál ibas.

—Mañana el mío será otra vez amarillo. Mac lo está pintando.

—Tenemos que acordar señales —propuso ella, mientras le quitaba las frazadas para hacer el nido entre la paja.

—Si levanto la mano sobre la cabeza, así, significará que te espero por la noche en el granero —sugirió él.

—Es la señal que más trataré de ver. —Ella le sonrió, dando palmaditas sobre los abrigos. —Ven aquí— ordenó, y su voz ya estaba ronca y ronroneante.

Largo rato después, tendida con la oreja contra su pecho desnudo para oír el latido de su corazón, lo sintió agitarse levemente.

—¡Centaine, no puede ser! —susurró él—. No puedes viajar a África conmigo.

Ella se incorporó rápidamente para mirarlo, con la boca endurecida y un centelleo peligroso en los ojos oscuros.

—¿Qué diría la gente? Piensa en mi reputación, si viajara con una mujer con la que no estoy casado.

Ella seguía mirándolo, pero su boca se suavizaba con el comienzo de una sonrisa.

—Pero debe haber una solución. —Michael fingió cavilar. Por fin chasqueó los dedos. —¡Ya sé! ¿Qué te parece si nos casamos?

Ella volvió a apoyarle la mejilla contra el pecho.

—Sólo para proteger tu reputación —susurró.

—Todavía no me has dado el sí.

—Oh, sí. ¡Sí! ¡Un millón de veces sí! —Característico en ella, su primera pregunta fue pragmática. —¿Cuándo, Michael?

—Pronto, lo antes posible. Yo ya conozco a tu familia, pero mañana te llevaré a conocer la mía.

—¿A tu familia? —Ella lo apartó con toda la longitud de sus brazos. —Tu familia está en África.

—Toda no —le aseguró él—. La mayor parte está aquí. Y cuando digo la mayor parte no hablo de cifras, sino de la parte más importante.

—No comprendo.

—¡Ya verás, *ma chérie*, ya verás! —la tranquilizó él.

Michael explicó a Andrew lo que tenía pensado.

—Si te pescan, declararé ignorar todo ese nefasto plan. Más aún, voy a presidir con gran alegría tu corte marcial y a comandar personalmente la brigada de fusilamiento —le advirtió su amigo.

Michael caminó por el suelo firme del Campo Norte, junto a la propiedad de De Thiry, desde la base del escuadrón. Tuvo que llevar el reluciente SE5a amarillo bajo la hilera de robles que bordeaba el campo y, en tanto franqueaba los dos metros de muralla, cerrar el cebador y dejar que el aparato descendiera a la tierra blanda. Se levantó de prisa y dejó el motor en marcha, para salir al ala.

Centaine venía corriendo desde el rincón en donde estaba esperando. Había seguido las instrucciones de Michael y estaba bien abrigada: botas forradas de piel bajo la falda amarilla, y una bufanda de seda amarilla al cuello. Sobre ella usaba una capa de lustrosas pieles de zorro plateado, con la capucha colgándole a la espalda. Llevaba una bolsa de cuero blando en bandolera.

Michael bajó de un salto para hacerla girar en sus brazos.

—¡Mira! Me vestí de amarillo, tu color favorito.

—Muchacha inteligente —ponderó él, dejándola en el suelo—. ¡A ver!

Sacó del bolsillo de su sobretodo el casco de piloto que le habían prestado y le enseñó a ponérselo sobre los gruesos rizos oscuros, con la hebilla bajo el mentón.

—¿Se me ve gallarda y romántica? —preguntó ella, poniéndose en pose para él.

—Se te ve maravillosa.

Y era cierto: tenía las mejillas encendidas por el entusiasmo y los ojos chisporroteantes.

—Vamos. —Michael volvió a trepar al ala y se dejó caer en la cabina.

—Qué pequeño es —comentó Centaine, vacilando en el ala.

—También tú. Pero me parece que tienes miedo, ¿no?

—¡Miedo, yo!

La muchacha le arrojó una mirada de total desprecio y comenzó a instalarse sobre él.

Era complicado, pues requería que ella se levantara las faldas por sobre las rodillas, para balancearse precariamente sobre la cabina abierta, como un bello pájaro que se asentara sobre los huevos. Michael no pudo resistir la tentación y le deslizó las manos por debajo de la falda, casi hasta la unión de sus carnosos muslos, envueltos en seda. Centaine chilló, indignada.

—¡Qué atrevido es usted, Monsieur!

Y se dejó caer sobre su regazo.

Michael abrochó el cinturón de seguridad sobre ambos y le acarició el cuello, por debajo del casco.

—Ahora estás en mi poder. No puedes escapar.

—No estoy segura de querer hacerlo —rió ella.

Tardaron algunos minutos en arreglar las faldas, las pieles y las enaguas de Centaine, para asegurarse de que Michael pudiera manejar los mandos con ella atada sobre sus rodillas.

—Todo listo —dijo él, por fin.

Y carreteó hasta el extremo del campo, aprovechando cada centímetro de pista, pues la tierra estaba blanda y el espacio era poco. Había ordenado a Mac que retirara las municiones de ambas ametralladoras y el refrigerante de la Vickers, con lo cual se ahorraban casi treinta kilos de peso; aun así estaban sobrecargados para tan poca pista disponible.

—Sujétate —le dijo al oído.

Abrió el cebador y el gran aeroplano saltó hacia adelante.

—Gracias a Dios, hay viento sur —comentó, mientras sentía el tirón del aparato al desprenderse del barro, en un esfuerzo por levantarlos en el aire.

Una vez franqueada la pared más alejada, por muy poco margen, Michael se ladeó un poco para elevar el ala de babor, a fin de no tocar la copa de un roble. Luego se alejaron, ascendiendo. Sintió a Centaine rígida sobre su regazo y pensó que tenía mucho miedo. Fue una desilusión.

—Ahora no corremos peligro —gritó, para hacerse oír por sobre el ruido del motor.

Cuando ella volvió la cabeza, en sus ojos no había miedo, sino éxtasis.

—Es bellísimo —dijo.

Y lo besó. Saber que ella compartía su pasión por el vuelo dejó a Michael encantado.

—Pasaremos por sobre el *château* —le advirtió él, y se ladeó bruscamente, perdiendo altura otra vez.

Para Centaine fue la segunda entre las experiencias más

maravillosas de su vida: mejor que montar o escuchar música, casi tan bueno como hacer el amor con Michael. Era un pájaro, un águila; quería gritar su alegría a los vientos, quería retener ese momento para siempre. Quería estar siempre en la altura, con el viento salvaje aullando a su alrededor, sostenida protectoramente por el fuerte brazo del hombre a quien amaba.

Por debajo yacía todo un mundo nuevo, los mismos sitios familiares que conocía desde su más temprana infancia, pero vistos desde una dimensión diferente y encantadora.

—¡Así es como los ángeles han de ver el mundo! —gritó.

Él sonrió ante la ocurrencia. El *château* se erguía allá delante. Centaine nunca lo había visto tan grande, tan rosado y bonito. Y allá estaba Nuage, en la pradera, detrás de los establos. Galopaba precediéndolos, en carrera contra el aeroplano amarillo. La muchacha rió, gritando en el viento:

—¡Corre, querido mío!

Un momento después pasaron por encima del animal. Entonces vieron a Anna en los jardines, que erguía la espalda entre las plantas al oír el motor; miraba hacia arriba, con una mano a modo de visera. Estaba tan cerca que Centaine vio el entrecejo fruncido en su roja cara. Se inclinó desde la cabina, y su bufanda amarilla flotó en el viento. Entonces, al pasar velozmente, vio en el rostro de Anna una expresión de incrédulo asombro.

Centaine rió, pidiendo a Michael:

—Sube más. Sube más.

Él obedeció. La muchacha no se quedaba quieta ni por un momento; se retorcía y daba saltitos en su regazo, asomándose desde la cabina, primero de un lado, luego del otro.

—¡Mira, mira! Allá está el convento... ¡Si las monjas me vieran! Y allá, mira, allá está el canal. Y allá la catedral de Arras. Oh, y allí...

Su entusiasmo era contagioso, y Michael rió con ella. Cuando Centaine giró la cabeza para mirarlo, la besó, pero ella se apartó, diciendo:

—¡Oh, no quiero perderme un solo segundo!

Michael distinguió la base aérea principal de Bertangles; las pistas formaban una cruz de pasto bien cortado entre el bosque oscuro, con un puñado de hangares y edificios animados entre los brazos de la cruz.

—Escúchame —le gritó Michael al oído—, cuando aterricemos debes mantener la cabeza gacha. —Ella asintió. —En cuanto yo te lo diga, bajas de un salto y corres hacia los árboles. A la derecha verás una pared de piedra. Síguela por trescientos metros hasta llegar a la ruta y espera allí.

Michael tomó el circuito de Bertangles como se enseñaba en los textos, aprovechando el suave descenso para un buen escrutinio de la base, en busca de cualquier actividad que pudiera indicar la presencia de un oficial de alto rango o cualquier otro problema en potencia. Había cinco o seis aeroplanos frente a los hangares, y una o dos siluetas trabajaban en ellos o se paseaban entre los edificios.

—Parece que todo está bien —murmuró.

Entonces se volvió contra el viento para el acercamiento final, con Centaine acurrucada en su regazo, fuera de la vista.

Michael entró muy alto, como un novicio. Aún estaba a cincuenta pies cuando pasó los hangares; aterrizó en el extremo más alejado de la pista y dejó que el impulso los llevara casi hasta el borde del bosque, antes de girar sobre un lado para frenar con fuerza.

—¡Baja y corre! —dijo a Centaine, levantándola desde la cabina.

Oculta a la vista de los hangares y los edificios por el fuselaje del SE5a, ella se recogió las faldas y, con la bolsa de cuero sujeta bajo el brazo, corrió hacia los árboles.

Michael carreteó hasta los hangares y dejó el SE5a sobre el asfalto.

Un sargento mecánico le dijo, al verlo bajar:

—Será mejor que firme el libro, señor.

—¿Qué libro?

—Nuevo procedimiento, señor. Hay que anotar todos los vuelos que entran y salen.

—Esa maldita burocracia —protestó Michael—. Últimamente no se puede hacer nada sin papeles.

Pero salió en busca del oficial de turno.

—Ah, Courtney, sí. Hay un chofer esperándolo.

El chofer esperaba al volante de un Rolls Royce negro, estacionado tras el hangar Nº 1, pero en cuanto vio a Michael bajó de un salto y le hizo la venia.

—*Nkosana!* —exclamó, sonriendo con enorme placer.

Sus dientes centelleaban en la cara oscura, con forma de luna llena. Su enérgico saludo sacudió la visera de su gorra. Era un zulú alto y joven, aun más alto que el mismo Michael, llevaba el uniforme caqui y las polainas del Cuerpo Africano.

—¡Sangane! —replicó Michael, con la misma sonrisa, antes de abrazarlo impulsivamente. —Ver tu cara es como volver a casa —agregó, en fluido zulú.

Ambos habían crecido juntos, paseando por las colinas amarillas de Zululandia, con sus perros y sus rifles de caza. Habían nadado desnudos en las aguas verdes y frescas del río Tugela, y pescado en ellas anguilas largas y gruesas como sus propios brazos. Habían cocinado sus piezas de caza en el mismo fuego humeante. Tendidos lado a lado por la noche, estudiando las estrellas y analizando seriamente los temas de cualquier niño, habían decidido cómo querían vivir y qué mundo construirían cuando fueran grandes.

—¿Qué noticias hay de casa, Sangane? —preguntó Michael, en tanto el zulú abría la portezuela del Rolls. —¿Cómo está tu padre?

Mbejane, el padre de Sangane, era un viejo criado, compañero y amigo de Sean Courtney, príncipe de la casa real de los zulúes, que había seguido a su amo a otras guerras, aunque en ese momento, demasiado viejo y enfermo, se veía obligado a enviar a su hijo.

Conversaron animadamente, mientras Sangane conducía el Rolls fuera de la base y tomaba por la ruta principal. En el asiento trasero, Michael se quitó el equipo de vuelo para dejar al descubierto su uniforme de gala, completo, con alas y condecoraciones.

—Deténte allí, Sangane, en el límite de los árboles. —Bajó de un salto y llamó, ansioso: —¡Centaine!

La muchacha salió detrás de un árbol, y Michael quedó boquiabierto. Había aprovechado bien el tiempo, desde que él la dejó, y en ese momento resultó fácil adivinar lo que llevaba en el bolso de cuero. Era la primera vez que él la veía con maquillaje, pero estaba aplicado con tanto arte que, en un principio, no se detectaba la transformación. Los ojos eran más luminosos; la piel, más perlada y reluciente.

—Estás hermosa —balbuceó.

Ya no era una niña-mujer: poseía una nueva apostura, llena de confianza. Abrumaba.

—¿Crees que le gustaré a tu tío? —preguntó ella.

—Se va a enamorar de ti... como cualquier hombre.

El amarillo de su traje era un tono peculiar, que parecía dorar su piel y lanzar reflejos de oro a sus ojos oscuros. El sombrerito tenía el ala angosta de un lado y ancha del otro, donde iba prendida a la copa con un manojito de plumas verdes y amarillas. Bajo la chaqueta llevaba una blusa de fino *crêpe-de-chine* con cuello alto de encaje, que destacaba la línea de su cuello y el ángulo audaz de su cabeza pequeña. Las botas habían sido reemplazadas por elegantes zapatos.

Él le tomó las manos para besárselas con reverencia; luego la ayudó a subir a la parte trasera de la limusina.

—Sangane, esta mujer va a ser mi esposa muy pronto.

El zulú asintió, en señal de aprobación, estudiándola como a un caballo o a una yegua pura sangre.

—Ojalá te dé muchos hijos varones —deseó.

Ante la traducción de Michael, Centaine rió, ruborizada.

—Dale las gracias, Michael, pero dile que me gustaría tener una hija mujer, cuanto menos. —Estudió el lujoso interior del Rolls. —¿Todos los generales ingleses tienen coches como éste?

—Mi tío lo trajo consigo de África —replicó Michael, deslizando una mano por el asiento de cuero suave—. Fue un regalo de mi tía.

—Tu tío ha de tener mucho estilo, para ir a la guerra con semejante carroza. Y tu tía, muy buen gusto. Espero poder hacerte un regalo así algún día, Michael.

—Me gustaría besarte —dijo él.

—En público, jamás —le reprochó ella, remilgada—, pero cuando estemos solos, todo lo que quieras. Ahora dime, ¿falta mucho?

—Unos siete kilómetros, pero con este tránsito sólo Dios sabe cuánto podemos tardar.

Habían tomado por la ruta principal Arras-Amiens, que estaba atestada de transportes de tropas, cañones y ambulancias, pesados camiones de abastecimiento, y carros tirados por caballos. Por ambos bordes caminaban soldados, encorvados bajo las pesadas mochilas, cuyos cascos de acero les daban una uniformidad de hongos.

Michael captó miradas resentidas y envidiosas, según Sangane filtraba el reluciente Rolls por entre el tránsito más lento. Los hombres que chapoteaban en el barro, al mirar hacia adentro, veían a un elegante oficial, con una linda muchacha, sentados ambos en un asiento de cuero blanco. Sin embargo, casi todas esas mirada sombrías se convertían en sonrisas cuando Centaine los saludaba con el brazo.

—Háblame de tu tío —exigió, volviéndose hacia Michael.

—Oh, es un tipo común; en realidad, no hay mucho que contar. Lo echaron de la escuela por pegarle al rector; peleó en la guerra de los zulúes y mató a su primer hombre antes de los dieciocho años; ganó el primer millón de libras antes de los veinticinco y los perdió en un solo día. Siendo cazador profesional, mató a unos cuantos cientos de elefantes por el marfil, y también a un leopardo, a mano limpia. Después, durante la guerra de los bóers, capturó a Leroux, el general bóer, casi sin ayuda; ganó otro millón de libras después de la guerra y ayudó a negociar la Carta de la Unión para Sudáfrica. Fue ministro de gabinete durante el gobierno de Louis Botha, pero renunció para venir a la guerra. Ahora es comandante del regimiento. Mide como un metro noventa y es capaz de levantar una bolsa de cien kilos de maíz en cada mano.

—Michael, me da miedo que me presentes a un hombre así —murmuró ella, muy seria.

—¿Por qué diablos...?

—Tengo miedo de enamorarme de él.

Michael rió, encantado.

—También yo tengo miedo. ¡De que él se enamore de ti!

El cuartel general del regimiento estaba localizado, por el momento, en un monasterio desierto de las afueras de Amiens. Los terrenos estaban descuidados y llenos de hierbas, pues los monjes los habían abandonado durante las batallas del otoño anterior; los grupos de rododendros se habían convertido en selva. Los edificios eran de ladrillo rojo; estaban cubiertos de musgo y de glicinas que trepaban hasta el tejado gris. Los ladrillos presentaban viejos agujeros de balas.

Un joven subteniente les salió al encuentro a la entrada.

—Usted ha de ser Michael Courtney. Me llamo John Pearce; soy el auxiliar del General.

—Oh, mucho gusto. —Michael le estrechó la mano. —¿Qué fue de Nick van der Heever?

Nick había sido compañero de escuela de Michael, era auxiliar del general Courtney desde que el regimiento llegó a Francia.

—Ah, ¿no se enteró? —John Pearce puso cara seria, la expresión tan acostumbrada en ese entonces cuando alguien preguntaba por un conocido. —Lamento decir que Nick tuvo mala suerte.

—Oh, no, por Dios...

—Por desgracia, sí. Estaba en el frente con su tío y lo alcanzó un francotirador.

Pero el teniente no podía concentrar su atención en lo que estaba diciendo, porque los ojos se le iban en dirección a Centaine. Michael, por darle el gusto, los presentó, pero cortó en seguida la pantomima admirativa del teniente.

—¿Dónde está mi tío?

—Le dejó dicho que tuviera a bien esperar. —El joven teniente los condujo hasta un pequeño jardín cerrado, que probablemente había pertenecido al abad. Había rosales trepadores en los muros de piedra y un reloj de sol en el centro del pequeño prado. En el rincón adonde llegaba el sol había una mesa puesta para tres. Tío Sean no perdía su estilo de costumbre: cubiertos de plata y cristal del mejor.

—El General vendrá en cuanto pueda, pero me encargó advertirles que será un almuerzo muy breve. La ofensiva de primavera, ya se sabe... —El teniente señaló el botellón puesto sobre la mesita rodante. —Mientras tanto, ¿puedo ofrecerles un jerez? ¿O algo más fuerte?

Centaine sacudió la cabeza, pero Michael asintió.

—Algo fuerte, por favor —dijo.

Aunque amaba a su tío tanto como a su propio padre, después de una ausencia prolongada siempre se ponía nervioso ante la perspectiva de verlo, y necesitaba algo para calmar esos nervios. El auxiliar sirvió un whisky para Michael.

—Si ustedes me disculpan, tengo unas cuantas cosas que...

Michael lo despidió con un gesto y tomó a Centaine del brazo.

—Mira, ya hay capullos en los rosales... y en los narcisos. —Ella se recostó contra él. —Todo está volviendo a la vida.

—Todo no —la contradijo Michael, suavemente—. Para el soldado, la primavera es la estación de la muerte.

—Oh, Michael... —comenzó ella.

Pero se interrumpió, mirando hacia las puertas de vidrio que se abrían a espaldas de Michael, con una expresión tal que lo hizo girar en redondo.

Por ellas había aparecido un hombre alto, erguido y de anchos hombros. Al ver a Centaine se detuvo a mirarla, con ojos penetrantes. Sus ojos eran azules; su barba, espesa, pero bien recortada, en el mismo estilo que la del Rey.

"¡Son los ojos de Michael", pensó Centaine, aunque notando que eran mucho más feroces.

—¡Tío Sean! —exclamó Michael, soltándola. Se adelantó para estrechar la mano de aquel hombre, y los ojos feroces, al girar hacia él, se suavizaron.

—Hijo...

"Lo ama", comprendió Centaine. "Ambos se aman mucho". Y estudió el rostro del General. Tenía la piel oscurecida por el sol, curtida como el cuero, con profundas arrugas en las comisuras de la boca y alrededor de esos ojos increíbles. La nariz era larga, como la de Michael, y aguileña; la frente, ancha y curva; por encima se espesaba una mata de pelo oscuro, con vetas de plata, que centelleaba a la luz del sol.

Ambos hablaban seriamente, sin soltarse la mano, intercambiando las vitales frases tranquilizadoras. Bajo la observación de Centaine se hizo evidente lo acentuado del parecido entre los dos.

"Son iguales", comprendió. "Sólo difieren en edad y en fortaleza. Más padre e hijo que..."

Los feroces ojos azules volvieron a ella.

—Conque ésta es la señorita.

—Permíteme presentarte a Mademoiselle Centaine de Thiry. Centaine, mi tío, el general Sean Courtney.

—Michael me había hablado mucho... una gran cantidad... Centaine tropezaba con el inglés.

—¡Habla en flamenco! —le interrumpió Michael, apresuradamente.

—Michael me ha hablado mucho de usted —obedeció ella, y el General sonrió, encantado.

—¡Habla afrikaans! —exclamó, en ese idioma.

Cuando sonreía, toda su persona cambiaba.

—No es afrikaans —protestó ella.

Y cayeron en una animada discusión. En los primeros minutos, Centaine descubrió que él le caía simpático. Le gustaba por su parecido con Michael y por las vastas diferencias que detectaba entre ambos.

—¡Vamos a comer! —exclamó Sean Courtney, tomándola del brazo—. Tenemos tan poco tiempo...

Y la sentó a la mesa.

—Michael, aquí, y será él quien trinche el pollo. Yo me encargo del vino.

Fue Sean, también, quien escogió el brindis:

—Por la próxima vez que nos encontremos los tres.

Y todos bebieron con fervor, demasiado conscientes de lo que se ocultaba detrás de la frase, aunque desde allí no se oía el disparar de los cañones.

Conversaron con tranquilidad; el General llenaba fácilmente y con prontitud los silencios incómodos. Así, Centaine comprendió que, a pesar de su exterior imponente, era delicado por naturaleza; sin embargo, sentía constantemente el escrutinio de esos ojos.

"Muy bien, *mon Général*", pensó, desafiante, "mire todo lo que quiera, pero yo soy yo y Michael es mío". Y levantó el mentón, sosteniéndole la mirada; le contestó directamente, sin vacilaciones ni amaneramientos, hasta que lo vio sonreír... y asentir, casi imperceptiblemente.

"Conque ésta es la elegida de Michael", musitaba Sean. "Me hubiera gustado que se decidiera por una muchacha de su propio pueblo, que hablara su propio idioma y profesara la misma fe. Me hubiera gustado saber mucho más de ella antes de dar mi bendición. Los habría obligado a tomarse tiempo para estudiarse bien y pensar en las consecuencias. Pero no hay tiempo, Mañana, pasado, sólo Dios sabe lo que puede ocurrir. ¿Cómo voy a estropearles un momento de felicidad que bien puede ser el único para ellos?"

La miró por un momento más, buscando señales de rencor o perversidad, debilidades, vanidades, pero sólo vio la mandíbula pequeña y decidida, la boca que sonreía con facilidad, pero con la misma facilidad se endurecía, los ojos oscuros e inteligentes. "Es resistente y orgullosa", decidió, "pero creo que será fiel, con fortaleza para resistirlo todo".

Por eso sonrió, por eso asintió, y la vio distenderse. También vio auténtico afecto y simpatía en los ojos de la muchacha. Luego se volvió hacia Michael.

—Bueno, hijo, no viniste hasta aquí para marcar ese pollito fibroso. Cuéntame a qué viniste. Veamos si puedes darme una sorpresa.

—Tío Sean, le he pedido a Centaine que se case conmigo.

Sean se limpió cuidadosamente los bigotes y dejó la servilleta. "No les arruines la ocasión", se aconsejó a sí mismo. "No pongas la menor nube en su júbilo."

Levantó la mirada y comenzó a sonreír.

—No me sorprendes: ¡me dejas atónito! Ya había perdido la esperanza de que hicieras algo sensato. —Y se volvió hacia Centaine. —Naturalmente, señorita, usted tiene demasiado sentido común como para haber aceptado, ¿verdad?

—General, me avergüenza confesar que no fue así. Lo he aceptado.

Sean miró a Michael con cariño.

—¡Qué tipo afortunado! Es demasiado buena para ti, pero no la dejes escapar.

—No se preocupe, señor —dijo Michael, riendo de alivio, pues no esperaba una aceptación tan inmediata. Ese hombre todavía era capaz de sorprenderlo.

Estiró la mano por encima de la mesa para tomar la de Centaine, que miraba sorprendida a Sean Courtney.

—Gracias, General, pero usted no sabe nada de mí... ni de mi familia.

Recordaba el interrogatorio al que su propio padre sometió a Michael. Sean, secamente, respondió:

—Dudo que Michael piense casarse con su familia, jovencita. Y con respecto a usted, querida, soy uno de los más entendidos del África cuando se trata de juzgar a los caballos a primera vista, sin falsa modestia. Sé reconocer a una yegua de calidad cuando me encuentro con una.

—¿Me está tratando de yegua, General? —desafió ella, juguetona.

—La estoy tratando de pura sangre. Apostaría a que usted se crió en el campo, sabe montar a caballo y tiene un árbol genealógico de lujo. ¿Me equivoco?

—El papá es conde. Ella monta como un centauro y tienen una propiedad que estaba llena de viñedos, antes de que los hunos la bombardearan.

—¡Ja! —exclamó Sean, triunfante.

Centaine hizo un gesto de resignación.

—Tu tío lo sabe todo.

—Todo no —corrigió Sean, volviéndose hacia Michael—. ¿Cuándo piensan casarse?

—Me hubiera gustado que mi padre... —Michael no necesitó terminar la frase. —Pero tenemos muy poco tiempo.

El tío asintió; sabía mejor que nadie cuán escaso era el tiempo restante.

—Garry, tu padre, sabrá comprender.

—Queremos casarnos antes de que se inicie la ofensiva de primavera —prosiguió Michael.

Sean frunció el entrecejo suspirando. Algunos de sus colegas podían enviar a sus jóvenes a la lucha sin aflicciones, pero él no era profesional. Sabía que jamás dejarían de afectarle el dolor y la sensación de culpa que experimentaba al mandar a los jóvenes a la muerte. Comenzó a hablar y se interrumpió. Después de otro suspiro, prosiguió:

—Michael, esto es información reservada, aunque se sabrá muy pronto, de todos modos. Se ha dado una orden a todos los escuadrones de combate. Esa orden consiste en impedir cualquier observación aérea del enemigo en nuestras líneas. Emplearemos a todos nuestros escuadrones en impedir que los observadores alemanes sigan nuestros preparativos de las próximas semanas.

Michael permaneció inmóvil, analizando lo que su tío acababa de decirle. Significaba que, hasta donde se podía anticipar, el futuro sería una batalla incesante e implacable con la Jagdstaffels alemana. Se le estaba advirtiendo que pocos de los pilotos podrían sobrevivir a esa batalla.

—Gracias, señor —dijo, suavemente—. Centaine y yo nos casaremos cuanto antes. ¿Me haría el honor de estar presente?

—Sólo puedo prometerte que haré lo posible. —Sean levantó la mirada; John Pearce, acababa de salir al jardín. —¿Qué pasa, John?

—Disculpe, señor. Despacho urgente del general Rawlinson.

—Ya voy. Déme dos minutos. —Se volvió hacia sus jóvenes invitados. —Un almuerzo espantoso. Lo siento.

—El vino era excelente; la compañía, aun mejor —aseguró Centaine.

—Michael, ve a llamar a Sangane para que traiga el Rolls. Quiero hablar en privado con esta señorita.

Ofreció el brazo a Centaine, y ambos siguieron a Michael por los claustros, hacia los portales de piedra. Sólo al detenerse junto al general pudo la muchacha apreciar toda su estatura; también notó que renqueaba levemente, con pasos algo desiguales sobre el pavimento de piedra. Hablaba con serenidad, pero con fuerza, inclinándose levemente hacia ella para hacerle llegar cada palabra.

—Michael es un buen muchacho. Es amable, considerado y sensible. Pero no tiene la determinación que se necesita en este mundo para llegar a la cima de la montaña. —Sean hizo una pausa. Ella lo miró con atención. —Creo que usted tiene esa fuerza. Todavía es muy joven, pero creo que su fuerza irá en aumento. Quiero que sea fuerte por Michael.

Ella asintió, sin hallar palabras para contestar.

—Sea fuerte por mi hijo —dijo Sean, suavemente.

Ella dio un respingo.

—¿Su hijo?

Vio consternación en los ojos del General. Pero él disimuló rápidamente, corrigiéndose:

—Perdón. El padre es gemelo mío. A veces pienso que él es como mi hijo.

—Comprendo —dijo ella. Pero algo le insinuaba que eso no había sido un error. "Algún día llegaré al fondo de esto", pensó.

Sean repitió:

—Cuídelo bien, Centaine, y seré amigo suyo hasta las puertas del infierno.

—Se lo prometo.

Ella le estrechó el brazo. Habían llegado a la entrada, donde Sangane esperaba con el Rolls.

—*Au revoir, Général* —saludó Centaine.

—Sí —asintió Sean—. Hasta la próxima vez.

Y la ayudó a subir al asiento trasero. Michael estrechó la mano a su tío.

—Le informaré en cuanto decidamos la fecha, señor.

—Por si no puedo estar allí, hijo, te deseo que sean muy felices —dijo Sean Courtney.

Y se quedó mirando mientras el Rolls se alejaba por el camino, con un tranquilo ronroneo. Luego hizo un gesto de impaciencia y volvió hacia los claustros, con su paso largo y desigual.

Centaine guardó el sombrero, las joyas y los zapatos en el bolso de cuero, se calzó las botas forradas de piel, se puso el casco en la cabeza y se agazapó en el borde del bosque.

Cuando Michael hizo carretear el SE5a hasta donde ella esperaba, corrió desde su escondrijo, le arrojó la bolsa y subió al ala. Esa vez no hubo vacilaciones: se introdujo en la cabina como toda una experta.

—Abajo la cabeza —ordenó Michael, haciendo girar el aparato para el despegue—. Todo bien —agregó, una vez que estuvieron en el aire.

Entonces ella asomó otra vez la cabeza, tan ansiosa y excitada como en el primer vuelo. Ascendieron más y más.

—Mira esa nubes, que parecen campos de nieve. Y el sol las llena de arcos iris.

Centaine se retorció en su regazo, para mirar hacia atrás. De pronto sus ojos tomaron una expresión intrigada y pareció perder interés en los arcos iris.

—*¿Michel?*

Se movía en su regazo, pero en ese momento con deliberación.

—*¡Michel!*

Ya no era una pregunta. Sus nalgas duras y redondas efectuaron una hábil oscilación que provocó un movimiento azorado en él.

—¡Perdona! —Michael trató, desesperadamente, de interrumpir el contacto, pero el trasero lo perseguía. Centaine giró el torso para echarle los brazos al cuello y le susurró algo.

—¡A la luz del día... y a cinco mil pies de altura! —exclamó él, escandalizado por la sugerencia.

—¿Por qué no, *mon chéri*? —Lo besó largamente. —Nadie puede enterarse.

Y Michael notó entonces que el SE5a había bajado un ala e iniciaba una espiral descendente. Se apresuró a corregir la máquina, mientras ella, abrazándolo, comenzaba a moverse en su regazo con un ritmo suave y voluptuoso.

—¿No quieres? —preguntó.

—Pero... pero... nunca se ha hecho semejante cosa, y menos en un SE5a. No sé si se puede. —La voz de Michael se estaba tornando más débil; su modo de pilotear, más errático.

—Ahora vamos a descubrirlo —afirmó ella—. Tú maneja el avión y no te preocupes.

Cambió levemente de posición y comenzó a recoger la parte posterior de su abrigo, junto con la falda amarilla.

—Centaine —dijo él, vacilante. Y algo después: —¡Centaine! —con más seguridad. Y todavía más tarde: —¡Oh, Centaine, por Dios!

—¡Se puede! —gritó ella, triunfante.

Casi de inmediato cobró conciencia de sensaciones cuya presencia jamás hubiera sospechado en sí misma. Se sintió llevada hacia arriba, hacia afuera, como si se estuviera separando de su propio cuerpo y como si llevara consigo el alma de Michael. Al principio, la aterrorizó la potencia, el carácter desconocido de aquello. Después, cualquier otra emoción quedó borrada.

Sintió que giraba, dando tumbos, más alto, más alto, con el viento salvaje rugiendo a su alrededor y las nubes orladas de arco iris ondulando a todos lados. Y luego se oyó gritar, pero era algo demasiado fuerte, que no se podía contener. Echó la cabeza hacia atrás y gritó, sollozando, riendo por tanta maravilla, en tanto franqueaba la cumbre y caía al otro lado hacia el abismo, en un giro descendente, para posarse otra vez en su propio cuerpo, suavemente, como un copo de nieve. Sintió los brazos de Michael que la rodeaban, lo oyó jadear y gruñir a su oído. Entonces se retorció para abrazarlo con fiereza, gritando:

—¡Te amo, Michael! ¡Te amaré siempre!

Mac corrió al encuentro de Michael en cuanto él apagó el motor y salió de la cabina.

—Llega a tiempo, señor. Hay reunión de pilotos en el comedor. El mayor estuvo preguntando por usted. Será mejor que se apure, señor. —Y luego, en tanto Michael echaba a andar por el entablado hacia el comedor, alzó la voz para preguntarle: —¿Qué tal vuela, señor?

—Como un pájaro, Mac. Sólo hace falta que recargues las armas.

Era la primera vez que no hacía reclamos sobre la máquina. Mac, extrañado, se quedó mirándolo mientras se alejaba.

El comedor estaba lleno de pilotos. Todos los sillones estaban ocupados y uno o dos de los nuevos habían quedado de pie, contra la pared posterior. Andrew, sentado en el mostrador, balanceaba las piernas, chupando la boquilla de ámbar. Se interrumpió al ver a Michael en el vano de la puerta.

—Caballeros, hemos recibido un gran honor. El capitán Michael Courtney, graciosamente, ha consentido acompañarnos. A pesar de otros asuntos importantes y urgentes, ha tenido la amabilidad de dedicar una o dos horas a ayudarnos, para que arreglemos nuestras pequeñas diferencias con el káiser Guillermo II. Creo que debemos mostrarle nuestro agradecimiento.

Hubo silbidos y "¡Buuus!"

—Bárbaros —les dijo Michael, altanero, en tanto se dejaba caer en un sillón, rápidamente desocupado por uno de los nuevos.

—¿Estás cómodo? —le preguntó Andrew, solícito—. ¿Te molestaría que siguiera con lo que estaba diciendo? ¡Bueno! Como estaba diciendo, el escuadrón acaba de recibir un despacho urgente, entregado por un motociclista hace menos de media hora, directamente desde el cuartel general de la división.

Lo agitó con el brazo estirado, apretándose la nariz con la otra mano, para continuar con voz nasal.

—Notarán ustedes la calidad del estilo literario y el contenido desde donde están sentados...

Hubo algunas risas corteses, pero los ojos que lo observaban estaban nerviosos. Aquí y allá se detectaban movimientos inquietos, arrastrar de pies; uno de los veteranos hacía crujir los dedos; otro se mordisqueaba las uñas. Michael, sin darse cuenta, se sopló la punta de los dedos. Todos sabían que ese trozo de papel amarillo podía ser la sentencia de muerte para ellos.

Andrew lo desplegó con los brazos extendidos y leyó:

—"Del Cuartel General de la División, Arras. Al Oficial Comandante del Escuadrón Número 21 de la Real Fuerza de Vuelo, cerca de Mort Homme. Desde las 24:00 horas del 4 de abril de 1917, usted evitará a cualquier costo cualquier observación aérea del enemigo sobre su sector asignado, hasta nuevas órdenes." Eso es todo, caballeros. Cuatro líneas, una bagatela. Pero permítanme destacar la sucinta frase "a cualquier costo", sin demorarme sobre ella.

Hizo una pausa para recorrer lentamente el comedor con la mirada, observando los efectos sobre cada rostro tenso y flaco.

"Mi Dios, qué viejos se han vuelto", pensó, sin que viniera al caso. "Hank parece tener cincuenta años, y Michael..."

Echó un vistazo al espejo de la repisa. Al ver su propia imagen se rozó la frente con mano nerviosa: en las últimas semanas, su pelo rojizo había retrocedido en dos profundas bahías, dejando la piel rosada como una playa en marea baja. Luego dejó caer la mano, tímidamente, y prosiguió.

—A partir de las 05:00 de mañana, todos los pilotos harán cuatro salidas diarias hasta nueva orden —anunció—. Seguiremos con las patrullas habituales del amanecer y el crepúsculo, pero desde ahora en adelante serán efectuadas por todo el escuadrón. —Hizo una pausa para permitir las preguntas, pero no las hubo. —Además, cada aparato hará otras dos salidas: una hora de turno y dos horas de descanso. De ese modo mantendremos una presencia constante sobre la zona asignada al escuadrón.

Todos volvieron a agitarse; las cabezas se volvieron al unísono hacia Michael, quien, por ser el mayor, actuaba siempre como portavoz. Michael se sopló los dedos y los estudió minuciosamente.

—¿Tengo alguna pregunta que contestar?

Hank carraspeó.

—¿Sí? —Andrew se volvió hacia él, expectante, pero Hank volvió a hundirse en el sillón.

—Aclaremos algo —dijo Michael, por fin—. Todos participaremos en las dos horas de patrulla al amanecer y al oscurecer: son cuatro horas. Y además, otras cuatro horas durante el día. ¿Estoy mal en aritmética, o eso totaliza ocho horas diarias de combate?

—Un diez para el capitán Courtney —asintió Andrew.

—A mi sindicato no le va a gustar.

Y todos rieron. Fue una risa nerviosa que se cortó muy pronto. Ocho horas eran demasiado; ningún hombre podía ejercer la vigilancia y el desgaste nervioso que requería ese tiempo de vuelo en un solo día. Y se les estaba pidiendo que lo hicieran día tras día, sin prometer alivios.

—¿Alguna otra pregunta?

—¿El servicio y el mantenimiento de los aparatos?

—Mac me ha asegurado que puede encargarse —respondió Andrew a Hank—. ¿Algo más? ¿No? Bueno, caballeros, tengo cuenta abierta.

Pero el peregrinaje hacia la barra, para aprovechar la invitación de Andrew, fue silencioso. Nadie habló de las nuevas órdenes. Bebieron callados, evitando mirarse a los ojos. ¿Qué se podía decir?

El conde de Thiry, con un panorama de cuarenta mil hectáreas de rica tierra cultivable ante los ojos, dio su entusiasta aprobación al casamiento y estrechó la mano a Michael como si estuviera retorciéndole el cuello a un avestruz.

Anna apretó a Centaine contra su seno.

—¡Mi pequeña! —sollozó, mientras unas lágrimas lentas y

gordas le surgían entre las arrugas de los ojos, para correrle por la cara—. ¡Vas a abandonar a tu Anna!

—No seas gansa, Anna. Siempre me harás falta. Puedes venir a África conmigo.

—¡A África! —sollozó Anna. Y agregó, aún con más dolor: —¿Qué clase de boda va a ser ésta? No habrá invitados. Raoul, el *chef* está en las trincheras, peleando contra los boches… Oh, mi pequeña, ¡qué boda escandalosa!

—Vendrá el cura, y el General, el tío de Michael, y los pilotos del escuadrón. Será una boda maravillosa —la contradijo Centaine.

—Sin coro —sollozó Anna—, sin banquete, sin vestido de novia, sin luna de miel…

—Cantará papá, que tiene una voz maravillosa. Tú y yo prepararemos la torta y mataremos un lechoncito. Y podemos modificar el vestido de mamá. Y Michael y yo pasaremos la luna de miel aquí, como papá y mamá.

—¡Oh, pequeña mía!

Las lágrimas de Anna habían vuelto a empezar. No se secarían tan fácilmente.

—¿Cuándo será? —preguntó el conde, que no había soltado aún la mano a Michael—. Pongan fecha.

—El sábado… a las ocho de la noche.

—¡Tan pronto! —gimió Anna—. ¿Por qué tan pronto?

El conde se golpeó el muslo, en un arrebato de inspiración.

—Vamos a abrir una botella del mejor champagne… y tal vez otra de coñac Napoleón, pequeña mía, ¿dónde están las llaves?

Y en esa oportunidad ella no pudo negárselas.

Yacían abrazados en su nido de paja y frazadas. Michael, con frases entrecortadas, trató de explicarle las nuevas órdenes del escuadrón. Ella no pudo comprender del todo su horrible significado. Sólo comprendió que él estaría en gran peligro y lo estrechó con todas sus fuerzas.

—¿Pero vendrás a la boda? No importa lo que pase, ¿prometes venir a la boda?

—Sí, Centaine, vendré.

—Júramelo, *Michel.*

—Lo juro.

—¡No, no! ¡Quiero el juramento más espantoso que puedas hacer!

—Lo juro por mi vida y por el amor que te tengo.

—Ah, *Michel...* —Se recostó contra él, suspirando, por fin satisfecha. —Yo estaré allí para verte partir, cada amanecer, cada puesta de sol... y te esperaré aquí todas las noches.

Hicieron el amor en un frenesí, en una locura de la sangre, como si trataran de consumirse mutuamente, y esa furia los dejó tan exhaustos que se quedaron dormidos. Cuando Centaine despertó ya era tarde. Los pájaros estaban llamando en el bosque y la primera luz del día se filtraba por el granero.

—*¡Michel, Michel!* Son casi las cuatro y media —advirtió, consultando el reloj de oro prendido a su chaqueta a la luz de la linterna.

—Oh, Dios mío. —El piloto comenzó a ponerse la ropa, aturdido aún por el sueño. —No llegaré para la patrulla del amanecer.

—Sí, si vas directamente.

—Pero no puedo dejarte.

—¡No discutas! Ve, Michel, ve pronto.

Centaine hizo todo el camino corriendo, a pesar de los resbalones en el barro, decidida a estar en la colina cuando partiera el escuadrón, para despedirlos. Se detuvo en los establos, jadeando, apretándose el pecho en un intento de dominar su respiración. El *château* estaba a oscuras, como una bestia dormida. Experimentó una oleada de alivio.

Cruzó lentamente el patio, dándose tiempo para recobrar el aliento; se detuvo ante la puerta para escuchar con atención, antes de entrar en la cocina. Luego se quitó las botas enlodadas y las dejó en el armario, detrás del fogón. Al subir las escaleras lo hizo muy cerca de la pared, para que los peldaños no crujieran bajo sus pies descalzos.

Con otra oleada de alivio, abrió la puerta de su celda, entró subrepticiamente y cerró tras de sí. Al volverse hacia la cama, quedó petrificada de sorpresa: un fósforo acababa de encenderse y estaba tocando la mecha de una lámpara. El cuarto floreció en un resplandor amarillo.

Anna, que tenía la lámpara en la mano, estaba sentada en su cama, con un chal alrededor de los hombros y una cofia de encaje en la cabeza. Su rostro rubicundo estaba pétreo y adusto.

—¡Anna! —susurró Centaine—. Te voy a explicar... ¿No le dijiste nada a papá?

En eso crujió la silla junto a la ventana. Al volverse, vio a su padre allí sentado, mirándola con un ojo malévolo. Nunca había visto esa expresión en su rostro.

Anna fue la primera en hablar.

—Mi pequeña, escapándose de noche para hacer de ramera con los soldados.

—Él no es soldado —protestó Centaine—. Es un piloto.

—Qué putería —dijo el conde—. Una hija de la casa de Thiry, comportándose como una buscona común.

—Papá, voy a casarme con Michael. Es como si ya estuviéramos casados.

—Hasta el sábado a la noche no lo estarán. —El conde se levantó. Tenía una sombra de insomnio bajo su único ojo y su espesa melena estaba erizada.

—Hasta el sábado —manifestó, siempre con el mismo bramido furioso— estarás encerrada en este cuarto, niña. Permanecerás aquí hasta una hora antes de iniciarse la ceremonia.

—Pero, papá, debo ir a la colina...

—Anna, toma la llave. La dejo a tu cargo. No debe abandonar la casa.

Centaine, en el centro de la habitación, miró a su alrededor buscando un modo de huir. Pero Anna se levantó y la sujetó por la muñeca, con su mano fuerte y callosa. Con los hombros caídos, la muchacha se dejó llevar a la cama.

Los pilotos del escuadrón estaban diseminados en oscuros grupos de tres o cuatro, entre los árboles, al borde de la huerta; conversaban en voz baja mientras fumaban los últimos cigarrillos antes de despegar. En eso llegó Michael, trotando por el entablado, todavía abotonándose el sobretodo y poniéndose los guantes. Se había perdido las instrucciones previas.

Andrew lo saludó con la cabeza, sin hacer mención a esa

tardía llegada ni al mal ejemplo dado a los pilotos nuevos. Michael no intentó disculparse. Ambos tenían aguda conciencia de la falta al deber. Andrew destapó su petaca de plata y bebió sin ofrecerle a Michael, en una deliberada omisión.

—Despegamos en cinco minutos. —Estudió el cielo. —Parece buen día para morir.

Era su modo de decir que hacía buen tiempo para volar, pero en esa oportunidad a Michael le crispó los nervios.

—Me caso el sábado —dijo, como si ambas cosas tuvieran algo que ver.

Andrew quedó inmóvil, con la petaca a medio camino, y lo miró fijamente.

—¿Con la francesita del *château*? —preguntó.

—Con Centaine —asintió Michael—. Centaine de Thiry.

—¡Viejo astuto! —Andrew comenzó a sonreír ampliamente, olvidando su desaprobación. —¡Conque eso te traías entre manos! Bueno, cuentas con mi bendición, muchacho. —Hizo un gesto de bendición con la petaca: —Brindo por una vida larga y feliz para ambos.

Pasó la petaca a su amigo, pero éste hizo una pausa antes de beber.

—Me sentiría muy honrado si aceptaras ser mi padrino.

—No te preocupes, muchacho. Me tendrás volando ala con ala cuando entres en acción. Te lo juro.

Dio un suave puñetazo en el brazo de Michael y ambos se sonrieron, felices, antes de marchar juntos hacia las máquinas verde y amarilla, que esperaban en la vanguardia de la línea.

Uno tras otro, los motores Wolseley Viper crujieron y bramaron; el humo azul de los escapes borroneó los árboles de la huerta. Por fin los SE5a se bambolearon por el suelo desparejo, para el despegue masivo.

Ese día, como participaba todo el escuadrón, Michael no volaba junto a Andrew, sino como líder de la escuadrilla B, compuesta por otras cinco máquinas; dos de sus pilotos eran nuevos; habría que dirigirlos y protegerlos. Hank Johnson encabezaba la escuadrilla C; saludó con el brazo a Michael, cuando se cruzaron, y lanzó su máquina detrás de él.

En cuanto estuvieron en el aire, Michael indicó a su escuadrilla que cerrara la formación en una V para seguir a Andrew, imitando su leve giro hacia la izquierda. Eso los llevaría por la colina que se alzaba detrás del *château*.

Se levantó las antiparras y bajó la bufanda que le cubría la nariz y la boca; así Centaine podría verle la cara. Piloteando con una sola mano, se dispuso a hacerle la señal acordada para proponerle la cita. Allá estaba la colina...

Estaba sonriendo, lleno de expectativa, pero la sonrisa se le evaporó.

No veía a Nuage, el potro blanco. Se asomó desde la cabina. Andrew, allá delante, estaba haciendo lo mismo y girando la cabeza hacia todos lados, en busca de la muchacha y el caballo blanco.

Pasaron rugiendo, sin encontrarla. La colina estaba desierta. Michael miró por sobre el hombro para asegurarse. Sentía en el vientre un peso sordo, la piedra fría del mal presentimiento. Ella no estaba en la colina. El talismán los había abandonado.

Volvió a cubrirse la boca con la bufanda y los ojos con las antiparras, en tanto las tres escuadrillas ascendían, buscando la ventaja vital de la altura para cruzar los barrancos a tres mil seiscientos metros antes de nivelar el vuelo.

No dejaba de pensar en Centaine. ¿Por qué no estaba allí? ¿Qué podía haber pasado?

Le costaba concentrarse en el cielo. "Nos ha robado la suerte. Sabía lo que significaba para nosotros y nos faltó."

Sacudió la cabeza. "No debo pensar en eso. ¡Hay que vigilar el cielo! No pienses en nada sino en el cielo y el enemigo."

La luz iba ganando intensidad; el aire estaba claro y helado. La tierra, allá abajo, presentaba los diseños geométricos de los sembrados, salpicada con las aldeas y las ciudades de la Francia septentrional. Pero hacia adelante se veía esa banda parda de suelo desgarrado y deshecho, que marcaba ambas líneas.

Al oeste, se extendía la amplia cuenca del río Somme, donde la bestia de la guerra se agazapaba para saltar. Al este, el sol mojaba grandes lanzas de fuego por el cielo. Cuando Michael apartó la vista, su visión quedó estrellada por el fulgor.

—Nunca se mira al sol —se recordó, fastidiado. La distracción le estaba haciendo cometer errores de novicio.

Cruzaron los barrancos, buscando los diseños de las trincheras opuestas, como gusanos en el césped.

—¡No fijes la vista! —volvió a recriminarse—. Nunca se fija la vista en ningún objeto. Y reanudó la inspección del piloto veterano, ese rápido barrer con la mirada, que cubría el cielo en derredor, hacia atrás, hacia adelante, arriba, abajo.

A pesar de sus esfuerzos, Centaine y su ausencia seguían filtrándose insidiosamente en sus pensamientos. De pronto se dio cuenta de que llevaba cinco o seis segundos con la vista fija en una nube con forma de ballena. Otra vez.

—Por Dios, hombre, a ver si te dominas —gruñó, en voz alta.

Andrew, en la primera de las escuadrillas, les estaba haciendo señas. Michael giró para ver de qué se trataba.

Ere una escuadrilla de tres aparatos, seis kilómetros al suroeste de su posición, seiscientos metros más abajo.

—Amigos. —Los había reconocido como biplazas De Havilland. ¿Cómo era posible que no los hubiera visto él primero, si tenía la vista más aguda de todo el escuadrón?

—Tienes que concentrarte. —Revisó la línea de bosques, al sur de Douai, la ciudad tomada por los alemanes, al este de Lens, y distinguió un emplazamiento de artillería recién excavado, en el linde de los árboles.

—Una seis baterías nuevas —calculó, tomando nota para su informe de vuelo, sin interrumpir la vigilancia del cielo.

Llegaron al límite oeste de la zona asignada para patrulla; cada una de la escuadrillas viró sucesivamente. Volvieron a retroceder por la línea, pero en ese momento con el sol directamente en los ojos y esas nubes de color gris azulado, sucio, a la izquierda.

"Frente frío", pensó Michael. Y de pronto volvió a pensar en Centaine, como si se le hubiera filtrado por la puerta trasera de la mente.

"¿Por qué no estaba en la colina? Tal vez está enferma. Tanto salir de noche, con la lluvia, con el frío... La neumonía puede matar." La idea lo espantó. La imaginó consumiéndose, ahogada en sus propios fluidos.

Una señal roja se arqueó frente al morro de su máquina, haciéndole dar un respingo de sorpresa. Andrew acababa de disparar la señal de "enemigo a la vista" mientras él soñaba.

Buscó frenéticamente.

—¡Ah! —con alivio—. ¡Allá está!

Abajo, a la izquierda. Era un biplaza alemán, solitario, justo al este de los barrancos, que se dirigía hacia Arras; pertenecía a un tipo lento y anticuado, presa fácil para los mortíferos SE5a. Andrew volvía a hacer señas, mirando a Michael con la bufanda al vuelo y su despreocupada sonrisa.

—¡Voy a atacar! Cúbreme bien.

Tanto Michael como Hank reconocieron las señales de su mano y mantuvieron la altitud, mientras Andrew se ladeaba en una picada de intercepción, seguido por los otros cinco aeroplanos de su escuadrilla.

—¡Qué espectáculo! —se dijo Michael, observándolos. Ansiosos por la persecución, en esa salvaje carga por el cielo, como la caballería de los cielos a todo vuelo, lanzándose sobre la presa lenta y torpe.

Michael condujo el resto del escuadrón en una serie de giros en S, manteniéndolos en posición de cubrir el ataque. Estaba asomado desde la cabina, esperando la destrucción, cuando sintió cierta intranquilidad, el peso frío de la premonición en el vientre, el instinto que advierte el desastre inminente. Observó el cielo hacia arriba y en derredor.

Estaba claro, apaciblemente desierto. En eso su mirada giró hacia el resplandor enceguecedor del sol; levantó la mano para cubrirlo y miró entre los dedos con un solo ojo.

Allá estaban.

Iban saliendo de la nube como un enjambre de coloridos insectos ponzoñosos. Era la clásica emboscada: se enviaba un cebo lento y bajo, para atraer al enemigo; luego, una carnicería veloz y mortífera lanzada desde el sol, entre las nubes.

—¡Oh, Virgen Santa! —exclamó Michael, manoteando la pistola de señales.

¿Cuántos eran? Imposible contar esas huestes crueles. Sesenta, quizá más. Tres Jagdstaffels de Albatros DIII, con su colores de arco iris, lanzándose con velocidad de halcones contra la miserable escuadrilla de Andrew.

Michael disparó la señal roja para advertir a sus pilotos. Luego se lanzó en picada, con intención de interceptar al escuadrón enemigo antes de que llegara hasta Andrew. Rápidamente, estimó el triángulo de velocidades y distancias, comprendiendo que llegarían demasiado tarde, con cuatro o cinco segundos de demora para salvar a la escuadrilla de su amigo.

Esos cuatro o cinco segundos que había malgastado en sueños y observando inútilmente el ataque contra el cebo de los alemanes, esos segundos cruciales en los que había descuidado su deber, pesaban en él como barras de plomo, al empujar el cebador del SE5a al tope. El motor lanzó ese peculiar gemido de protesta de la maquinaria exigida al máximo, y la punta de la hélice se aceleró entre el ruido de la velocidad. Michael sintió que las alas se doblaban ante la tensión de la acelerada y la presión acumulada en esa picada suicida.

—¡Andrew! —gritó—. ¡Mira atrás, hombre!

Y su voz se perdió en el aullido del viento y el grito del motor exigido.

Toda la atención de Andrew estaba fija en su presa, pues el piloto alemán enviado como cebo, que los había visto, también picaba hacia tierra, llevando a los SE5a en su estela, para transformar a los cazadores en inconscientes víctimas.

La apretada Jagdstaffel alemana mantenía su picada de ataque, aunque debían tener plena conciencia del desesperado intento que Michael preparaba para alejarlos. Sabían, al igual que él, que todo era inútil, que lo había iniciado demasiado tarde. Los Albatros podían aprovechar la sorpresa para destruir la mayor parte de la escuadrilla de Andrew en un solo golpe, para luego volverse a enfrentar el contraataque de Michael.

El joven sintió que la adrenalina le quemaba en la sangre, como la llama limpia y brillante de una lámpara de alcohol. El tiempo pareció detenerse en esos eternos microsegundos de combate, en los que flotó tranquilamente hacia abajo; la horda enemiga parecía pender, suspendida de sus alas multicolores, como si fueran piedras preciosas incrustadas en el firmamento.

Los Albatros tenían colores y diseños fantásticos; dominaban el negro y el escarlata, pero algunos estaban pintados a cuadros, como arlequines, y otros lucían las siluetas de murciélagos a pájaros en las alas y el fuselaje.

Por fin pudo ver los rostros de los pilotos alemanes, que giraban hacia él y luego hacia la meta primera.

—¡Andrew, Andrew! —se lamentó Michael, atormentado, mientras cada segundo ponía al descubierto lo tarde que llegaría para impedir el éxito de la emboscada.

Con dedos entumecidos de frío y de miedo, recargó la pistola de señales y disparó otra vez hacia adelante, tratando de llamar la atención a Andrew. Pero la bola de fuego rojo cayó hacia tierra, dejando un patético rastro de humo. Mientras tanto, ochocientos metros hacia adelante, Andrew alineaba los suyos contra el inofensivo avión observador, y Michael oía el tartamudeo de su Vickers al atacar desde popa.

En ese mismo instante, la ola de Albatros rompió sobre la escuadrilla de Andrew, desde arriba.

Michael vio que dos de los SE5a quedaban mortalmente heridos en los primeros segundos y caían en tirabuzón perdiendo humo y trozos de fuselaje; el resto se diseminó ampliamente, cada uno con dos o tres Albatros persiguiéndolos, casi luchando entre sí por la posibilidad de ponerse en la línea mortífera.

Sólo Andrew sobrevivía. Su respuesta al primer repiqueteo de Spandau fue instantánea. Puso la gran máquina verde en ese giro lateral plano que él y Michael habían practicado con tanta frecuencia. Luego se lanzó directamente hacia el centro de la manada, obligando a los Albatros a girar locamente para esquivar su arremetida, y disparó contra ellos, furioso, para emerger por detrás, al parecer sin daño.

—¡Bien por ti! —se regocijó Michael, en voz alta.

Y en eso vio que el resto de la escuadrilla caía por el cielo, ardiendo, y su culpabilidad se convirtió en enojo.

Las máquinas alemanas, después de realizar una rápida destrucción, viraban para enfrentar el ataque de las escuadrillas de Michael y Hank. Ambos se reunieron, y todo el esquema de aviación se desintegró en una nube agitada, como polvo y escombros que giraran en un torbellino.

Michael se lanzó contra un sólido Albatros negro, en cuyas alas escarlatas se destacaban las cruces de Malta, como lápidas. Al cruzar, calculó el desvío de los rumbos y velocidades y disparó contra el radiador, en la conjunción de las alas, por sobre la cabeza del piloto, con la intención de hervirlo vivo en refrigerante líquido.

Vio que sus balas pegaban exactamente en el blanco y, al mismo tiempo, notó la pequeña modificación en la estructura del Albatros. Los alemanes habían alterado su avión. Se les había mostrado a viva fuerza el defecto letal del diseño, y ellos habían cambiado de lugar el radiador. El alemán esquivó fuego de Michael, quien levantó la nariz de su máquina.

Un Albatros había escogido a uno de los nuevos que acompañaban a Michael y se pegó a su cola como un vampiro, a un ápice de la línea mortífera. Michael salió por debajo del vientre del Albatros y giró hacia él la ametralladora Lewis, apuntándola hacia arriba, tan cerca que la boca del arma rozaba casi el vientre rosado del avión alemán.

Disparó toda la carga en las entrañas del alemán, meneando ligeramente las alas para esparcir el fuego de lado a lado. El Albatros se levantó sobre la cola, como un tiburón arponeado, y cayó sobre un ala, antes de iniciar la zambullida mortal.

El nuevo agitó la mano para dar las gracias a Michael. Estaban casi ala con ala, y el africano hizo una señal imperiosa: "¡Regrese a la base!" agregando un puño cerrado, lo cual significaba: "¡Imperativo!"

—¡Sal de ahí, pedazo de idiota! —gritó, inútilmente, pero su cara contraída sirvió de énfasis a los gestos, y el novato huyó rápidamente.

Otro Albatros se lanzó contra Michael. Él giró en ángulo cerrado ascendiendo, disparando contra blancos fugaces, girando y girando para salvar la vida. Los superaban en número, en una proporción de seis o siete a uno, y los enemigos eran todos veteranos; se notaba en el modo de volar rápido, ágil, sin miedo. Quedarse a combatir era una tontería. Michael logró recargar la pistola de señales y disparó la llama verde que convocaba a sus compañeros. En esas circunstancias, equivalía a una orden de quebrar el enfrentamiento y volver a la basa a la mayor velocidad.

Giró bruscamente, para disparar contra un Albatros rosado y azul y vio que sus balas cortaban la caseta del motor varios centímetros por debajo del tanque de combustible.

—¡Maldición! ¡Qué infierno!

Él y el Albatros giraron en direcciones opuestas. Michael tenía el camino expedito para volver a la base. Vio que los pilotos restantes ya se estaban alejando, y puso la nariz amarilla hacia abajo para seguirlos, en dirección a los barrancos y Mort Homme.

Volvió la cabeza una vez más, para asegurarse de que nadie lo siguiera... y en ese momento vio a Andrew.

Estaba a una distancia de mil metros, a estribor de Michael. Lo habían separado del combate principal, enredado con tres de los Albatros. Luchaba solo, pero se les estaba escapando y también él volaba de regreso, como el resto del escuadrón británico.

En eso Michael miró por encima de Andrew y vio que no todos los Albatros habían participado de esa primera oleada de ataque. Seis de ellos parecían haber permanecido allá arriba, bajo las nubes, conducidos por el único aparato pintado de escarlata desde el morro a la cola y desde una punta del ala hasta la otra. Allí esperaban el resultado de la pelea y la aparición de los aviadores que quedaran aislados. Eran el segundo juego de mandíbulas instalado en la trampa... y Michael sabía quién iba al mando del Albatros rojo. El hombre era una leyenda viviente en ambas líneas de combate, pues ya había matado a más de treinta pilotos aliados. Se lo llamaba el Barón Rojo de Alemania.

Los aliados estaban debilitando la leyenda; trataban de manchar la invencible imagen del barón Manfred von Richthofen con los epítetos de cobarde y hiena, aduciendo que había alcanzado ese puntaje esquivando el combate en términos de igualdad, para escoger un cambio a los novicios, a los aviones aislados y a los aparatos ya dañados antes de atacar.

Tal vez había algo de verdad en ese argumento, pues allí estaba, meciéndose por sobre el campo de combate como un buitre escarlata. Y allí estaba Andrew, aislado y vulnerable; su aliado más próximo, Michael, a mil metros de distancia. Andrew parecía no haber reparado en esa nueva amenaza. La máquina escarlata se dejó caer desde lo alto apuntando la nariz de tiburón directamente contra Andrew. Los otros cinco alemanes, pilotos escogidos, lo siguieron hacia abajo.

Michael, sin pensar, inició el giro que lo llevaba en ayuda de su amigo. De pronto, sus manos y sus pies, actuando sin voluntad consciente, contrarrestaron el giro y mantuvieron al SE5a amarillo rugiendo en el descenso hacia la seguridad de las líneas británicas.

Michael miró por sobre el hombro. Sobrepuesta al esquema de aviones en vuelo vio la cara amada de Centaine, con los grandes ojos oscuros de lágrimas. Y sus palabras susurradas tuvieron más potencia, en la mente del piloto, que las ametralladoras y los motores aullantes: "¡Júrame que estarás allí, *Michel*!"

Con esas palabras resonándole aún en los oídos, Michael vio que el ataque alemán se cerraba sobre el solitario aparato de Andrew. Una vez más, milagrosamente, el escocés sobrevivió a esa mortífera ola y giró para enfrentarlos.

Michael trató de obligarse a poner su avión en dirección contraria, pero las manos no le obedecían y tenía los pies paralizados en las barras de timón. Ante su vista, los pilotos encerraron al solitario aparato verde tal como una manada de perros pastores rodea a una oveja extraviada, impulsando a Andrew, implacablemente, hacia un fuego cruzado.

Vio que su amigo luchaba con un magnífico despliegue de coraje y habilidad, enfrentando a cada atacante nuevo, lanzándose de cabeza para obligar a cada adversario a apartarse; pero siempre había otros para cruzar flancos, barriéndolo con ametralladoras.

En eso, las armas de Andrew enmudecieron. Tenía vacío el cargador de la Lewis, y volver a cargarlo era un proceso largo. Por lo visto, la Vickers se había trabado al recalentarse. El piloto estaba de pie en la cabina, castigando el arma con ambos puños para destrabarla, y el Albatros rojo de Von Richthofen bajó hasta la línea mortífera.

—¡Oh, Dios, no!

Michael oyó su propio gemido, pero aún seguía huyendo hacia lugar seguro, tan espantado por su propia cobardía como por el peligro en que iba Andrew.

Y entonces se produjo otro milagro. El Albatros rojo, sin abrir fuego, se apartó levemente y, por un instante, voló al mismo nivel que el SE5a verde.

Ven Richthofen debía de haber visto que Andrew estaba desarmado; se rehusaba a matar a un hombre indefenso. Pasó a muy poca distancia de la cabina en donde el escocés luchaba con la Vickers bloqueada y levantó una mano en lacónico saludo: homenaje a un enemigo valeroso. Luego salió en persecución de los restantes aparatos británicos.

—Gracias, Dios mío —graznó Michael.

La escuadrilla de Von Richthofen siguió al líder. Pero no todos iban detrás de él. Un solo Albatros seguía trabado en combate con Andrew; era una máquina celeste, con el ala superior pintada a cuadros blancos y negros, como un tablero de ajedrez. Se instaló en el sitio abandonado por Von Richthofen y Michael oyó el balbuceo de su Spandau.

Las llamas estallaron en total florecimiento alrededor de la cabeza y los hombros de Andrew: había estallado el tanque de combustible. El fuego, el terror del piloto, envolvió al escocés. Michael lo vio levantarse entre las llamas, como un insecto ennegrecido y chamuscado, para arrojarse desde la cabina, eligiendo la veloz muerte de la caída antes que la de las llamas.

La bufanda verde que rodeaba su cuello estaba encendida, formando una guirnalda de fuego, hasta que el viento de la aceleración apagó las llamas. Su cuerpo giraba con brazos y piernas extendidos en cruz, menguando rápidamente a la distancia. Michael lo perdió de vista antes de que chocara contra la tierra, tres mil metros más abajo.

—En el nombre de lo más sagrado, ¿no podían habernos avisado de que Von Richthofen estaba en la zona? —gritó Michael al ayudante de escuadrón—. ¿No hay servicios de inteligencia en este maldito ejército? Esos figurones de escritorio son responsables por el asesinato de Andrew y de los otros seis hombres que perdimos hoy.

—En realidad, eso es injusto, viejo —murmuró el ayudante, mientras chupaba su pipa—. Ya sabes cómo trabaja ese tipo, Von Richthofen. Lo de los fuegos fatuos y todo eso.

Von Richthofen había ideado la estrategia de cargar su aparato en camiones abiertos, para trasladar a toda la Jagdstaffel a lo largo de la línea. Aparecía abruptamente, con sesenta pilotos de primer orden, donde menos se lo esperaba, ejecutando una terrible matanza entre los desprevenidos pilotos aliados, durante pocos días, antes de seguir viaje.

—Telefoneé a la división en cuanto aterrizó el primero de nuestros aviones. Ellos mismos acababan de recibir la información. Creen que Von Richthofen y su circo se han radicado momentáneamente en la vieja pista de aterrizaje que hay al sur de Douai.

—De mucho nos sirve saberlo ahora que Andrew ha muerto.

En el momento de decirlo Michael experimentó esa enormidad en toda su fuerza impactante. Empezaron a temblarle las manos y sintió que le saltaba un nervio en la mejilla. Tuvo que volverse hacia la pequeña ventana de la cabaña que el ayudante usaba como oficina. El hombre guardó silencio, dándole tiempo para recobrarse.

—La vieja pista de Douai... —Michael se metió las manos en los bolsillos para mantenerlas quietas y apartó de su mente el recuerdo de Andrew para estudiar, en cambio, los aspectos técnicos. —Esos nuevos emplazamientos de artillería han de haberse instalado para custodiar la Jagdstaffel de Von Richthofen.

—Michael, quedas al mando del escuadrón... cuanto menos por el momento, hasta que la división te confirme o designe a otro comandante.

Michael giró en redondo, siempre con las manos en los bolsillos, y asintió con la cabeza, pues aún no confiaba en su voz.

—Tendrás que elaborar otra lista de servicio —lo instó el ayudante, con suavidad.

El piloto sacudió levemente la cabeza, como si quisiera despejarse.

—Con ese circo allá afuera —dijo— no se puede salir sino con el escuadrón completo. Eso significa que no podemos mantener una cobertura constante sobre el sector asignado durante todas las horas diurnas.

El ayudante se mostró de acuerdo. Obviamente, enviar vuelos solitarios era un suicidio.

—¿Con qué fuerza operacional contamos? —preguntó Michael.

—Por el momento, con ocho. Cuatro de las máquinas están muy averiadas. Si seguimos así, temo que abril va a ser un mes sangriento.

—De acuerdo. —Michael asintió. —Sacaremos a relucir la lista de servicio vieja. Hoy sólo podremos hacer dos salidas más, con los ocho aviones. Al mediodía y al atardecer. Que los nuevos participen lo menos posible.

El ayudante estaba tomando notas. En tanto Michael se concentraba en las nuevas funciones, sus manos dejaron de temblar y el color cadavérico de su cara mejoró un poco.

—Telefonea a la división y adviérteles que no podremos cubrir el sector adecuadamente. Pregunta cuándo podemos recibir refuerzos. Diles que un número calculado de seis baterías nuevas han sido instaladas en… —Michael leyó las referencias anotadas en su libreta. —Diles también que noté una modificación en el diseño de los Albatros de ese grupo. —Explicó el cambio de ubicación del radiador. —Según mi cálculo, diles, los boches tienen sesenta de esos nuevos Albatros en la Jagdstaffel de Von Richthofen. Cuando hayas hecho todo eso, me llamas para que elaboremos otra lista de servicio, pero avisa a los muchachos que habrá una salida de todo el escuadrón al mediodía. Ahora necesito afeitarme y darme un baño.

Misericordiosamente, por el resto del día no tuvo tiempo de pensar en la muerte de Andrew. Encabezó ambas salidas con el diezmado escuadrón y, aunque a todos les alteraba los nervios saber que el circo alemán estaba en el sector, las patrullas se cumplieron sin problemas. No vieron una sola máquina enemiga.

Cuando aterrizaron por última vez, al oscurecer, Michael llevó una botella de ron a Mac y su equipo de mecánicos, que estaban trabajando a la luz de las lámparas para arreglar los SE5a; pasó una hora con ellos, alentándolos, pues todos estaban preocupados y deprimidos por las pérdidas de la jornada; sobre todo los alteraba la muerte de Andrew, a quien todos adoraban como a un héroe.

—Era de los buenos. —Mac, untado de grasa negra hasta los codos, levantó la mirada del motor en el que trabajaba y aceptó la jarrita de ron que Michael le estaba ofreciendo.

—Era de los mejores, el mayor. —Hablaba en nombre de todos. —No todos los días se encuentra alguien como él, no.

Michael volvió caminando por la huerta, sin dejar de observar el cielo por entre los árboles. Se veían las estrellas. El día siguiente sería apto para volar... y tenía un miedo mortal.

—Lo he perdido —susurró—. He perdido el coraje. Soy un cobarde, y mi cobardía mató a Andrew.

Esa idea había estado todo el día en el fondo de su mente, pero hasta ese momento había logrado contenerla. Al enfrentarla directamente, era como un cazador que siguiera al leopardo herido hasta su cubículo. Sabía que estaba allí, pero su aparición, al verlo cara a cara, le hacía agua el vientre a cualquiera.

—Un cobarde —dijo en voz alta, fustigándose con la palabra.

Y recordó la sonrisa de Andrew, su gorra escocesa, audazmente inclinada en el cráneo. "¿Qué hay, muchacho?" Casi podía oír la voz de Andrew. Y de nuevo lo vio caer por el cielo, con la bufanda verde en llamas alrededor del cuello, y sus manos volvieron a temblar.

—Un cobarde —repitió.

El dolor era demasiado como para soportarlo a solas. Corrió al comedor, cegado por los remordimientos a tal punto que tropezó varias veces.

El ayudante y los otros pilotos lo estaban esperando; algunos todavía llevaban puestas las ropas de vuelo. Era deber de los oficiales principales iniciar el velatorio, según el rito del escuadrón. En una mesa, en el centro del comedor, se veían siete botellas de whisky Johnny Walker etiqueta negra, una por cada uno de los pilotos ausentes.

Cuando Michael entró en el cuarto, todo el mundo se puso de pie, no por él, sino como última muestra de respeto hacia los ausentes.

—Muy bien, caballeros —dijo Michael—. Pongámoslos en camino.

El oficial de menor antigüedad, ya informado por los otros sobre sus deberes, abrió una botella de whisky. Las etiquetas negras daban el correcto toque fúnebre. Se acercó a Michael y le llenó el vaso; luego pasó a los otros, por orden de antigüedad. Todos levantaron los vasos desbordantes y esperaron, mientras el ayudante, con la pipa aún entre los dientes, se sentaba ante el vetusto piano del rincón para aporrearlo con el primer acorde de la Marcha Fúnebre de Chopin. Los oficiales del Escuadrón Nº 21, en posición de firmes, marcaron el ritmo con los vasos sobre las mesas y la barra; uno o dos tarareaban en voz baja.

Sobre la barra habían sido dispuestas las pertenencias personales de los pilotos fallecidos. Después de la cena se las remataría, y los pilotos del escuadrón pagarían precios extravagantes para que se pudieran enviar unas cuantas guineas a la nueva viuda o a la madre desconsolada. Allí estaban los palos de golf de Andrew, que Michael nunca le había visto usar, y la caña de pescar Hardy. El dolor volvió, renovado y potente, obligándolo a golpear el vaso contra el mostrador, con tanta fuerza que volcó un poco de whisky; los vapores le escocieron en los ojos. Se los limpió con la manga.

El ayudante tocó el último compás y se levantó, con el vaso en la mano. Nadie dijo una palabra, pero cada uno levantó su copa, sumido, por un segundo, en sus propios pensamientos. Luego bebieron. De inmediato, el oficial más joven volvió a llenarlos; había que vaciar las siete botellas: era parte de la tradición. Michael no cenó, pero siguió de pie ante la barra, ayudando a consumir las siete botellas. Y todavía estaba sobrio; el licor parecía no causarle efecto alguno.

"Parece que al fin me he convertido en un alcohólico", pensó. "Andrew siempre decía que yo tenía grandes condiciones para eso." Y el alcohol ni siquiera amortiguó el dolor infligido por el nombre del escocés.

Ofreció cinco guineas por cada uno de los palos de golf y por la caña de pescar Hardy. Por entonces las siete botellas estaban vacías. Pidió una más para él solo y se retiró a su carpa, para sentarse en el colchón, con la caña en el regazo. Andrew se había jactado de haber pescado un salmón de veinticinco kilos con ese palo, mereciendo de Michael el epíteto de mentiroso. "Oh, tú, el de poca fe", lo había reprendido Andrew, tristemente.

—Y te creí desde el primer momento.

Michael acarició la vieja caña y bebió directamente de la botella. Un ratito después se asomó Biggs.

—Felicitaciones por su victoria, señor.

Otros tres pilotos habían confirmado la destrucción del Albatros rosado por cuenta de Michael.

—Biggs, ¿me harías un favor?

—Por supuesto, señor.

—Vete a joder a otra parte. Sé bueno.

Quedaban tres cuartos de la botella de whisky cuando Michael, todavía con la ropa de vuelo puesta, salió en busca de la motocicleta de Andrew. El trayecto y el aire frío de la noche le despejaron la cabeza, pero quedó frágil y quebradizo como vidrio antiguo. Estacionó la motocicleta detrás del granero y fue a esperar entre los fardos de paja.

Pasaron lentamente las horas, marcadas por el reloj de la iglesia; con cada una, su necesidad de Centaine crecía hasta tornarse casi demasiado intensa, insoportable. Cada media hora iba hasta la puerta del granero y observaba la senda oscura; luego volvía a la botella y al nido de frazadas.

Sorbía el whisky y, en su cabeza, aquellos pocos segundos de batalla en los que Andrew había hallado la muerte se repetían una y otra vez, como un disco rayado. Trató de borrar las imágenes, pero no pudo. Estaba obligado a revivir, una y otra vez, la última agonía de Andrew.

—¿Dónde estás, Centaine? ¡Te necesito tanto ahora!

Se moría por ella, pero la muchacha no vino, y él vio, una vez más, el Albatros celeste, con las alas a cuadros blancos y negros, que se ladeaba bruscamente para ocupar la línea mortífera tras el avión verde. Y una vez más vio la cara pálida de Andrew, al ver por sobre el hombro que las Spandau abrían fuego. Se cubrió los ojos, apretando los dedos contra las cuencas hasta que el dolor borró las imágenes.

—Centaine —susurró—, por favor, ven a mí.

El reloj de la iglesia dio las tres; la botella de whisky estaba vacía.

—No va a venir.

Tuvo que reconocerlo, por fin. Al avanzar hacia la puerta, tambaleante, para levantar la mirada hacia el cielo nocturno, comprendió qué debía hacer para expiar su culpa, su dolor y su vergüenza.

El diezmado escuadrón despegó en la media luz gris para efectuar la patrulla del amanecer. Hank Johnson era ahora el segundo en la línea de comando.

Michael giró levemente en cuanto estuvieron por encima de los árboles y se dirigió hacia la colina, detrás del *château*. Algo le decía que Centaine no estaría allí esa mañana, pero se levantó las antiparras para buscarla.

La colina estaba desierta. Ni siquiera miró hacia atrás.

"Hoy es el día de mi boda", pensó, inspeccionando el cielo por sobre los barrancos, "y mi padrino ha muerto, y mi novia..."

No concluyó el pensamiento.

Las nubes habían vuelto a acumularse durante la noche. Había un techo sólido a tres mil seiscientos metros, oscuro y adusto, que se extendía sin grietas hasta el horizonte, por doquier. Por debajo estaba despejado hasta los mil quinientos metros; allí, una nube gris, despareja, formaba una capa desigual entre los ciento cincuenta y los trescientos metros.

Michael guió al escuadrón por uno de los agujeros de esa capa intermitente, y niveló el aparato justo por debajo del banco superior. Hacia abajo, el cielo estaba desierto. Para cualquier novicio habría parecido imposible que dos grandes formaciones de aeroplanos pudieran patrullar la misma zona, cada una en busca de la otra, sin establecer contacto. Sin embargo, el cielo era tan hondo y ancho que las posibilidades estaban en contra de cualquier encuentro, a menos que uno supiera, exactamente, dónde estaría el otro en un momento dado.

Mientras recorría el cielo con los ojos, Michael introdujo la mano libre en el bolsillo de su abrigo, para asegurarse de que el paquete preparado antes del despegue estuviera aún allí.

"Dios, qué bien me vendría un trago", pensó. Tenía la boca reseca y un dolor sordo en el cráneo. Le ardían los ojos, pero aún tenía la vista muy clara. Se humedeció con la lengua los labios resecos.

"Andrew solía decir que sólo un ebrio consuetudinario podía beber estando con resaca. Ojalá hubiera tenido el coraje y el sentido común de traer una botella."

Por los agujeros de la nube que tenía debajo mantenía una vigilancia constante de la posición de su escuadrón. Conocía cada centímetro de la zona signada, tal como un granjero conoce sus tierras.

Llegaron al límite exterior y Michael efectuó el giro, seguido por los otros aviones. Consultó su reloj. Once minutos después, distinguió la curva del río y un grupo de hayas, de forma peculiar, que le marcó la posición exacta.

Entonces soltó un poco el cebador y su máquina amarilla perdió algunos metros, hasta quedar junto al ala de Hank Johnson. Miró al texano e hizo una señal afirmativa. Había contado sus intenciones a Hank antes de la Partida, rechazando sus intentos de disuadirlo. Desde el otro lado del vacío, Hank frunció la boca como quien chupa un limón verde y levantó una ceja, cansada de guerra, antes de hacer señas a Michael de que podía alejarse.

Michael retrocedió un poco más, descendiendo por debajo del escuadrón; Hank seguía guiándolos hacia el este, pero el africano describió un fácil giro en dirección norte y comenzó a descender.

A los pocos minutos, el escuadrón había desaparecido en el cielo ilimitado y él estaba solo. Descendió hasta llegar a la capa inferior de nubes fragmentadas y las utilizó como cubierta, hasta cruzar el frente de batalla, pocos kilómetros al sur de Douai; allí distinguió los nuevos emplazamientos de artillería alemana, en el borde de los bosques.

En su mapa tenía marcada la vieja pista aérea. Logró distinguirla desde una distancia de seis kilómetros, cuanto menos, pues las ruedas de los Albatros, al aterrizar y despegar, habían trazado huellas lodosas en la turba. Tres kilómetros más allá estaban los aviones alemanes, estacionados a lo largo del bosque. Entre los árboles se veían las carpas y los cobertizos portátiles que albergaban a la tripulación alemana.

De pronto se oyó un zumbido y una explosión; el proyectil antiaéreo estalló por encima de él, algo hacia adelante. Parecía un copo de algodón maduro, engañosamente lindo bajo la luz difusa de las nubes.

—Buenos días, Archie —lo saludó Michael, sombrío.

Había sido una ráfaga de artillería. La siguió inmediatamente el chasquido de toda una salva. En derredor, el aire se llenó de esquirlas de metralla.

Michael bajó la nariz y acumuló velocidad; la aguja del tocómetro se inclinó hacia el sector rojo. Él buscó en su bolsillo el paquete de tela y se lo puso en el regazo.

La tierra y el bosque subieron velozmente hacia él, que arrastraba una larga cola de esquirlas de metralla. A sesenta metros de altura, con respecto a las copas de los árboles, niveló el vuelo. La base aérea estaba directamente adelante. Desde allí veía los biplanos multicolores en una larga hilera, con los hocicos de tiburón apuntados hacia arriba. Buscó la máquina celeste de alas a cuadros, pero no pudo distinguirla.

A lo largo del campo había agitación. Las tripulaciones de tierra, que esperaban un torrente de disparos provenientes de su Vickers, corrían hacia el bosque. En tanto, los pilotos que no habían salido intentaban ponerse las chaquetas de vuelo, en tanto corrían hacia los aviones estacionados. Debían saber que era inútil tratar de interceptar al británico, pero de todos modos hacían el intento.

Michael buscó la manivela para disparar. Los aviones estaban formados en una línea pulcra, con los pilotos agrupados a poca distancia y corriendo. Sonrió sin humor y bajó la nariz para tenerlos en la mirilla de la Vickers.

A treinta metros volvió a nivelar el vuelo y, dejando caer la mano de la manivela, tomó el paquete de tela que llevaba en el regazo. Al pasar por el centro de la línea alemana, se asomó desde la cabina y arrojó el paquete. La cinta que le había atado se desenrolló, llevada por el viento del aparato, y flotó hasta el borde del campo.

En tanto Michael abría el cebador para ascender otra vez hacia las nubes, miró por el espejo retrovisor. Uno de los pilotos alemanes se había inclinado sobre el paquete. En eso, el SE5a dio un brinco y se meció, pues uno de los cañones antiaéreos había hecho fuego otra vez; un proyectil acababa de estallar debajo de él. Pocos segundos después estaba en su refugio de nubes, con las armas frías e intactas y unos pocos desgarrones en la panza y la parte inferior de las alas.

Giró en dirección a Mort Homme. Durante el vuelo pensó en el paquete que acababa de arrojar.

La noche anterior había desgarrado una larga cinta de una camisa vieja, para que sirviera de marca, y atado en el extremo un puñado de cartuchos. En el otro extremo de la cinta había cosido su mensaje, escrito a mano.

En un primer momento había pensado redactar el mensaje en alemán, pero lo manejaba de modo muy inadecuado. Casi con certeza, en la Jagdstaffel de Von Richthofen habría algún oficial que pudiera traducir lo escrito en inglés:

Al piloto alemán del Albatros azul, con alas a cuadros blancos y negros.

Señor:

El piloto británico, indefenso y desarmado, a quien usted asesinó ayer, era amigo mío.

Entre las 16:00 y las 16:30 de hoy, estaré patrullando la zona sobre las aldeas de Cantin y Aubigny-au-Bac, a una altitud de dos mil cuatrocientos metros.

Iré piloteando un avión SE5a, pintado de amarillo.

Espero encontrarlo.

El resto del escuadrón ya había aterrizado cuando Michael volvió a la base.

—Mac, perece que recibí algunas esquirlas de metralla.

—Ya me di cuenta, señor. No se preocupe. Lo arreglo en un instante.

—No he disparado las armas, pero vuelve a revisar las mirillas, ¿quieres?

—¿Para cincuenta metros? —preguntó Mac, sabiendo que él prefería ese alcance para la Lewis y la Vickers.

—Que sea para treinta, Mac.

—Piensa trabajar desde cerca, señor. —El mecánico silbó por lo bajo.

—Eso espero, Mac. A propósito: está un poco pesada por la cola. Prepárala para que vuele sin poner las manos en los controles.

—Yo mismo me voy a encargar —prometió el otro.

—Gracias, Mac.

—Déles una buena a esos hijos de puta, por cuenta del señor Andrew, señor.

El ayudante lo estaba esperando.

—Tenemos otra vez a todos los aparatos en condiciones de operar, Michael. Son doce en la lista de servicio.

—Está bien. Hank se encargará de la patrulla de mediodía. Yo volaré solo a las 15:39.

—¿Solo? —El ayudante, sorprendido, se quitó la pipa de la boca.

—Solo —confirmó Michael—. Después habrá otra salida de todo el escuadrón al oscurecer, como de costumbre.

El ayudante tomó nota.

—A propósito, hay un mensaje del general Courtney. Hará lo posible por asistir a la ceremonia, esta noche. Está casi seguro de poder.

Michael sonrió por primera vez en todo el día. Deseaba mucho que Sean Courtney presenciara su boda.

—Espero que tú también puedas ir, Bob.

—Por supuesto. Todo el escuadrón va a estar ahí. No vemos la hora.

Michael se moría por una copa. Echó a andar hacia el comedor.

"Cielos, son sólo las ocho de la mañana", pensó. Y se detuvo. Se sentía reseco; el whisky pondría calor en su cuerpo. Sintió que le temblaban las manos de tan intensa necesidad de alcohol. Hizo falta toda su fuerza de voluntad para volverle la espalda al comedor y encaminarse hacia su carpa. Entonces recordó que la noche anterior no había dormido.

Biggs estaba sentado en un cajón, junto a la carpa, lustrándole las botas. Pero se levantó de un salto y se puso firme, con el rostro inexpresivo.

—¡Basta ya de eso! —exclamó Michael, sonriendo—. Discúlpame por lo de anoche, Biggs. Estuve muy grosero. No era mi intención.

—Lo sé, señor. —Biggs se distendió. —Yo sentía lo mismo, por lo del mayor.

—Biggs, despiértame a las tres. Quiero recuperar un poco de sueño.

No fue Biggs quien lo despertó, sino los gritos de la tripulación de tierra, el ruido de hombres que corrían, el tono intenso de los cañones antiaéreos en el borde de la huerta y el rugido de un motor aéreo Mercedes, allá arriba.

Michael salió a tropezones de la carpa, con el pelo revuelto y los ojos inyectados en sangre, aún medio dormido.

—¿Qué diablos está pasando, Biggs?

—Un huno, señor. El descarado se nos vino encima.

—Ha vuelto a irse. —Otros pilotos y tripulantes de tierra estaban gritando entre los árboles, en tanto corrían, hacia el borde de la pista.

Ni siquiera disparó un tiro.

—¿Lo vieron?

—Un Albatros, azul, con alas blancas y negras. El demonio estuvo a punto de arrancar el techo del comedor.

—Dejó caer algo. Bob lo ha levantado.

Michael volvió a entrar en la carpa para ponerse la chaqueta y un par de zapatillas. Cuando salió de la carpa, dos o tres de los aviones se habían puesto en marcha. Algunos de sus pilotos salían en persecución del intruso alemán.

—¡Impide que eso hombres salgan! —chilló Michael.

Antes de llegar a la oficina del ayudante, los aparatos volvieron a apagarse, en respuesta a su orden.

Ante la puerta había una pequeña multitud de pilotos curiosos. Michael se abrió paso entre ellos en el momento en que el ayudante desataba el cordón que cerraba la boca de una bolsa de lona: la que el aparato alemán había dejado caer. El coro de preguntas y comentarios se interrumpió a medida que veían el contenido de la bolsa. El ayudante deslizó suavemente entre los dedos la banda de seda verde; tenía agujeros negros de quemadura y manchas negras de sangre seca.

—La bufanda de Andrew —dijo, sin necesidad—, y su petaca de plata.

La plata estaba muy abollada, pero la tapa seguía reluciente, amarilla y dorada, al girar entre sus manos. El contenido borboteó suavemente. La dejó a un costado y fue sacando, uno a uno, los otros artículos de la bolsa: las medallas de Andrew, la boquilla de ámbar, un portamonedas a resorte que aún contenía tres soberanos, la billetera. De la billetera, al invertirla, cayó una fotografía que mostraba a los padres de Andrew en los terrenos del castillo.

—¿Qué es esto? —El ayudante sacó un sobre de papel grueso y lustroso, sellado con lacre. Leyó el frente del sobre. —Está dirigido al piloto del SE5a amarillo. —Miró a Michael, sobresaltado. —Ése eres tú, Michael. ¿Cómo diablos...?

El joven tomó el sobre de sus manos y rompió el sello con la uña del pulgar. Dentro había una sola hoja, de la misma excelente calidad. La carta estaba escrita a mano, con escritura evidentemente alemana, pues las mayúsculas tenían forma gótica, pero el texto decía, en perfecto inglés:

Señor:

Su amigo, Lord Andrew Killigerran, fue sepultado esta mañana en el cementerio de la iglesia protestante de Douai. Esta Jagdstaffel le concedió plenos honores militares.

Tengo el honor de informarle, y al mismo tiempo de advertirle, que ninguna muerte es asesinato en tiempos de guerra. El objeto de la guerra es la destrucción del enemigo por todos los medios posibles.

Espero con ansias el momento de encontrarme con usted.

Otto von Greim
Jasta II, cerca de Douai

Todos estaban mirando a Michael, expectantes. Él plegó la carta y se la guardó en el bolsillo.

—Rescataron el cadáver de Andrew —dijo en voz baja— y lo enterraron con todos los honores militares en Douai, esta mañana.

—Qué tipos decentes —murmuró uno de los pilotos.

—Sí, para ser hunos —concedió Michael, mientras se encaminaba hacia la puerta.

El ayudante lo detuvo.

—Michael, creo que Andrew hubiera querido dejarte esto.

Y le entregó la petaca de plata. Michael la hizo girar lentamente en las manos. La abolladura debía de haber sido causada por el impacto, pensó, estremecido.

—Sí —asintió—. Yo la cuidaré por él.

Giró hacia la puerta y se abrió paso por entre el grupo de silenciosos oficiales.

Biggs lo ayudó a vestirse con más atención a los detalles que de costumbre.

—Les di una buena mano de betún, señor —indicó, mientras le alcanzaba las suaves botas de kudu.

Michael parecía no haber oído el comentario. Aunque había vuelto a acostarse tras la perturbación causada por el vuelo del aparato alemán, no había logrado dormir. Sin embargo, se sentía tranquilo.

—¿Cómo dices, Biggs? —preguntó, vagamente.

—Dije que le voy a tener listo el uniforme de gala para cuando vuelva. Y me puse de acuerdo con el cocinero para que le caliente unos diez litros de agua, así se baña.

—Gracias, Biggs.

—Una cosa así no se hace todos los días, señor Michael.

—Cierto, Biggs. Basta con una vez en la vida.

—Estoy seguro de que usted y la señorita van a ser muy felices. Yo y mi señora en junio cumpliremos veintidós años de casados, señor.

—Mucho tiempo, Biggs.

—Espero que usted bata mi récord, señor Michael.

—Haré lo posible.

—Otra cosa, señor —Biggs estaba azorado. No levantó la mirada de los cordones de las botas. —No tendríamos que volar solos, señor. Es peligroso; tendríamos que llevar cuanto menos al señor Johnson, con el perdón de usted, señor. Ya sé que no me corresponde a mí decirlo.

Michael puso una mano sobre el hombro de Biggs, por un momento. Nunca hasta entonces lo había hecho.

—Tenme listo ese baño cuando vuelva —le dijo, al levantarse.

Biggs lo observó mientras se agachaba para pasar por la solapa de la carpa. No le dijo adiós ni le deseó buena suerte, aunque le costó un gran esfuerzo contenerse. Luego recogió la chaqueta arrojada por el joven y la plegó con exagerada pulcritud.

Cuando el motor Wolseley estuvo en marcha, Michael avanzó el contacto hasta llevarlo a un ronroneo grave. Lo escuchó críticamente por treinta segundos, antes de levantar la mirada hacia Mac, que estaba de pie sobre el ala, junto a la cabina, con el pelo y el mameluco sacudidos por el viento de la hélice.

—¡Precioso, Mac! —gritó para hacerse oír por sobre el ruido del motor.

El mecánico sonrió.

—Déles con todo, señor.

Y saltó para quitar las cuñas puestas frente a las ruedas de aterrizaje.

Instintivamente, Michael aspiró hondo, como si estuviera por zambullirse en los fríos charcos del río Tugela; luego abrió el cebador y la máquina rodó hacia adelante.

Una vez más, la colina detrás del *château* estaba desierta, pero él no esperaba otra cosa. Levantó la nariz del aparato para ascender, pero luego cambió de idea y lo dejó caer otra vez, para desviar el avión en un giro cerrado; la punta del ala estuvo a punto de rozar la copa de los robles.

Salió del giro con el *château* bien adelante y pasó sobre él a la altura del tejado. No había señales de vida; en cuanto lo dejó atrás, hizo que el SE5a describiera un ocho y volvió a pasar, siempre a la altura del techo.

Esa vez vio movimiento. Se había abierto una de las ventanas de la planta baja, cerca de las cocinas. Alguien agitaba un trapo amarillo, pero no logró distinguir qué era.

Volvió a dar la vuelta y esa vez descendió hasta casi rozar con las ruedas el muro de piedra que cerraba la huerta de Anna. Entonces vio a Centaine asomada a la ventana. Esa mata de pelo oscuro, esos ojos enormes eran inconfundibles. Estaba muy inclinada sobre el antepecho, gritando algo, y agitaba la bufanda amarilla que se había puesto para visitar a Sean Courtney.

Michael levantó la nariz y abrió el cebador para ascender; se sentía rejuvenecido. Se evaporó el humor plácido y pasivo que lo apresaba, dejándolo cargado y vital otra vez. La había visto. Todo saldría bien.

—Era Michael —gritó Centaine, feliz, al volverse hacia Anna, que estaba sentada en la cama—. Lo vi, Ana, era él, sin duda. Oh, ¡qué apuesto es! ¡Vino a pesar de papá!

La cara de Anna se arrugó, enrojecida de reproche.

—Trae mala suerte que el novio vea a la novia el día de la boda.

—Oh, tonterías, Anna. A veces dices cosas tan tontas... Oh. Anna, qué hermoso es.

—Pero tú no lo serás si no terminamos esto antes de la noche.

Centaine ahuecó las faldas y se acomodó en la cama, junto a su vieja niñera. Tomó en el regazo el encaje de color marfil antiguo y sostuvo la aguja a la luz para enhebrarla.

—He decidido —dijo a Anna, en tanto reiniciaba el trabajo en el ruedo del vestido de novia— que sólo voy a tener hijos varones. Seis varones, cuanto menos. Niñas no. Ser niña es muy aburrido. No quiero que lo padezca ninguno de mis hijos.

Completó doce puntadas y se detuvo.

—Soy tan feliz... Anna, qué entusiasmada estoy. ¿Te parece que el General podrá venir? ¿Cuándo terminará esta guerra idiota, para que Michel y yo podamos ir a África?

Anna, escuchando su parloteo, miró hacia el otro lado para ocultar su orgullosa sonrisa.

El SE5a amarillo se hundió en el suave vientre gris del cielo. Michael eligió una de las aberturas en el banco de nubes más bajo y lo cruzó raudamente, para salir en el corredor abierto. Hacia arriba se repetía el mismo techo de nubes sólidas, pero hacia abajo el aire era límpido como cristal. Cuando el altímetro registró dos mil cuatrocientos metros, Michael niveló el aparato. Se mantuvo equidistante de ambas capas de nubes, pero por las aberturas iba divisando los rasgos distintivos del terreno.

Las aldeas de Cantin y Aubigny-au-Bac estaban desiertas; parecían esqueletos destrozados por las bombas. Sólo habían sobrevivido unas pocas chimeneas de piedra a las olas de la guerra que batían desde todos lados, y se erguían como monumentos funerarios desde el suelo cenagoso.

Las dos aldeas distaban seis kilómetros entre sí; la ruta que en otros tiempos las uniera había sido borrada, y las líneas del frente se retorcían por los campos oscuros, entre ellas, como un par de serpientes mutiladas. Los cráteres de las bombas, llenos de agua estancada, parpadeaban como ojos de ciegos.

Michael miró su reloj. Faltaban cuatro minutos para las cuatro en punto. De inmediato volvió a su interminable inspección del cielo desierto. Sólo una vez apartó las manos de los mandos y flexionó los dedos, al tiempo que agitaba los de los pies dentro de las botas, aflojándose como el corredor antes de la largada. Levantó ambas manos hacia la manivela de disparo, para probar la afinación de la máquina, que mantuvo la dirección y el nivel. Disparó ambas ametralladoras en dos ráfagas breves y asintió, soplándose los dedos de la mano derecha.

"Necesito un trago", se dijo.

Sacó del bolsillo la petaca de Andrew, tomó un sorbo y lo hizo girar en la boca antes de tragarlo. Su fuego le estalló en la corriente sanguínea, pero resistió la tentación de volver a beber. Después de tapar la petaca, se la guardó en el bolsillo. Entonces tocó el timón izquierdo para iniciar el giro correspondiente al esquema de patrulla.

En ese momento divisó una mota negra, del tamaño de una pulga, en el gran colchón gris de las nubes, muy adelante. Contrarrestó el giro y mantuvo la máquina a nivel, mientras parpadeaba para controlar su vista.

La otra máquina estaba a dos mil cuatrocientos: su misma altura, exactamente, y se acercaba con velocidad desde el norte, desde Douai. Michael sintió que el chorro de adrenalina se mezclaba en su sangre con el alcohol. Sintió ardor en las mejillas y un espasmo en las entrañas. Abrió el cebador y salió al encuentro del enemigo.

La velocidad conjunta de los dos aparatos los arrojó uno contra el otro, de modo tal que la otra máquina fue creciendo milagrosamente ante los ojos de Michael. Vio el azul brillante de la nariz tras la neblina que formaban las hélices al girar; vio también las amplias alas de murciélago negro, extendidas. Vio el casco del piloto entre las dos Spandau negras, montadas sobre la caseta del motor, y el destello de sus antiparras al inclinarse hacia las mirillas.

Michael abrió todo el cebador y el motor lanzó un aullido. Su mano izquierda sostenía los mandos tal como un artista sostiene el pincel, con una levísima presión de los dedos. Puso al alemán exactamente en el centro de los anillos concéntricos de su propia mirilla y estiró la mano derecha hacia la manivela del arma.

Su odio y su enojo crecían tan aceleradamente como la imagen de su enemigo, pero retuvo el fuego. El reloj de batalla instalado en su cerebro echó a andar, y el paso del tiempo aminoró la marcha. Vio las horas de las ametralladoras Spandau que comenzaban a guiñarle los ojos, con chispas de fuego, rojas como el planeta Marte en una noche sin luna. Apuntó hacia la cabeza del otro piloto y presionó el gatillo. El aparato palpitó en torno de él, con la sacudida de las armas.

En ningún momento se le ocurrió esquivar esa colisión frente a frente. Estaba completamente concentrado en tomar puntería, tratando de volcar sus balas en la cara del alemán, para arrancarle los ojos y hacerle volar los sesos del casco. Sintió que las balas de Spandau desgarraban la tela y se hundían en el armazón de su avión; las oyó pasar junto a su cabeza, con sonidos agudos como los de las langostas, pero no les prestó atención.

Vio que sus propias balas arrancaban astillas de la hélice alemana y, furioso, comprendió que se estaban desviando del curso debido. Los dos aparatos estaban a punto de chocar; Michael se preparó para el impacto sin apartar la mano del gatillo, sin intento alguno de girar.

Entonces el Albatros viró violentamente, evitando el choque a último momento. Se oyó el ruido metálico que sacudió al SE5a: las dos alas se habían rozado al pasar. Michael vio que de la suya pendía un harapo de tela. Entonces pateó el timón para describir ese giro plano que sólo el SE5a era capaz de hacer; sintió que las alas se flexionaban ante la tensión, pero un segundo después volaba en dirección opuesta, con el Albatros adelante, aunque fuera de su alcance.

Michael aplicó toda su fuerza al cebador, pero ya estaba abierto a pleno y el motor desplegaba toda su potencia. Sin embargo, el Albatros se mantenía a distancia.

El alemán giró en redondo y se elevó hacia la izquierda, seguido por Michael. Ascendieron bruscamente, tomando casi una vertical, y la velocidad de ambas máquinas fue aminorando; pero la del SE5a lo hacía con más rapidez, de modo que el alemán le estaba sacando ventaja.

"No es el mismo Albatros". Michael comprendió, espantado, que la reubicación del radiador no era el único cambio. Estaba luchando con otro tipo de avión, de modelo avanzado, más veloz y más poderoso que su propio SE5a.

Vio la amplia envergadura de esas alas a cuadros y la cabeza del piloto alemán, que estiraba el cuello para vigilarlo en su espejo retrovisor. Quiso entonces ponerlo al alcance de sus armas, girando la mira en un arco breve.

El alemán puso a su Albatros en un encabritamiento y apareció por detrás de Michael, haciendo chisporrotear nuevamente los ojitos rojos de las Spandau. Esa vez Michael se vio obligado a huir, pues el enemigo contaba con la ventaja de la altura y la velocidad.

Por un momento crucial, Michael quedó suspendido en su giro. Su velocidad había menguado y el alemán giraba hacia él, bajando hacia su cola. Ese piloto era de los buenos, y Michael se estremeció al reconocerlo. Bajó la nariz para tomar velocidad y, al mismo tiempo, puso al SE5a en un giro vertical. El Albatros lo siguió en redondo, girando con él de modo tal que ambos parecían dos planetas capturados en órbitas inmutables.

Levantó el mentón para observar al otro piloto, pues cada uno de ellos estaba sobre la punta de un ala. El alemán le devolvió la mirada; las antiparras le daban un aspecto monstruoso e inhumano. Por un instante, Michael miró más allá del brillante fuselaje azul, hacia el techo de nubes. Un diminuto insecto móvil había llamado la atención de sus ojos de cazador.

Por un instante su corazón dejó de bombear. Fue como si la sangre se le espesara en las venas, aminorando la corriente. Luego, con un respingo de animal sobresaltado, el corazón se lanzó a la carrera.

Tengo el honor de informarle, y al mismo tiempo de advertirle, había escrito el alemán, *que el objeto de la guerra es la destrucción del enemigo por todos los medios posibles.*

Michael había leído esa advertencia, pero sólo en ese momento la comprendía. Su tonta idea romántica de mantener un duelo aéreo se convirtió en una trampa mortal. Se había puesto en manos de ellos, como una criatura, dándoles la hora y el sitio, hasta la altitud. Ellos habían enviado a la máquina celeste sólo como cebo. En ese momento se sorprendió de su propia ingenuidad, al verlos salir de las nubes altas como un enjambre.

"¿Cuántos son?"

No había tiempo de contarlos, pero parecía toda una Jasta de Albatros del tipo nuevo; veinte, cuanto menos, en una bandada rápida y silenciosa. Sus colores brillantes centelleaban como gemas contra el sombrío telón de las nubes.

"No voy a poder cumplir con la promesa que le hice a Centaine", pensó Michael.

Miró hacia abajo. La nube baja estaba a seiscientos metros; era un refugio remoto, pero el único disponible. No tenía esperanzas de combatir contra veinte ases alemanes entre los mejores; cuando lo alcanzaran no duraría sino unos pocos segundos. Y venían raudos, en tanto la máquina azul lo retenía para el golpe mortal.

De pronto, enfrentado a la muerte que había buscado deliberadamente, Michael deseó vivir. Si había estado reteniendo hacia atrás la palanca de mandos, con todas sus fuerzas, para mantener al SE5a en su giro, en ese momento la lanzó hacia adelante y el avión salió disparado, como una piedra desde la honda.

Michael se vio mojado contra el cinturón de seguridad que le rodeaba el hombro, pero dominó la máquina y utilizó su propio impulso para lanzarla en una aguda picada. Descendía en un movimiento desquiciante hacia las nubes bajas.

La maniobra tomó a su adversario por sorpresa, pero se recobró de inmediato y el Albatros lo siguió con un destello azul, mientras la bandada multicolor se acercaba desde arriba.

Michael los observó por el espejo retrovisor, notando lo rápidos que eran esos nuevos Albatros en la picada. Echó un vistazo a las nubes. Sus pliegues grises, que tan húmedos y poco acogedores le parecieran segundos antes, eran su única esperanza de vida y salvación. Una vez iniciada la huida, el terror volvió a adueñarse de él, socavando su coraje y su virilidad.

No podría llegar. Lo alcanzarían antes de que estuviera a cubierto. Se aferró a la palanca de mandos, petrificado por ese terror nuevo y mutilador.

Lo reanimó el estruendo de las Spandau gemelas. El espejo le mostró los destellos rojos, bailarines, muy cerca de él. Algo le asestó un golpe entumecedor en la espalda, bajo la cintura. Su fuerza le quitó el aire de los pulmones. Comprendió entonces que debía salir de la línea mortífera del Albatros azul.

Golpeó la barra de timón con toda su fuerza, intentando el giro plano que lo pondría cara a cara contra sus torturadores, pero llevaba demasiada velocidad y el ángulo de descanso era demasiado agudo. El SE5a no respondió. Se limitó a dar una sacudida que lo pasó de costado frente a la manada de perseguidores. Si bien el Albatros azul no dio en el blanco, los otros cayeron sobre él, uno tras otro. Cada ataque sucedió al anterior con una diferencia de microsegundos. El cielo se llenó de alas centelleantes y fuselajes coloridos. El estruendo de los disparos recibidos por su avión era continuo e insoportable. El SE5a dejó caer un ala y entró en espiral.

Cielo, nubes y trozos de suelo, intercalados con relucientes Albatros ametrallándolo, giraron en el campo visual de Michael, aturdiéndolo. Sintió otro golpe, esa vez en la pierna, justo bajo el escroto. Al mirar hacia abajo vio que un disparo había perforado el suelo; la bala, deformada, acababa de desgarrarle el muslo. La sangre brotaba en chorros intermitentes de la arteria. Cierta vez, Michael había visto a un zulú, atacado por un búfalo herido, sangrar de ese modo por una arteria femoral. Había muerto en tres minutos.

Las ráfagas de ametralladora seguían llegándole desde todos los ángulos. No podía defenderse, pues su máquina estaba fuera de control, encabritada en la espiral. Levantaba cruelmente la nariz para dejarla caer otra vez, en un ritmo salvaje.

Michael luchó contra ella, operando el timón opuesto en un intento de quebrar en rotación. El esfuerzo hizo que la sangre brotara con más potencia de su muslo desgarrado. Entonces sintió los primeros mareos de la debilidad. Apartó una mano de la palanca de mandos para meter el pulgar en la entrepierna, buscando el punto de presión. Los grandes chorros colorados disminuyeron de inmediato.

Volvió a mimar al aparato dañado, con la palanca para adelante para impedir esa actitud de la nariz en alto, aplicando un golpe de cebador para sacarla del giro. El avión respondió de mala gana. Michael trató de no pensar en el fuego de ametralladora que lo desgarraba desde todos lados.

Las nubes y la tierra dejaron de girar en derredor. Los giros cerrados se tornaron más lentos y la máquina siguió descendiendo en línea recta. Entonces, con una sola mano, Michael levantó el morro y sintió la excesiva tensión de las alas, la succión de la gravedad en el vientre. Al menos, el mundo se inclinaba ante su vista; el avión estaba equilibrado.

Por el espejo vio que el Albatros azul había vuelto a hallarlo y se acercaba a su cola para asestarle el golpe de gracia.

Antes de que se iniciara otra vez ese horrible matraqueo de Spandau, Michael sintió el golpe frío y húmedo en la cara: unos jirones de nube gris flotaban por la cabina abierta. De inmediato la luz quedó bloqueada; se encontró en un minuto opaco, ciego, en un mundo quieto y silencioso, donde las Spandau ya no podían profanar los silencios celestes. En las nubes no lo hallarían.

Automáticamente, sus ojos se fijaron en los pequeños tubos de glicerina fijos al tablero, frente a él. Con pequeños movimientos de palanca, alineó las burbujas en los tubos hasta ponerlas en sus marcas, a fin de que el SE5a volara en línea recta por entre las nubes. Luego lo hizo girar suavemente en dirección a Mort Homme, guiándose por la brújula.

Tenía ganas de vomitar; era la primera reacción al terror y a la tensión de combate. Tragó saliva y jadeó para dominarse, pero entonces volvió a experimentar debilidad. Era como tener un murciélago atrapado en el cráneo. Las alas suaves y oscuras batían detrás de sus ojos, bloqueándole la visión en parches.

Parpadeó para alejar la oscuridad y miró hacia abajo. Seguía con el pulgar apretado a su entrepierna, pero nunca había visto tanta sangre. Tenía la mano empapada y los dedos pegajosos. La manga de su chaqueta estaba roja hasta el codo. La sangre había convertido sus pantalones en una masa, inundándole las botas. Había charcos en la cabina, y varias serpientes se deslizaban hacia atrás y hacia adelante con cada movimiento de la máquina.

Soltó la palanca por un momento y se inclinó hacia adelante, contra el cinturón de seguridad, para tantearse la espalda. Encontró la otra herida de bala a siete centímetros de la columna vertebral, sobre la pelvis. No había agujero de salida. Eso significaba que aún tenía la bala dentro y que estaba sangrando interiormente. No cabían dudas: sentía algo hinchado y tenso en el vientre, a medida que la cavidad estomacal se iba llenando de sangre.

La máquina bajó un ala; él tomó la palanca para nivelarla, pero le llevó varios segundos efectuar ese simple ajuste. Le escocían los dedos, llenos de alfileres y agujas; tenía mucho frío. Sus reacciones se estaban tornando lentas y cada movimiento, por pequeño que fuera, le costaba todo un esfuerzo.

Sin embargo no sentía dolor alguno: sólo un entumecimiento que se le extendía desde la parte baja de la espalda hasta las rodillas. Retiró el pulgar para probar la herida de su muslo; de inmediato se produjo una llovizna de sangre brillante. Se apresuró a detenerla otra vez y concentró su atención en los instrumentos de vuelo.

¿Cuánto faltaba para llegar a Mort Homme? Trató de sacar los cálculos, pero sentía el cerebro lento y abotagado. Nueve minutos desde Cantin, calculó. ¿Cuánto tiempo llevaba volando? No lo sabía; giró la muñeca para ver su reloj, pero descubrió que debía contar las divisiones del dial, como los niños.

—No quiero salir demasiado pronto de la nube. Me estarán esperando —se dijo, pesadamente.

El dial de su reloj se multiplicó ante sus ojos.

"Doble visión", reconoció.

Se apresuró a mirar hacia adelante. Las nubes plateadas se henchían alrededor. Tenía la sensación de estar cayendo. Estuvo a punto de mover la palanca para contrarrestarlo, pero su adiestramiento lo contuvo. Revisó las burbujas de su horizonte artificial: estaban alineadas. Los sentidos lo estaban engañando.

—Centaine —dijo, súbitamente—, ¿qué hora es? Voy a llegar tarde a la boda.

Sintió que el pánico salía a la superficie en el pantano de su debilidad. Las alas de la oscuridad batieron con frenesí detrás de sus ojos.

—Se lo prometí. ¡Hice un juramento!

Consultó su reloj.

—Las cuatro y seis minutos. Es imposible —pensó, enloquecido—. Este maldito reloj anda mal.

Estaba perdiendo de vista la realidad.

El SE5a salió de la nube en uno de los agujeros del techo. Michael levantó la mano para protegerse los ojos de la luz y miró a su alrededor.

Iba encaminado hacia la base aérea; reconoció la ruta y la línea ferroviaria; también el campo con forma de estrella, entre ambos. "Otros cinco minutos de vuelo", calculó.

La visión de la tierra había vuelto a orientarlo. Con un nuevo dominio del mando real, miró hacia arriba. Los vio allá, describiendo círculos como los buitres sobre la presa del león, esperando que emergiera de la nube. Lo habían divisado. Michael notó que giraban hacia él, con sus alas irisadas... pero se hundió en la nube del otro lado, ocultándose de aquellos ojos crueles.

—Tengo que respetar mi promesa —murmuró.

La pérdida de contacto con la tierra lo dejó confundido. Una vez más se abatieron sobre él las oleadas del vértigo. Dejó que el SE5a se hundiera lentamente por la capa de nubes y, nuevamente, salió a la luz. Allá abajo se veía el campo familiar, los barrancos, el frente de batalla, los bosques, la aldea, la cúpula de la iglesia. Todo tan apacible e idílico.

"Centaine, voy a casa", pensó.

Un terrible cansancio cayó sobre él. Su peso enorme pareció sofocarlo, aplastándolo dentro de la cabina.

Giró la cabeza y vio el *château*. Su techo rosado era como un faro que lo atraía irresistiblemente. El morro del avión giró hacia allí, como independiente del piloto.

—Centaine —susurró—. Allá voy. Espérame. Ya voy...

Y la oscuridad se cerró sobre él, como si estuviera retrocediendo por un largo túnel.

Sentía un rugido en los oídos, como el ruido de la marea en una caracola. Se concentró, con el resto de sus fuerzas, para mirar por aquel túnel cada vez más estrecho, buscando la cara de ella, tratando de oír su voz por sobre el rumor del mar.

—Centaine, ¿dónde estás? Oh, Dios, ¿dónde estás, amor mío?

Centaine, de pie ante el gran espejo de marco dorado, contemplaba su imagen con ojos oscuros y serios.

—Mañana seré Madame Michael Courtney —dijo, solemne—, nunca más Centaine de Thiry. ¿No es un pensamiento formidable, Anna? —Se tocó las sienes—. ¿Te parece que voy a sentirme distinta? Sin duda un acontecimiento tan importante tiene que alterarme. Después de eso no podré volver a ser la misma persona.

—Despierta, niña —la instó Ama—. Hay demasiadas cosas que hacer. No hay tiempo para soñar.

Levantó la voluminosa falda y la dejó caer sobre la cabeza de Centaine. Luego se le puso detrás para abrocharle la cintura.

—Me gustaría saber si mamá me está mirando, Anna. ¿Sabrá que me estoy poniendo su vestido? ¿Se alegrará por mí?

Anna, gruñendo, se puso de rodillas para revisar el ruedo, mientras la muchacha alisaba el delicado encaje sobre su cadera, escuchando las risas masculinas apagadas que llegaban del *grand salon*, en el piso bajo.

—Cuánto me alegro de que el General pudiera venir. ¿Verdad que es muy apuesto, Anna, tanto como Michael? Esos ojos... ¿te diste cuenta?

Anna volvió a gruñir, pero con más énfasis. Por un momento le vacilaron las manos al pensar en el General.

"Ése sí que es todo un hombre", se había dicho, al ver que Sean Courtney bajaba de su Rolls para subir la escalinata frontal del *château*.

—Se lo ve tan grandioso con su uniforme y sus medallas... —prosiguió Centaine—. Cuando Michael sea mayor, voy a insistir para que se deje crecer una barba así. Da tanto porte...

Desde abajo les llegó otra carcajada.

—Él y papá se llevan bien, ¿no te parece, Anna? ¡Escúchalos!

Ambas habían trabajado todo el día anterior y la mayor parte de la noche, para rehabilitar el *grand salon*, clausurado desde la huida de los criados, con las cortinas polvorientas y los cielos rasos tan llenos de telarañas que las escenas mitológicas con que estaba decorado casi no se veían.

Habían terminado la limpieza, con los ojos enrojecidos y estornudando, antes de comenzar con la platería, completamente manchada y sin brillo. Después hubo que lavar y secar a mano cada pieza de la vajilla de Sévres, roja y dorada. El conde protestaba ("Un veterano del Tercer Imperio, obligado a trabajar como cualquier patán") porque había sido forzado a prestar ayuda.

Por fin quedó todo hecho. El salón volvía a lucir espléndido, con el piso de intrincados diseños lustroso de cera, las ninfas, diosas y faunos danzando en el cielo raso, la plata centelleante y las primeras rosas de las que Anna cultivaba celosamente en el invernadero.

—Debimos haber preparado más pasteles —se preocupó Anna—. Esos soldados tienen un apetito de caballos.

—No son soldados, sino pilotos —le corrigió Centaine—. Y tenemos suficiente como para alimentar a todo el ejército aliado, no a un solo escuadrón... —Centaine se interrumpió. —¡Escucha, Anna!

Anna corrió a la ventana para mirar.

—¡Son ellos! —declaró—. ¡Tan temprano!

El desteñido camión pardo venía traqueteando por el largo sendero de grava, mojigato y con aires de solterona sobre sus ruedas altas y estrechas; en la parte trasera se amontonaban todos los oficiales del escuadrón que no estaban de guardia; el ayudante manejaba, con la pipa apretada entre los dientes y una fija expresión de terror. Iba zigzagueando por el terreno desparejo, vocingleramente alentado por sus pasajeros.

—¿Cerraste la despensa con llave? —preguntó Anna, afligida—. Si esa tribu encuentra lo comida antes de que estemos listos para servir…

Anna había convocado a sus amigas de la aldea, las que no habían huido ante la guerra, y la despensa era una mágica cueva, llena de pasteles fríos, patés y deliciosas conservas típicas de la zona, jamones y tartas de manzana, aspic de cerdo y trufas y diez bocados más.

—No es por la comida que han venido tan temprano —observó la muchacha, reuniéndose con ella en la ventana—. Papá tiene las llaves de la bodega. Las usarán bien.

El padre ya estaba bajando la escalinata de mármol para saludar a los invitados. El ayudante frenó con tanta brusquedad que dos de sus pilotos aterrizaron en el asiento delantero, junto con él, en un enredo de piernas y brazos.

—Digo yo —gritó, obviamente aliviado por estar otra vez en punto muerto—, usted debe de ser el buen conde, ¿no? Somos la vanguardia. ¿Cómo se dice en francés? *Le d'avant garde*, ¿entiende?

—Ah, por supuesto. —El conde le tomó la mano. —Nuestros valientes aliados. ¡Bienvenidos, bienvenidos! ¿Puedo ofrecerles una copita de algo?

—Ya ves, Anna. —Centaine sonrió al apartarse de la ventana. —No hay por qué preocuparse. Se entienden bien. Tu comida estará a salvo de ellos, al menos por el momento.

Levantó de la cama el velo de novia y se lo acomodó sobre la cabeza para estudiarse en el espejo.

—Éste debe ser el día más feliz de mi vida —susurró—. Que nada lo eche a perder.

—Nada, hija —aseguró Anna, acercándose por detrás para acomodarle el fino encaje sobre los hombros—. Serás la más encantadora de las novias. Lástima que nadie de la nobleza esté aquí para verte.

—Basta, Anna —le amonestó la muchacha, suavemente—. Nada de lamentaciones. Todo está perfecto. No lo querría de otro modo. —Inclinó un poco la cabeza. —¡Anna!

—¿Qué pasa?

—¿No oyes? —Centaine se apartó del espejo. —Es él. Es Michael. Vuelve a mí.

Corrió a la ventana y, sin poder contenerse, empezó a dar saltitos como niña ante el escaparate de una juguetería.

—¡Escucha! ¡Viene hacia aquí!

Podía reconocer el característico ruido del motor, que tantas veces había esperado oír.

—No lo veo —dijo Anna, detrás de ella, frunciendo los ojos para mirar hacia las nubes.

—Ha de estar muy bajo —adujo la muchacha—. ¡Sí, sí! Allí está, apenas por sobre el bosque.

—Ya lo veo. ¿Estará por aterrizar en la huerta?

—No, con este viento no. Creo que viene hacia aquí.

—¿Estás segura de que es él?

—Por supuesto. ¿No ves el color? *Mon petit jaune!*

También los otros lo habían oído. Sonaban voces bajo la ventana. Diez o doce invitados salieron en tropel por las puertas ventana del salón, a la terraza. Los encabezaban Sean Courtney, que vestía el uniforme de gala de los generales británicos, y el conde, aun más majestuoso con el azul y oro de los coroneles de la infantería de Napoleón III. Todos llevaban sus copas y alzaban la voz, llenos de buen ánimo y alegre camaradería.

—Sí, es Michael —anunció uno—. Apueste a que va a pasar por aquí en vuelo rasante. ¡Ya verán que se lleva el tejado!

—Sería un gesto de victoria, considerando la que le espera.

Centaine se encontró riendo con ellos y palmoteando. La máquina amarilla se aproximaba. Y de pronto se le petrificaron las manos, un segundo antes de golpear.

—Anna —dijo—, algo anda mal.

El avión estaba ya lo bastante cerca como para permitirles apreciar lo irregular de su vuelo. Una de las alas descendió y la máquina dio un tumbo hacia los árboles, antes de recuperarse bruscamente. Las alas se tambalearon. Luego cayó hacia el otro lado.

—¿Qué está haciendo?

El timbre de las voces, en la terraza, había cambiado.

—Por Dios, está en dificultades, parece...

El SE5a inició un incomprensible giro a estribor. Entonces

vieron el costado del fuselaje dañado y las superficies desgarradas del ala. Parecía un cadáver de pez, atacado por los tiburones.

—¡Ha recibido muchos disparos! —gritó uno de los pilotos.

—Sí, está muy averiado.

El SE5a volvió demasiado bruscamente; cayó la nariz, a punto de tocar los árboles.

—¡Va a intentar un aterrizaje forzoso!

Algunos de los pilotos saltaron sobre la pared de la terraza para correr a los prados, haciendo señales frenéticas al aeroplano mutilado.

—¡Por aquí, Michael!

—¡Levanta la nariz, hombre!

—¡Demasiado despacio! —aulló otro—. ¡Vas a caer! ¡Abre el cebador! ¡Dale potencia!

Mientras gritaban sus inútiles consejos, el aparato descendió pesadamente hacia los prados abiertos.

—*Michel* —susurró Centaine, retorciendo el encaje entre sus dedos, sin darse cuenta siquiera de que lo estaba desgarrando—, ven a mí, *Michel*.

Quedaba una sola hilera de árboles: viejas hayas cobrizas, en cuyas ramas comenzaban a abrirse las hojas nuevas. Ellas custodiaban el fondo de los prados, en el otro extremo de los campos.

El SE5a amarillo cayó detrás de ellos; el latido del motor estaba fallando.

—¡Levántalo, Michael!

—¡Levanta ese avión, maldito sea!

Todos le estaban gritando, y Centaine agregó su propia súplica.

—Por favor, *Michel*, vuela sobre los árboles. Ven a mí, querido.

El motor Viper volvió a rugir a toda potencia. Entonces vieron que la máquina se elevaba como un gran faisán amarillo que saliera de entre las ramas.

—Va a pasar.

La nariz estaba muy alta. Todos lo vieron. El aparato pareció pender sobre las ramas desnudas, que se estiraban como garras monstruosas. De pronto la nariz bajó.

—¡Ya pasó! —se alegró uno de los pilotos.

Pero una de las ruedas de aterrizaje tocó una rama muy curvada. El SE5a dio un salto mortal en el aire y cayó.

Golpeó la tierra blanda, aterrizando sobre la nariz. La hélice estalló en un borrón de astillas blancas. Luego, al quebrarse el armazón de madera del fuselaje, toda la máquina se derrumbó, aplastada como una mariposa. Las alas amarillas se plegaron alrededor del cuerpo deshecho… y Centaine vio a Michael.

Estaba untado de su propia sangre, que le había chorreado por la cara; tenía la cabeza hacia atrás y colgaba a medias de la cabina abierta, pendiendo de sus correas como un hombre de la horca.

Los camaradas de Michael iban corriendo por el prado. La muchacha vio que el General arrojaba su copa a un lado para lanzarse sobre la pared de la terraza. Corría con un paso desesperado y desigual; la renquera le dificultaba el equilibrio, pero aun así iba ganando terreno a los más jóvenes.

Los primeros estaban casi junto al avión destrozado cuando las llamas lo envolvieron, con milagrosa brusquedad. Se alzaron hacia lo alto con un rugido tamborileante, de color muy pálido, pero coronadas con humo negro en la cresta. Y los hombres que corrían se detuvieron en seco, vacilantes. Por fin se retiraron, protegiéndose las caras con las manos.

Sean Courtney cargó a través de ellos, directamente hacia las llamas, sin prestar atención a las danzantes olas de calor que lo chamuscaban. Cuatro de los oficiales jóvenes se adelantaron de un salto para tomarlo por los brazos, por los hombros, tirando de él hacia atrás.

Sean se debatía en sus manos, con tanta fuerza que hicieron falta tres más para ayudar a contenerlo. Rugía profundamente, sin sentido, como un búfalo atrapado, en tanto seguía tratando de alargarse por entre las llamas hasta el hombre atrapado en el cuerpo destrozado del aparato amarillo.

De pronto, sin previo aviso, el ruido cesó y el hombre se dejó caer. Si no lo hubieran estado sujetando se habría derrumbado de rodillas. Las manos pendían a los lados del cuerpo. Pero no apartaba la vista de aquella muralla de fuego.

Años antes, en un viaje a Inglaterra, Centaine había observado con horrorizada fascinación a los hijos de su anfitrión, que quemaban la efigie de un asesino inglés, llamado Guy Fawkes, en una pira encendida en el jardín. La efigie estaba elaborada con inteligencia; al elevarse las llamas, se había ennegrecido, retorciéndose en una apariencia de vida. Por varias semanas, después de aquello, Centaine despertó sudorosa, presa de pesadillas. En ese momento, al mirar desde la ventana del castillo, oyó que alguien junto a ella, comenzaba a gritar. Pensó que era Anna. Los gritos revelaban una angustia total; la estremecían como el viento fuerte sacude los tallos jóvenes.

Era la misma pesadilla de antes. No podía apartar la vista, en tanto la efigie se ponía negra y comenzaba a encogerse, con los miembros girando lentamente en el calor. Y los gritos le llenaban la cabeza, ensordeciéndola. Sólo entonces comprendió que no era Anna, que era ella misma quien gritaba. Esas ráfagas de sonido atormentado que le surgían de lo más profundo del pecho parecían ser de alguna sustancia corrosiva, como partículas de vidrio molido, que le desgarraban la garganta.

Sintió que los fuertes brazos de Anna la levantaban en vilo, apartándola de la ventana. Se debatió con todas sus fuerzas, pero la mujer era demasiado poderosa para ella.

Anna dejó a Centaine sobre la cama y le apretó la cara contra su vasto seno, sofocando esos gritos enloquecidos. Por fin, cuando se hizo el silencio, le acarició la cabellera y comenzó a mecerla suavemente, canturreándole, como cuando era niña.

Enterraron a Michael Courtney en el cementerio de Mort Homme, en la sección reservada a la familia De Thiry.

Lo enterraron esa misma noche, a la luz de las lámparas. Sus colegas oficiales excavaron la tumba, y el padre que hubiera debido casarlos dijo el servicio fúnebre sobre sus restos.

—Yo soy la resurrección y la vida, dijo el Señor...

Centaine estaba allí, del brazo de su padre, con el rostro cubierto de encaje negro. Anna la tenía del otro brazo, protectora.

Centaine no lloraba. Al acallarse aquellos gritos no hubo

lágrimas. Era como si las mismas llamas hubieran secado su alma, convirtiéndola en un desierto.

—Oh, no recuerdes los pecados y las ofensas de mi juventud...

Las palabras sonaron remotas, como pronunciadas en el otro lado de una barrera.

"Michael no tenía pecado", pensó. "No tenía ofensas, pero sí, era demasiado joven... Oh, Señor, demasiado joven. ¿Por qué tuvo que morir?"

Sean Courtney estaba frente a ella, al otro lado de la apresurada sepultura; un paso más atrás, su chofer y criado zulú, Sangane. Centaine nunca había visto llorar a un negro; las lágrimas le brillaban en la piel aterciopelada como gotas de rocío, corriendo por los pétalos de una flor oscura.

—El hombre nacido de mujer sólo tiene un breve tiempo de vida y está lleno de miseria...

Centaine clavó la vista en la profunda trinchera lodosa, en la patética caja de madera tosca, tan apresuradamente armada en el taller del escuadrón. "Ése no es Michael", pensaba. "Esto no es real. Todavía es una horrible pesadilla. Pronto voy a despertar, y entonces Michael vendrá volando... y yo lo estaré esperando con Nuage, en la cima de la colina, para darle la bienvenida."

La despertó un sonido áspero y desagradable. El General había dado un paso adelante; uno de los oficiales jóvenes acababa de entregarle una pala. Los terrones cayeron con golpes secos sobre la tapa del ataúd. Centaine levantó la mirada al cielo; no quería ver.

"Allá abajo no, Michael", susurró tras el velo oscuro. "No es ése tu lugar. Para mí serás siempre un hijo del cielo. Para mí estarás siempre arriba, en el azul..." Y luego: "*Au revoir*, Michael, hasta que volvamos a vernos, querido. Cada vez que mire el cielo pensaré en ti."

Centaine se sentó junto a la ventana. Cuando se puso el velo de novia sobre los hombros, Anna quiso oponerse, pero se interrumpió.

Se sentó en la cama, junto a ella. Ninguna dijo palabra.

Desde el salón de abajo llegaban las voces de los hombres. Alguien había estado tocando el piano, poco antes; lo hacía muy mal, pero Centaine había podido reconocer la Marcha Fúnebre de Chopin; los otros, tarareando, marcaban el ritmo.

Por instinto, la muchacha comprendió de qué se trataba: era la despedida especial a uno de los suyos. Pero aquello no la afectó. Más tarde oyó que las voces tomaban un tono áspero, crudo; se estaban embriagando, y ella comprendió que eso formaba parte del rito. Después hubo risas ebrias, pero con un timbre de tristeza subyacente, y más canciones, vocingleras, desafinadas. Ella no sentía nada. Con los ojos secos, inmóvil a la luz de las velas, contemplaba el fuego del bombardeo que relampagueaba sobre el horizonte, escuchaba las canciones y los ruidos de la guerra.

—Tienes que acostarte, niña —le había dicho Anna en cierto momento, suave como una madre.

Pero Centaine sacudió la cabeza y Anna no insistió. En cambio despabiló la vela, tendió un acolchado sobre las rodillas de la muchacha y fue en busca de un plato con jamón y pastel frío, más una copa de vino. Tanto la comida como el vino seguían intactos sobre la mesa, junto al codo de Centaine.

—Debes comer, niña —susurró Anna, aunque no quería entrometerse. Centaine giró lentamente la cabeza hacia ella.

—No, Anna —dijo—. Ya no soy una niña. Esa parte de mí murió hoy, con Michael. No debes llamarme así nunca más.

—Te prometo que no lo haré.

Y Centaine volvió lentamente a la ventana.

El reloj de la aldea dio las dos. Algo después oyeron que los oficiales del escuadrón se retiraban. Algunos estaban tan ebrios que sus compañeros los llevaban en vilo, para arrojarlos en la parte trasera del camión, como a bolsas de maíz. Luego, el vehículo se alejó en la noche, traqueteando.

Se oyó un suave golpe a la puerta. Anna se levantó para abrir.

—¿Está despierta?

—Sí —susurró Anna.

—¿Puedo hablar con ella?

—Pase.

Sean Courtney se detuvo junto a la silla de Centaine. Ella

olfateó el whisky, pero lo notó firme como una roca de granito sobre sus pies. También su voz sonaba grave y dominada. A pesar de eso, ella presintió que dentro de él había una muralla deteniendo el dolor.

—Ahora tengo que irme, querida —dijo en afrikaans.

Centaine se levantó de la silla, dejando que el acolchado cayera de sus rodillas y fue a detenerse ante él, con el velo de novia sobre los hombros, para mirarlo a los ojos.

—Usted era su padre —dijo.

El dominio del hombre se hizo pedazos. Retrocedió, tambaleándose, y apoyó una mano en la mesa para no caer. La miraba fijamente.

—¿Cómo lo sabes? —susurró.

Y entonces ella vio que todo el dolor salía a la superficie. Por fin pudo permitir que también el suyo ascendiera, mezclándose con el de Sean. Brotaron las lágrimas, y sus hombros se sacudieron silenciosamente. Él le abrió los brazos y la estrechó contra su pecho.

Por largo rato, ninguno de los dos habló, hasta que los sollozos de la muchacha se apagaron. Entonces Sean dijo:

—Para mí serás siempre la esposa de Michael, como mi propia hija. Si me necesitas, no importa dónde ni cómo, bastará con que me mandes llamar.

Ella asintió rápidamente, parpadeando, y dio un paso atrás al abrirse el abrazo.

—Eres valiente y fuerte —dijo él—. Lo reconocí al verte por primera vez. Saldrás de ésta.

Giró en redondo y salió del cuarto, renqueando. Minutos después se oyó el crujir de las ruedas sobre la grava del camino, mientras el Rolls se alejaba, con el corpulento zulú al volante.

Al amanecer, Centaine estaba en la colina, detrás del *château*, montada en Nuage. Cuando el escuadrón despegó para la patrulla del alba, ella se irguió en la montura para saludarlos con la mano.

El pequeño norteamericano a quien Michael llamaba Hank iba volando delante; meneó las alas y agitó un brazo.

Ella rió e imitó el gesto. Las lágrimas le corrían por las mejillas al reír.

Ella y Anna trabajaron toda la mañana para cerrar otra vez el salón, cubrir los muebles con fundas y guardar vajillas y cubiertos. Los tres comieron en la cocina los restos de la noche anterior. Aunque Centaine estaba pálida y ojerosa y apenas probó la comida y el vino, hablaba normalmente sobre las tareas que debían cumplir durante la tarde. El conde y Anna la observaban, ansiosos, pero disimulados, sin saber cómo tomar esa calma nada natural. Al terminar la comida, el conde ya no pudo contenerse.

—¿Estás bien, pequeña?

—El General dijo que saldría de ésta —respondió ella—. Quiero demostrar que tenía razón. —Se levantó. —Dentro de una hora estaré de vuelta para ayudarte, Anna.

Tomó la brazada de rosas que habían rescatado del salón y salió a los establos. Montada en Nuage, fue hasta el final del camino, donde largas columnas de hombres uniformados pasaban encorvados bajo sus armas y sus mochilas. La saludaban al pasar, y ella sonreía, agitando las manos; muchos se daban vuelta a mirarla melancólicamente.

Ató a Nuage al portón del cementerio y, con los brazos llenos de flores, dio la vuelta a la iglesia de piedra, cubierta de musgo. Un oscuro tejo esparcía sus ramas sobre el lote de los De Thiry, pero la tierra recién removida estaba pisoteada y lodosa; la tumba parecía uno de los canteros para verduras preparados por Anna, aunque no tan limpio ni tan cuadrado.

Centaine sacó una pala del cobertizo y puso manos a la obra. Cuando terminó, acomodó las rosas y dio un paso atrás. Tenía las faldas embarradas y suciedad bajo las uñas.

—Ahora sí —dijo, con satisfacción—. Así está mucho mejor. En cuanto pueda encontrar un albañil haré que coloquen la lápida, Michael, y mañana volveré con flores frescas.

Esa tarde trabajó junto a Anna, casi sin levantar la mirada de sus tareas, sin detenerse. Sólo interrumpió antes del atardecer, para cabalgar hasta la colina y estar presente cuando los aviones llegaran desde el norte. Esa tarde faltaban otros dos miembros del escuadrón. La carga de duelo que llevaba consigo, al regresar a la casa, era tanto por ellos como por Michael.

Después de la cena, fue a su cuarto en cuanto ella y Anna terminaron de lavar los platos. Se sabía exhausta y ansiaba dormir, pero en cambio estalló todo el dolor que mantuviera a raya durante el día. Entonces se cubrió la cara con el acolchado para sofocarlo.

De cualquier modo, Anna lo oyó, pues estaba alerta. Entró con su cofia de dormir y su camisón, llevando una vela. Apagó la vela de un soplido y se deslizó en la cama, para tomar a Centaine en sus brazos y acunarla hasta que la muchacha se quedó dormida.

Al amanecer, Centaine estaba otra vez en la colina.

Los días y las semanas se repetían, de modo tal que se sentía atrapada y sin esperanzas en la rutina de la desesperación. Las variaciones eran pocas: doce SE5a nuevos en las escuadrillas, todavía pintados con el opaco color de fábrica y piloteados por aviadores cuyas maniobras más sencillas proclamaban, aun a los ojos de Centaine, que eran novatos. Mientras tanto, el número de máquinas pintadas de colores intensos menguaba con cada regreso. Las columnas de hombres, equipos y cañones que avanzaban por la ruta principal, por debajo del *château*, eran más densas día a día. La corriente de ansiedad y tensiones iba en aumento, contagiando hasta a los tres ocupantes de la casa.

—Cualquier día de éstos —repetía el conde, sin cesar— va a empezar la cosa. Ya verás que no me equivoco.

Una mañana, el pequeño norteamericano voló en círculos sobre la colina donde Centaine esperaba; estirando el brazo desde la cabina abierta, dejó caer algo. Era una pequeño paquete, con una larga cinta colorida para servir de marcador. Cayó más allá de la cima y Centaine azuzó a Nuage para hacerlo bajar la cuesta; halló la cinta enredada en el seto de la parte baja y tuvo que desenredarla de las espinas. Cuando Hank volvió a describir un círculo, levantó el paquete en alto para mostrar que lo había rescatado; él, después de saludarla, ascendió hacia los barrancos.

Centaine abrió el paquete en la intimidad de su cuarto. Contenía un par de alas bordadas del Real Cuerpo de Vuelo y una medalla, en su estuche rojo. Acarició la seda lustrosa de la que pendía la cruz de plata y leyó, en el anverso, la fecha, el nombre de Michael y su rango. El tercer artículo, en un sobre, era una fotografía. Mostraba a todo el escuadrón formado en un semicírculo amplio, ala con ala, frente a los hangares de Bertangles; los pilotos, en primer plano, sonreían tímidamente. Junto a Michael estaba el escocés loco; apenas le llegaba al hombro. Michael llevaba la gorra hacia atrás y tenía las manos en los bolsillos; se lo veía tan despreocupado y garboso que a Centaine se le oprimió el corazón hasta sofocarla.

Puso la fotografía en el mismo marco de plata donde estaba la de su madre, para tenerla junto a la cama. La medalla y las alas bordadas quedaron en su alhajero, con sus otros tesoros.

Todas las tardes, Centaine pasaba una hora en el cementerio. Cubrió la tumba con ladrillos rojos que encontró tras el cobertizo.

—Sólo hasta que podamos conseguir un albañil, Michael —le explicó, mientras trabajaba de rodillas.

Y asolaba praderas y bosques en busca de flores silvestres para llevarle.

Por las noches ponía la grabación de *Aída* y estudiaba esa página de su atlas que representaba el continente en forma de cabeza de caballo, África, y las vastas extensiones rojas de imperio que eran su coloración predominante, o leía en voz alta los libros ingleses de Kipling y Bernard Shaw, encontrados en el dormitorio de su madre. El conde, mientras tanto, escuchaba con atención y corregía su modo de pronunciar. Ninguno de ellos mencionaba a Michael, pero todos tenían conciencia de él, minuto a minuto, como si fuera parte del atlas, de los libros ingleses y de los jubilosos compases de *Aída*.

Por fin, cuando Centaine estaba segura de sentirse totalmente agotada, besaba a su padre e iba a su cuarto. Sin embargo, en cuanto apagaba la vela volvía a abrumarla el dolor. A los pocos minutos, la puerta se abría silenciosamente y Anna la tomaba en sus brazos.

Y todo el círculo volvía a empezar.

Fue el conde quien lo quebró, aporreando la puerta de Centaine para despertarlas, en las oscuras horas de la madrugada.

—¿Qué pasa? —preguntó Anna, soñolienta.

—¡Vengan! —gritó el conde—. Vengan a ver.

Después de ponerse apresuradamente las batas sobre el camisón, ambas lo siguieron por la cocina hasta salir al patio trasero. Allí se detuvieron para mirar el cielo del este, extrañadas: aunque no había luna, relumbraba con una extraña luz anaranjada, ondulante, como si en algún punto, por debajo del horizonte, Vulcano hubiera abierto las puertas de la fragua divina.

—¡Escuchen! —ordenó el conde.

Y entonces oyeron el susurro sobrepuesto a la brisa leve. Era como si toda la tierra, bajo los pies, se estremeciera ante la potencia de esa conflagración distante.

—Se ha iniciado —dijo él.

Sólo entonces comprendieron las mujeres que era el primer asedio de la gran ofensiva de los Aliados contra el Frente Occidental.

Pasaron el resto de esa noche sentados en la cocina, bebiendo grandes jarros de café negro; a cada instante salían al patio para contemplar el feroz despliegue, como si se tratara de algún fenómeno astronómico.

El conde, exultante, les describía lo que estaba ocurriendo.

—Es la descarga a saturación que aplanará el alambre de púas, destruyendo las trincheras enemigas. Los boches quedarán aniquilados. —Y señalaba el cielo atroz. —¡Quién pudiera presenciarlo!

Las baterías disparaban a lo largo de un frente de cien metros; en los siete días y noches siguientes, jamás cesaron. El peso mismo del metal que arrojaban contra las líneas alemanas borraba los parapetos y los atrincheramientos, arando la tierra y volviendo a ararla.

El conde se encendía de ardor guerrero y patriótico.

—Están viviendo en la historia. Son testigos de una de las grandes batallas de los siglos...

Pero para Centaine y Anna siete días y siete noches eran demasiado tiempo. Pronto el primer asombro se convirtió en apatía y desinterés. Ambas prosiguieron con la rutina diaria del *château* sin que ya les llamara la atención el bombardeo distante. Por la noche no les quitaban el sueño ni la pirotecnia ni las convocatorias del conde:

—¡Vengan a ver!

Por fin, en la séptima mañana, mientras desayunaban, hasta ellas notaron el cambio en la intensidad y el retumbar de los cañones. El conde se levantó de un salto para correr al patio, con la boca aún llena de pan y queso, llevando en la mano el jarrito de café.

—¡Escuchen! ¿Lo oyen? ¡Se ha iniciado el avance!

La artillería avanzaba abriendo fuego, para crear una barrera móvil de altos explosivos, a través de la cual no había ser viviente que pudiera avanzar o retroceder.

—Ahora los valientes Aliados están listos para el ataque final…

En las trincheras británicas de avanzada, los hombres esperaban detrás de los parapetos. Cada uno cargaba casi treinta kilos de equipo.

El tronar de los explosivos se fue alejando, dejándoles los sentidos abotagados y los tímpanos zumbantes. A lo largo de las trincheras se oían los silbatos de los jefes de sección, que hacían levantar a los soldados para agruparlos al pie de las escalerillas de asalto. De pronto, como un ejército de autómatas vestidos de color caqui, todos salieron de sus madrigueras al cielo abierto y miraron en derredor, aturdidos.

Estaban en una tierra transformada por la devastación, tan asolada por los cañones que no quedaba una brizna de pasto, una ramita en los árboles. Del blando lodo, que parecía un guiso de cereal de escatológica coloración, sólo sobresalían los desganados tocones de los árboles. Ese horrible paisaje se envolvía en la niebla amarillenta de los explosivos.

—¡Adelante!

El grito pasó línea abajo. Una vez más, los silbatos volvieron a sonar, incitándolos.

Con los largos rifles Lee Enfield hacia el frente, centelleantes las bayonetas fijas, avanzaron. Iban hundiéndose hasta los tobillos en el suelo blando, resbalando al interior de los hoyos amontonados, para salir a la rastra. La línea se amontonaba o se empequeñecía. El horizonte estaba limitado por la niebla arremolinada y nítrica a un centenar de pasos.

De las trincheras enemigas no había señales; los parapetos habían sido aplanados hasta borrarlos. Por encima pasaba el rugir constante de la descarga, pero cada pocos segundos algún proyectil disparado por los cañones del propio bando caía entre las líneas densamente apretadas.

—¡Ciérrense hacia el centro!

Los blancos abiertos en las filas por los disparos se llenaban con la materia de otros cuerpos caquis, amorfos.

—¡Mantengan la línea! ¡Mantengan la línea!

Las órdenes se perdían casi en el tumulto de los cañonazos.

De pronto, en el páramo abierto hacia adelante, vieron el centelleo metálico a través del humo. Era un muro bajo, de metálicas escamas, entrelazadas como el lomo de un cocodrilo.

Los artilleros alemanes habían contado con siete días de anticipación; mientras la cortina de fuego de los británicos se alejaba, detrás de ellos, sacaron sus armas de las excavaciones a la superficie para instalarlas en sus trípodes, sobre el borde lodoso de las trincheras deshechas. Las ametralladoras Maxim estaban provistas de un escudo de acero que protegía a los artilleros del fuego de fusil, y las armas estaban alineadas de un modo tan cerrado que los bordes de esos escudos se superponían.

La infantería británica, a cielo abierto, caminaba hacia una muralla de ametralladoras. Las filas de vanguardia chillaron al verlas y echaron a correr hacia adelante, tratando de alcanzarlas con la bayoneta. Así se lanzaron hacia el alambre.

Se les había asegurado que las descargas cerradas habrían hecho pedazos el alambrado de púas. No era así. Los fuertes explosivos no tenían efecto alguno sobre él, y sólo habían logrado enredarlo y retorcerlo para convertirlo en una barrera aún más formidable. Mientras ellos se debatían, atrapados por los alambres, las Maxim alemanas abrieron fuego contra ellos.

La ametralladora Maxim tiene un alcance cíclico de quinientos disparos por minuto; se la considera la más confiable de las que hayan sido jamás construidas, y ese día acrecentó su reputación, añadiendo la distinción de ser la más letal que el hombre hubiera inventado. Las filas de infantería británica que emergían de la niebla nítrica, aún tratando de mantener su rígida formación, hombro con hombro y de a cuatro en fondo, les ofrecían un blanco perfecto. Aquellas sólidas hojas de fuego giraron de un lado a otro, como la guadaña del segador. La carnicería resultante sobrepasó todo lo que se viera nunca en los campos de batalla de la historia.

Las pérdidas hubieran sido, por cierto, mayores, de no ser porque las tropas, ante el castigo extremado de las Maxim, emplearon el sentido común y rompieron filas. En vez de seguir con ese avance poderoso y terco, trataron de arrastrarse hacia adelante en pequeños grupos, pero aun éstos fueron finalmente derrotados por la muralla de ametralladoras.

Así, con una nueva gran ofensiva del frente occidental diezmada casi en su comienzo, las fuerzas alemanas que defendían los barrancos frente a Mort Homme contraatacaron jubilosamente.

Centaine cobró gradual conciencia de que aquel distante holocausto había cesado y de que reinaba un silencio extraño.

—¿Qué ha pasado, papá?

—Las tropas británicas han conquistado las posiciones de la artillería alemana —explicó el conde, excitado—. Me están dando ganas de montar a caballo para echar un vistazo al campo de batalla. Quiero ser testigo de este momento decisivo de la historia.

—Pues no hará semejante idiotez —le dijo Anna, bruscamente.

—Tú no comprendes, mujer. Mientras nosotros charlamos aquí, nuestros aliados avanzan, devorándose las líneas alemanas.

—Lo que comprendo es que hay que ordeñar la lechera y los sótanos necesitan una limpieza.

—Mientras la historia pasa a mi lado de largo —capituló el conde, gruñón, mientras bajaba al sótano, murmurando.

En eso volvieron a comenzar los cañonazos, mucho más próximos. Las ventanas repiquetearon en los marcos. El conde subió las escaleras como un rayo y salió al patio.

—¿Y ahora qué pasa, papá?

—Son los estertores del ejército alemán —explicó el conde—, las últimas sacudidas de un gigante moribundo. Pero no te preocupes, pequeña mía, porque los británicos no tardarán en invertir las posiciones. No tenemos nada que temer.

El tronar de los cañones iba en aumento, realzado por el estruendo del contraataque británico, que trataba de destruir el fuego alemán, centrado en las trincheras de avanzada que estaban frente a los barrancos.

—Esto parece lo del verano anterior. —Centaine miraba, con malos presentimientos, los desnudos contornos de tiza contra el horizonte. Se estaban borroneando levemente ante sus ojos, envueltos en los fulgores de las explosiones. —Tenemos que hacer lo que podamos por ellos —agregó, dirigiéndose a Anna.

—Será mejor que pensemos en nosotros mismos —protestó la antigua niñera—. Hay que seguir viviendo y no podemos...

—Vamos, Anna, estamos perdiendo el tiempo.

Por insistencia de Centaine, prepararon cuatro enormes ollas de sopa con nabos, arvejas secas y papas, sazonadas con huesos de jamón. Acabaron con prodigiosa velocidad sus reservas de harina para preparar una hornada de hogazas de pan. Después cargaron todo en la carretilla y lo llevaron por el camino, hasta la ruta principal.

Centaine recordaba claramente las batallas del verano anterior, pero lo que estaba presenciando la horrorizó de nuevo.

La carretera estaba atestada de borde a borde por las mareas de la guerra, que corrían en ambas direcciones, amontonándose, entremezcladas, para volver a separarse más allá.

De los barrancos bajaba el detrito humano de la batalla, desgarrado y sangriento, mutilado y deshecho, amontonado en las lentas ambulancias, en carretas tiradas por caballos o renqueando sobre improvisadas muletas, apoyándose en los hombros de compañeros más fuertes o aferrados a los flancos de las atestadas ambulancias, a fin de seguir tropezando por las rutas enlodadas, llenas de grandes surcos.

En la dirección opuesta marchaban las reservas y los refuerzos, que iban a defender los barrancos del ataque alemán. Iban en largas filas, ya cansados por el peso del equipo que llevaban, sin echar siquiera un vistazo a los desechos de guerra con los que bien podían reunirse muy pronto. Avanzaban pesadamente, cuidando los pasos, y se detenían con bovina paciencia cuando la ruta quedaba bloqueada, para volver a avanzar sólo cuando el que los precedía reiniciaba la marcha.

Después de la impresión inicial, Centaine ayudó a Anna a empujar la carretilla hasta el borde del camino. Luego, mientras su niñera iba sirviendo la sopa espesa, ella entregaba cada jarrito con una gruesa tajada de pan fresco, a los heridos exhaustos que iban pasando.

No había bastante; apenas podía alimentar a uno entre cien. Los que ella escogía por su aspecto de mayor necesidad, tragaban la sopa apresuradamente y devoraban el pan.

—Bendita sea, señora —murmuraban, antes de volver a seguir.

—Mírales los ojos, Anna —susurró Centaine, mientras presentaba los jarritos para que su compañera volviera a llenarlos—. Ya han visto más allá de la tumba.

—Basta de tonterías fantasiosas —la regañó Anna—, o volverás a tener pesadillas.

—No hay pesadilla peor que esto —respondió la muchacha, serenamente—. ¡Mira a aquél!

Las esquirlas de metralla le habían arrancado los ojos; iba con un harapo ensangrentado vendándole las cuencas vacías. Seguía a otro soldado que llevaba ambos brazos destrozados, atados al pecho. El ciego, prendido de su cinturón, estuvo a punto de arrojarlo al suelo cuando tropezó en el camino resbaloso y desigual.

Centaine los apartó de la corriente y acercó el jarrito a los labios del manco.

—Qué muchacha buena —susurró el hombre—. ¿Tiene un cigarrillo?

—No, lo siento. —Centaine sacudió la cabeza y se volvió para reacomodar los vendajes del ciego. Cuando vio por un instante lo que había allí abajo, hizo una arcada; le temblaban las manos.

—Por la voz, es tan joven y bonita…

El ciego parecía de la misma edad que Michael; también tenía pelo espeso y oscuro, pero lleno de sangre seca.

—Sí, Fred, es bonita. —El compañero lo ayudó a levantarse otra vez. —Será mejor que sigamos, señorita.

—¿Qué está pasando allá arriba? —preguntó ella.
—Es un infierno, aquello.
—¿Resistirá la línea?
—Quién sabe, señorita...
Y los dos fueron tragados por el lento río de miseria.
Pronto se acabaron la sopa y el pan. Entonces llevaron la carretilla al *château* para preparar más. Recordando las súplicas de los soldados heridos, Centaine asaltó el armario de la sala de armas, donde el conde guardaba su reserva de tabaco. Cuando volvió con Anna a su puesto, en el extremo del camino, pudo, siquiera por un breve tiempo, dar ese pequeño consuelo adicional a unos pocos de ellos.
—Es tan poco lo que podemos hacer... —se lamentó.
—Estamos haciendo todo lo posible —señaló la mujer—. No tiene sentido lamentarse por lo que no puede ser.
Siguieron trabajando hasta después de oscurecer, junto a la débil luz amarilla de la lámpara. El río de sufrientes no menguaba jamás; antes bien parecía acrecentarse, a tal punto que aquellos rostros pálidos y demacrados se borroneaban ante la mirada exhausta de la muchacha, tornándose indistintos; las endebles palabras con que intentaban levantarles el ánimo resultaban repetitivas y carentes de sentido aun a sus propios oídos.
Por fin, bien pasada la medianoche, Anna la llevó al *château*. Ambas durmieron abrazadas, sin haberse quitado las ropas manchadas de barro y de sangre. Al amanecer despertaron para preparar nuevas ollas de sepa y preparar más pan.
Centaine, de pie junto al horno, inclinó la cabeza al oír el rugido distante de los motores.
—¡Los aeroplanos! —gritó—. ¡Me olvidé de ellos! Hoy volarán sin haberme visto. ¡Es mala suerte!
—Hoy serán muchos los que tengan mala suerte —gruñó Anna, mientras envolvía una de las cacerolas con una frazada, para evitar que se enfriara demasiado pronto.
Iban por el medio del camino cuando Centaine se irguió, sin soltar la manija de la carretilla.
—¡Mira, Anna! ¡Allá, en el borde del sembrado norte!
Los sembrados pululaban de hombres. Habían descartado las pesadas mochilas, los cascos y las armas, y estaban tra-

bajando bajo el sol de la mañana, desnudos hasta la cintura o con chalecos mugrientos.

—¿Qué están haciendo, Anna?

Eran miles los que trabajaban bajo las directivas de sus oficiales. Estaban armados con palas de puntear, con las que desgarraban el suelo amarillo, apilando la tierra en largas líneas. Se hundían en ella tan de prisa que, bajo los ojos de las mujeres, muchos de ellos quedaron en seguida metidos hasta las rodillas, después hasta la cintura, bajo los parapetos que crecían.

—Trincheras. —Centaine halló la respuesta a su propia pregunta. —Trincheras, Anna; están excavando trincheras nuevas.

—¿Por qué?

—Porque... —La muchacha vaciló. No quería decirlo en voz alta. —Porque no van a poder retener los barrancos —concluyó suavemente.

Y ambas miraron las tierras altas, donde el fuego de las granadas opacaba la luz matinal con sus neblinas sulfurosas.

Cuando llegaron al extremo del camino descubrieron que la ruta estaba bloqueada por el tránsito. Las corrientes opuestas de vehículos y hombres se entremezclaban irremediablemente, desafiando los esfuerzos de la policía militar, que trataba de desenredarlos y ponerlos otra vez en movimiento. Una de las ambulancias había resbalado hasta caer en la zanja lodosa, aumentando la confusión; un médico y el conductor de la ambulancia forcejeaban por descargar las camillas amontonadas en la parte trasera del vehículo.

—Tenemos que ayudarlos, Anna.

Anna era fuerte como un hombre; Centaine, igualmente decidida. Entre ambas tomaron las manijas de una camilla y la sacaron de la zanja.

El médico salió del barro.

—Muy bien —jadeó.

Llevaba la cabeza descubierta, pero su chaqueta lucía la insignia del cuerpo médico y los brazaletes blancos con la cruz escarlata.

—¡Ah, Mademoiselle De Thiry! —exclamó, al reconocer a Centaine por sobre el herido de la camilla—. Debí darme cuenta de que era usted.

—Por supuesto, doctor...

Era el mismo oficial que había llegado en la motocicleta, acompañando a Lord Andrew, el día en que Michael se estrelló en el sembrado norte.

Pusieron la camilla junto al seto y el joven doctor se arrodilló junto al hombre, para atender a la figura inmóvil bajo la frazada gris.

—Tal vez viva... si podemos atenderlo pronto. —Se levantó de un salto. —Pero todavía hay otros allí arriba. Hay que sacarlos.

Entre los cuatro descargaron todas las camillas de la ambulancia y las dispusieron en hilera.

—Por éste no hay nada que hacer. —Y el médico cerró, con el pulgar y el índice, los párpados de aquellos ojos que miraban fijamente; después cubrió la cara del muerto con la frazada.

—La ruta está bloqueada. No hay modo de pasar, y vamos a perder también a éstos —dijo, señalando la hilera de camillas—, a menos que podamos ponerlos bajo techo y atenderlos.

Miraba directamente a Centaine, que tardó un momento en comprender su gesto inquisitivo.

—Las cabañas de Mort Homme están colmadas y la ruta no se puede transitar —repitió él.

—Por supuesto —le interrumpió la muchacha rápidamente—. Hay que llevarlos al *château*.

El conde les salió al encuentro en la escalinata. En cuanto Centaine, apresuradamente, explicó lo necesario, el padre dio su entusiasta apoyo a la idea de transformar el gran salón en un hospital de campaña.

Empujaron el mobiliario hasta ponerlo contra las paredes, dejando libre el centro del salón. Luego retiraron todos los colchones existentes en los dormitorios de la planta alta y los cargaron por la escalera. Ayudados por el conductor de la ambulancia y tres enfermeros reclutados por el joven médico, dispusieron los colchones en la fina alfombra Aubusson.

Mientras tanto, la policía militar, siguiendo instrucciones del médico, apartaba a las ambulancias del tránsito bloqueado para hacerlas ascender la senda del *château*. El doctor iba en el estribo del primer vehículo. Cuando vio a Centaine bajó de un salto y la tomó del brazo, ansioso.

—¡Mademoiselle! ¿Hay otro medio de llegar al hospital de campaña de Mort Homme? Necesito elementos: cloroformo, desinfectante, vendas... y otro médico que me ayude.

Su francés era pasable, pero Centaine le contestó en inglés.

—Puedo cruzar los sembradíos a caballo.

—Usted es una maravilla. Le daré una nota. —Sacó el anotador de un bolsillo y garabateó un breve mensaje. —Pregunte por el mayor Sinclair —dijo, arrancando la hoja para plegarla—. El hospital de avanzada está en las cabañas.

—Sí, lo sé. ¿Cómo se llama usted? ¿Quién le diré que me envía? —Con la práctica reciente, el inglés surgía más fácil de labios de la muchacha.

—Perdone, Mademoiselle. Hasta ahora no había tenido oportunidad de presentarme. Me llamo Clarke. Capitán Robert Clarke. Pero todos me llaman Bobby.

Nuage parecía captar lo urgente de aquella misión: la llevó en un vuelo furioso, arrojando terrones de lodo con los cascos al cruzar los sembradíos y los viñedos. Las calles de la aldea estaban atestadas de hombres y vehículos. El hospital era un caos.

El oficial a quien ella debía buscar era un hombre corpulento, cuyos brazos parecían de oso. Sobre la frente le colgaban gruesos rizos encanecidos, al inclinarse sobre el soldado al que estaba operando.

—¿Dónde diablos está Bobby? —preguntó, sin levantar la mirada, concentrado en la pulcra sutura con que estaba cerrando una profunda herida en la espalda del soldado.

Cuando tiró del hilo para anudarlo, la piel se levantó en un pico. El estómago de Centaine se levantó también, pero se apresuró a dominarlo para explicarse.

—Está bien, dígale a Bobby que enviaré lo que pueda, pero aquí también andamos escasos de vendas.

Sacaron al paciente de la mesa; en su lugar pusieron a un muchacho que tenía las entrañas colgando fuera, en un manojo sucio.

—Tampoco puedo prescindir de nadie para enviarle ayuda. Vaya a decírselo.

El joven soldado se retorció, entre chillidos, cuando el médico empezó a colocar el estómago en su sitio.

—Si usted me da los elementos, yo misma los llevaré —insistió Centaine, sin ceder.

Él levantó la mirada, con el fantasma de una sonrisa.

—No se da fácilmente por vencida —concedió—. Bueno, hable con ése. —Señaló el otro extremo de la cabaña con el bisturí que tenía en la diestra. —Dígale que la envío yo. Y buena suerte, jovencita.

—Lo mismo a usted, doctor.

—Sabe Dios que todos la necesitamos —agregó el médico, antes de inclinarse otra vez para hacer su trabajo.

Centaine azuzó a Nuage con la misma prisa hasta llegar al *château*, luego lo dejó en el establo y corrió al patio.

Había otras tres ambulancias estacionadas allí; los conductores estaban descargando heridos y moribundos. Ella entró en la casa, llevando un pesado maletín al hombro, y se detuvo a la puerta del salón, asombrada.

Todos los colchones estaban ocupados. Había más heridos acostados en el suelo desnudo o sentados contra las paredes. Bobby Clarke había encendido todos los brazos del gran candelabro central y estaba operando a la luz de las velas.

—¿Trajo cloroformo? —le preguntó a gritos, al verla.

Por un momento ella no pudo responder. Vacilaba ante las puertas dobles, pues el ambiente ya hedía por el sofocante olor de la sangre, mezclado con el del cuerpo y la ropa de aquellos hombres, que venían del barro de las trincheras, hombres que aún llevaban el acre sudor del miedo y el sufrimiento.

—¿Lo consiguió? —repitió él, impaciente.

Centaine se obligó a adelantarse.

—No pueden enviarle a nadie para que lo ayude.

—Tendrá que hacerlo usted, entonces. A ver, póngase de este lado —ordenó el médico—. Tenga aquí.

Para Centaine, todo aquello se convirtió en un borrón de sangre, horrores y trabajo, que la agotaron físicamente, desgastando sus nervios. No había tiempo para descansar; apenas podía tragar apresuradamente la taza de café y el sándwich que Anna le alcanzaba en la cocina. Cuando llegaba a creer que ya lo había visto todo, que ya nada podría espantarla, se presentaba algo aún más pavoroso.

Permaneció junto a Bobby Clarke mientras él cortaba los músculos de una pierna, atando cada vaso sanguíneo a medida que aparecían. Cuando el hueso blanco del fémur quedó expuesto y el médico tomó el reluciente serrucho de plata, Centaine creyó que el ruido iba a hacerle perder el sentido; parecía el de un carpintero al aserrar maderas duras.

—¡Llévese eso! —ordenó Bobby.

Y ella tuvo que hacer un esfuerzo para tocar el miembro amputado. Se echó atrás, lanzando una exclamación, al sentir que se le retorcía entre los dedos.

—No pierda tiempo —le espetó Bobby.

Ella levantó la pierna; aún estaba caliente. La asombró que pesara tanto.

"Ya no hay nada que no me atreva a hacer", se dijo, mientras la llevaba. Por fin llegó a un punto de agotamiento en que ya no le era posible mantenerse en pie; hasta Bobby se dio cuenta.

—Vaya a acostarse donde pueda —le ordenó.

Ella, en cambio, fue a sentarse junto a un joven soldado, que ocupaba uno de los colchones, y le tomó la mano. El hombre la llamó "mamá" y comenzó a hablar confusamente de un día pasado en la playa, años atrás. Más adelante, sin poder hacer nada, se limitó a escuchar los jadeos con que el joven se esforzaba en retener la vida; la mano que sostenía oprimió la suya al llegar las sombras; la piel se puso húmeda de sudor. El soldado abrió mucho los ojos, gritando:

—¡Oh, mamá, sálvame!

Luego quedó laxo. Centaine hubiera querido llorar por él, pero no tenía lágrimas. Cerró aquellos ojos, como le había visto hacer a Bobby Clarke, y se levantó para pasar al colchón vecino.

Era un macizo sargento, que tendría aproximadamente la edad de su padre: la barba entrecana, crecida a medias, le cubría el rostro ancho y agradable. Tenía un agujero en el pecho, por el que cada aliento brotaba en una espuma de burbujas rosadas. Ella tuvo que poner el oído casi junto a sus labios para oír su pedido. Miró en derredor, apresuradamente, y vio la sopera de plata Luis XV sobre el aparador. Se la llevó al herido, le desabotonó los pantalones y sostuvo la sopera, mientras él no dejaba de susurrar:

—Disculpe. Perdóneme, por favor. Una señorita como usted... no es correcto.

Así trabajaron toda la noche. Cuando Centaine fue en busca de velas nuevas para reemplazar las que estaban goteando en los soportes del candelabro, la náusea la atacó súbitamente, incontenible, apenas llegó a la cocina. Tuvo que ir al baño de los criados y arrodillarse sobre el incómodo balde. Al acabar, pálida y temblorosa, fue a lavarse la cara en el grifo de la cocina. Anna la estaba esperando.

—No puedes seguir así —la regañó—. Mira cómo estás. Te estás matando... —Iba a decir "criatura", pero se contuvo. —Tienes que descansar. Toma un plato de sopa y siéntate a mi lado por un rato.

—No termina nunca, Anna. Siempre hay más heridos.

Por entonces los pacientes habían colmado ya el salón y ocupaban los pasillos, hasta el descansillo de la escalera. Los enfermeros que sacaban a los muertos en las camillas de lona tenían que pasar por entre cuerpos tendidos. Las hileras de muertos depositados en los adoquines, al costado del establo, cada uno envuelto en su frazada gris, crecía de hora en hora.

—¡Centaine! —gritó Bobby Clarke, desde el tope de la escalera.

—Qué familiaridad. Podría llamarte Mademoiselle —gruñó Anna, indignada.

Pero la muchacha se levantó de un salto y corrió escaleras arriba, esquivando los cuerpos despatarrados en cada peldaño.

—¿Puede ir otra vez hasta la aldea? Necesitamos más cloroformo y tintura de yodo.

Bobby estaba ojeroso y sin afeitar, con los ojos enrojecidos y los antebrazos llenos de sangre medio seca.

—Sí, ya está casi claro —asintió Centaine.

—Vaya más allá del cruce de rutas —pidió él—. Así podrá averiguar si la ruta está despejada; hay que trasladar a algunos de éstos.

Centaine tuvo que apartar dos veces a Nuage de las rutas atestadas para buscar atajos a campo traviesa. Cuando llegó al hospital de Mort Homme ya era casi de día.

Vio de inmediato que estaban evacuando el hospital. Tanto el equipo como los pacientes estaban siendo cargados en un convoy de ambulancias y vehículos de tracción animal. A los heridos que estaban en condiciones de caminar se los reunía en grupos para conducirlos hasta la ruta, donde iniciarían la marcha hacia el sur.

El mayor Sinclair bramaba sus instrucciones a los conductores de las ambulancias.

—¡Cuidado, por Dios, que ese hombre tiene el pulmón perforado por una bala!

Pero levantó la mirada hacia Centaine al verla llegar en el gran potro.

—¡Usted otra vez! Caramba, me había olvidado. ¿Dónde está Bobby Clarke?

—Todavía en el *château*. Me envía a pedir...

—¿Cuántos heridos tiene allá? —interrumpió el mayor.

—No sé.

—¡Maldición, mujer! ¿Son cincuenta, cien, más?

—Tal vez cincuenta, tal vez más.

—Tenemos que sacarlos. Los alemanes se han abierto paso en Haut Pommier. —El médico hizo una pausa para examinarla con aire crítico, tomando nota de las ojeras purpúreas y el lustre casi traslúcido de su piel. "Está en las diez de últimas", decidió; luego vio que aún mantenía la cabeza en alto y que había brillo en sus ojos; entonces cambió su valoración. "Tiene pasta", pensó. "Todavía puede seguir adelante."

—¿Cuándo llegarán los alemanes? —preguntó Centaine.

Él sacudió la cabeza.

—No lo sé. Pronto, creo. Estamos cavando trincheras a la salida de la aldea, pero tal vez ni siquiera podamos detenerlos allí. Tenemos que salir todos. Usted también, jovencita. Diga a Bobby Clarke que le enviaré todos los vehículos que pueda. Tiene que retroceder hasta Arras. Usted puede ir con las ambulancias.

—Bueno. —Hizo girar la cabeza de Nuage. —Los esperaré en el cruce de rutas para guiarlos hasta el *château*.

—Así me gusta —concluyó él, mientras la muchacha salía del patio al galope, para tomar por los viñedos del lado oriental de la aldea.

Más allá del muro de las viña llegó a la senda que conducía a la colina, por sobre el bosque. Entonces soltó riendas y el caballo subió volando, hasta llegar a la cima. Era su punto favorito, desde donde se gozaba un amplio panorama hacia el norte, hasta los barrancos, y sobre los bosques y sembrados que rodeaban la aldea. El sol, recién asomado, brillaba limpio.

Por instinto buscó primero la huerta en la base del bosque en forma de T, hasta distinguir la banda de pasto cortado que servía de pista al escuadrón de Michael.

Las carpas habían desaparecido; el borde del huerto, donde solían estar los coloridos SE5a, estaba desierto; no se veían señales de vida. El escuadrón debía de haber partido durante la noche, como una banda de gitanos. A Centaine se le cayó el alma a los pies. Tenerlos allí había sido como retener algo de Michael, pero eso también había desaparecido, dejando un hueco vacío en su existencia.

Volvió la espalda al huerto para mirar hacia los barrancos. A primera vista, el paisaje parecía apacible e impertérrito. Los primeros días del verano le habían dado un adorable verde, bien visible a la luz temprana. A poca distancia cantaba una alondra.

Sin embargo, al mirar con más atención distinguió unas motas diminutas: eran muchos hombres que se escurrían desde los barrancos, como otros tantos insectos. Estaban tan lejos que se le habían pasado por alto, pero al reparar en ellos notó que eran muchos; entonces trató de adivinar qué estaban haciendo.

De pronto vio una diminuta bocanada de humo amarillo grisáceo, que reventaba en medio de un grupo, cuatro o cinco de las hormiguitas quedaron tendidas, enredadas entre sí, mientras las otras se esparcían a la carrera.

Hubo más bocanadas de humo, esparcidas al azar en la verde alfombra de los sembrados, y al fin le llegó el ruido de las explosiones, traído por el viento.

—¡Bombardeos! —susurró.

Entonces comprendió lo que estaba pasando allá. Eran soldados a los que el ataque alemán había desalojado de sus trincheras y estaban soportando, a campo abierto, los disparos de las baterías que el enemigo había portado, sin duda, detrás de la infantería de avanzada.

Al mirar hacia abajo, a la base de la colina, pudo distinguir la línea de trincheras que ella y Anna habían visto cavar apresuradamente, la mañana anterior. Se extendían como una serpiente parda a lo largo del robledal y del muro que cerraba el sembrado norte, desviándose levemente para seguir la orilla del arroyo, para perderse entre los viñedos pertenecientes a la familia Concourt.

Vio los cascos de los soldados guarecidos en las trincheras y los caños de las ametralladoras que sobresalían de los parapetos de tierra, al elevarse para apuntar. Algunos de los hombres que corrían comenzaron a llegar a las trincheras y se arrojaron dentro, desapareciendo de la vista.

Una violenta explosión, a poca distancia, la sobresaltó. Al mirar en derredor vio las volutas de humo gris que dejaba escapar una batería británica, establecida al pie de la colina. Los cañones estaban tan bien disimulados bajo el camuflaje que no los habría visto a no ser por el disparo.

Y entonces distinguió otros cañones, escondidos en el bosque y el huerto; comenzaban a disparar contra el enemigo invisible. Las salvas con que respondieron los alemanes reventaron furiosamente a lo largo de la nueva línea de fortificaciones. Una voz la arrancó de su temerosa fascinación. Al girar la cabeza vio que un pelotón de infantería tomaba por el camino hacia la cima de la colina, encabezado por un subalterno que agitaba locamente los brazos en dirección a ella.

—¡Salga de allí, pedazo de estúpida! ¿No se da cuenta de que está en medio de una batalla?

Puso a Nuage sendero abajo y lo azuzó hasta hacerlo galopar. Pasó rápidamente junto a la fila de soldados. Cuando volvió la vista atrás ya estaban cavando frenéticamente en el suelo pedregoso de la cima.

Centaine sofrenó a su cabalgadura en cuanto llegaron al cruce de rutas. Todos los vehículos habían pasado, salvo los que estaban hundidos en las zanjas. De todos modos, la carretera estaba atestada por una turba de infantería en retirada, que se tambaleaba bajo la carga, llevando a la espalda la ametralladoras desarmadas, cajas de municiones y todo el equipo que habían podido salvar. Entre silbatos y gritos, los oficiales los estaban apartando hacia las trincheras recién excavadas.

De pronto, por sobre la cabeza de Centaine pasó una ráfaga poderosa, como un viento huracanado. Se agachó asustada, y un proyectil estalló a cien pasos; Nuage se alzó en dos patas, pero ella logró tranquilizarlo con la voz y el contacto de sus manos.

En eso vio que un camión venía desde la aldea; al levantarse sobre los estribos distinguió la cruz roja en su círculo blanco, pintada al costado; otras siete ambulancias lo seguían tras el recodo. Ella les salió al encuentro, al galope, y se detuvo junto a la cabina de la primera.

—¿Los envían al *château*?

—¿Cómo, linda?

El conductor no comprendía su mal inglés.

—¿El capitán Clarke? —dijo, en un nuevo intento, y esa vez el hombre pareció comprender—. ¿Busca al capitán Clarke?

—Sí, eso es. ¡El capitán Clarke! ¿Dónde está?

—¡Venga! —Centaine levantó la voz. Otro proyectil acababa de estallar tras la pared de piedra, a un lado, y se oía el ruido eléctrico de la metralla que pasaba por encima. —¡Venga! —indicó, por señales, en tanto dirigía a Nuage hacia el camino.

Seguida por la fila de ambulancias, subió al galope hacia el *château*. Un proyectil estalló junto a los establos; otro explotó en el invernadero, a un extremo de la huerta, y los paneles de vidrio cayeron en una llovizna diamantina a la luz del sol.

"El *château* es un blanco natural", comprendió, mientras entraba al galope en el patio.

Ya estaban sacando a los heridos. En cuanto la primera de las ambulancias se detuvo al pie de la escalinata, el conductor y su ayudante bajaron de un brinco para ayudar a cargar las camillas en la parte trasera.

Centaine dejó a Nuage junto a los establos y corrió hasta la puerta de la cocina. Una bala de cañón, detrás de ella, cayó sobre el tejado de los largos establos, abriendo un agujero y derribando parte de la pared de piedra. Como los establos estaban vacíos, Centaine continuó con su carrera.

—¿Dónde te habías metido? —preguntó Anna—. Me tenías preocupadísima.

Centaine pasó a su lado y corrió hasta su propio cuarto. Después de sacar la bolsa de viaje que guardaba en la parte superior del ropero, comenzó a poner algunas ropas dentro de ella.

En la planta superior se oyó un estruendo ensordecedor; trozos del cielo raso cayeron en derredor de la muchacha. Recogió el marco de plata con fotografías que tenía en la mesa de noche y lo guardó en la bolsa; luego sacó del cajón su alhajero y su equipo de tocador para viaje. El aire estaba lleno de polvo de yeso.

Otro proyectil explotó en la terraza, ante su habitación, haciendo estallar la ventana por sobre la cama. Los fragmentos de vidrio repiquetearon contra las paredes; una esquirla le rozó el antebrazo, dejándole una línea sanguinolenta. Lamió la sangre y cayó de rodillas para meter medio cuerpo debajo de la cama.

Había allí una tabla suelta; debajo estaba su bolsita de cuero con las reservas de efectivo. Sopesó la bolsa en una mano: casi doscientos francos en luises de oro; luego la dejó caer dentro del bolso.

Con ese equipaje a la rastra, volvió a subir el tramo de escalera que llevaba a la cocina.

—¿Dónde está papá? —preguntó a Anna, gritando.

—Fue al piso alto. —Anna estaba llenando una bolsas de arpillera con cebollas, jamones y hogazas de pan. Apuntó con la barbilla los ganchos de la pared, ya vacíos. —Se ha llevado el arma y mucho coñac.

—Voy a buscarlo —jadeó Centaine—. Cuida mi bolso.

Se recogió las faldas y volvió a correr por las escaleras. La planta principal del *château* era un revoltijo. Los asistentes de las ambulancias estaban tratando de despejar el salón y la escalinata.

—¡Centaine! —la llamó Bobby Clarke, por el pozo de la escalera—. ¿Está lista para la partida?

Iba llevando un extremo de una camilla y tuvo que levantar la voz para hacerse oír entre los gritos de los enfermeros y las quejas de los heridos. Centaine se abrió paso entre la apretada humanidad que descendía la escalera. Bobby la sujetó por la manga en cuanto se cruzaron.

—¿Adónde va? ¡Tenemos que salir de aquí!

—Mi padre… tengo que encontrar a mi padre. —Se sacudió aquella mano y siguió adelante.

La planta superior de la casa estaba desierta. Corrió por los cuartos, gritando a todo pulmón:

—¡Papá! ¡Papá! ¿Dónde estás?

Corrió por la larga galería; los retratos de sus antepasados la miraban desde las paredes, altaneros. En un extremo arrojó todo su peso contra la puerta doble que cerraba la suite de su madre; el conde había mantenido aquellas habitaciones intactas a lo largo de los años.

Estaba en el vestidor, encorvado en una silla de respaldo alto, frente al retrato de su esposa. Cuando la muchacha irrumpió en la habitación, él levantó la mirada.

—Tenemos que salir de aquí inmediatamente, papá.

Él pareció no reconocerla. Había tres botellas de coñac sin abrir entre sus pies, en el suelo, y tenía otra por el cuello, medio vacía. Con la mirada siempre fija en el retrato, se la llevó a la boca para tomar otro trago.

—¡Por favor, papá, tenemos que irnos!

El único ojo no parpadeó siquiera al estrellarse otro proyectil contra el *château*, en algún punto del ala este.

Ella lo tomó por el brazo, tratando de levantarlo a tirones, pero era un hombre grande y pesado. Parte del coñac le chorreó por la pechera.

—¡Los alemanes se han abierto paso, papá! Por favor, ven conmigo.

—¡Los alemanes! —rugió él, súbitamente, mientras la apartaba de un empellón—. Una vez más voy a luchar contra ellos.

Levantó el rifle que tenía cruzado en el regazo y disparó contra el cielo raso. El polvo de yeso se le asentó en el pelo y el bigote, envejeciéndolo dramáticamente.

—¡Que vengan! —rugió—. ¡Yo, Louis de Thiry, digo: que vengan! Estoy listo para recibirlos.

Estaba enloquecido por el alcohol y la desesperación. Aun así, la joven trató de levantarlo.

—Tenemos que irnos.

—¡Jamás! —aulló él, y la hizo a un lado con más violencia que antes—. Jamás me iré. Ésta es mi tierra, mi casa, el hogar de mi querida esposa. —Su ojo centelleaba con algo de demencia. —Mi querida esposa. —Alargó la mano hacia el retrato. —Me voy a quedar con ella; los combatiré aquí, en mis propias tierras.

Centaine sujetó la muñeca tendida y tiró de ella, pero otro empellón volvió a arrojarla contra la pared. El padre comenzó a recargar el antiguo rifle.

—Voy a buscar Anna para que me ayude —susurró la muchacha.

Corrió a la puerta. Otro proyectil se hundió en el lado norte del *château*. Al estruendo de los ladrillos reventados y el vidrio hecho añicos siguió inmediatamente la onda expansiva, que arrojó a la joven de rodillas. Algunos de los retratos más pesados cayeron de las puedes.

Ella se levantó y echo a correr por la galería. El hedor del explosivo se mezclaba con el olor penetrante del humo y el fuego. La escalera estaba casi desierta. El último de los heridos ya estaba saliendo en su camilla. Cuando Centaine llegó al patio, dos de las ambulancias, ambas sobrecargadas, salían por el portón.

—¡Anna! —gritó la muchacha.

Estaba atando el bolso de viaje y la voluminosa bolsa de arpillera al techo de una ambulancia, pero bajó de un salto y corrió hacia Centaine.

—Tienes que ayudarme con papá.

Tres proyectiles dieron contra el *château*, en rápida sucesión, mientras otros estallaban en el establo y los jardines. Los observadores alemanes debían haber reparado en la actividad que se registraba alrededor del edificio y sus baterías ya los alcanzaban.

—¿Dónde está? —preguntó Anna, sin prestar atención al bombardeo.

—Arriba, en el vestidor de mamá. Está loco, Anna. Ha bebido hasta volverse loco. No puedo moverlo.

En cuanto entraron a la casa olieron el humo. Al subir la escalera, el hedor se tornó más fuerte, agolpado en densas nubes. Cuando llegaron al segundo descansillo, ambas estaban ya tosiendo y jadeando, sin aliento.

La galería estaba tan llena de humo que apenas se veía a diez pasos de distancia. Entre la humareda brillaba un resplandor anaranjado: el incendio estaba afirmado en los cuartos delanteros e iba quemando las puertas.

—Vuélvete —exclamó Anna—. Yo lo buscaré.

Centaine sacudió tercamente la cabeza y echó a andar por la galería. Otra descarga de cañonazos derrumbó parte de la galería, bloqueándola a medias; un remolino de polvo fue a sumarse al humo, cegándolas a tal punto que se agazaparon en el tope de la escalinata.

Cuando el aire se despejó un poco volvieron a correr, pero el agujero abierto en la pared actuaba como chimenea, atrayendo las llamas, que rugían furiosamente, en esa dirección. El calor se convirtió en algo sólido y les cerró el paso.

—¡Papá! —gritó Centaine. —¡Papá! ¿Dónde estás?

El suelo brincó bajo los pies, ante nuevos cañonazos recibidos por el antiguo edificio. Ambas quedaron ensordecidas por el tronar de los muros al derrumbarse y por el rugir creciente de las llamas.

—¡Papá! —la voz de Centaine apenas se oía, pero Anna aulló a todo pulmón:

—*Louis, viens, chéri!* ¡Ven, querido!

A pesar de la aflicción, Centaine cobró conciencia de que nunca había oído a Anna decir una palabra cariñosa a su padre. Aquello pareció convocarlo.

El conde se irguió entre el humo y el polvo, rodeado de llamas que crecían entre sus pies, al arder las tablas del piso, lamiéndolos desde las paredes. El humo lo cubría con un manto oscuro, dándole el aspecto de una aparición infernal. Su boca abierta emitía un ruido salvaje, angustiado.

—Está cantando —susurró Anna—. *La Marsellesa.*

—¡A las armas, ciudadanos! Formad la nave del Estado.

Sólo entonces reconoció Centaine el confuso estribillo.

—Que la sangre impura se arremoline en los arroyos.

Las palabras se tornaron inaudibles: la voz del conde se debilitaba por efecto del calor. El rifle que llevaba se le escapó de las manos. Cayó, pero se levantó a duras penas y comenzó a arrastrarse hacia ellas. Centaine trató de alcanzarlo; pero el calor la detuvo en seco y Anna la retuvo a tirones.

En la camisa del padre comenzaron a aparecer manchas pardas, oscuras de hilo chamuscado. Aun así, aquel ruido espantoso seguía surgiendo de su boca abierta. Aun así se arrastraba por el piso en llamas de la galería.

De pronto su espesa melena oscura estalló en fuego, como si se hubiera puesto una corona dorada. Centaine no pudo apartar la vista, no pudo volver a pronunciar palabras. Inerme, abrazada a Anna, sintió que los sollozos sacudían el cuerpo de su niñera; el brazo que la rodeaba se ciñó hasta oprimirla dolorosamente.

En ese momento, el suelo de la galería cedió bajo el peso de su padre y las tablas incendiadas se abrieron, como una boca oscura con colmillos de fuego, absorbiéndolo.

—¡No! —gritó Centaine.

Anna la levantó en vilo y corrió con ella hasta el tope de la escalera, sollozando. Las lágrimas le corrían por las mejillas gordas, pero eso no disminuía su fuerza.

Detrás de ellas se derrumbó parte del cielo raso, arrastrando consigo el resto de la galería. Entonces la mujerona puso a Centaine sobre sus pies y la arrastró escaleras abajo. Al bajar, el humo se fue despejando. Por fin se vieron en el patio, aspirando el aire puro.

El *château* estaba en llamas de punta a punta, pero los proyectiles seguían bombardeándolo, reventando en altas columnas de humo y resonante metralla por los prados y los sembradíos vecinos.

Bobby Clarke estaba supervisando la carga de las últimas ambulancias, pero su rostro se encendió de alivio al ver a la muchacha. Corrió hacia ella. Las llamas le habían chamuscado las puntas del pelo y las pestañas; tenía las mejillas surcadas de hollín.

—Tenemos que salir de aquí. ¿Dónde está su padre? —preguntó Bobby, tomándola del brazo.

Ella no podía contestar. Estaba temblando. El humo le había irritado la garganta; tenía los ojos enrojecidos y chorreantes.

—¿Viene?

Sacudió la cabeza y vio la rápida condolencia en la expresión del médico, que echó un vistazo al edificio en llamas. Él la tomó por el otro brazo para conducirla hacia la ambulancia más cercana.

—Nuage —murmuró Centaine—. Mi caballo.

Su voz sonaba enronquecida por el humo y la impresión.

—No —protestó Bobby Clarke, ásperamente, tratando de retenerla.

Pero ella corrió hacia los establos.

—¡Nuage!

Trató de silbar, pero de los labios resecos no le brotaba sonido alguno. Bobby la alcanzó a las puertas del cercado.

—¡No entre! —su voz era desesperada. La retuvo con fuerza.

Ella, confusa y aturdida, estiró el cuello para mirar por sobre el portón.

—¡No, Centaine! —repitió él, tironeando para alejarla.

Entonces la muchacha vio al caballo y lanzó un grito.

—¡Nuage!

El trueno de otra salva ahogó su grito instintivo, pero ella siguió forcejeando para liberarse.

—¡Nuage! —volvió a gritar.

Esa vez el potro levantó la cabeza. Yacía de costado; uno de los proyectiles le había destrozado ambas patas traseras, abriéndole también el vientre.

—¡Nuage!

El animal oyó su voz y trató de levantarse sobre las patas delanteras, pero el esfuerzo fue excesivo; volvió a caer. Su cabeza dio un golpe seco contra la tierra; por el hocico escapó un sonido suave, aleteante.

Anna corrió en auxilio de Bobby. Entre ambos arrastraron a Centaine hasta la ambulancia que esperaba.

—¡No podemos dejarlo así! —suplicó la muchacha, tratando de resistirse con todas sus fueras—. ¡Por favor, no lo dejen sufriendo!

Otra descarga de proyectiles se abatió sobre el patio, llenándoles los tímpanos. Por el aire volaron fragmentos de piedra y acero.

—No hay tiempo —gruñó Bobby—. Tenemos que irnos.

Obligaron a Centaine a subir a la parte trasera del vehículo, entre las gradas de camillas, y se agolparon detrás de ella. El conductor se apresuró a poner las marchas, estruendosamente, y la ambulancia giró en un círculo cerrado, rebotando sobre los adoquines, para acelerar rumbo al camino de entrada.

Centaine se arrastró hasta la portezuela trasera del vehículo y clavó la vista en el *château*. Las llamas ascendían por los agujeros abiertos por los proyectiles en las tejas rosadas; por sobre el techo se levantaba el humo negro, directamente hasta el cielo soleado.

—Todo —susurró Centaine—. Me has quitado todo lo que amo. ¿Por qué? Oh, Dios, ¿por qué me has hecho esto?

Delante de ellos, los otros vehículos habían acampado bajo los árboles, al costado del bosque, para protegerse de las descargas. Bobby Clarke bajó de un salto y corrió hacia cada uno de ellos, dando órdenes a los conductores para reagruparlos en convoy. Por fin, con el vehículo en que iba él marcando la delantera, marcharon velozmente para tomar la principal.

Una vez más, las descargas se cerraron sobre ellos, pues los observadores alemanes ya tenían bien cubierto el cruce de rutas. El convoy serpenteaba de lado a lado de la ruta, tratando de esquivar los cráteres abiertos por el bombardeo y los restos de carretas destrozadas, animales muertos y equipo abandonado.

En cuanto estuvieron a salvo, cerraron filas y siguieron la curva de la ruta hacia la aldea. Al pasar junto al cementerio, Centaine vio que había ya un agujero de bomba en la cúpula de cobre. Aunque llegó a ver las ramas superiores del tejo que cobijaba las sepulturas de su familia, la tumba de Michael no era visible desde la ruta.

—¿Volveremos alguna vez, Anna? —susurró—. Prometí a *Michel*...

Se le apagó la voz.

—Claro que volveremos. ¿Dónde, si no, podríamos ir?

La voz de Anna sonaba áspera, por el dolor personal y por las sacudidas de la ambulancia.

Ambas se quedaron mirando la cúpula agujereada y la fea columna de humo negro que se alzaba hasta el cielo, por sobre el bosque, marcando la pira que era su hogar.

El convoy de ambulancias alcanzó la retaguardia de las fuerzas británicas principales en retirada, al llegar a las afueras de la aldea. Allí la policía militar había instalado un momentáneo bloqueo de caminos, para apartar a todos los soldados que estuvieran en buenas condiciones físicas; se los reagrupaba a la vera de la ruta, a fin de formar una línea secundaria de defensa. Para eso estaban revisando todos los vehículos, buscando a desertores del campo de combate.

—¿Se mantiene la nueva línea, sargento? —preguntó Bobby Clarke al policía que revisaba sus papeles—. ¿Podemos detenernos en la aldea? Algunos de mis pacientes...

Lo interrumpió una explosión que alcanzó una cabaña, al costado del camino. Aún estaban bajo el alcance de los cañones alemanes.

—No hay modo de saberlo, señor —respondió el sargento, devolviéndole los papeles—. En su lugar, retrocedería hasta el hospital de Arras. Aquí las cosas van a ponerse feas.

Así se inició la retirada, larga, lenta. Eran una parte de la densa corriente que bloqueaba el camino hasta donde daba la vista, reduciéndolos al mismo paso trabajoso.

Las ambulancias se ponían en marcha, con una sacudida, y avanzaban unos cuantos metros, paragolpe contra paragolpe, sólo para detenerse en otra interminable espera. Al avanzar el día, el calor iba en aumento; el barro del invierno se convertía en polvo. Las moscas llegaban desde las granjas vecinas, atraídas por los vendajes ensangrentados, para arrastrarse por la cara de los heridos, que gemían o pedían agua a gritos.

Anna y Centaine fueron a una de las granjas en busca de agua. La encontraron ya desierta, y se proveyeron de baldes para ordeñe, que llenaron en la bomba.

Luego fueron recorriendo el convoy para ofrecer jarritos de agua, lavar la cara de los afiebrados, ayudar a los enfermeros a limpiar a quienes no habían podido controlar sus esfínteres. Mientras tanto trataban de parecer alegres y confiadas, de ofrecer todo el consuelo posible, a pesar del dolor personal.

Al caer la noche, el convoy había cubierto menos de ocho kilómetros; aún se oía el estruendo de la batalla, allá atrás. Una vez más quedaron detenidos.

—Parece que hemos logrado retener Mort Homme —comentó Bobby Clarke, deteniéndose junto a Centaine—. Creo que no habrá problemas si nos detenemos a pasar la noche aquí. —Miró con más atención la cara del soldado a quien ella estaba atendiendo. —Dios sabe que estos pobres diablos no pueden aguantar mucho más. Necesitan comer y descansar. Doblando en el próximo recodo hay una granja con granero amplio. Todavía no la ha tomado nadie. La ocuparemos.

Anna sacó de su bolsa un manojo de cebollas y lo utilizó para dar sabor al guiso de carne enlatada que hervía sobre la fogata. Lo sirvieron con galletas secas y jarros de té fuerte, todo mendigado a los camiones de comisariato.

Centaine dio de comer a los que estaban demasiado débiles como para hacerlo solos. Luego trabajó junto a los enfermeros, cambiando vendajes. El calor y el polvo habían hecho lo suyo; muchas de las heridas estaban inflamadas y comenzaban a supurar.

Después de medianoche, Centaine salió del granero y se acercó a la bomba del patio. Se sentía sucia, sudurosa; hubiera querido bañarse toda y ponerse ropa limpia, recién planchada. Pero no disponía de intimidad para eso, y las pocas ropas guardadas en el bolso de viaje debían mantenerse en reserva. En cambio se quitó la enagua y las bragas por debajo de la falda y las lavó con el agua del grifo; después las tendió a secar en el portón, mientras se lavaba la cara y los brazos con agua fría.

Mientras dejaba que la brisa nocturna le secara la piel, se puso la ropa interior todavía húmeda. Luego de peinarse, se sintió algo mejor, aunque aún le ardían los ojos, hinchados por el humo, y el dolor era como una pesada piedra en su pecho. Una enorme fatiga física le tiraba de los miembros. Las imágenes de su padre en el humo y del potro blanco tendido en el pasto volvían a asediarla, una y otra vez, pero ella les cerró la mente.

—Basta —dijo en voz alta, recostándose contra el portón—. Basta por hoy. Mañana volveré a llorar.

—Mañana no llega nunca —respondió una voz en la oscuridad, en francés entrecortado, sobresaltándola.

—¿Bobby?

Sólo entonces vio la brasa del cigarrillo. Él salió de entre las sombras y fue a apoyarse en el portón, a su lado.

—Usted es una muchacha sorprendente —prosiguió, en inglés—. Tengo seis hermanas, pero es la primera vez que me encuentro con una mujer así. Más aún, conozco a pocos hombres que puedan igualársele.

Ella guardó silencio, pero le estudió la cara al resplandor del cigarrillo. Tenía más o menos la edad de Michael y era apuesto, de boca plena y sensible; había en él cierta suavidad que, hasta entonces, ella no había tenido oportunidad de notar.

El médico pareció súbitamente abochornado por su silencio.

—Digo... No le molesta que hablemos, ¿verdad? Si prefiere, la dejo sola.

Ella sacudió la cabeza.

—No me molesta.

Por un rato quedaron callados. Bobby seguía fumando, mientras ambos escuchaban el resonar lejano de la batalla y el gruñido ocasional de algún herido en el granero.

Por fin Centaine se movió.

—¿Recuerda al piloto joven, el primer día que fue al *château*?

—Sí, el que tenía el brazo quemado. ¿Cómo se llamaba? ¿Andrew?

—No. Ése era el amigo.

—Ah, sí, ese escocés loco.

—Él se llamaba *Michel.*

—Los recuerdo a ambos. ¿Qué fue de ellos?

—Michel y yo íbamos a casarnos, pero él ha muerto.

Y sus emociones contenidas brotaron a torrentes.

El médico era un desconocido, era suave; resultó fácil hablarle en la oscuridad. Con su inglés vacilante, le habló de *Michel*, de sus planes de vivir en África. Le habló también de su padre, de cómo había cambiado desde la muerte de la esposa, de los esfuerzos que ella hacía por cuidarlo y evitar que bebiera demasiado. Y por fin describió lo que había ocurrido esa mañana, en el *château* incendiado.

—Creo que eso era lo que él deseaba. A su modo, estaba cansado de vivir. Creo que deseaba morir para estar otra vez con mamá. Pero ahora él y *Michel* han muerto. No tengo nada.

Al terminar se sintió exhausta, cansada, pero dueña de una serena resignación.

—Usted sí que ha sufrido mucho —comentó Bobby, alargando una mano para apretarle el brazo—. Ojalá pudiera ayudarla.

—Ya me ha ayudado. Gracias.

—Podría darle algo: un poco de láudano para ayudarla a dormir.

Centaine sintió un vuelco en la sangre; ansiaba el rápido olvido que se le ofrecía, con tanta fuerza que se asustó.

—No —dijo, con innecesario énfasis—. Ya pasará. —Y agregó, estremecida: —Tengo frío y ya es tarde. Gracias otra vez por escucharme.

Anna había colgado un canasto a manera de biombo en un extremo del granero, después de armar un colchón de paja para ambas. Centaine cayó casi de inmediato en un sueño profundísimo. Despertó al amanecer, bañada en un sudor enfermizo y con la urgencia de la náusea repetida.

Aún aturdida por el sueño, salió a tropezones y logró ocultarse tras la pared del establo antes de vomitar un poco de bilis amarilla y amarga. Al enderezar la espalda, limpiándose la boca, descubrió que Bobby Clarke estaba a su lado. Con expresión preocupada, le tomó la muñeca para controlar el pulso.

—Será mejor que le eche un vistazo —dijo.

—No.

Centaine se sentía vulnerable. Esa descompostura la preocupaba, pues siempre había sido sana y fuerte. Temía encontrarse con alguna enfermedad horrible.

—Estoy bien, de veras —repitió.

Pero él la llevó de la mano, con firmeza, hasta la ambulancia estacionada. Allí bajó las lonas para disponer de cierta intimidad.

—Acuéstese aquí, por favor.

Sin prestar atención a sus protestas, le desabrochó la blusa para auscultarla. Sus modales eran tan clínicos y profesionales que ella dejó de discutir y se sometió mansamente al examen.

—Quiero examinarla —dijo el médico—. ¿Quiere que su criada esté presente?

Centaine sacudió mudamente la cabeza.

—Por favor, quítese la falda y la enagua.

Al terminar, Bobby guardó ostentosamente sus instrumentos en el rollo y ató las cintas mientras ella se acomodaba la ropa. Luego levantó la mirada con una expresión tan peculiar que la alarmó:

—¿Tengo algo grave?

Él sacudió la cabeza.

—Centaine, su novio ha muerto. Usted me lo contó anoche.

Ella asintió.

—Todavía es muy pronto para estar seguros, demasiado pronto, pero creo que va a necesitar un padre para el niño que está gestando.

Las manos de la muchacha volaron al vientre, en un gesto de involuntaria protección.

—Hace muy poco que la conozco, pero basta para reconocer que me he enamorado de usted. Para mí sería un honor...

Se le apagó la voz, pero ella no lo escuchaba.

—*Michel* —susurró—. El bebé de *Michel*. No lo he perdido todo. Todavía tengo una parte de él.

Comió con tanto gusto el sándwich de jamón y queso alcanzado por Anna que la mujer la miró con suspicacia.

—Ahora me siento mucho mejor —dijo Centaine, atajando su pregunta.

Ayudaron a alimentar a los heridos y los prepararon para la jornada. Dos de los casos graves habían muerto durante la noche, y los ayudantes los enterraron apresuradamente, en tumbas poco profundas, a la vera del sembrado. Luego las ambulancias se pusieron en marcha y se agregaron a la corriente principal del tránsito.

La congestión del día anterior había menguado, al liberarse el ejército de su aturdida confusión para retomar una semblanza de orden. El tránsito seguía siendo lento, pero había menos paradas, menos partidas en falso, y a lo largo de la ruta encontraron rudimentarios puestos de aprovisionamiento instalados durante la noche.

En una de las paradas, en las afueras de una aldea diminuta, medio oculta entre árboles y viñedos, Centaine distinguió las siluetas de unos aeroplanos estacionados en el borde de un sembrado. Trepó al estribo de la ambulancia, para ver mejor, y vio partir una escuadrilla, a baja altura por sobre la ruta.

Su desilusión fue intensa al comprender que se trataba de los feos biplazas De Havilland y no de los encantadores SE5a del escuadrón al que perteneció Michael. Los saludó con la mano; uno de los pilotos miró hacia abajo y le devolvió el saludo.

Eso la alegró, de algún modo, haciéndole volver a sus tareas con más fuerzas y ánimos. Cuando se puso a bromear con los heridos, empleando su mal inglés, ellos reaccionaron encantados. Uno de ellos la llamó “Sol”, y el apodo corrió velozmente por la fila de ambulancias.

Bobby Clarke la detuvo al pasar.

—Muy bien. Pero recuerde: no exagere.

—No me pasará nada. No se preocupe por mí.

—No puedo evitarlo. —Él bajó la voz. —¿Ha pensado en la propuesta que le hice? ¿Cuándo va a contestarme?

—Ahora no, Bobby. —Pronunciaba ese nombre acentuando por igual las dos sílabas; en cada oportunidad él quedaba sin aliento. —Ya hablaremos. Pero usted es muy gentil, muy gentil.

Una vez más, la ruta se tornó casi intransitable, pues se estaba apurando a las reservas a fin de sostener la nueva línea en Mort Homme. Junto a ello pasaban interminables columnas de soldados en marcha; intercalados entre lo cascos de acero se veían baterías de cañones y camiones de suministros cargados con los elementos de la guerra.

El avance era vacilante. Por varias horas cada vez, las ambulancias recibían señas de que debían apartarse del camino, haciendo un sembradío o un senda secundaria, para dejar paso a las hordas de reserva.

—Tengo que enviar las ambulancias de regreso, cuanto antes —dijo Bobby a Centaine, en uno de esos altos—. Allá las necesitan. En cuanto encontremos un hospital de campaña voy a entregar estos pacientes.

La muchacha asintió e hizo un ademán de acercarse al vehículo siguiente, donde uno de los hombres llamaba, débilmente:

—Aquí, Sol, ¿puede darme una mano?

Bobby la tomó por la muñeca.

—Centaine, cuando lleguemos al hospital es seguro que encontraremos un capellán. Tardaríamos sólo unos minutos...

Ella le dedicó su nueva sonrisa y alargó una mano para tocarle la mejilla barbuda con la punta de los dedos.

—Usted es muy buen hombre, Bobby, pero el padre de mi hijo es *Michel*. Ya lo he pensado. No necesito otro.

—¡No comprende, Centaine! ¿Qué dirá la gente? ¡Un niño sin padre, una madre joven sin esposo! ¿Qué van a decir?

—Mientras tenga a mi bebé, Bobby, me importa un... ¿cómo se dice en su idioma? ¡Me importa un comino! Que digan lo que quieran. Yo soy la viuda de Michel Courtney.

Al caer la tarde hallaron el hospital de campaña que estaban buscando, en un sembradío de las afueras de Arras.

Se componía de dos grandes carpas con cruces rojas, que servían como quirófanos. También se habían armado toscos refugios en derredor, para alojar a los cientos de heridos que esperaban su turno. Estaban hechos de telas alquitranadas tendidas sobre armaduras de madera o de chapas de hierro corregido, tomadas de las granjas vecinas.

Anna y Centaine ayudaron a descargar a los heridos y a llevarlos a uno de los atestados refugios. Después retiraron el equipaje, atado al techo de la primera ambulancia. Uno de los pacientes reparó en esos preparativos.

—No me diga que se va, Sol...

Al oírlo, otros se incorporaron para protestar.

—¿Qué vamos a hacer sin usted, linda?

Ella se acercó por última vez, pasando de uno a otro con una sonrisa y una broma, inclinándose a besar las caras sucias, contraídas por el dolor. Por fin, sin poder soportarlo más, volvió corriendo hacia Anna, que la esperaba.

Recogieron el bolso de viaje y el saco de la niñera, para iniciar la marcha a lo largo del convoy de ambulancias, a las que se estaba cargando de combustible a fin de que regresaran al campo de batalla.

Bobby Clarke, que las estaba esperando, corrió tras Centaine.

—Volvemos por órdenes del mayor Sinclair.

—*Au revoir*, Bobby.

—No la olvidaré nunca, Centaine.

Ella se puso en puntas de pie para darle un beso en la mejilla.

—Espero que sea un varón —susurró él.

—Sin duda —replicó ella, con toda seriedad—. Un varón: estoy segura.

El convoy de ambulancias se alejó lentamente, rumbo al norte, mientras Bobby Clarke agitaba la mano, gritándole algo que ella no llegó a captar.

—Y ahora ¿qué hacemos? —preguntó Anna.

—Seguimos caminando —dijo Centaine.

De algún modo, sutilmente, ella había tomado el mando. Anna, cada vez más indecisa, con cada kilómetro que la alejaba de Mort Homme, avanzó pesadamente tras ella. Dejaron atrás el desmañado hospital para caminar otra vez hacia el sur, por la ruta atestada.

Hacia adelante, entre los árboles, Centaine distinguió los tejados y las cúpulas de Arras contra el descolorido cielo crepuscular.

—¡Mira, Anna! —señaló—. Allá está el lucero de la tarde. Podemos pedir un deseo. ¿Qué pides tú?

Anna la miró con curiosidad. ¿Qué le había dado, a esa niña? Apenas dos días antes había visto morir quemado a su padre, mutilado a su animal favorito, pero en ella había una alegría feroz. No era natural.

—Deseo un baño y una comida caliente.

—Oh, Anna, siempre pides lo imposible.

Centaine le sonrió por sobre el hombro, cambiando el pesado bolso de viaje de una mano a la otra.

—Y tú, ¿qué deseas? —la desafió Anna.

—Deseo que esa estrella nos conduzca hasta el General, tal como guió a los tres magos...

—No blasfemes, niña.

Pero Anna estaba demasiado cansada, demasiado insegura como que el regaño tuviera fundamento.

Centaine conocía bien la ciudad, pues allí estaba el convento en donde había estudiado. Cuando llegaron al centro ya era oscuro. Los combates de los primeros años de la guerra habían dejado terribles cicatrices en la encantadora arquitectura flamenca del siglo XVII. La pintoresca municipalidad presentaba hoyos de metralla y parte del tejado había sido destruido. Muchas de las casas, en derredor de la Grande Place, carecían también de techo y estaban desiertas, aunque en otras se veía luz de velas en las ventanas. Los más tozudos de los habitantes habían vuelto apenas alejadas las mareas de la guerra.

Centaine no recordaba muy bien el camino al monasterio que el general Courtney estaba empleando como cuartel general; no tenía la menor esperanza de hallarlo en la oscuridad. Ella y Anna acamparon en una cabaña desierta; allí comieron los últimos trozos de pan rancio y queso seco que restaban en la bolsa de Anna; después se tendieron en el suelo desnudo, con el bolso de viaje por almohada y abrigándose mutuamente.

A la mañana siguiente, Centaine descubrió finalmente la senda que llevaba en esa dirección. Temía hallar el monasterio desierto, pero había un guardia ante el portón principal.

—Disculpe, señorita, pero esto es propiedad del ejército. No se puede entrar.

Ella todavía estaba rogándole cuando el Rolls Royce negro apareció por detrás, a toda carrera, y frenó ante los portones. Venía cubierto de polvo y barro seco, con un raspón largo y feo en ambas puertas del lado más próximo.

El guardia reconoció la enseña e hizo señas al conductor zulú para que pasara, pero Centaine se adelantó corriendo y lo llamó desesperadamente. En el asiento trasero iba el joven oficial al que viera en su última visita.

—¡Teniente Pearce! —dijo, recordando su nombre.

El oficial levantó la mirada, sobresaltado al reconocerla, y se apresuró a dar una orden al conductor. El Rolls se detuvo en seco y dio marcha atrás.

—¡Mademoiselle De Thiry! —John Pearce bajó de un salto y corrió hacia ella. —La última persona que esperaba... ¿Qué está haciendo aquí?

—Debo hablar con el tío de Michael, el general Courtney. Es importante.

—No está aquí en estos momentos, pero puede acompañarme. Él volverá pronto. Mientras tanto le buscaremos un lugar para que descanse y algo de comer. Me parece que las dos cosas le vendrán bien. —Se hizo cargo del bolso de viaje. —Venga. Esta mujer ¿la acompaña?

—Es Anna, mi criada.

—Puede sentarse delante, con Sangane. —Ayudó a Centaine a subir al coche. —Los alemanes nos han dado bastante que hacer en estos días —dijo, sentándose junto a ella—, y parece que usted también ha pasado por lo suyo.

Centaine se echó un vistazo: tenía la ropa arrugada y polvorienta, las manos sucias y medialunas negras bajo las uñas.

—Vuelvo del frente. El general Courtney fue a echar un vistazo personalmente. —John Pearce apartó la vista gentilmente, mientras ella trataba de acomodarse el pelo. —Le gusta aquello; sigue pensando que esto es la guerra contra los bóers, el viejo. Llegamos hasta Mort Homme.

—Es mi aldea.

—Ya no —informó él, ceñudo—. Ahora es alemana, o poco menos. La nueva línea corre al norte y la aldea está bajo el fuego. Ya ha sido volada casi toda. Usted no la reconocería.

Centaine volvió a asentir.

—Mi casa fue bombardeada y quemada.

—Lo siento. —John Pearce se apresuró a continuar: —Bueno, pero parece que los hemos detenido. El general Courtney está seguro de que podemos detenerlos en Mort Homme.

—¿Dónde está el General?

—En una reunión de mandos en el cuartel general de la división. Tendría que volver esta misma noche. Bueno, ya llegamos.

John Pearce les consiguió una celda e hizo que una criada les llevara un refrigerio y dos baldes de agua caliente. Después de comer, Anna quitó la ropa a Centaine y la hizo acercar a uno de los baldes para lavarla con agua caliente.

—Ah, qué maravilla.

—Es la primera vez que no chillas —murmuró Anna.

Usó su propia enagua para secar a Centaine. Luego le puso una camisa limpia y le cepilló la cabellera. Los gruesos rizos oscuros estaban enredados.

—Anna, duele.

—No podía durar, ya lo decía yo —suspiró la criada.

Al terminar insistió para que Centaine se tendiera en el camastro a descansar, mientras ella se bañaba y lavaba la ropas sucias. Pero Centaine no podía quedarse quieta; se sentó en la cama, rodeando las rodillas con los brazos.

—Anna querida, te tengo una sorpresa maravillosa.

La mujerona se recogió sobre la coronilla la gruesa cola de caballo.

—¿Conque Anna querida? Han de ser buenas noticias, por cierto.

—¡Oh, claro que sí! Voy a tener un bebé de *Michel*.

Anna quedó petrificada. La sangre se retiró de sus facciones rubicundas, dejándolas grises de espanto, sin poder hablar.

—Va a ser varón, estoy segura. Lo siento. Y será igual a *Michel*.

—¿Cómo sabes? —barbotó Anna.

—¡Oh, estoy segura. —Centaine se recogió la camisa. —Mírame la panza. ¿No te das cuenta?

Su vientre claro estaba tan plano como siempre; el hoyuelo del ombligo era su única mácula. Centaine lo hinchó cuanto pudo.

—¿No ves, Anna? Hasta es posible que sean mellizos. El padre de *Michel* y el General son mellizos. Tal vez sea una tendencia familiar. Piensa Anna: ¡dos como *Michel*!

—No. —La criada sacudió la cabeza, horrorizada. —Es uno de tus inventos. No puedo creer que aun ese soldado...

—*Michel* no es soldado, es...

Pero Anna prosiguió:

—No puedo creer que una hija de la casa De Thiry haya permitido que un soldado vulgar la tratara como a fregona.

—¡Permitírselo, Anna! —La muchacha bajó su camisa, furiosa—. No se lo permití: lo ayudé a hacerlo. Al principio él no sabía qué hacer, y yo ayudé, y todo fue magnífico.

Anna se cubrió las orejas con las manos.

—No lo puedo creer. No quiero escuchar. Yo te enseñé a portarte como una dama. No puedo escuchar eso.

—¿Y qué crees que hacíamos por las noches, cuando yo salía para estar con él? Sabes que salía. Tú y papá me sorprendieron, ¿verdad?

—¡Mi niña! —gimió Anna—. ¡Él se aprovechó!

—Tonterías, Anna. Me encantaba. Me encantaba todo lo que él hacía.

—¡Oh, no! No voy a creerlo. Además, no puedes saber eso tan pronto. Te estás burlando de la vieja Anna. Eres perversa y cruel.

—Recuerda que me he estado descomponiendo todas las mañanas.

—Eso no prueba...

—El médico, Bobby Clarke. Él me examinó. Él me lo dijo.

Anna quedó muda; no hubo más protestas. La cosa era innegable: la niña había salido por las noches, se descomponía por la mañana, y Anna creía implícitamente en la infabilidad de los médicos. Además, allí estaba en extraña, antinatural alegría, a pesar de todas las adversidades. Era innegable.

—Entonces es cierto —capituló—. Oh, qué vamos a hacer. Oh, que el Señor nos salve del escándalo y la desgracia. ¿Qué vamos a hacer?

—¿Qué vamos a hacer, Anna? —replicó Centaine, riéndose de esas teatrales lamentaciones—. Vamos a tener el bebé más hermoso del mundo, o dos, si tenemos suerte. Y yo necesitaré de tu ayuda para cuidarlos. Me vas a ayudar, ¿no, Anna? No sé nada de bebés, y tú sabes muchísimo.

El primer horror de Anna pasó prontamente al pensar, no en la desgracia y el escándalo, sino en la existencia de un bebé real, viviente; hacía más de diecisiete años que no experimentaba esa alegría. De pronto, milagrosamente, se le prometía otro niño. Centaine notó el cambio, los primeros estremecimientos de la pasión maternal.

—Me vas a ayudar con el bebé. No nos vas a abandonar,

porque te necesitamos, el bebé y yo. Anna, prométielo, por favor, prométielo.

Anna voló al camastro, la tomó en sus brazos y la estrechó con toda su fuerza. Y Centaine rió de júbilo en ese portentoso abrazo.

Ya había oscurecido cuando John Pearce volvió a llamar a la puerta de la celda.

—Ha vuelto el General, Mademoiselle De Thiry. Le dije que usted estaba aquí y quiere verla cuanto antes.

Centaine siguió al ayuda de campo por los claustros, hasta un gran refectorio convertido en sala de operaciones del regimiento. Seis oficiales estudiaban los mapas a gran escala extendidos en una de las mesas. El mapa era un puercoespín de alfileres de color, y la atmósfera de la sala estaba cargada de tensiones.

Al entrar Centaine los oficiales levantaron la mirada pero ni siquiera la presencia de una joven bonita pudo distraerlos por más de unos pocos segundos, y todos volvieron a sus tareas.

En el otro extremo de la habitación estaba el general Sean Courtney, de espaldas a ella. Su chaqueta, resplandeciente de insignias y cintas rojas, pendía de la silla en donde él apoyaba una bota. Tenía el codo dando en la rodilla y miraba furiosamente el auricular de un teléfono de campaña, del que brotaba el cloqueo de una voz distorsionada.

Sean llevaba una camisa de lana, con los sobacos manchados de sudor, que lucía refuerzos bordados en los hombros, decorados con ciervos y galgos en carrera. Mascaba un habano apagado. De pronto, sin quitárselo de la boca, bramó al teléfono:

—¡Eso es una imbecilidad! Yo mismo estuve allí, hace dos horas, y lo sé muy bien. Necesito, cuanto menos, cuatro baterías más, de dieciocho libras, en esa abertura. Y las necesito antes del amanecer. No me venga con excusas. ¡Ponga manos a la obra y me avisa cuando estén! —Colgó violentamente el aparato y en ese momento vio a Centaine. —Querida mía... —dijo, con voz cambiada, mientras se acercaba rápidamente a ella para tomarle la mano—. Estaba preocupado. El *château* ha sido destruido por completo y el nuevo frente pasa a un kilómetro y medio de allí. —Se interrumpió para estudiarla por un momento. Como si lo que veía lo tranquilizara, preguntó: —¿Y su padre?

Ella sacudió la cabeza.

—Murió en el bombardeo.

—Lo siento muchísimo —dijo Sean, simplemente. Y se volvió hacia John Pearce. —Lleve a la señorita De Thiry a mis habitaciones. En cinco minutos estaré con usted, querida.

El cuarto del General daba directamente al refectorio grande; de ese modo, dejando la puerta de par en par, Sean Courtney podía vigilar cuanto pasaba en la sala de operaciones desde su camastro. Apenas tenía muebles: sólo una cama y un escritorio con dos sillas, más el baúl puesto a los pies del camastro.

—¿Quiere sentarse aquí, señorita?

John Pearce le ofreció una de las sillas. Mientras esperaba, Centaine estudió el cuartito.

El único objeto interesante era el escritorio. Sobre él había un marco articulado; una de las hojas contenía la foto de una magnífica mujer, de edad madura, de morena belleza judía; en la esquina inferior tenía una inscripción: "Vuelve sano y salvo a tu esposa que te ama, Ruth."

La segunda hoja del marco mostraba la fotografía de una muchacha, cuya edad parecía más o menos la de Centaine. El parecido con la otra mujer era tan visible que sólo podían ser madre e hija, pero la belleza de la joven se opacaba con una expresión petulante, malcriada; esa boca bonita presentaba una inclinación dura; Centaine decidió que no le gustaba mucho.

—Mi esposa y mi hija —dijo Sean Courtney, desde la puerta. Se había puesto la chaqueta y estaba abotonándosela. Mientras ocupaba la otra silla, frente a ella, preguntó: —¿Ha comido?

—Sí, gracias.

Centaine se levantó para tomar la fosforera de plata que había en el escritorio, encendió una cerilla y se la alcanzó para que encendiera el habano. Él pareció sorprendido, pero se inclinó hacia adelante y acercó la punta del cigarro a la llama. Cuando lo tuvo bien encendido se reclinó en la silla, comentando.

—Storm, mi hija, hace lo mismo.

Centaine apagó el fósforo de un soplido y volvió a sentarse, esperando en silencio a que él disfrutara las primeras bocanadas de humo fragante. Había envejecido desde la última vez que lo vio; o tal vez era sólo un gran cansancio.

—¿Cuánto hace que no duerme? —preguntó.

El General sonrió. Súbitamente pareció rejuvenecer treinta años.

—Habla igual que mi esposa.

—Es muy hermosa.

—Sí. —Sean asintió, mirando la fotografía. —Usted lo ha perdido todo.

—El *château*, mi hogar... y a mi padre —confirmó ella, tratando de mostrarse tranquila, para que no se notara su horrible dolor.

—Tiene otros familiares, ¿verdad?

—Por supuesto. Tengo un tío que vive en Lyon y dos tías en París.

—Arreglaré todo para que viaje a Lyon.

—No.

—¿Por qué no? —preguntó él, ofendido por esa abrupta negativa.

—No quiero ir a Lyon ni a París. Voy a África.

—¿A África? —El general quedó sorprendido. —¿A África? Por Dios, ¿por qué allá?

—Porque le prometí a *Michel*... que iríamos a África.

—Pero, querida mía...

Sean bajó los ojos y se quedó estudiando la ceniza de su cigarro. Ella vio el dolor que le había provocado el nombre de Michael y lo compartió con él por un momento. Luego observó:

—Iba a decir: "Pero *Michel* ha muerto."

—Sí —asintió él; su voz era casi un susurro.

—Prometí a *Michel* algo más, General. Le dije que su hijo nacería bajo el sol de África.

Sean levantó la cabeza lentamente para mirarla con fijeza.

—¿El hijo de Michael?

—Su hijo.
—¿Está embarazada de él?
—Sí.
A los labios del General subieron todas las preguntas mundanas y estúpidas: "¿Está segura? ¿Cómo lo sabe con tanta certeza? ¿Cómo puedo saber yo que es hijo de Michael?" Pero las contuvo. Necesitaba tiempo para pensar, para ajustarse a ese increíble giro del destino.
—Disculpe.
Se levantó para volver a la sala de operaciones, renqueando discretamente.
—¿Estamos ya en contacto con el tercer batallón? —preguntó al grupo de oficiales.
—Los conseguimos por un minuto, pero los perdimos otra vez. Están listos para contraatacar, señor, pero necesitan apoyo de la artillería.
—A ver si se comunica otra vez con esos malditos burócratas. Y siga tratando de conseguir con Caithness. —Giró hacia otro miembro de su personal. —Roger, ¿qué está pasando con el Primero?
—No hay cambios, señor. Han quebrado dos ataques enemigos, pero están recibiendo una buena paliza de la artillería alemana. El coronel Stevens cree que pueden resistir.
—¡Buen hombre! —gruñó Sean.
Era como tratar de sellar las grietas de un dique con puñados de arcilla para contener el océano, pero de algún modo lo estaban logrando, y cada hora que resistían mellaba el filo del ataque alemán.
—La clave está en los cañones, si los conseguimos pronto. ¿Cómo está el tránsito en la ruta principal?
—Parece que se despeja, señor.
Si podían poner esos cañones en la abertura antes de la mañana, el enemigo pagaría muy caro lo ganado. Lo atraparían en una saliente, atacando por tres lados, castigándolo con artillería.
Sean sintió que el ánimo se le iba nuevamente a los pies. Al fin de cuentas, en esa guerra todo se limitaba a conseguir esos malditos cañones. Una parte de su mente hizo cálculos, valoró los riesgos y los costos, dio órdenes; otra parte estaba

sacando otras cuentas. Pensaba en la muchacha y en su reclamo.

En primer término tuvo que dominar su reacción natural a lo que había sabido, pues Sean era un hijo de Victoria; esperaba que todo el mando, en especial su propia familia, viviera según los códigos establecidos en el siglo anterior. Los hombres jóvenes, sin duda, debían sembrar su trigo salvaje (por Dios, él mismo lo había sembrado a carradas, y sonrió tímidamente ante el recuerdo). Pero los muchachos decentes dejaban en paz a las muchachas decentes hasta después del casamiento.

"Estoy escandalizado", se dijo, y volvió a sonreír. Los oficiales sentados ante la mesa de operaciones vieron aquella sonrisa y se sintieron intranquilos, pensando: "¿qué se trae ese viejo endiablado entre manos, ahora?"

—¿Todavía no se comunicó con el coronel Caithness? —Sean cubrió la sonrisa con un ceño feroz, y todos se aplicaron a sus tareas con renovada diligencia.

"Estoy escandalizado", se dijo, una vez más, todavía riéndose de sí mismo, aunque mantenía la cara impávida. "Sin embargo, el mismo Michael era fruto de una aventura amorosa. Tu primogénito...". Volvió a atacarlo el dolor por la muerte de Michael, pero lo contuvo.

"Ahora vamos a la muchacha." Comenzó a pensar las cosas. "¿Estará realmente embarazada o se trata de una forma compleja de extorsión?"

"No puedo haberme equivocado tanto al valorarla. Ella cree de veras que está embarazada". En la anatomía y en la mente femenina había zonas completamente extrañas para Sean. Sin embargo, había aprendido que, cuando una muchacha cree estar embarazada, es totalmente seguro que lo está. Estaba dispuesto a aceptarlo, aun sin saber cómo lo sabía. "De acuerdo: está embarazada. ¿Pero de Michael o de algún otro?"

Nuevamente, el rechazo de esa idea fue inmediato. "Es de familia decente; estaba bien custodiada por el padre y esa mujerona. Lo que no entiendo es cómo hicieron ella y Michael para..." Estuvo a punto de sonreír otra vez, al recordar la frecuencia y la destreza con que él mismo había triunfado, en su juventud, contra obstáculos igualmente temibles. "El ingenio del amor joven", pensó, sacudiendo la cabeza. "Está bien, lo acepto. Es el hijo de Michael. ¡El hijo de Michael!"

Y sólo entonces permitió que el regocijo ascendiera en él. "¡El hijo de Michael! Hay algo de Michael que aún vive." De inmediato se contuvo. "Vamos, tranquilo, no es cuestión de precipitarse. Ella quiere ir a África, pero ¿qué diablos vamos a hacer con ella? No puedo llevarla a Emoyeni". Por un momento apareció en su mente la imagen de la bella casa de la colina, que había construido para su esposa; el nombre significaba, en zulú, "el sitio del viento". Lo atacó un ansia poderosa de estar allí con ella. Tuvo que contenerse y dedicar otra vez su atención a los problemas inmediatos.

"Tres, allá; tres mujeres bonitas, todas orgullosas y de temperamento fuerte, viviendo en la misma casa". Por instinto sabía que esa francesita y su propia hija, amada, pero llena de caprichos, pelearían como dos gatos en la misma bolsa. Y sacudió la cabeza. "Por Dios, sería la receta perfecta para acabar en el desastre. Y yo no estaría allí para calentarles el trasero. Tengo que idear algo mejor. Por todos los santos, ¿qué hacemos con esta potranquita preñada?"

—¡Señor, señor! —llamó uno de sus oficiales, alargando hacia Sean el auricular del teléfono de campaña—. Por fin he conseguido la comunicación con el coronel Caithness.

Sean le arrebató el aparato.

—¡Douglas! —ladró.

La línea estaba mal; el fondo siseaba y rugía como el mar, haciendo que la voz de Douglas Caithness pareciera venir por sobre el océano.

—Hola, señor. Acaban de llegar los cañones.

—Gracias a Dios —gruñó Sean.

—Los he distribuido en... —Caithness le dio las referencias según el mapa. —Ya están disparando y los hunos parecen haberse quedado sin vapor. Voy a atacar al amanecer.

—Tenga cuidado, Douglas. No hay reservas y no podré apoyarlo antes de mediodía.

—Sí, comprendo, pero no podemos dejar que se reagrupen sin oposición.

—No, por supuesto —concordó Sean—. Manténgame informado. Mientras tanto le voy a enviar cuatro baterías más y elementos del Segundo Batallón, pero no llegarán antes del mediodía.

—Gracias, señor. Nos vendrán bien.

—Vaya, hombre.

Sean devolvió el instrumento y, mientras observaba los alfileres que iban tomando nueva ubicación en el mapa, se le ocurrió la solución a su problema personal.

"Garry..." Pensó en su hermano gemelo, con el acostumbrado aguijonazo de la culpa y la compasión. Garrick Courtney, el hermano a quien él mismo dejó baldado.

Había ocurrido muchos años antes, pero cada instante de aquel día espantoso seguía muy claro en la mente de Sean, como si hubiera acaecido esa misma mañana. Dos gemelos adolescentes, discutiendo por la escopeta robada en la sala de armas del padre, trotando por los pastos dorados de las colinas zulúes.

—Yo fui el primero en ver al inkonka —protestó Garry. Iban a cazar a un viejo carnero cuya guarida habían descubierto el día anterior.

—Pero lo de la escopeta se me ocurrió a mí —retrucó Sean, apretando más el arma—, así que disparo yo.

Y Sean se impuso, por supuesto. Como siempre. Garry se llevó a Tinker, el perro de caza mestizo y recorrió el perímetro del denso matorral, para espantar al antílope hacia donde Sean esperaba con el arma cargada.

Sean oyó los leves gritos de Garry al pie de la colina y los frenéticos ladridos de Tinker, que había captado el rastro del cauteloso macho. Después, la carrera por el pasto, los largos tallos amarillos que se abrían al paso del inkonka, encaminado directamente hacia donde estaba el muchacho, tendido en la cima de la colina.

El animal parecía inmenso, a la luz del sol, pues la alarma le había erizado la melena desordenada; llevaba la cabeza oscura, coronada por la espiral de cuernos, bien erguida sobre el cuello poderoso. Medía un metro cincuenta hasta la cruz y pesaba poco menos de cien kilos; en el pecho y los flancos se veían delicados diseños como de tiza sobre el fondo oscuro. Era una bestia magnífica, rápida y formidable; aquellos cuernos, afilados como picas, hubieran podido desgarrar el vientre de un hombre o tajearle la arteria femoral... Y venía directamente hacia Sean.

El muchacho disparó. Estaba tan cerca que la carga de perdigones golpeó como un chorro sólido, abriendo el gran pecho del animal hasta alcanzar los pulmones y el corazón. El antílope cayó con un grito, pataleando; sus duros cascos negros castigaron el suelo rocoso, al resbalar colina abajo.

—¡Le di! —aulló Sean, saliendo de un brinco de su escondite—. ¡Le di al primer disparo, Garry! ¡Le di!

Garry y el perro subían por el duro pasto dorado. Fue un carrera para ver cuál de ellos llegaba primero al animal muerto. Sean llevaba la escopeta, con el segundo caño todavía cargado. Al correr, una piedra suelta rodó bajo su pie, haciéndolo caer. Se le escapó el arma y, al caer sobre un hombro, el segundo caño se disparó con un ruido ensordecedor.

Cuando Sean pudo incorporarse, Garry estaba sentado junto al animal muerto, gimiendo. Su pierna había recibido toda la carga de perdigones, casi a quemarropa, por debajo de la rodilla. La carne era una serie de cintas rojas, mojadas; el hueso, astillas y fragmentos blancos; la sangre, una fuente brillante a la luz del sol.

"Pobre Garry", pensó Sean, "convertido en un viejo baldado, al que le falta una pierna, tan solitario." La mujer a quien Sean dejó encinta y con quien Garry se casó antes del nacimiento de Michael había llegado finalmente a la locura, por su propio odio y su amargura, para morir en las llamas que ella misma alimentaba. También Michael había desaparecido. Garry no tenía nada sino sus libros y sus escritos.

"Le enviaré a esta muchachita animosa y a su niño por nacer". La solución fue una oleada de alivio. "Al menos puedo compensarlo en algo por cuanto le he hecho. Le enviaré a mi propio nieto, el nieto que tanto me gustaría reclamar para mí. Se lo enviaré como parte de pago".

Volvió la espalda al mapa y se acercó rápidamente a la muchacha que lo estaba esperando.

Ella se levantó para salirle al encuentro, en silencio, con las manos pudorosamente entrelazadas contra la falda. Sean vio en sus ojos oscuros la preocupación, el miedo a ser rechazada; le temblaba el labio inferior al esperar su dictamen.

Él cerró la puerta tras de sí y se acercó a ella, para tomarle las manos limpias; luego se inclinó a besarla con gentileza. La barba raspó la mejilla suave, pero ella soltó un sollozo de alivio y le echó ambos brazos al cuello.

—Disculpe, querida —dijo él—. Me tomó por sorpresa. Tenía que hacerme a la idea.

Sean la abrazó… pero con mucha suavidad, pues el misterio del embarazo era una de las pocas cosas que lo llenaba de respetuoso asombro. Luego volvió a instalarla en la silla.

—¿Puedo ir al África? —preguntó ella, sonriendo, aunque todavía le temblaban las lágrimas en los ojos.

—Sí, por supuesto. Allá está ahora tu patria, pues, en lo que a mí concierne, eres la esposa de Michael. En el África debes estar.

—Soy muy feliz —afirmó ella, dulcemente.

Pero era más que simple felicidad. Era una gran sensación de estar segura y protegida; el aura de poder y energía que emanaba de ese hombre se alzaba en ese momento por sobre ella, como un escudo.

"Eres la esposa de Michael", le había dicho. Reconocía lo que ella misma pensaba y, de algún modo, su apoyo lo convertiría en cosa hecha.

—Te diré lo que voy a hacer. Los submarinos alemanes están haciendo estragos. El modo más seguro de llevarte hasta allá será embarcarte en uno de los barcos hospital de la Cruz Roja, que parten directamente de los puertos del canal francés.

—Y Anna… —intervino Centaine, apresuradamente.

—Debe ir contigo, por supuesto. Yo me encargaré de eso. Las dos se ofrecerán como enfermeras voluntarias. Temo que deberán trabajar para ganarse el viaje.

La muchacha asintió de inmediato.

—El padre de Michael, mi hermano, Garrick Courtney… —comenzó Sean.

—¡Sí, sí! *Michel* me habló mucho de él. Es un gran héroe. Ganó la cruz de la reina Victoria por su valor en una batalla contra los zulúes lo interrumpió Centaine, excitada—. Y es un gran erudito, dedicado a escribir libros de historia.

Aquella descripción del pobre Garry hizo parpadear a Sean, pero era fácticamente correcta y no le quedó sino asentir.

—También es una persona amable y bondadosa. Es viudo y acaba de perder a su único hijo. —Entre ellos hubo un entendimiento casi telepático; aunque Centaine conocía la verdad, desde ese momento en adelante sólo se referirían a Michael como si fuera hijo de Garrick Courtney. —Michael era toda su vida; tú y yo, que compartimos la pérdida, sabemos lo que ha de sentir.

Los ojos de Centaine brillaron con lágrimas contenidas; se mordió el labio inferior, asintiendo con vehemencia.

—Le enviaré un telegrama. Cuando llegue el barco él estará esperándote en Ciudad del Cabo. También te daré una carta para que le lleves. Puedes contar con su bienvenida y su protección, tanto para ti como para la criatura.

—El hijo de Michael, un varón —aclaró ella, con firmeza. Y de inmediato vaciló. —Pero, ¿también lo veré a usted, General, de vez en cuando?

—Con frecuencia —le aseguró Sean, inclinándose para darle una palmadita en la mano. —Con más frecuencia de la que te gustaría, probablemente.

A partir de ese momento todo ocurrió con mucha celeridad; así descubriría Centaine que, tratándose de Sean Courtney, siempre pasaba de ese modo.

Permaneció sólo cinco días más en el monasterio, pero en ese tiempo se contuvo el ataque alemán en Mort Homme, en una lucha encarnizada y sangrienta; una vez que la línea quedó estabilizada y reforzada, Sean Courtney pudo disponer de unas pocas horas por día para pasar con ella.

Todas las noches cenaban juntos; entonces él respondía con paciencia y buen humor a sus interminables preguntas sobre África, su gente y sus animales, sobre la familia Courtney. Casi siempre hablaban en inglés, pero cuando Centaine no encontraba la palabra debida volvía al flamenco. Después, al terminar la comida, ella le preparaba el cigarro y se lo encendía; le servía un coñac y se sentaba a su lado, siempre conversando, hasta que Anna venía en su busca o hasta que Sean debía acudir al comando de operaciones. Entonces ella se acercaba levantando la cara para recibir un beso, con una inocencia tan infantil que Sean lamentaba la proximidad de la partida.

John Pearce les llevó los uniformes de enfermera. Eran tocas blancas y un delantal con breteles cruzados sobre un vestido azul grisáceo; Centaine y Anna les hicieron los ajustes necesarios, y sus agujas dieron un toque de garbo francés a las prendas sin forma.

Así llegó el momento de partir. Sangane cargó el magro equipaje en el Rolls Royce y Sean Courtney bajó por los claustros, gruñón y severo por el dolor de la despedida.

—Cuídela bien —ordenó a Anna, que lo miró echando chispas de indignación por tan gratuito consejo.

—Cuando vuelva —prometió Centaine—, iré a esperarlo en los muelles.

Y Sean frunció el entrecejo, lleno de azoramiento y placer, cuando ella se alzó en puntillas para besarlo delante de todo el personal. El General se quedó contemplando el Rolls, que se alejaba con la muchacha; ella le hacía señas con la mano por la ventanilla trasera. Por fin reaccionó y giró sobre sus talones para enfrentarse a sus oficiales.

—Bueno, caballeros, qué estamos mirando aquí, como papanatas. Esto es una guerra, no un pícnic de escolares.

Y bajó a grandes pasos por los claustros, furioso consigo mismo por lamentar tanto la ausencia de la muchacha.

El *Protea Castle* había sido buque correo de la Union Castle Line; se trataba de un rápido barco de pasajeros, que había hecho el recorrido entre el Cabo y Southampton antes de que lo convirtieran en barco hospital, pintado de blanco y con cruces escarlatas en sus flancos y en sus tres chimeneas.

Amarrado en el puerto interior de Calais, estaba recibiendo a sus pasajeros para el viaje hacia el sur; distaban mucho de parecerse a los elegantes y adinerados viajeros que llenaron sus camarotes antes de la guerra. Hasta la barandilla del muelle se habían arrimado cinco vagones de ferrocarril, de los que un patético río humano iba pasando a sus planchadas.

Eran los verdaderos despojos del campo de batalla, rechazados por los cuerpos médicos por estar tan incapacitados que no era posible emparcharlos a fin de que alimentaran al hambriento Baal de la Fuerza Expedicionaria Británica.

Serían mil doscientos a bordo rumbo al sur; en el viaje de regreso, el *Protea Castle* sería pintado como transporte de tropas, para llevar otro cargamento de jóvenes ansiosos y saludables al infierno de las trincheras, en la Francia del norte.

Centaine, de pie junto al Rolls, en el muelle, miraba con horror esa legión en ruinas que iba subiendo a bordo. Había varios amputados a los que les faltaba un brazo o una pierna; los afortunados presentaban la sección por debajo del codo o de la rodilla; iban meciéndose por el muelle, colgados de sus muletas, o con una manga vacía pulcramente prendida a la chaquetilla.

También estaban los ciegos, guiados por sus compañeros. Y los casos de fractura de médula espinal, a los que se cargaba en camillas. Y las víctimas del gas clorhídrico, con las membranas mucosas de la garganta y la nariz quemadas por completo. Y los afectados por la neurosis de guerra, que se retorcían, daban sacudidas y ponían los ojos en blanco, incontrolablemente. Y los quemados, con monstruosos tejidos de color rosado brillante que se habían contraído hasta encogerles los miembros o hasta doblarles la cabeza contra el pecho, dejándolos deformes, como jorobados.

—Podría darnos una mano, linda. —Uno de los enfermeros detectó su uniforme.

Centaine reaccionó, girando rápidamente hacia el chofer zulú.

—Veré a tu padre, Mbejane...

—¡Mbejane! —confirmó Sangane, feliz de ver que ella retenía bien el nombre.

—Y le daré tu mensaje.

—Vaya con Dios, damita.

Centaine le estrechó la mano, le arrebató su bolso de viaje y, seguida por Anna, corrió a desempeñar sus nuevas funciones.

El abordaje se prolongó durante toda la noche; sólo al terminar, poco antes del amanecer, pudieron ambas tratar de localizar el camarote que les había sido asignado.

El oficial médico principal era un mayor de rostro lóbrego; por lo visto, había recibido discretas indicaciones desde arriba.

—¿Dónde se había metido? —preguntó bruscamente, cuando Centaine se presentó a él, en su camarote—. La estoy esperando desde ayer a mediodía.

—Desde el mediodía estoy aquí, en la cubierta C, ayudando al doctor Solomon.

—Debería haberse presentado ante mí —le informó él, fríamente—. No puede pasearse por todo el barco a su antojo. Soy responsable ante el General… —Pero se interrumpió para tomar otro enfoque. —Además, la cubierta C corresponde a otros rangos.

—*Pardon?* —Aunque el inglés de Centaine había mejorado mucho con la práctica, muchas palabras seguían escapándosele.

—A otros rangos, no a los oficiales. Desde ahora en adelante usted va a trabajar sólo con los oficiales. Las cubiertas inferiores no le corresponden. No le corresponden —repitió, lentamente, como si hablara con un niño retrasado—. ¿Me comprende bien?

Centaine estaba cansada y nunca la habían tratado de ese modo.

—Los hombres de allá abajo sufren tanto como los oficiales —le espetó, furiosa—. Sangran y mueren igual que los oficiales.

El mayor, parpadeando, volvió a sentarse. Tenía una hija de la misma edad que esa francesita, pero ella jamás se habría atrevido a contestarle de ese modo.

—Ya veo que usted va a ser mi problema, señorita —dijo, amenazador—. No me gustó la idea de que hubiera damas a bordo. Ya sabía que eso iba a provocar dificultades. Ahora escúcheme bien. Usted va a alojarse en el camarote que está justo frente a éste —indicó, señalando la puerta abierta. —Se presentará al doctor Stewart para trabajar a sus órdenes. Comerá en el comedor de los oficiales. Las cubiertas inferiores le quedan prohibidas. Espero que se comporte en todo momento con la mayor corrección. Y puede estar segura de que estaré vigilándola muy de cerca.

Después de esa presentación tan poco promisoria, el alojamiento que les había sido asignado resultó una deliciosa sorpresa; una vez más se veía en eso la mano del general Sean Courtney. Disponían de una suite que hubiera costado doscientas guineas antes de la guerra, con camas gemelas y no literas, un pequeño salón con sofá, sillones y mesa de escritorio, y también ducha y baño, todo amoblado con muy buen gusto, en tonos otoñales.

Centaine se dejó caer en la cama, rebotó y cayó contra las almohadas, con un suspiro de felicidad.

—Anna, estoy demasiado cansada como para desvestirme.

—A ponerse el camisón —ordenó Anna—. Y no te olvides de lavarte los dientes.

Las despertaron la alarma, el sonar de silbatos en el pasillo y fuertes golpes a la puerta del camarote. El barco se había hecho a la mar y los motores vibraban.

Tras el primer momento de pánico, el camarero les informó que se trataba de un ensayo de emergencia. Ambas se vistieron apresuradamente, poniéndose los abultados chalecos salvavidas, y salieron a la cubierta superior, en busca del bote correspondiente.

El barco acababa de franquear las rompientes del puerto y estaba en el Canal. Era una mañana gris, neblinosa, y el viento azotaba de tal forma que hubo un murmullo general de alivio cuando acabó la prueba y se sirvió el desayuno en el comedor de primera clase, convertido en comedor de oficiales para los heridos que estaban en condiciones de caminar.

La entrada de Centaine provocó un pequeño alboroto. Muy pocos de los oficiales sabían que había a bordo una muchacha bonita, y a todos les costó disimular la alegría. Se produjeron muchos forcejeos, pero el primer oficial no tardó en aprovechar la ausencia del capitán, ocupado aún en el puente, para hacer valer su rango. Centaine se encontró instalada a su derecha y rodeada por diez o doce caballeros solícitos, mientras Anna, sentada enfrente, ponía una cara feroz.

Los oficiales del barco eran todos británicos, pero los pacientes provenían de las colonias, pues el *Protea Castle* tomaría hacia el este después de circunnavegar el Cabo de Buena Esperanza. En derredor de Centaine tomaron asiento: un capitán de la Caballería Ligera australiana, al que le faltaba una mano; un par de neocelandeses, uno con un parche de pirata sobre el ojo ausente y el otro con una pata de palo; un joven rodesiano llamado Jonathan Ballantyne, que había pagado su condecoración en el Somme con una ráfaga de ametralladora en el vientre, y otros jóvenes entusiastas, todos carentes de alguna parte de su anatomía.

La llenaron de comida traída del buffet.

—No, no, no puedo desayunar como ustedes, los ingleses. Me pondría gorda y fea como un cerdo.

Las unánimes negativas la divirtieron. Vivía la guerra desde los catorce años y, ausentes todos los hombres jóvenes, no conocía el placer de estar rodeada de admiradores.

Cuando vio que el oficial médico principal la miraba con el entrecejo fruncido, desde la mesa del capitán, se dedicó a mostrarse simpática con los jóvenes, tanto para divertirse como para molestar a ese hombre. Aunque sentía ciertos remordimientos por no ser demasiado fiel a la memoria de Michael, se consolaba pensando que era su deber. "Después de todo, son mis pacientes. Las enfermeras deben ser amables con sus pacientes". Y reía con ellos, patéticamente ansiosos por llamarle la atención, por hacerle pequeños favores y responder a todas sus preguntas.

—¿Por qué no navegamos en convoy? —preguntó ella—. ¿No es peligroso bajar por el Canal *en plein soleil,* a plena luz del día? Me enteré de lo que pasó con el *Rewa.*

El *Rewa* era el buque hospital británico que fue torpedeado por un submarino, con setecientos heridos a bordo, en el canal de Bristol, el 4 de enero de ese año. Por fortuna, el buque fue abandonado y sólo se perdieron cuatro vidas, pero eso sirvió para atizar la propaganda antigermana. En los lugares públicos se veían carteles que decían: "La Cruz Roja es para el huno lo que el paño rojo para el toro", con un relato gráfico de la atrocidad, debajo del titular.

La pregunta de Centaine precipitó una animada discusión ante la mesa del desayuno.

—El *Rewa* fue torpedeado por la noche —señaló Jonathan Ballantyne, razonable—. Probablemente, el comandante del submarino no vio las cruces rojas.

—¡Oh, vamos! Esos tipos de los submarinos son unos carniceros.

—No estoy de acuerdo. Son hombres como usted y yo. El capitán de esta nave también ha de pensar lo mismo, y por eso navegamos; por el más peligroso de los tramos a plena luz, para que los submarinos vean bien nuestras cruces rojas. Creo que nos van a dejar en paz si ven lo que somos.

—Tonterías. Esos malditos hunos torpedearían hasta a sus suegras.

—¡Y quién no!

—Este barco navega a veintidós nudos —dijo el primer oficial a Centaine, para tranquilizarla—. Los submarinos sólo dan siete nudos cuando navegan sumergidos. Tendría que estar directamente en nuestro rumbo para tener la menor posibilidad de dispararnos. Las posibilidades son de un millón contra una, señorita. No tiene por qué preocuparse; disfrute tranquilamente del viaje.

Un médico joven, alto y de hombros redondeados, con vago aire de erudito y anteojos, se acercó a Centaine al levantarse ella de la mesa.

—Soy el doctor Archibald Stewart, enfermera De Thiry. El mayor Wright la ha puesto bajo mis órdenes.

A Centaine le gustó esa nueva forma de apelativo. Lo de "enfermera De Thiry" sonaba a profesional. En cambio no estaba muy segura de que le gustara estar bajo las órdenes de nadie.

—¿Tiene conocimientos médicos o de enfermería? —prosiguió el doctor Stewart.

La primera simpatía que inspiró a la muchacha se enfrió de inmediato. La había puesto al descubierto frente a sus flamantes admiradores. Sacudió la cabeza, tratando de que la confesión no fuera pública, pero él prosiguió, inexorable:

—Ya me parecía. —La miró, dubitativo, y de pronto pareció cobrar conciencia de su bochorno. —No importa: la función más importante de una enfermera es alegrar a sus pacientes. Por lo que acabo de ver, usted lo hace muy bien. Creo que voy a nombrarla alegradora en jefe, pero sólo en la cubierta A. Órdenes estrictas del mayor Wright: sólo en la cubierta A.

El nombramiento del doctor Archibald Stewart resultó ser

una verdadera inspiración. Centaine había afinado, desde edad muy temprana, sus habilidades de organizadora en el *château* de Mort Homme, como anfitriona de la casa y ama de llaves auxiliar. Manipuló sin esfuerzos a la banda de jóvenes que se había reunido en derredor de ella, convirtiéndola en un equipo de entretenimientos.

El *Protea Castle* contaba con varios miles de volúmenes en su biblioteca, y ella organizó rápidamente un plan de distribución y recolección para los enfermos reducidos a guardar cama, además de un grupo de lectores para los ciegos y los analfabetos de las cubiertas inferiores. También preparó conciertos, juegos en cubierta y torneos de naipes.

Su equipo de mancos, rengos y mutilados aliviaba el aburrimiento del largo viaje, rivalizando entre sí para obtener la aprobación de la joven y prestarle servicios. Los pacientes dispuestos en las literas ideaban diez tretas distintas para retenerla cuando ella hacía sus recorridas no oficiales, todas las mañanas.

Entre los pacientes figuraba un capitán de los Rifleros Montados, que había estado en el convoy de ambulancias durante la retirada desde Mort Homme. Cuando ella entró en su sala, con una pila de libros, él la saludó extáticamente.

—¡Sol! ¡Es Sol en persona!

Y el apodo la siguió por todo el barco. "Enfermera Sol": cuando el médico en jefe, habitualmente agrio, usó el sobrenombre por primera vez, la compañía de a bordo adoptó a Centaine unánimemente.

En esas circunstancias disponía de poco tiempo para llorar sus pérdidas, pero todas las noches, antes de dormir, Centaine, tendida en la oscuridad, conjuraba en su mente la imagen de Michael y apretaba ambas manos al vientre.

—¡Nuestro hijo, *Michel*, nuestro hijo!

Los cielos lóbregos y los brutales mares negros de la Bahía de Vizcaya quedaron atrás, en la estela blanca. A proa, los peces voladores giraban como monedas de plata en la superficie aterciopelada y azul del océano.

A una latitud de 30° norte, el encantador capitán Jonathan Ballantyne, famoso por las cuarenta mil hectáreas de tierras ganaderas que poseía su padre, Sir Ralph Ballantyne, primer ministro de Rhodesia, se presentó ante Centaine para proponerle casamiento.

—Ya imagino al pobre papá. —Centaine imitó tan acertadamente al conde que una sombra cruzó los ojos de Anna. —"Cuarenta mil hectáreas, niña loca y perversa. *Tiens alors!* ¿Cómo puedes rechazar cuarenta mil hectáreas?"

A partir de entonces, las propuestas matrimoniales se convirtieron en epidemia. Hasta el doctor Archibald Stewart, su superior inmediato, le espetó un discurso tartamudeante, cuidadosamente preparado, entre mucho parpadeo y sudores nerviosos. Pareció más gratificado que rechazado cuando Centaine le dio un beso en cada mejilla, desanimándolo cortésmente.

Al cruzar el Ecuador, Centaine convenció al mayor Wright para que vistiera los atributos del rey Neptuno; la ceremonia del cruce se llevó a cabo entre loca hilaridad y amplias borracheras. La misma Centaine se convirtió en la atracción principal, vestida con un disfraz de sirena diseñado por ella misma. Anna había protestado incansablemente por el escote mientras ayudaba a coser, pero a la compañía del buque le encantó. Hubo silbidos, aplausos y vítores, además de otra epidemia de propuestas inmediatamente después de cruzado el Ecuador.

Anna gruñía y bufaba, pero para sus adentros la alegraba mucho el cambio experimentado por su pupila. Centaine, ante sus ojos, estaba sufriendo esa maravillosa transformación que hace de la muchacha una mujer joven. Físicamente, los principios del embarazo la hacían florecer; su fina piel tomó un lustre de madreperla. Su cuerpo perdió los últimos vestigios de la torpeza adolescente, al engordar sin perder la gracia.

Sin embargo, había cambios más poderosos: la nueva confianza, el porte, la conciencia de su poder y de los dones que sólo en ese momento comenzaba a ejercitar plenamente. Anna sabía que ella era naturalmente apta para la mímica, pues podía pasar del acento del palafrenero, proveniente del Mediodía francés, al gascón de la mucama o al parisino intelectual del maestro de música. Pero sólo a bordo descubrió que el talento de Centaine para los idiomas no había sido nunca puesto a prueba. La muchacha hablaba ya un inglés tan fluido que podía diferenciar entre el acento de los australianos, el de los sudafricanos y el puro de Oxford, reproduciéndolos con sorprendente justeza.

Anna sabía también que su pupila tenía cabeza para los números y el dinero, pues se había hecho cargo de las cuentas de la familia al huir el capataz, en los primeros meses de la guerra; maravillaba su habilidad para sumar largas columnas de cifras.

En el barco, Centaine demostró la misma capacidad. A la mesa de bridge, como compañera del mayor Wright, formaba un equipo formidable, y la dimensión de sus ganancias horrorizaba a Anna, que no gustaba de las apuestas. Centaine reinvertía. Organizó un sindicato, con Jonathan Ballantyne y el doctor Stevens, y siempre eran los más aproximados en el cálculo de la distancia diaria a recorrer. Al cruzar el Ecuador, ya había agregado casi doscientos soberanos al dinero traído del *château*.

Anna había pensado siempre que Centaine leía demasiado. "Te va a hacer mal a la vista", le advertía con frecuencia. Pero sólo entonces comprendió la profundidad de los conocimientos recogidos en esas lecturas. Centaine los ponía en relieve en sus conversaciones y en sus debates, defendiendo sus opiniones hasta ante interlocutores formidables, como el doctor Archibald Stewart. Sin embargo, Anna notó que tenía la astucia de no echarse en contra al público con ostentaciones excesivas de su erudición. Por lo común terminaba la discusión de algún modo conciliatorio, que permitiera a la víctima masculina retirarse con la dignidad casi intacta.

"Sí", asintió Anna para sus adentros, cómodamente, mientras veía a la muchacha desplegarse como alguna encantadora flor bajo el sol tropical, "es inteligente, como su mamá".

Centaine parecía tener una verdadera necesidad física de calor y sol. Cada vez que subía a cubierta levantaba la cara.

—Oh, Anna, cómo odiaba el frío y la lluvia. ¿No es maravilloso este sol?

—Te estás poniendo muy morena y fea —le advertía Anna—. No es propio de una señorita.

Y Centaine estudiaba sus propios miembros, pensativa.

—¡Morena no, Anna: dorada!

Había leído tanto o interrogado a tanta gente que ya parecía conocer el hemisferio sur en donde la nave hundía su proa. Despertaba a Anna y la llevaba a la cubierta superior, para que le sirviera de chaperona, mientras el oficial de guardia le enseñaba las estrellas del hemisferio. Y Anna, a pesar de lo tardío de la lección, se dejaba deslumbrar por los esplendores de ese cielo, que cada noche les revelaba más de sí mismo.

—¡Mira, Anna, allí está Achernar, por fin! Era la estrella especial de *Michel*. Todos deberíamos tener una estrella especial, como decía él. Y me eligió una.

—¿Cuál? —preguntó Anna—. ¿Cuál es tu estrella?

—Acrux. ¡Aquélla! La más brillante de la Cruz del Sur. No hay nada que se interponga entre ella y la de Michael, salvo el pivote del mundo, el celestial Polo Sur. Dijo que entre los dos sostendríamos el eje del mundo ¿No era romántico, Anna?

—Romántico, qué tontería —resopló Anna, lamentando para sus adentros que ningún hombre le hubiera dicho ese tipo de cosas.

Anna llegó a identificar también en su pupila un talento que parecía opacar a los otros: era la habilidad de hacerse escuchar por los hombres. Resultaba extraordinario que el mayor Wrigth y el capitán del barco, por ejemplo, la escucharan en sincero silencio, sin esa enfurecedora mueca de indulgencia masculina, cuando Centaine hablaba en serio.

"Es sólo una niña", se maravillaba Anna, "pero la tratan como a una mujer... No, no, más aún, comienzan a tratarla como a una igual".

Eso era asombroso, en verdad. Esos hombres acordaban a una jovencita el respeto que miles de otras, Emmeline Pankhurst y Annie Kenney a la cabeza, estaban tratando de obtener arrojándose bajo los caballos de carrera, con huelgas de hambre y condenas judiciales, hasta entonces sin éxito.

Centaine hacía que los hombres escucharan y, con mucha frecuencia, los plegaba a su voluntad, aunque no desdeñaba utilizar las astutas triquiñuelas sexuales a las que otras mujeres recurrieron, por necesidad, a lo largo de los siglos. Centaine alcanzaba sus fines sumando lógica, argumentos razonables y fuerza temperamental. Todo eso, combinado con una sonrisa atractiva y la mirada franca de esos ojos oscuros, insondables, parecía irresistible. Por ejemplo, tardó sólo cinco días, en lograr que el mayor Wright levantara la prohibición de bajar a otras cubiertas.

Aunque Centaine tenía sus días colmados hasta el último minuto, ni por un momento perdía de vista el destino final. Siempre ansiaba echar el primer vistazo a la tierra donde había nacido Michael y donde nacería su hijo.

Por ocupada que estuviese, nunca faltaba a la medición de mediodía. Pocos minutos antes corría al puente y, en un revoloteo de faldas, solicitaba, sin aliento:

—¿Permiso para entrar al puente, señor?

Y el oficial de guardia, que la estaba esperando, le hacía la venia.

—Permiso concedido. Llega justo a tiempo, Sol.

Entonces observaba fascinada a los oficiales que utilizaban sus sextantes para tomar la medición del mediodía, determinando el rumbo de la jornada y la posición del barco para marcarla en los mapas.

—Aquí estamos, Sol: 17° 23' Sur. A ciento sesenta millas náuticas al noroeste de la boca del río Cunene. En cuatro días llegaremos a Ciudad del Cabo, si Dios y el tiempo lo permiten.

Centaine estudiaba el mapa, ansiosa.

—¿Conque ya estamos frente a la costa de Sudáfrica?

—¡No, no! Ésa es el África oeste, alemana; era una de las colonias del Káiser hasta que los sudafricanos la tomaron, hace dos años.

—¿Cómo es? ¿Jungla, sabana?

—No, Sol: es uno de los peores desiertos de todo el mundo.

Y Centaine dejaba la sala de mapas para mirar en dirección este, hacia el gran continente que aún se ocultaba bajo el acuoso horizonte.

—¡Oh, no veo la hora de verla!

Ese caballo era un animal del desierto; sus lejanos antepasados llevaron a reyes y capitanejos beduinos por las quemantes extensiones de Arabia. Los cruzados llevaron la estirpe al norte, a los climas europeos, más fríos. Cientos de años después volvieron a África, con la expedición colonial de Alemania, acompañando a los escuadrones de Bismark. En África, esos caballos se habían cruzado una y otra vez con las resistentes cabalgaduras de los bóers y los animales de los hotentotes, forjados por el desierto, hasta dar origen a esa criatura: bien adecuada al ambiente y a las tareas que debía desempeñar.

Tenía la cabeza fina del tipo árabe; cascos grandes y espatulados para cubrir el suelo blando del desierto; pelaje espeso y claro, para aislarse del fuerte sol del mediodía y del frío seco de las noches desérticas.

El hombre que lo montaba también era de estirpe mezclada y, como su caballo, criatura del desierto, de tierras sin límites. Su madre había venido de Berlín, al ser nombrado el abuelo segundo comandante de las fuerzas militares del África alemana. A pesar de la oposición paterna, se había casado con un joven bóer, hijo de una familia rica en tierras y en espíritu. Lothar fue el único vástago de esa unión; por insistencia de su madre, se lo envió a Alemania a completar su instrucción. Resultó buen estudiante, pero el estallido de la guerra de los bóers interrumpió esos estudios.

La madre tuvo la primera noticia de que pensaba unirse a las fuerzas bóers cuando lo vio llegar a Windhoek, sin previo aviso. Como ella pertenecía a una familia de guerreros, sintió un feroz orgullo al verlo alejarse a caballo, con un criado hotentote y tres caballos de remonta para buscar a su padre, que ya estaba luchando contra los ingleses.

Lothar encontró a su padre en Magersfontein, en compañía de su tío Koos De La Rey, el legendario comandante bóer. Su iniciación en el combate se produjo dos días después, cuando los británicos trataron de abrirse paso por las colinas de Magersfontein para aliviar el sitio de Kimberley.

Lothar De La Rey tenía catorce años y cinco días al amanecer el día de la batalla; mató a su primer inglés antes de las seis de la mañana. Fue un blanco menos difícil que las manadas de kudus contra las cuales disparara hasta entonces.

Entre otros quinientos tiradores escogidos, se plantó ante el parapeto de la trinchera que había ayudado a cavar, al pie de las colinas. Al principio, la idea de cavar una trinchera para utilizarla como refugio había asqueado a los bóers, que eran esencialmente jinetes aficionados a correr de prisa. Sin embargo, el general De La Rey los convenció para que intentaran la nueva táctica, y las líneas de infantería inglesa avanzaron sin sospechas hacia las trincheras, bajo la engañosa luz del alba.

Encabezaba el avance, en dirección de Lothar, un hombre corpulento, poderoso, de flamígeras patillas rojas. Caminaba diez o doce pasos por delante de su línea, meneando audazmente su falda escocesa, con un casco inclinado sobre un ojo y una espada desnuda en la diestra.

En cuanto se elevó el sol sobre las colinas, inundando con su luz anaranjada la pradera abierta, los escoceses quedaron como en un escenario, bajo una iluminación perfecta para disparar. Y los bóers habían marcado con piedras el alcance de sus armas.

Lothar apuntó a la frente del inglés. Empero, al igual que quienes lo acompañaban, lo contenía un extraño rechazo: aquello parecía poco menos que un asesinato. En ese momento, casi como por voluntad propia, el máuser saltó contra su hombro; el chasquido del disparo pareció llegar desde muy lejos. El casco del oficial británico saltó de la cabeza, rodando por el suelo; el hombre retrocedió un paso, abriendo los brazos, y hasta Lothar llegó el ruido de la bala al chocar contra el cráneo humano. Era como el de una sandía madura al caer contra un adoquinado. La espada centelleó al sol. El soldado, con una pirueta lenta, cayó entre la maleza.

Durante todo ese día, cientos de escoceses quedaron sitiados frente a las trincheras. Ni uno solo se atrevía a levantar la cabeza, pues los fusiles de las trincheras, a cien pasos de distancia, estaban manejados por los mejores tiradores del mundo.

El sol africano les quemaba el dorso de las rodillas, por debajo de las faldas, hasta reventar la piel como fruta pasada. Los heridos gritaban pidiendo agua, y algunos de los bóers les arrojaban sus cantimploras, pero ninguna llegaba a cubrir en distancia.

Aunque Lothar había matado a cincuenta hombres a partir de ese día, era una ocasión que no olvidaría jamás. Para él, era la fecha en que se había convertido en hombre.

Lothar no estuvo entre quienes arrojaban sus cantimploras. Por el contrario, mató a dos de los ingleses que se arrastraban boca abajo para tratar de alcanzar las botellas. El odio por los británicos, aprendido en las rodillas de sus padres, había comenzado a florecer, para llegar a su madurez completa en los años siguientes.

Los ingleses los persiguieron, a él y a su padre, como a animales salvajes. Su amada tía y tres primas murieron de difteria en los campos de concentración británicos, pero Lothar prefirió creer que los ingleses habían puesto anzuelos en el pan que daban a las mujeres prisioneras, para desgarrarles la garganta. Era muy de ingleses pelear contra las mujeres, las muchachas y los niños.

Él, como su padre y sus tíos, luchó largamente después de perdida toda esperanza de victoria. Los del Amargo Fin, se llamaban, con orgullo. Cuando todos los otros, reducidos a esqueletos ambulantes, enfermos de disentería y cubiertos por las úlceras de la desnutrición y la exposición a los elementos, vestidos con bolsas y harapos y con sólo tres balas por cabeza restantes en sus cinturones, fueron a rendirse a los ingleses, en Vereeniging, Petrus De La Rey y su hijo Lothar no quisieron acompañarlos.

—Escucha mi juramento, oh, Señor de mi pueblo. —Petrus se irguió en la pradera, con la cabeza descubierta, junto a Lothar, que ya tenía diecisiete años. —La guerra contra los ingleses no terminará jamás. Lo juro ante tus ojos, Oh, Señor de Israel.

Luego puso la Biblia encuadernada en cuero bajo la mano de Lothar y le hizo repetir el mismo juramento.

—La guerra contra los ingleses no terminará jamás.

Y Lothar, junto a su padre, maldijo a los traidores que ya no luchaban: a Lois Botta, a Jannie Smuts, al mismo Koos De La Rey.

—Ustedes que venderían su pueblo a los filisteos, ojalá vivan eternamente bajo el yugo inglés y ardan en el infierno por diez mil años.

Después, padre e hijo se alejaron hacia las vastedades áridas que componían los dominios de la Alemania imperial, dejando que los otros hicieran las paces con Inglaterra.

Como ambos eran fuertes y trabajadores, dotados de valor y astucia natural, y gracias a que la madre de Lothar era una alemana de buena familia, con excelentes vinculaciones y cierta fortuna, pudieron prosperar en el suroeste alemán del África. Petrus De La Rey era ingeniero por experiencia, dueño de considerable habilidad y mucho ingenio. Lo que no sabía, podía improvisarlo; tal como decía el refrán: *'N boer maak altyd 'n plan."* Un bóer siempre traza un plan. Gracias a las vinculaciones de su esposa, obtuvo el contrato para reconstruir los muelles de Lüderitzbucht; cuando eso quedó triunfalmente construido, le asignaron la construcción de las líneas para el ferrocarril al norte, desde el río Orange hasta Windhoek, capital del suroeste alemán. Él enseñó a Lothar esos conocimientos de ingeniería, y el muchacho aprendió con prontitud. A los veintiún años era socio en pleno ejercicio en la compañía De La Rey e Hijo, dedicada a construcción y pavimentación.

Su madre, Christina De La Rey, eligió a una linda rubia alemana de buena familia y la puso, diplomáticamente, en la órbita de su hijo. Se casaron antes de que Lothar cumpliera veintitrés años, y ella dio a Lothar un hermoso niño rubio, a quien el joven amaba con adoración.

Entonces los ingleses volvieron a irrumpir en su vida, amenazando arrojar a todo el mundo hacia la guerra con su oposición a las legítimas ambiciones del imperio alemán. Lothar y su padre acudieron al gobernador Seitz, ofreciendo construir, con todos los gastos por cuenta de ellos, sitios de aprovisionamiento en las zonas remotas del territorio, que serían utilizados por las fuerzas alemanas para resistir a la invasión inglesa, sin duda proveniente de la Unión de Sudáfrica, en ese momento gobernada por los traidores Smuts y Louis Botha.

Por entonces había en Windhoek un capitán de la marina alemana, quien supo reconocer rápidamente el valor de aquel ofrecimiento y convenció al gobernador para que aceptara. Acompañó al padre y al hijo en una navegación a lo largo de aquel horrible litoral, que tanto merecía el nombre de Costa del Esqueleto, para elegir el sitio donde edificar una base donde los navíos alemanes pudieran reaprovisionarse de combustible y vituallas, aun si los puertos de Lüderitzbucht y Walvis Bay eran capturados por las fuerzas de la Unión.

Descubrieron una bahía remota y protegida, cuatrocientos cincuenta kilómetros al norte de las colonias de Wavis Bay y Swakopmund, en un sitio casi imposible de alcanzar por tierra, pues lo custodiaban los feroces desiertos. Cargaron un pequeño vapor costero con los elementos que se les enviaban secretamente desde Bremerhaven, en un crucero alemán: había quinientas toneladas de fuel oil, en barriles de cuarenta y cuatro galones, repuestos para motores, alimentos enlatados, municiones y armas livianas, proyectiles para la marina y catorce torpedos acústicos Mark VII, para rearmar a los submarinos alemanes, si llegaban a operar en esas aguas del sur. Las provisiones se llevaron a la costa para enterrarlas entre las grandes dunas. Las barcazas, pintadas con una protección de alquitrán, también quedaron sepultadas con aquellos elementos.

Esa base secreta de aprovisionamiento quedó establecida, finalmente, sólo semanas antes de que el archiduque Francisco Ferdinando cayera asesinado en Sarajevo, obligando al Káiser a avanzar contra los revolucionarios servios para proteger los intereses del imperio alemán. Inmediatamente, Francia y Gran Bretaña aprovecharon ese pretexto para precipitar la guerra.

Lothar y su padre ensillaron sus caballos y llamaron a sus criados hotentotes. Después de besar a las mujeres y al pequeño, salieron en una operación comando contra los ingleses y su sirvientes unionistas. Eran seiscientos y pico los que cabalgaban a las órdenes de Maritz, el general bóer, cuando llegaron al río Orange y construyeron allí su *laager*, para esperar el momento de atacar.

Todos los días se les unían hombres a caballo: jinetes duros, barbados, orgullosos, resistentes luchadores, con el máuser cruzado al hombro y cartucheras surcándoles el pecho amplio. Después de cada saludo jubiloso, daban sus noticias, que siempre eran buenas.

Los antiguos camaradas acudían en bandada al grito de: "¡Comando!" Los bóers, por doquier, repudiaban la traicionera paz que Smuts y Botha habían negociado con los ingleses. Todos los generales bóers se ponían en pie de guerra. De Wet estaba acampado en Mushroom Valley; Kemp, en Treurfontein, con ochocientos hombres; Beyers y Fourie, todos se habían declarado a favor de Alemania contra Inglaterra.

Smuts y Botha parecían reacios a precipitar un conflicto entre bóers, pues las fuerzas de la Unión estaban compuestas por un setenta por ciento de soldados de origen holandés. Suplicaban y negociaban con los rebeldes, enviándoles delegados, postrándose ante ellos en un intento por evitar el derramamiento de sangre. Pero día a día las fuerzas rebeldes aumentaban en fuerza, y confianza.

En eso les llegó un mensaje, llevado por un jinete que había cruzado muy de prisa el desierto, desde Widhoek. Provenía del mismo Káiser y les había sido transmitido por el gobernador Seitz.

El almirante Graf von Spee, con su escuadrón de cruceros de batalla, había ganado una devastadora batalla naval en Coronel, frente a la costa chilena. El Káiser había ordenado a Von Spee cruzar el Cabo de Hornos y surcar el Atlántico Sur, para bloquear y bombardear los puertos sudafricanos, apoyando la rebelión contra los ingleses y los unionistas.

Cantaron y gritaron de alegría bajo el feroz sol del desierto, unidos, seguros de la causa y de la victoria. Esperaban sólo la llegada de los faltantes generales bóers para marchar sobre Pretoria.

Koos De La Rey, el tío de Lothar, ya viejo, débil e indeciso, aún no se había presentado. El padre de Lothar le enviaba mensajes, instándolo a cumplir con su deber, pero él vacilaba, confundido por la traidora oratoria de Jannie Smuts y su equivocada fidelidad hacia Louis Botha.

El otro líder al que estaban esperando era Koen Brits, ese gigante de granito que medía un metro noventa y dos, capaz de beber una botella del atroz whisky local como cualquiera bebía una jarra de cerveza liviana, capaz de levantar a un buey, escupir un chorro de jugo de tabaco a veinte pasos y acertarle a un antílope lanzado en carrera a una distancia de doscientos. Lo necesitaban, pues si él decidía el rumbo, un millar de guerreros lo seguirían.

Sin embargo, Jannie Smuts envió el siguiente mensaje a ese

hombre notable: *Convoca a tu grupo, Oom Koen, y ven conmigo.* La respuesta fue inmediata: *Ja, viejo amigo, estamos montados y listos para ir, pero ¿contra quién peleamos? ¿Contra Alemania o contra Inglaterra?* Así perdieron a Brits, que se pasó a los unionistas.

Después, Koos De la Rey, que viajaba para una última reunión con Jannie Smuts a fin de decidirse, se topó con un bloqueo policial en las afueras de Pretoria y ordenó a su chofer que siguiera adelante. Los tiradores policiales le dispararon a la cabeza. Así perdieron a De la Rey.

Como era de esperar, Jannie Smuts, ese demonio frío y astuto, tenía una excusa. Dijo que el bloqueo había sido establecido para evitar la huida de una notoria banda de asaltantes y que la policía había abierto el fuego por equivocación. Sin embargo, los rebeldes no se dejaron engañar. El padre de Lothar lloró abiertamente al recibir la noticia. Entonces comprendieron que no había modo de echarse atrás, ni más oportunidades de parlamentar: tendrían que conquistar la tierra a punta de fusil.

El plan consistía en que todos los comandos rebeldes se reunieran con Maritz en el río Orange, pero habían subestimado la capacidad motriz de las fuerzas a las que se enfrentaban, favorecida por los vehículos de propulsión a gasolina. También habían olvidado lo que Botha y Smuts demostraron mucho tiempo antes: que eran los más hábiles entre los generales bóers. Cuando avanzaron, por fin, se movieron con la mortífera celeridad de dos masas furiosas.

Alcanzaron a De Wet en Mushroom Valley y aplastaron a su grupo con artillería y ametralladoras. Las bajas fueron terribles. De Wet huyó por el Kalahari, perseguido por Koen Brits y una columna motorizada que lo capturó en Waterburg.

Después, los unionistas dieron la vuelta y se trabaron en combate con Beyers y su comando, cerca de Rustenberg. Perdida ya la batalla, Beyers trató de escapar cruzando a nado el río Vaal, que estaba crecido, pero se le enredaron los cordones de las botas y, tres días después, su cadáver aparecía en la ribera, corriente abajo.

En el río Orange, Lothar y su padre esperaban la inevitable carnicería, pero las malas noticias llegaron antes que los unionistas.

El almirante inglés, Sir Frederick Sturdee, había interceptado a Von Spee en las islas Malvinas, hundiendo a sus grandes cruceros *Scharnhorst y Gneisenau,* además del resto de su escuadra, con sólo diez bajas británicas. La esperanza de los rebeldes en cuanto a recibir apoyo se hundió con la flota alemana.

Aun así, cuando los unionistas llegaron, ellos lucharon tercamente, pero fue en vano. El padre de Lothar recibió una bala en el vientre; el hijo lo sacó del campo de batalla e intentó cruzar el desierto con él, para llega a Windhoek, donde Christina podría atenderlo. Eran casi ochocientos kilómetros de horrible marcha, por páramos sin agua. El dolor del viejo era tan feroz que Lothar lloraba por él; la herida se infectó con el contenido de los intestinos perforados, apestando tanto que el hedor atraía a las hienas, por la noche.

Pero era un viejo duro. Tardó muchos días en morir.

Con el último aliento, que olía a muerte, exigió:

—Prométeme, hijo mío, que la guerra con los ingleses jamás concluirá.

—Te lo prometo, padre.

Lothar se inclinó hacia él para besarlo en la mejilla. El viejo cerró los ojos con una sonrisa.

El hijo lo sepultó bajo un espinillo, en el páramo, a gran profundidad, para que las hienas no lo olfatearan, así no lo desenterrarían. Después siguió rumbo a Windhoek, hacia el hogar.

El coronel Franke, comandante alemán, reconociendo el valor del joven, le pidió que organizara un reclutamiento de expedicionarios. Lothar reunió una pequeña banda de resistentes bóers, colonos alemanes, hotentotes de Bondelswart y nativos negros; con ellos fue al desierto, para aguardar la invasión de las tropas unionistas.

Smuts y Botha llegaron con cuarenta y cinco mil hombres y desembarcaron en Swakopmund y Lüderitzbucht. Desde allí continuaron viaje hacia el interior, empleando las tácticas de costumbre: marchas forzadas veloces como el rayo, ataques con pinza y movimientos de rodeo, en lo que utilizaba los vehículos motorizados tal como había utilizado los caballos durante la guerra de los bóers. Contra esa multitud, Franke contaba con ocho mil soldados alemanes para defender un territorio que superaba los cuatrocientos cincuenta mil kilómetros cuadrados, con mil quinientos de costa.

Lothar y sus expedicionarios combatían con sus propias tácticas: envenenaban los pozos de agua, adelantándose a las tropas de la Unión; dinamitaban las vías de ferrocarril; atacaban las líneas de aprovisionamiento, tendían emboscadas y minaban la tierra, atacando por la noche y al amanecer; alejaban a los caballos del enemigo. Los expedicionarios se vieron llevados hasta el límite mismo de su enorme resistencia.

Todo fue inútil. Botha y Smuts encerraron al diminuto ejército alemán y, con sólo quinientos treinta muertos y heridos, arrancaron del coronel Franke una rendición incondicional.

No ocurrió lo mismo con Lothar De La Rey. Para hacer honor a la promesa hecha a su padre, reunió los restos de su banda y los llevó hacia el norte, hacia la temible pradera de cacao, para continuar la lucha.

Christina, la madre de Lothar, junto con su esposa y su hijo, fueron llevados a un campo de internación para ciudadanos alemanes, establecido por los unionistas en Windhock. Allí murieron los tres a consecuencia de una epidemia de tifus.

Pero Lothar De La Rey sabía muy bien quiénes eran, en último término, los culpables de esas muertes. En el desierto iba cultivando su odio, alimentándolo, pues no le quedaba otra cosa. Su familia había sido masacrada por los ingleses; sus propiedades, confiscadas. El odio era el combustible que lo llevaba adelante.

Y en ese momento, de pie junto a su caballo, en la cima de una alta duna que daba al verde océano Atlántico, donde la corriente de bengala pasaba rauda bajo la luz del sol, pensaba en su familia asesinada.

El rostro de su madre pereció salir de las retorcidas nieblas, ante sus ojos. Había sido una hermosa mujer, alta y escultural, de espesa cabellera rubia que pendía hasta sus rodillas cuando la cepillaba; pero la usaba trenzada y recogida sobre la cabeza, para realzar su estatura. También sus ojos habían sido dorados, con la mirada directa y fría de los leopardos. Sabía cantar como las valkirias de Wagner, y había pasado a Lothar su amor por la música, los estudios y las artes. También de ella era la apostura del joven, sus facciones teutónicas clásicas y los densos rizos que le bajaban hasta los hombros, por debajo del ancho sombrero adornado con ondulantes pluma de avestruz. Su pelo, como el de Christina, era del color del bronce, pero sus cejas lucían gruesas y oscuras sobre los ojos dorados del leopardo, que en ese momento hurgaban en las nieblas plateadas de Bengala.

La belleza del paisaje conmovía a Lothar igual que la música, como los violines que ejecutaban Mozart; inducían en él la misma sensación de melancolía mística, en el centro de su alma. El mar estaba verde y quieto; ni una ondulación manchaba su lustre de terciopelo. Los bancos de algas bailaban un lento y gracioso minué, ondulando al ritmo del océano.

Los cuernos de la bahía estaban armados de rocas, divididas en formas geométricas y manchadas de blanco por el guano de las aves marinas y las focas. En la garganta, la roca cedía paso a una playa tostada; más allá de la primera duna había quedado atrapada unas amplia laguna flanqueada por los juncos, único verde en ese paisaje. En sus aguas playas se reunían tropas de patilargos flamencos. El rosado maravilloso del grupo ardía como fuego extraterrenal, apartando del mar la mirada de Lothar.

De pronto, a buena distancia se vio en el mar un oscuro hervir de movimiento; la sedosa superficie tomó el color del metal. Lothar sintió el brinco de sus nervios y un torrente de expectativa lanzado por sus venas. ¿Era lo que esperaba, vigilante, desde hacía tantas semanas? Al levantar los binoculares que le colgaban contra el pecho sintió el filo del desencanto.

Lo que había visto era sólo un cardumen, pero ¡qué cardumen! La parte superior de la masa viviente cavaba hoyuelos en la superficie, pero ante sus ojos se elevó el resto, para alimentarse del rico plancton, y la conmoción se extendió hasta donde le daba la vista; cinco kilómetros mar afuera el océano hervía de vida. Sobre esa poderosa multitud se lanzaron las aves marinas y las focas, dándose un atracón, entre las aletas triangulares de los grandes tiburones, que pasaban con el movimiento majestuoso de altos veleros.

Lothar pasó una hora contemplando aquello, maravillado, antes de que, como obedeciendo a una señal, toda la masa viviente se sumergiera. A los pocos minutos, el único movimiento era el suave henchirse de las aguas y el mecerse de los bancos de niebla bajo el sol acuoso.

Después de atar a su caballo, sacó un libro de la mochila y se acomodó en la arena cálida. Cada pocos minutos apartaba los ojos de la página, pero las horas fueron pasando. Por fin se desperezó y buscó su caballo. La inútil vigilancia había terminado, por ese día. Con un pie en el estribo, se detuvo para investigar por última vez el paisaje marino, teñido de carmesí sangriento y bronce opaco por el crepúsculo.

En eso el mar se abrió ante su vista, dejando surgir una enorme silueta oscura, a la manera de Leviatán, pero mayor que cualquier demonio de las aguas. Reluciente de humedad, chorreando agua por sus cubiertas y sus flancos de acero, se meció en la superficie.

—¡Por fin! —gritó Lothar, lleno de entusiasmo y alivio—. ¡Ya no esperaba que vinieran!

Miró ávidamente por sus binoculares aquel vehículo largo y siniestro, notando en el casco las incrustaciones de algas y crustáceos. Llevaba mucho tiempo en el mar, castigado por los elementos. En la alta torrezuela se veía el número de registro, pero casi borrado: U-32. Acababa de leerlo, con dificultad, cuando su atención se desvió hacia la actividad que se veía en la cubierta de proa.

Por una de las escotillas salió un equipo de artilleros, que corrió a hacerse cargo del cañón dispuesto cerca de la proa. No querían correr riesgos. Lothar vio que el arma se dirigía hacia él, listo para responder a cualquier gesto hostil detectado en la costa. En la torrezuela aparecieron cabezas humanas y binoculares dirigidos hacia él.

Se apresuró a disparar el cohete de señales que llevaba en la mochila. La bola de fuego recibió como respuesta otra del submarino, que voló por el cielo con una estela de humo.

Lothar se arrojó sobre el lomo del caballo y lo instó a cruzar la duna, resbalando hacia abajo, agachado sobre los cuartos traseros. Luego volaron por la playa húmeda, mientras que el jinete agitaba el sombrero, erguido sobre los estribos y gritando de risa. Al llegar al campamento levantado a la orilla de la laguna, desmontó de un salto y fue corriendo de refugio en refugio, para levantar a sus hombres a empujones y puntapiés.

—¡Llegaron! ¡Pedazo de lagartos dormilones! ¡Llegaron, cachorros de chacal! ¡Vamos! ¡Muévanse!

Eran una increíble banda de facinerosos: altos y musculosos herreros, hotentotes amarillos y mongólicos, feroces korannas y astutos ovambos, vestidos con sus ropas tradicionales y los botines de guerra, armados con todo tipo de fusiles, cuchillos y espadas, todos sedientos de sangre como los perros de caza, salvajes e imprevisibles como el desierto que los había engendrado. Sólo reconocían a un amo; si cualquier otro hombre les hubiera levantado la mano, habría muerto inmediatamente con el cuello cortado o una bala en el cráneo. Pero Lothar De La Rey los levantaba a patadas y los empujaba ante sí.

—¡Muévanse o tendrán a los ingleses encima cuando terminen de rascarse los piojos!

Las dos barcazas estaban ocultas entre los juncos. Habían llegado en el transporte, con el resto de las provisiones, en aquellos días embriagadores que precedieran a la declaración de guerra. En las semanas que llevaban esperando al submarino, su hombres habían calafateado las costuras con alquitrán, preparando también rodillos con la madera de resaca que sembraba las playas.

A instancias de Lothar, arrastraron los fuertes botes de madera, veinte hombres forcejeando a cada lado, pues las embarcaciones eran pesadas. Habían sido construidas para llevar cuarenta toneladas de guano cada una, y aún hedían a excremento de ave.

Dejaron los dos botes a la orilla del agua y regresaron apresuradamente, en busca de los tambores de combustible, sepultados al pie de las dunas. Tras sacarlos de la arena húmeda, los hicieron rodar por la playa para subirlos a las barcazas. Mientras forcejeaban, la luz se apagó en la noche desértica y el submarino se confundió con la oscuridad del océano.

—¡Todo el mundo a ayudar en la botadura! —aulló Lothar.

Sus hombres surgieron en tropel de la oscuridad, iniciando el rítmico trabajo. Cada movimiento concertado empujaba a la pesada barcaza unos centímetros adelante, hasta que el agua la levantó y flotó libremente.

Lothar, de pie en la proa, llevaba una lámpara en alto en tanto sus remeros conducían la embarcación por las aguas frías. En la oscuridad brillaba una lámpara de señales, para guiarlos. De pronto, la enorme mole oscura del submarino salió de la noche y la barcaza chocó contra su flanco. Los marineros alemanes estaban listos para sujetarlos. Uno de ellos tendió el brazo a Lothar, para ayudarlo a franquear el vacío y a subir por el empinado acero.

En el puente lo esperaba el capitán del submarino.

—*Unterseeboot Kapitän Kurt Kohler* —se presentó, con un choque de talones y haciendo la venia. Luego se adelantó para estrechar la mano de Lothar. —Me alegro mucho de conocerlo, Herr De La Rey. Sólo nos queda combustible para dos días de navegación.

A la luz del puente, el capitán lucía muy demacrado. Su piel tenía la palidez cerosa de quien lleva mucho tiempo viviendo lejos del sol. Los ojos se le habían hundido, formando cavidades oscuras, y su boca era como la cicatriz de un sablazo. Se reconocía en él al hombre que había llegado a comprender íntimamente a la muerte y al miedo, allá en las profundidades lúgubres y secretas.

—¿Ha hecho un viaje provechoso, Kapitän?

—En ciento veintiséis días de navegación, veintiséis mil toneladas de barcos enemigos hundidos —asintió el del submarino.

—Con la ayuda de Dios hundirá a otras veintiséis mil toneladas —sugirió Lothar.

—Con la ayuda de Dios y su combustible —agregó el capitán, mirando los primeros tambores que estaban subiendo a bordo—. ¿Tiene torpedos? —preguntó ansioso.

—Quédese tranquilo. Los torpedos están listos, pero me pareció prudente cargar el combustible antes que las armas.

—Por supuesto.

No hacía falta mencionar las consecuencias de que el submarino, con los tanques vacíos, fuera atrapado frente a una costa hostil por un barco de guerra inglés.

—Todavía me queda un poco de *schnapps* —comentó el capitán, cambiando de tema—. Para mis oficiales y para mí sería un honor.

Al descender la escalerilla de acero que llevaba al interior del submarino, Lothar sintió que se le revolvía el estómago. ¿Cómo era posible que alguien pudiera soportar ese hedor por unos pocos minutos? Era el olor de sesenta hombres que habían vivido por meses enteros en un espacio reducido, sin sol ni aire fresco, sin medios para lavarse el cuerpo ni la ropa. Era el olor de la humedad que todo lo invadía, de los hongos que daban un tono verde a los uniformes y les pudría la ropa en el cuerpo; el hedor del fuel oil caliente, de las sentinas, de la comida grasienta y el enfermizo sudor del miedo; el vaho penetrante de las sábanas usadas sin cambio por ciento veintiséis días y noches, de medias y botas jamás reemplazadas; era la peste de los baldes de aguas servidas que sólo se podían vaciar una vez cada veinticuatro horas.

Lothar disimuló su asco y saludó con una inclinación de cabeza a los oficiales presentados por el capitán. La cubierta superior era tan baja que le era preciso agachar la cabeza, en el espacio abierto entre los mamparos; si se cruzaban dos hombres era necesario ponerse de perfil para pasar juntos. Trató de imaginarse viviendo en esas condiciones y sintió que la frente se le mojaba de sudor frío.

—¿Tiene alguna información sobre los barcos enemigos, Herr de La Rey? —preguntó el capitán, mientras servía una pequeña medida de *schnapps* en cada uno de los vasos de cristal. La última gota de la botella lo hizo suspirar.

—Por desgracia, mi información data de siete días atrás. —Lothar saludó a los oficiales con la copa en alto. Después de que todos bebieron, prosiguió: —El transporte de tropas *Auckland* amarró en Durban hace ocho días. Lleva a dos mil soldados de la infantería neocelandesa y se esperaba que volviera a hacerse a la mar el día 15.

Contaban con muchos simpatizantes en el servicio civil de la Unión Sudafricana, hombres y mujeres cuyos padres y familiares habían participado de la guerra de los bóers, acompañando a Maritz y a De Wet contra las tropas de la Unión. Algunos estaban empleados en los departamentos de ferrocarriles o puertos; otros ocupaban puestos claves en Correos y Telégrafos. Así conseguían información vital, que era velozmente transmitida a los agentes alemanes y a los activistas rebeldes por la propia red de comunicaciones de la Unión.

Lothar pasó la lista de llegadas y partidas de los puertos sudafricanos y volvió a disculparse.

—Recibo la información en la estación telegráfica de Okahandja, pero tarda de cinco a siete días en llegarme a través del desierto, traída por uno de mis hombres.

—Comprendo —asintió el capitán—. De todos modos, la información que usted acaba de darme será invalorable para ayudarme a planear la próxima etapa de mis operaciones.

Apartó la vista de la carta en donde estaba marcando las posiciones enemigas dadas por Lothar; por primera vez notó la incomodidad de su huésped. Aunque mantuvo su expresión atenta y cortés, por dentro se regodeó: "Aquí está el gran héroe, bello como una estrella de la ópera, tan valiente, con el sol y el viento en la cara. ¡Ya me gustaría llevarte conmigo y enseñarte qué son el coraje y el sacrificio! ¿Qué te parecería oír que los destructores ingleses pasan por arriba, buscándote? ¿Te gustaría oír el chasquido de las cargas submarinas que te arrojan? ¡Oh, cómo disfrutaría viéndote la cara cuando la explosión sacude el casco, apagando todas las luces y haciendo entrar agua por todas las grietas! ¿Y te gustaría oler tu propia mierda, cuanto te cagaras de miedo en la oscuridad?". Pero sonrió exteriormente, murmurando:

—Me gustaría poder ofrecerle un poco más de *schnapps*...

—¡No, no! —rechazó Lothar. Ese hombre con cara de cadáver y su maloliente navío le daban asco. —Ha sido muy amable. Debo ir a tierra para supervisar la carga. En estos Schwartzes no se puede confiar. Son haraganes y ladrones de nacimiento. No entienden sino el látigo.

Lothar escapó por la escalerilla, agradecido. Ya en la torrezuela aspiró golosamente el dulce aire nocturno. El capitán del submarino lo siguió.

—Herr De la Rey, es esencial que completemos la carga antes del amanecer. Ya comprende usted lo vulnerables que estamos aquí, atrapados frente a la costa, con las escotillas abiertas y los tanques vacíos.

—Si pudiera enviar a algunos marineros a la costa, para que ayudaran a cargar…

El capitán vaciló. Si ponía en tierra a su valiosa tripulación se vería aún más vulnerable. Sopesó rápidamente las posibilidades. La guerra era una apuesta: riesgo contra recompensa, por un premio de muerte y gloria.

—Le enviaré a veinte hombres.

Había tomado su decisión en cuestión de segundos. Lothar, que comprendía su apuro, asintió, admirándolo a su pesar.

Necesitaban luz. Lothar encendió una fogata en la playa, pero construyó una pantalla entre ella y el mar, confiando en que eso y las neblinas los ocultaran a cualquier navío inglés. A la luz mortecina de la hoguera, cargaron una y otra vez las barcazas para remar hasta el submarino. Una vez puesto el contenido de cada tambor en los tanques de combustible, el envase era agujereado y lanzado al agua, para que se hundiera entre las algas.

Se hicieron las cuatro de la mañana antes de que los tanques quedaran colmados. El capitán echaba chispas en el puente, mirando cada pocos segundos hacia la tierra, donde la falsa aurora daba un filo de cuchillo a las crestas oscuras de las dunas. Luego, observaba otra vez a la barcaza que se aproximaba, con la silueta reluciente de un torpedo en delicado equilibrio.

—De prisa.

El segundo bote estaba ya junto al flanco, con su carga asesina, y el primero volvía hacia la playa.

La luz iba en rápido aumento, y los esfuerzos conjuntos de tripulación y guerrilleros se tomaron frenéticos; luchaban contra la fatiga para completar la carga antes de que la luz del día los descubriera a las miradas enemigas.

Lothar acompañó al último de los torpedos, montado tranquilamente en el lomo brillante, como en su caballo árabe. El capitán, que lo observaba, lo detestó más ferozmente que antes, por ser alto y apuesto, por estar bronceado por el sol, por su desenvoltura, por las plumas de avestruz de su sombrero y los rizos rubios que le caían sobre los hombros. Pero lo detestó, sobre todo, porque montaría a caballo para alejarse por el desierto, dejando que el comandante del submarino volviera a las aguas frías y mortíferas.

—Capitán —llamó Lothar, bajando de la barcaza para trepar la escalerilla hasta el puente. Su rostro centelleaba de entusiasmo. —Capitán, uno de mis hombres acaba de llegar al campamento. Lleva cinco días de viaje desde Okahandja y trae noticias estupendas.

El capitán trató de no contagiarse de ese entusiasmo, pero las manos comenzaban a temblarle al escuchar.

—Uno de los asistentes portuarios de Ciudad del Cabo es de los nuestros. Esperan que el pesado crucero inglés *Inflexible* llegue al Cabo dentro de ocho días. Salió de Gibraltar el día 5 y navega con rumbo directo.

El capitán volvió a zambullirse en la escotilla. Lothar, conteniendo el asco, lo siguió. Lo encontró ya inclinado sobre la mesa de mapas, disparando preguntas al navegador.

—¡Déme la velocidad de crucero de los buques enemigos clase I!

El hombre revisó apresuradamente sus datos.

—Se calcula en veintidós nudos a doscientos sesenta revoluciones, capitán.

—*Ja!* —El capitán estaba marcando el curso aproximado desde Gibraltar hasta el Cabo de Buena Esperanza. —*Ja!* —Otra vez, con deleite y expectativa. —Podemos estar en esa posición de patrulla a las 18:00 de hoy, si nos hacemos a la mar en menos de una hora. Por entonces no puede haber pasado.

Levantó la cabeza para mirar a los oficiales agrupados en derredor.

—¡Un crucero inglés, caballeros, pero no de los comunes! El *Inflexible*, el mismo que hundió al *Scharnhorst* en las islas Malvinas. ¡Qué presa para llevar al Káiser y a *Das Vaterland*!

Exceptuando a los dos vigías, el capitán Kurt Kohler estaba solo en la torrezuela del U-32, temblando en la fría niebla marina, a pesar del grueso suéter blanco que llevaba bajo la chaqueta.

—¡Encender motor principal para maniobra de inmersión! —dijo, inclinándose hacia el tubo transmisor.

De inmediato, le llegó la confirmación de su teniente:

—Encender motor principal.

La cubierta tembló bajo los pies de Kohler; por sobre su cabeza subieron los humos del escape, haciéndole dilatar la nariz con el hedor aceitoso del combustible quemado.

—¡Nave lista para zarpar! —confirmó la voz del teniente.

Kohler sintió como si le hubieran quitado de la espalda una carga aplastante. Cómo lo habían irritado esas horas de reaprovisionamiento, haciéndolo sentir inerme y vulnerable. Pero eso había pasado. Una vez más, el barco vivía bajo sus pies, dispuesto a obedecer a su mano. El alivio lo alzó por encima de la fatiga.

—Revoluciones para siete nudos —ordenó—. Nuevo curso, doscientos setenta grados.

Al repetirse la orden, levantó la gorra de visera y apuntó sus binoculares hacia tierra.

Las pesadas barcazas ya habían sido ocultas entre las dunas; sólo quedaban las marcas de las quillas, dejadas al arrastrarlas por la arena. La playa estaba desierta, exceptuando a una sola silueta montada.

Ante los ojos de Kohler, Lothar De La Rey se quitó el sombrero de ala ancha, soltando sus audaces rizos; las plumas de avestruz aletearon con el saludo. El capitán respondió levantando la mano derecha, y el jinete giró en redondo, siempre agitando su sombrero, para galopar hacia la pantalla de juncos que cerraba el valle entre dos dunas. Una nube de aves acuáticas, alarmadas por su presencia, abandonó la superficie de la laguna en una bandada colorida. El caballo y su dueño desaparecieron.

Kohler volvió la espalda a la tierra; la larga proa afilada del submarino cortaba ya las cortinas de niebla plateada. El casco tenía la forma de una espada, una espada ancha de cincuenta metros de longitud, creada para cortar la garganta del enemigo, impulsada por un motor diesel de seiscientos caballos de fuerza. Kohler no trató de contener la sofocante sensación de orgullo que siempre sentía al iniciar un crucero.

No se hacía ilusiones con respecto al resultado de ese conflicto mundial: dependía de él y de sus colegas dedicados al servicio del submarino. Sólo ellos podían quebrar el terrible jaque mate a las trincheras, en donde dos grandes ejércitos se enfrentaban como pugilistas de peso pesado, ambos exhaustos, ya sin fuerzas para levantar los brazos en un golpe decisivo, pudriéndose lentamente en el lodo y la decadencia de sus monstruosos forcejeos.

Era ese navío esbelto, secreto y mortífero lo que aún podía arrancar una victoria de la desesperación, antes de que se llegara al punto de ruptura. Si el Káiser hubiera decidido utilizar los submarinos en todas sus posibilidades desde el mismo comienzo, qué diferentes habrían podido ser los resultados.

En septiembre de 1914, el primer año de la guerra, un solo submarino, el U-9, hundió a tres cruceros británicos en rápida sucesión; pero aun tras esa demostración definitiva, el alto mando alemán vaciló en utilizar el arma puesta en sus manos, temeroso de la indignación mundial, del grito simplista: "los bestiales carniceros subacuáticos".

Naturalmente, las amenazas norteamericanas, tras el hundimiento del *Lusitania* y el *Arabic*, con pérdidas de vidas estadounidenses, sirvieron también para contener el uso del arma submarina. El Káiser temía despertar al dormido gigante norteamericano y recibir la carga de su poderoso peso contra el imperio alemán.

En ese momento, ya casi demasiado tarde, el alto mando alemán dejaba, por fin, zarpar a los submarinos, y los resultados eran asombrosos; hasta superaban sus propias expectativas.

Los tres últimos meses de 1916 vieron el naufragio de trescientas mil toneladas de embarcaciones aliadas, debido a los torpedos. Eso fue sólo el comienzo, con los diez primeros días de abril de 1917, tan sólo, se destruyeron doscientas cincuenta mil toneladas más; ochocientas setenta y cinco en todo el mes. Los aliados se tambaleaban ante ese temible daño.

Y en ese momento en que dos millones de jóvenes soldados norteamericanos se disponían a cruzar el Atlántico para agregarse al conflicto, era deber de todo oficial y marino del servicio alemán someterse a cuanto sacrificio se le exigiera. Si los dioses de la guerra querían poner un crucero británico de batalla, de tan ilustre linaje como el *Inflexible,* en un curso convergente con su maltratado navío, Kurt Kohler entregaría con gusto su vida y la de sus tripulantes, a cambio de la oportunidad de lanzarle sus torpedos.

—Revoluciones para doce nudos —dijo Kurt al tubo de comunicaciones.

Era la máxima velocidad de superficie que podía dar el U-32; tenía que tomar una posición de patrulla lo antes posible. Sus cálculos indicaban que el *Inflexible* debía pasar entre ciento diez y ciento cuarenta millas náuticas fuera de la costa, pero Kurt se negaba a calcular sus posibilidades de interceptarlo, aun si llegaba a la zona de patrulla antes de que pasara el crucero.

Los puestos de observación del submarino permitían apenas unos diez u once kilómetros; el alcance de sus torpedos era de dos mil quinientos metros; la presa, en cambio, podía dar veintidós nudos o más. Tendría que maniobrar a dos mil quinientos metros del veloz crucero, pero existía una posibilidad entre mil de que llegara siquiera a divisarlo. Aun si lo veía, probablemente sería sólo para observar el paso de su estructura en forma de trípode por su limitado horizonte.

Pero descartó esos malos pensamientos.

—Teniente Horsthauzen, al puente.

Cuando el primer oficial subió al puente, Kurt le dio órdenes de acercarse al área de patrulla a toda la velocidad posible, con la nave preparada para sumergirse y actuar de modo instantáneo.

—Si no hay novedades, llámeme a las 18:30.

El agotamiento de Kurt se había agravado con un vago dolor de cabeza, provocado por los humos de escape. Echó un último vistazo al horizonte antes de bajar. El viento creciente se estaba llevando los bancos de niebla, el mar comenzaba a oscurecer, enfurecido por el látigo de los elementos. El U-32 hundió la proa en la ola siguiente y su cubierta se llenó de espuma blanca, salpicando la cara del capitán.

—El barómetro está descendiendo rápidamente, señor —le informó Horsthauzen, en voz baja—. Creo que nos espera una fea tormenta.

—Permanezca en la superficie y mantenga la velocidad.

Kurt pasó por alto esa opinión. No quería saber de nada que complicara la cacería. Se deslizó por la escalerilla y fue inmediatamente al libro de bitácora de la nave. Allí anotó, con su letra meticulosa y formal: "Curso 270°, velocidad 12 nudos. Viento noroeste, 15 nudos y refrescando". Luego firmó con su nombre completo y se apretó las sienes con los dedos, para calmar el dolor.

"Dios, qué cansado estoy", pensó. En eso vio que el oficial navegante observaba subrepticiamente su imagen reflejada en el bronce pulido del tablero de controles. Entonces dejó caer las manos y alejó de sí la tentación de acostarse inmediatamente. En cambio dijo a su contramaestre:

—Voy a inspeccionar la nave.

No dejó de detenerse en el compartimiento de motores, para felicitar a los ingenieros por la velocidad y eficiencia del reaprovisionamiento, y en el de torpedos de proa ordenó a los hombres que permanecieran en sus literas mientras él pasaba por la estrecha entrada.

Los tres torpedos estaban cargados y bajo compresión; los restantes habían sido apilados en el poco espacio disponible y colmaban casi todo el camarote, dificultando los movimientos. Sus encargados tendrían que pasar gran parte del tiempo acurrucados en sus diminutas literas, como animales en jaulas apiladas.

Kurt dio unas palmaditas a una de las armas.

—Pronto tendrán más espacio —prometió—, en cuanto despachemos estos paquetitos a Tommy.

Era un chiste viejo, pero ellos respondieron como correspondía. Al oír el timbre de las risas, Kurt comprendió que esas pocas horas pasadas en la superficie, en el aire del desierto, les habían devuelto la vitalidad a todos.

Ya en el diminuto cubículo con cortina que era su camarote, pudo, por fin, relajarse. De inmediato lo venció la fatiga. Llevaba cuarenta y ocho horas sin dormir, y había pasado cada minuto de ese tiempo sometido a constantes tensiones nerviosas. Sin embargo, antes de introducirse laboriosamente en su estrecha litera, tomó la fotografía enmarcada que estaba sobre el escritorio y estudió la imagen de una plácida joven, con un niñito sentado en la rodilla.

—Buenas noches, queridos míos —susurró—. Buenas noches también para ti, mi otro hijo al que nunca he visto.

Lo despertó la alarma de inmersión, que aullaba como bestia herida, despertando ecos dolorosos en los confines del casco de acero. Se vio arrancado de su profundo sueño y, al tratar de levantarse, se dio de cabeza contra el marco de la litera.

De inmediato cobró conciencia de que el casco se movía mucho. El clima había empeorado. Luego sintió cantar la cubierta bajo sus pies, al hundirse el submarino bajo la superficie. Abrió bruscamente las cortinas para irrumpir, completamente vestido, en el centro de control, justo cuando los dos vigías bajaban a tumbos desde el puente. La inmersión había sido tan brusca que el agua cayó en cascada sobre la cabeza y los hombros de ambos, antes de que Horsthauzen pudiera asegurar la escotilla principal.

Kurt echó un vistazo al reloj de los controles: las 18:23. Hizo sus cálculos y estimó que debían de estar a cien millas náuticas de la costa, en el borde del área de patrulla. Probablemente Horsthauzen lo habría llamado a los pocos minutos, de no haberse visto obligado a esa inmersión de emergencia.

—¿Profundidad de periscopio? —preguntó al timonel principal, sentado ante el tablero de controles, mientras utilizaba esos instantes de respiro para orientarse.

—Profundidad nueve metros, señor —dijo el hombre, haciendo girar el volante para controlar la salvaje inmersión.

—Periscopio arriba —ordenó el capitán.

Horsthauzen descendió por la torrezuela y se instaló en su puesto de acción, junto a la tabla de ataque.

—Se avista un navío grande, con luces de navegación rojas y verdes, con rumbo 060 grados —informó a Kurt, en voz baja—. No pude distinguir detalles.

Al levantarse el periscopio por cubierta, Kurt se agachó para desplegar las manivelas laterales y apretó la cara al acolchado de goma, estirando el cuerpo para seguir el ascenso del aparato, que ya giraba en dirección a los 060 grados.

Esperó a que se despejaran las lentes, oscurecidas por el agua.

—El sol está ya muy bajo —dijo, apreciando la luz de la superficie. Y volviéndose a Horsthauzen: —¿Distancia aproximada?

—El casco está abajo.

Eso significaba que la nave estaba probablemente a doce o trece kilómetros, pero las luces de navegación verdes y rojas indicaban que se encaminaba casi directamente hacia el U-32. El hecho de que las tuviera encendidas señalaba una suprema seguridad de estar solo en el océano.

Las lentes se despejaron, Kurt giró en redondo, lentamente.

—¡Allá está!

Sintió que el pulso le daba un salto y quedaba sin respiración. No fallaba nunca; por mucha que fuera la frecuencia aun que avistaba al enemigo, el impacto y la emoción eran siempre tan intensas como la primera vez.

—¡Registre la posición! —ordenó a Horsthauzen.

Y el teniente anotó la posición en la tabla de ataque. Kurt seguía mirando al navío, sintiendo el hambre en las entrañas, la urgencia casi sexual en las ingles, como si estuviera observando a una bella mujer desnuda y puesta a su disposición. Al mismo tiempo manipulaba suavemente el artefacto.

En la lente del periscopio, la doble imagen del buque se iba uniendo. Cuando ambas se fundieron en una sola silueta clara, Kurt dijo, claramente:

—¡Déme los datos!

—Rumbo 075 grados —dijo el teniente—. Distancia 7.650 metros. Y anotó las cifras en la tabla de ataque.

—¡Periscopio abajo! ¡Nuevo rumbo, 340 grados! —ordenó Kurt.

Y las gruesas secciones del periscopio descendieron hasta el agujero abierto en cubierta, entre sus pies. Aun a tanta distancia y con tan poca luz, el capitán no quería correr el riesgo de que un vigía cauteloso distinguiera la pluma de rocío levantado por el extremo del periscopio en la superficie.

Estaba observando el minutero del reloj instalado en el tablero. Debía dar a Horsthauzen dos minutos, cuanto menos, antes de efectuar su siguiente inspección. El primer oficial estaba totalmente absorto en sus cálculos, con el cronómetro en la diestra, manipulando con la izquierda los contadores de la tabla como si fueran las cuentas de un ábaco.

Kurt volvió su atención a sus propios cálculos, relativos a la luz y a las condiciones de la superficie. La penumbra lo favorecía, como de costumbre, el cazador necesitaba ser subrepticio y discreto, pero el mar agitado le dificultaría la aproximación; al romper contra la lente de su periscopio, hasta podía afectar el manejo de los torpedos.

—¡Periscopio arriba! —ordenó.

Los dos minutos habían expirado. Halló la imagen casi de inmediato.

—¡Rumbo! ¡Distancia!

Horsthauzen ya tenía sus referencias.

—El blanco lleva un rumbo de 175 grados. Velocidad dos nudos.

Kurt no apartó la vista de la mirilla del periscopio, pero sentía ya en la sangre la emoción de la cacería, como si fuera una bebida espirituosa. El barco venía directamente hacia ellos, y su velocidad era casi exactamente la que cabía esperar de un crucero de batalla británico en un viaje largo. Miró fijamente la imagen distante, pero la luz se estaba apagando. No estaba del todo seguro... tal vez estaba viendo sólo lo que deseaba ver, pero había una vaga forma triangular contra el cielo oscurecido, la inconfundible marca en trípode de la nueva clase I.

—Periscopio abajo. —Había tomado su decisión. —Nueva dirección, 355 grados. —El curso directo para interceptar al barco. —El blanco será designado como "presa". —Era el modo de decir a sus oficiales que iba a atacar; notó que la expresión de todos se tornaba lupina en la penumbra. —La presa es un crucero enemigo. Atacaremos con los tubos de proa. Maniobras de batalla, quiero los datos.

Los informes le llegaron en rápida sucesión, asegurándole que toda la nave estaba preparada. Kurt asintió con satisfacción, estudiando los indicadores del tablero, con las manos bien hundidas en los bolsillos para ocultar el temblor que traicionaba su agitado entusiasmo. Un nervio le movía el párpado inferior. Cada segundo fue una eternidad hasta que pudo preguntar:

—¿Rumbo estimado?

El hombre de los hidrófonos levantó la mirada.

—El mismo —replicó.

Kurt miró a Horsthauzen.

—¿Distancia estimada?

Horsthauzen no desviaba su atención de la tabla de ataque.

—Distancia estimada cuatro mil metros.

—Periscopio arriba.

Seguía allí, exactamente donde él esperaba; no había cambiado el rumbo. Se sintió casi asqueado por el alivio. En cualquier momento, si la presa sospechaba su presencia, podía girar en redondo y alejarse, sin molestarse siquiera en aumentar la velocidad, sin que él pudiera detenerla. Pero seguía avanzando, sin sospechar.

Sobre la superficie el mundo estaba ya totalmente oscuro; el mar daba tumbos, con las olas coronadas de blanco. Kurt tuvo que tomar la decisión que había pospuesto en lo posible. Después de recorrer con una última mirada el horizonte entero, haciendo girar las manivelas del periscopio, quedó satisfecho de que no hubiera otros barcos enemigos escoltando al crucero. Entonces dijo:

—Dispararé desde el puente.

Hasta Horsthauzen levantó la mirada por un momento. Se oyó la áspera aspiración de los otros oficiales, al comprender que saldrían a la superficie casi bajo la proa del crucero enemigo.

—¡Periscopio abajo! —ordenó Kurt—. Reducir la velocidad a cinco nudos y salir a profundidad de torrezuela.

Vio que las agujas de los indicadores se estremecían y comenzaban a moverse: bajó la velocidad, la profundidad decreció suavemente. Kurt se acercó a la escalerilla.

—Me traslado al puente —informó a Horsthauzen.

Y subió el primer peldaño. Al llegar al último hizo girar la rueda de la escotilla principal.

El viento lo castigó de inmediato, tironeándolo de la ropa, arrojándole espuma a la cara. El mar hervía en derredor. Kurt había confiado en que esa agitación de las aguas disimularía el disturbio provocado por el U-32 al emerger. Le bastó una mirada para comprobar que el enemigo estaba frente a ellos, avanzando sin cambiar de rumbo. Se inclinó hacia la tabla de apunte, en el otro extremo del puente, y dijo al tubo:

—¡Listos para atacar! ¡Tomen posición junto a los torpedos de proa!

—Tubos de proa cerrados —respondió Horsthauzen desde abajo.

El capitán comenzó a darle los datos de dirección y distancia, mientras el teniente leía los del ataque para pasarlos al timonel. La proa del submarino giró gradualmente.

—Distancia, dos mil quinientos metros —entonó Kurt.

En las cubiertas superiores había luces encendidas; por lo demás, era sólo un gran bulto oscuro. Ya no se veía ninguna silueta definida contra el cielo nocturno, aunque sí la mole informe de las tres chimeneas.

Esas luces tenían preocupado a Kurt. Ningún capitán de la marina británica podía ser tan negligente. Un viento de frías dudas le aplacó el ardor guerrero. Miró fijamente aquel inmenso navío, en la oscuridad; vacilaba por primera vez, tras un centenar de situaciones igualmente peligrosas.

El barco que tenía ante sí estaba en la posición exacta y en el mismo curso que debía llevar el *Inflexible*. Su tamaño, sus tres chimeneas y su estructura superior en trípode también correspondían; avanzaba a veintidós nudos... pero llevaba luces de navegación.

—¡Repita medición de distancia! —dijo Horsthauzen por el tubo de comunicación, instándolo suavemente.

Kurt dio un respingo. Por estudiar la presa había descuidado la medición. Se apresuró a dar la medición de la distancia, cada vez menor, y en eso se dio cuenta de que, en menos de treinta segundos tendría que tomar la decisión definitiva.

—Dispararé a mil metros —dijo, ante el tubo de comunicación.

Era como hacerlo a quemarropa; aun en ese mar embravecido no sería posible errar ni siquiera con uno de los largos proyectiles.

Kurt clavó la vista en la lente del medidor, vigilando los números que decrecían en forma estable, al acercarse cazador y presa. Aspiró profundamente, como el nadador que está a punto de sumergirse en aguas frías, y alzó la voz por primera vez.

—Tubo número uno, *los*!

Casi de inmediato le llegó la voz de Horsthauzen, con ese

leve tartamudeo que siempre lo aquejaba cuando estaba demasiado excitado.

—Número uno, disparado y en rumbo.

No hubo ruido ni efecto de retroceso ni movimiento alguno del casco que indicara la partida del primer torpedo.

En la oscuridad no se distinguía siquiera su estela.

—Tubo número dos, *los*!

Estaba disparando en abanico, desviando levemente cada tiro: el primero había sido apuntado a la proa; el segundo, al medio del barco; el tercero, a popa.

—Tubo número tres, *los*!

—Los tres han sido disparados y están en rumbo.

Kurt levantó la mirada de la tabla de apunte y trató de seguir el rastro a los torpedos. Lo acostumbrado era sumergirse inmediatamente después de disparar, y esperar las explosiones en las profundidades, donde se estaba a salvo. Pero esa vez Kurt se sintió obligado a permanecer en la superficie para presenciar la escena.

—¿Tiempo faltante? —preguntó a Horsthauzen, mientras contemplaba la alta mole de su víctima festoneada de luces, como un barco de paseo.

—Dos minutos quince segundos faltantes —dijo Horsthauzen.

El capitán oprimió el botón de su cronómetro.

Como siempre, mientras esperaba la obra de las armas disparadas, lo atacó el remordimiento. Antes de efectuar los disparos sólo sentía el calor de la cacería y el cosquilleo del acecho, pero en esos momentos pensó en lo bravos, hermanos del mar, a quienes había condenado a la fría oscuridad y a las aguas implacables.

Los segundos pasaron a la rastra; tuvo que verificar el dial luminoso de su cronómetro para asegurarse de que sus torpedos no hubieran fallado o errado el blanco.

De pronto se produjo un gran estallido; aunque lo esperaba, hizo una mueca. Una perlada llovizna se alzó contra la mole del crucero, reluciente a la luz de las estrellas, con una bella iridiscencia.

—El número uno dio en el blanco —fue el grito triunfal de Horsthauzen, proveniente del tubo.

De inmediato estalló otro rugido.

—Número dos, ¡en el blanco!

Y una vez más, mientras las dos columnas de llovizna se mantenían en el aire, la tercera saltó junto a ellas en la oscuridad.

—Número tres, ¡en el blanco!

Bajo la mirada de Kurt, los tres pilares de agua se entremezclaron, llevados por el viento. El gran barco seguía su marcha, al parecer intacto.

—La presa está perdiendo velocidad —festejó Horsthauzen—. Altera el curso a estribor.

El buque condenado inició un amplio giro hacia el viento. No sería necesario disparar los tubos de popa.

—Teniente Horsthauzen, al puente —indicó el capitán, por el tubo de comunicación.

Era una recompensa por haber cumplido perfectamente con su tarea. Sabía que el joven teniente relataría con avidez todos los detalles del hundimiento a sus compañeros, más tarde. El recuerdo de esa victoria les serviría de aliciente para los largos días y noches de privaciones que tenían por delante. Horsthauzen salió por la escotilla y arrimó el hombro al de Kurt, para contemplar a aquella monstruosa víctima.

—¡Se ha detenido! —gritó—. Los británicos están detenidos como una roca en el mar.

—Nos acercaremos —decidió Kurt, y transmitió la orden al timonel.

El U-32 avanzó lentamente en las olas espumosas. Sólo la torrezuela se levantaba por la superficie, acortando poco a poco la distancia. Los cañones del crucero bien podían estar en operación, y bastaría un disparo afortunado para agujerear el fino blindado del submarino.

—¡Escuche! —ordenó Kurt, abruptamente, girando la cabeza para captar los ruidos que le llegaban débilmente, por sobre el clamor del viento.

—No oigo nada.

—¡Parar motores! —ordenó Kurt.

La vibración y el zumbido de las máquinas cesaron por completo. Entonces se oyó con más claridad.

—¡Voces! —susurró el teniente.

Era un coro patético, traído por el viento. Los gritos y llantos de hombres atrapados en una horrenda situación, que ascendían y caían con el capricho del viento, salpicados por algún grito salvaje, cuando alguien caía o saltaba desde la alta cubierta.

—Está escorando mucho.

Se habían aproximado lo suficiente como para ver la nave a la luz de las estrellas.

—Se hunde por la proa.

La enorme popa se levantaba ya en la oscuridad.

—Qué pronto se va...

Desde allí se oía el crujido del casco, recorrido por las aguas que retorcían su blindado.

—Encienda el reflector —ordenó Kurt.

Horsthauzen lo miró fijamente.

—¿No me oyó?

El teniente reaccionó con un respingo. Iba contra el instinto de todo tripulante de submarino traicionarse de ese modo a los ojos del enemigo, pero se acercó al reflector instalado en el ala de cubierta.

—¡Encienda! —le instó Kurt, viendo que aún vacilaba.

El rayo largo, blanco, saltó por sobre ochocientos metros de mar tempestuoso y oscuridad, hasta golpear contra el casco de la nave. Allí se reflejó en un deslumbramiento de purísimo blanco.

Kurt se lanzó a través del puente y apartó al joven de un codazo, para tomar las manivelas y hacer girar el rayo de luz, entornando los ojos ante el reflejo de la pintura; después de una búsqueda frenética, quedó petrificado, con las manos encorvadas como garras sobre las manivelas.

En el círculo perfecto del reflector, los brazos escarlatas de la enorme cruz se abrían como los miembros de un condenado en el crucifijo.

—Madre de Dios Todopoderoso —susurró Kurt—, ¿qué hice?

Con horrorizada fascinación, movió el rayo lentamente, de lado a lado. Las cubiertas del barco blanco estaban bien inclinadas en esa dirección, mostrando los racimos de figuras humanas que se deslizaban por ellas, tratando de llegar a los botes salvavidas que pendían de sus aparejos. Algunos llevaban camillas a la rastra; otros llevaban de la mano a otros, que avanzaban a tumbos, con largas batas azules de hospital. Sus gritos y súplicas eran como los de una colonia de aves al anochecer.

Bajo la mirada de Kurt, el barco se torció súbitamente hacia él; los hombres que estaban en cubierta resbalaron, amontonándose contra las barandillas. De a uno, de a racimos, comenzaron a caer por la borda.

Uno de los botes se soltó y cayó al agua junto al casco, zozobrando inmediatamente. Seguían cayendo hombres de las cubiertas altas, con leves gritos audibles a pesar del viento y un leve estallido de espuma al golpear el agua.

—¿Qué podemos hacer? —susurró Horsthauzen junto a Kurt, pálido y horrorizado.

El capitán apagó el reflector. Después de luz tan intensa, la oscuridad era aplastante.

—Nada —respondió—. No podemos hacer nada.

Y bajaron a tropezones por la escotilla.

Cuando llegaron al último peldaño, el capitán había recobrado el dominio de sí; su voz era seca, su expresión, pétrea.

—Vigías al puente. Revoluciones para doce nudos; nuevo curso ciento cincuenta grados.

Y tomó una actitud relajada, en tanto volvían la popa hacia el barco averiado, resistiendo el impulso de cubrirse los oídos con las manos. Sabía que no era posible acallar los gritos que aún le resonaban en el cráneo. Jamás podría acallarlos; volvería a oírlos, una y otra vez, en el momento de su propia muerte.

—Cesen los preparativos para combate —dijo, con ojos apagados. Sus facciones cerosas estaban húmedas de llovizna y sudor. —Reanudar la patrulla de rutina.

Centaine estaba sentada al pie de una litera, en su sala favorita de la cubierta C, con un libro abierto en el regazo.

Era uno de los camarotes más grandes, con ocho literas ocupadas por casos de fractura de médula. Ninguno de esos ocho jóvenes volvería jamás a caminar, pero a pesar de eso, casi como en desafío, eran los más ruidosos, alegres y discutidores de a bordo.

Todas las noches, en la última hora de la jornada, Centaine les leía en voz alta; al menos, ésa era su intención. Por lo común sólo hacían falta unos pocos minutos para despertar un animado debate sobre las opiniones del autor, que continuaba sin pausa hasta que armaba el aviso para la cena.

Centaine disfrutaba tanto como ellos de esas sesiones; invariablemente, elegía un libro sobre algún tema que ella deseara conocer más a fondo y siempre sobre África. Esa tarde había escogido el segundo volumen de *Voyage dans l'intérieur de l'Afrique*, de Levaillant, en el original francés. Traducía directamente la descripción de la cacería de hipopótamos; su público la siguió con avidez hasta que ella llegó a cierta parte:

—"La hembra fue desmembrada en el acto. Ordené que se me llevara una escudilla para llenarla con su leche. Parece mucho menos desagradable que la del elefante, y al día siguiente se había convertido casi toda en crema. Tenía un sabor anfibio y un olor sucio, que daba asco, pero con el café resultó casi agradable".

Desde las literas partieron gritos de repugnancia:

—¡Dios mío! —exclamó alguien—. ¡Esos franceses! La gente capaz de tomar leche de hipopótamo y de comer ranas...

De inmediato todos se volvieron contra él.

—¡Sol es francesa, pedazo de cerdo! ¡Discúlpate inmediatamente!

Y sobre el ofensor cayó una descarga de almohadas.

Centaine, riendo, se levantó de un salto para imponer el orden. En ese momento la cubierta dio un tumbo bajo sus pies, arrojándola otra vez contra la litera. El estallido de una violenta explosión corrió por todo el barco.

La muchacha logró incorporarse, pero fue derribada por otra explosión, más violenta que la primera.

—¿Qué pasa? —gritó.

Una tercera explosión los hundió en la oscuridad, arrojándola de la litera al piso. En la negrura total, alguien cayó sobre ella, atrapándola en un alboroto de sábanas.

Se sintió sofocar y gritó otra vez. El barco resonaba con otros gritos.

—¡Sáquenme de aquí!

Centaine luchó por liberarse; logró arrastrarse hasta la puerta y se incorporó. A su alrededor, el pandemónium, el paso precipitado de otros cuerpos en la oscuridad, los gritos y las órdenes aulladas, sin sentido, la súbita y pavorosa inclinación de la cubierta bajo sus pies. Todo la llevó al pánico. Un cuerpo invisible se estrelló contra ella; lanzó un manotazo para protegerse y avanzó a tientas por el largo y estrecho corredor.

En la oscuridad comenzaron a sonar los timbres de alarma: un ruido agudo que desquiciaba los nervios y aumentaba la confusión. Una voz rugió:

—¡El barco se está hundiendo! ¡Están abandonando el barco! ¡Quedaremos atrapados aquí abajo!

Se produjo una inmediata corrida hacia la escalerilla. Centaine se encontró llevada por la multitud, inerme; tuvo que forcejear para mantener el equilibrio, sabiendo que, si caía, moriría pisoteada. Instintivamente trataba de protegerse el vientre, pero la arrojaron contra el mamparo, con una fuerza que le cerró los dientes, haciéndola morderse la lengua. Cayó con la boca llena de un gusto metálico: sangre. Alargó las manos y encontró la barandilla de la escalera. Se prendió a ella con todas sus fuerzas y subió a la rastra sollozando por el esfuerzo de mantener los pies en el suelo en aquella aglomeración de gente empavorecida.

—¡Mi bebé! —Se oyó decirlo en voz alta. —¡No pueden matar a mi bebé!

El buque dio un tumbo, emitiendo un chillido de metal sobre metal, ruido de vidrios rotos y nuevos apretujones en derredor.

—¡Se está hundiendo! —gritó alguien, junto a ella—. ¡Tenemos que salir! ¡Quiero salir!

En eso volvieron las luces. Centaine vio que la escalerilla hacia la cubierta superior estaba atestada de hombres que forcejeaban y maldecían. Se sintió magullada e inerme.

—¡Mi bebé! —sollozó, apretada contra el mamparo. Las luces parecieron serenar a los hombres que la rodeaban, avergonzándolos por ese terror ciego.

—¡Aquí está Sol! —bramó una voz. Era un gran afrikaner, uno de sus más fervientes admiradores, que blandía su muleta para abrirle paso. —Déjenla pasar. Apártense, hijos de puta, apártense para que pase Sol.

Unas manos la levantaron en vilo.

—¡Dejen pasar a Sol!

Se descubrió sollozando mientras la llevaban, clavándole dolorosamente los dedos en la carne. Pero llegó rápidamente arriba.

En el tope de la escalerilla, otras manos la sujetaron para impulsarla por la cubierta. Allá fuera estaba oscuro. El viento le sacudió el pelo, envolviéndole incómodamente las piernas con las faldas. La cubierta estaba muy inclinada, pero en el momento en que ella la pisó se torció más aún, lanzándola contra un poste, con una fuerza que la hizo gritar.

De pronto pensó en los jóvenes lisiados, indefensos, a quienes dejó abajo, en la cubierta C.

"Debí tratar de ayudarlos", se dijo. Una vez más pensó en Anna. Vacilando, confusa, miró hacia atrás. Aún seguían brotando hombres por las escalerillas. Sería imposible moverse contra esa corriente; además, no tenía fuerzas para ayudar a alguien que no pudiera caminar por sus propios medios.

En derredor de ella, los oficiales estaban tratando de imponer el orden, pero esos hombres, que habían soportado estoicamente el infierno de la trincheras, estaban enloquecidos de terror ante la idea de verse atrapados en un naufragio. Sin embargo, otros estaban sacando a la rastra a los lisiados, para llevarlos a los botes alineados contra la barandilla.

Centaine, aferrada al poste, se sintió desgarrada por la indecisión, el miedo y el espanto por aquellos cientos de hombres que no podrían llegar a la cubierta. En eso, bajo sus pies, el barco bramó y eructó como en un estertor de muerte: el aire escapaba por los agujeros abiertos bajo la línea de flotación, como el rugido de un monstruo marino. Ese ruido decidió a Centaine.

"Mi bebé", pensó. "Tengo que salvarlo; los otros no importan. Sólo mi bebé."

—¡Sol!

Uno de los oficiales la había visto y se dejó resbalar por la cubierta, para rodearla con un brazo protector.

—Tiene que llegar a uno de los botes. El barco va a hundirse en cualquier momento.

Con la mano libre abrió las cintas que sujetaban su voluminoso salvavidas y se lo quitó de los hombros.

—¿Qué pasó? —jadeó la muchacha mientras él le pasaba el chaleco por la cabeza y se lo ataba bajo la barbilla.

—Nos torpedearon. Venga.

La arrastró consigo, buscando de dónde aferrarse, pues era imposible erguirse sin ayuda en el ángulo agudo del barco.

—¡Ese bote! ¡Tenemos que ponerla allí!

Delante de ellos, un bote demasiado lleno se balanceaba locamente de los aparejos, mientras los hombres trataban de destrabar la polea atascada, bajo las potentes órdenes de un oficial. El viento la cegó a medias con su propia cabellera.

De pronto, desde muy lejos, una sólida cuña de luz blanca estalló sobre ellos, que levantaron las manos para proteger los ojos del cruel fulgor.

—¡Submarino! —gritó el oficial que sostenía a Centaine en el hueco del brazo—. ¡El cerdo ha venido a regodearse con su carnicería!

El rayo de luz se apartó de ellos para recorrer el casco.

—Vamos, Sol.

El hombre la arrastró hacia la barandilla, pero en ese momento la polea del bote cedió por el lado de la proa. La embarcación virtió a su frenética carga en las olas, allá abajo.

Con otra vasta exhalación de aire, el barco tomó un ángulo aún más imposible. Centaine y el oficial se deslizaron irresistiblemente por la cubierta y chocaron juntos contra la barandilla. El implacable rayo de luz blanca pasaba de un extremo al otro; al pasar sobre ellos los dejó ciegos. Fue como si la noche fuera aún más negra y más amenazante.

—¡Qué cerdos! ¡Qué cerdos malditos!

La voz del oficial sonaba áspera y llena de cólera.

—¡Tenemos que saltar! —le gritó Centaine—. ¡Tenemos que salir de aquí!

Cuando el primer torpedo dio en el blanco, Anna estaba sentada ante el tocador del camarote. Había pasado la tarde trabajando con los hombres de la cubierta C y acababa de dejarlos para ayudar a Centaine, que debía prepararse para cenar. Esperaba encontrar a la muchacha esperándola, y se irritó un poco al no verla.

—Esa niña no tiene idea de la hora —murmuró. Pero preparó ropa limpia para su pupila antes de iniciar su propia higiene.

La primera explosión arrojó a Anna de su banquillo, se golpeó la cabeza contra la esquina de la cama. Allí quedó, aturdida, en tanto las sucesivas explosiones desgarraban el barco; luego la cegó la oscuridad. Se arrastró de rodillas, mientras las alarmas la ensordecían, y se obligó a practicar la rutina que habían practicado casi diariamente desde la partida.

—¡El chaleco salvavidas!

Tanteó bajo la cama y se puso el incómodo artefacto sobre la cabeza. Iba arrastrándose hacia la puerta cuando volvieron las luces. Se puso de pie, apoyada contra el mamparo, para masajearse el chichón que tenía en la nuca.

En cuanto se le despejaron los sentidos, pensó en Centaine.

—¡Mi nena!

Echó a andar hacia la puerta y el barco dio un tumbo bajo sus pies. Volvió a caer contra el tocador. En ese momento, el alhajero de Centaine se deslizó sobre la superficie. Iba a caer, pero Anna, por instinto, lo sujetó en el aire, apretándolo contra el pecho.

—¡Abandonar el barco! —gritó una voz, junto al camarote—. ¡El barco se hunde! ¡Abandonar el barco!

Anna había aprendido inglés, lo bastante como para comprender esa orden. Su sentido práctico y flemático volvió a funcionar.

El alhajero contenía todo el dinero que poseían, además de los documentos. Abrió el armario y, después de sacar el bolso de viaje, dejó caer en él la caja, el marco de plata con las fotografías y un poco de ropa abrigada para la muchacha y para sí. Mientras cerraba el bolso, echó un rápido vistazo por el camarote. No poseían otra cosa de valor. Entonces abrió la puerta y salió al corredor.

De inmediato la atrapó la implacable corriente de hombres; casi todos estaban forcejeando aún con sus chalecos salvavidas. Trató de ir hacia atrás, diciendo:

—¡Tengo que buscar a Centaine! ¡Tengo que buscar a mi nena!

Pero la sacaron en vilo a la cubierta oscura, impulsándola hacia uno de los botes.

Dos marineros la sujetaron con fuerza.

—Venga, linda. ¡Arriba!

Y aunque trató de pegar a uno de los hombres con la bolsa, la levantaron hasta el bote y la dejaron caer entre las bancadas, en un enredo de faldas y miembros. Se incorporó, siempre aferrada al bolso, y trató de salir del bote.

—¡A ver si alguien sujeta a esa estúpida! —gritó un marinero, exasperado.

Unas manos rudas volvieron a tirar de ella hacia abajo.

A los pocos minutos el bote estaba tan atestado que Anna quedó apretada entre los cuerpos, sin poder moverse, y sin poder sino rabiar e implorar en flamenco, francés e inglés entrecortado.

—Déjenme salir. Tengo que buscar a mi nena...

Nadie le prestó atención. Su voz se perdió entre los gritos y las carreras, el gemido del viento y el estruendo de las olas contra el casco de acero, los bramidos y los estertores del barco.

—¡Ya no entra nadie más! —gritó una voz autoritaria—. ¡Bájennos!

Hubo un descanso en la oscuridad, capaz de llevar el estómago hasta la boca, y el bote tocó la superficie, con una fuerza tal que cubrió a sus ocupantes de agua. Una vez más, Anna se vio arrojada al fondo, medio inundado, con un montón de cuerpos encima. Volvió a incorporarse, mientras la embarcación se debatía contra el costado del buque.

—¡A ver esos remos! —Otra vez la voz autoritaria. —Apártenlo, hombres. ¡Eso es! Bueno, a estribor. ¡Fuerza, malditos, fuerza!

Se apartaron a duras penas del barco, que ponía la proa hacia el mar antes de naufragar. Anna, acurrucada en el fondo del bote, apretaba el bolso contra su pecho, contemplando la alta mole que se elevaba como un acantilado.

En ese instante, un gran rayo de luz blanca saltó de la oscuridad y dio contra el barco, paseándose lentamente por el casco blanco y reluciente, como un reflector de teatro. Fue pintando breves y trágicas viñetas a su paso: grupos de hombres atrapados contra la barandilla, una silueta que se retorcía en una camilla, suelta por la cubierta, un marinero enganchado en la polea de un bote, que se balanceaba como un ajusticiado en la horca... Y por fin el rayo se posó algunos segundos en las enormes cruces rojas pintadas sobre el casco.

—¡Sí, no dejen de mirar bien, cerdos asquerosos! —gritó uno de los hombres, cerca de Anna.

De inmediato, los otros recogieron el grito.

—¡Malditos hunos asesinos...!

—¡Carniceros mugrientos...!

En derredor de Anna, todo era un aullido de furia.

El rayo de luz prosiguió su implacable viaje, bajando hasta la línea de flotación. La superficie del mar estaba salpicada de cabezas de nadadores. Los había en racimos y solitarios. Las caras brillaron, pálidas como espejos, bajo la intensa luz. Muchos otros estaban cayendo al agua, mientras el mar corcoveaba, arrojándolos contra el férreo acantilado del casco.

El reflector volvió a las cubiertas altas, alzadas en un ángulo incomprensible, pues la proa ya estaba bajo la superficie y la popa se alzaba rauda contra el cielo estrellado.

Por un instante, la luz se posó sobre un diminuto grupo de figuras atrapadas contra la barandilla del barco. Anna chilló:

—¡Centaine!

La muchacha estaba en medio del grupo, con la cara vuelta hacia el mar, contemplando el oscuro vacío abierto bajo ella. Su mata de pelo oscuro volaba al viento.

—¡Centaine! —gritó Anna, una vez más.

La muchacha, con un ágil movimiento, había brincado a la barandilla de bronce. Se recogió las pesadas faldas de lana hasta la cintura y, por un instante, mantuvo el equilibrio allí, como una acróbata. Sus piernas desnudas lucían pálidas, esbeltas, bien formadas, pero ella tenía el aspecto frágil de un pájaro. Saltó desde la barandilla y, con las faldas salvajemente infladas a su alrededor, se perdió en la oscuridad de abajo.

—¡Centaine! —gritó Anna, por última vez.

Trató de levantarse para mirar mejor la caída de aquel cuerpo pequeño, pero alguien tiró de ella hacia abajo. En ese momento se apagó el rayo del reflector. Anna, acurrucada en el fondo del bote, escuchaba los gritos de los que se ahogaban.

—¡Remen, ustedes! ¡Tenemos que alejarnos o el barco nos atraerá cuando se hunda!

Las dos hileras de remos golpeaban desesperadamente, para abrir una distancia mínima con el buque herido.

—¡Ya se va! —chilló alguien. ¡Oh, Dios, por qué no miran esto!

La popa del enorme navío se alzó más y más en el cielo nocturno. Los remeros dejaron de forcejear para mirarla fijamente. Al llegar a la vertical, el barco quedó en suspenso por largos segundos. Se veía la silueta de la hélice contra las estrellas y las luces, encendidas aún en las hileras de ojos de buey.

Poco a poco se fue deslizando hacia abajo, con la proa primero, las luces encendidas bajo el agua como lunas ahogadas. Se hundía con más y más celeridad; las planchas de acero comenzaron a quebrarse ante la presión; el aire escapaba de él en un torbellino espumoso. Y por fin desapareció. Aún brotaban vastas erupciones de aire y espuma blanca de las aguas negras pero fueron cesando poco a poco. Una vez más volvieron a oírse los gritos solitarios de los nadadores.

—¡Regresemos! ¡Hay que recoger a todos los que podamos!

Pasaron todo el resto de aquella noche trabajando, bajo la dirección del primer oficial, que manejaba el timón del bote salvavidas. Sacaban del mar a los pobres náufragos empapados, tiritando, y los apretaban en el bote. Por fin la embarcación se balanceó peligrosamente y comenzó a llenarse de agua con cada ola, obligándolos a achicar constantemente.

—¡Basta! —gritó el oficial—. Los hombres tendrán que atarse a las sogas salvavidas.

Los nadadores se agruparon en torno del bote sobrecargado, como ratas a punto de ahogarse. Anna, que estaba cerca de la popa, oyó murmurar al primer oficial:

—Esos pobres diablos no van a aguantar hasta mañana. Si no los matan los tiburones, los matará el frío.

En derredor se oían los chapoteos de remos y voces, provenientes de otros botes.

—La corriente va hacia el nor-nordeste, a cuatro nudos —dijo el primer oficial, una vez más—. Antes del amanecer estaremos esparcidos hasta el horizonte. Tenemos que tratar de mantenernos juntos. —Y se incorporó en la popa para gritar: —¡Eh, por ahí! ¡Aquí el bote dieciséis!

—Bote cinco —respondió una voz lejana.

—¡Vamos hacia allá!

Remaron en la oscuridad, guiados por los gritos del otro bote. Al encontrarse ataron casco a casco. Durante la noche convocaron a otras dos embarcaciones salvavidas.

En la aurora gris y acuosa hallaron a otro bote salvavidas, a unos ochocientos metros de distancia. Entre ambos, el mar estaba sembrado de restos de naufragio y nadadores, pero todos eran motas insignificantes en la inmensidad del océano y el cielo.

Se acurrucaban en la embarcación, unos contra otros, como ganado en los camiones. Iban cayendo ya en un letargo bovino, mientras los andadores cabeceaban, colgados de sus chalecos, en una macabra danza de muerte. El agua verde y gélida que les cubría de vez en cuando la cabeza ya les había absorbido el calor del cuerpo, dejándolos pálidos y sin vida.

—¡Siéntese, mujer!

Los vecinos de Anna reaccionaron al intentar ella ponerse de pie.

—¡Nos hará naufragar, por el amor de Dios!

Pero Anna no prestó atención a sus protestas.

—¡Centaine! —llamó—. ¿Está Centaine con ustedes?

Como todos la miraron, sin comprender, trató de recordar el apodo de la muchacha.

—¡Sol! —gritó, por fin—. *Het iemand Sol gesien?* ¿Alguien ha visto a Sol?

Entonces se produjo un movimiento de interés y preocupación.

—¿Sol está con ustedes?

La pregunta pasó rápidamente de bote en bote.

—La vi sobre cubierta, antes de que el barco se hundiera.

—Tenía un chaleco salvavidas.

—¿No está aquí?

—No, aquí no está.

—La vi saltar, pero después la perdí de vista.

—Aquí no está. En ninguno de los botes.

Anna volvió a encorvarse. Su nena había desaparecido. La

desesperación comenzó a sofocarla. Miró la fila de muertos que colgaban de sus chalecos salvavidas e imaginó a Centaine, asesinada por las verdes aguas, muerta de frío, muerto también el niño en su vientre. Lanzó un quejido.

—No —susurró—. Dios no puede ser tan cruel. No puedo creerlo. No voy a creerlo jamás. —La negativa le dio fuerzas y voluntad para resistir. —Había otros botes. Centaine está viva en alguno de ellos. —Contempló el horizonte manchado por el viento. —Está viva y yo voy a hallarla. Aunque me lleve toda la vida, voy a hallarla.

El pequeño incidente había quebrado el entumecimiento de frío agotamiento que los apresara a todos durante la noche. Entonces los líderes dedicaron a organizarlo todo: ajustar la carga, hacerse cargo de las reservas de agua dulce y las raciones de emergencia, atender a los heridos, cortar las cuerdas de los muertos para que se perdieran flotando y asignar tareas a los remeros. Por fin fijaron el curso hacia tierra firme. Faltaban más de ciento cincuenta kilómetros, siempre rumbo al este.

Cuando hubo equipos de remeros para turnarse, comenzaron a avanzar por el mar salvaje. Cada pequeño avance se perdía ante la ola siguiente, que se estrellaba contra las proas, impulsándolos hacia atrás.

—Está bien, muchachos —exhortaba el primer oficial, desde la popa—. Sigan así. —Cualquier actividad servía para contener la desesperación, el peor de los enemigos. —¡Vamos a cantar! ¿Quién propone una canción? ¿Qué les parece *Tipperary*? Vamos, cantemos.

Pero el viento y el mar, cada vez más potentes, los sacudieron de tal modo que los remos caían en el vacío. Unos tras otros, los remeros fueron renunciando; la canción se apagó. Al cabo de un rato pasó la sensación de estar esperando que pasara algo; todos se limitaban a dejarse estar. Mucho después de mediodía, el sol se abrió paso entre los bancos de nubes bajas por unos pocos minutos. Todos levantaron la cara, pero la nube volvió a oscurecerlo y las cabezas se inclinaron otra vez, como campanillas silvestres en el crepúsculo.

En eso, desde el bote en donde estaba Anna se levantó una voz, opaca y casi aburrida.

—Miren aquello. ¿No es un barco?

Por un rato hubo silencio, como si llevara tiempo comprender una sugerencia tan improbable. De pronto, otra voz, más vital.

—Sí. ¡Es un barco!

—¿Dónde? ¿Dónde está?

Un borboteo de voces excitadas.

—Allá, justo debajo de esa nube oscura.

—Muy abajo. Se ve sólo la parte superior...

—¡Es un barco!

—¡Un barco!

Los hombres estaban tratando de ponerse de pie. Algunos se habían quitado los chalecos y los agitaban frenéticamente, gritando como para reventar los pulmones.

Anna parpadeó, mirando en la dirección que todos indicaban. Después de un momento distinguió una diminuta forma triangular, de un gris más oscuro que el temible gris del horizonte.

El primer oficial estaba muy ocupado en la proa. De pronto se oyó un feroz ruido de siseo. Una estela de humo se disparó hasta el cielo, estallando en un manojo de estrellas rojas: había disparado uno de los cohetes para señales que se guardaban en el armario de popa.

—¡Nos vio!

—¡Está cambiando de curso!

—Es un barco de guerra. Tres chimeneas.

—Fíjense en el trípode de la torre. Es uno de clase I.

—¡Por Dios, es el *Inflexible*! Lo vi el año pasado en Scapa Flow...

—¡Dios lo bendiga, cualquiera sea! ¡Nos ha visto! Oh, gracias a Dios nos ha visto.

Anna se descubrió riendo y llorando, aferrada al bolso de viaje que era su único vínculo con Centaine.

—Ahora todo saldrá bien, nena mía —prometió—. Anna va a encontrarte. No tienes que preocuparte. Anna va a buscarte.

Y la mortífera silueta del barco acudió hacia ellos, apartando las aguas con el hacha de su proa.

Anna, de pie ante la barandilla del *Inflexible*, entre un grupo de sobrevivientes, contempló aquella inmensa montaña aplanada que se elevaba en el océano, por el sur.

Desde allí las proporciones de la montaña eran tan perfectas que parecía esculpida por un divino Miguel Ángel. Los hombres, entusiasmados, se colgaban de la barandilla, señalando los detalles conocidos que iban apareciendo al acercarse. Era una bienvenida que muchos habían desesperado recibir; el alivio y el regocijo eran patéticamente infantiles.

Anna no compartía ni una cosa ni la otra. La tierra visible sólo le inspiraba una corrosiva impaciencia, que no se sentía capaz de soportar por mucho tiempo. El barco avanzaba demasiado despacio para sus expectativas; cada minuto pasado en el océano era un minuto desperdiciado, pues demoraba el momento de iniciar la búsqueda que, en pocos días, se había convertido en su fuerza impulsora central.

Ante los ojos de Anna, una densa nube blanca floreció en la cumbre plana de la montaña y comenzó a hervir como una marea lenta y gelatinosa, bajando por los acantilados. El viento furioso que descendía por ellos llegó al mar y agitó la plácida superficie. Hasta el *Inflexible*, alcanzado por esa ráfaga del sudeste, se vio obligado a inclinarse en reverencia ante su poder.

En los días de los veleros, muchos barcos grandes habían llegado hasta ese punto sólo para verse impulsados otra vez hacia alta mar, con las velas desordenadas, sin ver nuevamente la tierra por varios días, por semanas enteras. Pero el *Inflexible* se limitó a reconocer su fuerza y siguió avanzando, rindiéndose sólo a las atenciones de los pequeños remolcadores de vapor que le salían al encuentro, y besó el muelle como un amante.

En cuanto se bajaron las planchadas, un grupo de personas ascendió velozmente por ellas: funcionarios del puerto y oficiales de la Marina, junto con unos pocos civiles, de obvia importancia.

Sólo entonces, y a su pesar, sintió Anna un leve cosquilleo de interés, al estudiar los edificios blancos esparcidos al pie de los acantilados.

—África —murmuró—. ¿Y por esto tanto alboroto? Quisiera saber qué veía Centaine...

Al pensar en la muchacha, todo lo demás desapareció de su mente. Miraba hacia la costa, pero no veía ni oía nada. Por fin, un leve contacto en el hombro la devolvió al presente. Era uno de los marineros de a bordo.

—Un visitante la espera en el salón, señora.

Al notar que Anna no comprendía, le hizo señas de que lo siguiera.

Ante la puerta del salón, se hizo a un lado y la instó a pasar. Anna se detuvo en el vano de la entrada, echando a su alrededor una mirada suspicaz, con el bolso de viaje contra la cadera. Visitantes y oficiales ya estaban haciendo plena justicia al gin con agua tónica, pero el teniente del crucero vio a la mujer.

—Ah, aquí está. La mujer es ésa.

Y sacó a uno de los civiles de entre el grupo para conducirlo hacia Anna.

La mujerona lo miró cautelosamente. Tenía una silueta flaca y juvenil. Vestía un traje gris, de tela costosa y excelente corte.

—*Mevrou* Stok? —preguntó él, casi con timidez.

Anna, sorprendida, notó que distaba mucho de ser un joven; probablemente le llevaba veinte años.

—¿Anna Stok? —repitió él.

El pelo formaba dos grandes bahías a cada lado de la amplia frente de erudito, pero crecía hasta formar plumas en el cuello, rozando los hombros. "Ya te aplicaremos tijeras", pensó la mujer, mientras respondía:

—*Ja*, soy Anna Stok.

Él contestó en afrikaans, para hacerse comprender con prontitud.

—Un agradable encuentro, *aangename kennis*. Soy el coronel Garrick Courtney. Pero estoy tan entristecido como usted por la terrible pérdida que hemos sufrido.

Anna tardó algunos momentos en comprender lo que ese hombre estaba diciendo. Lo estudió con más atención, viendo que el pelo descuidado le había llenado de caspa los hombros del traje. Le faltaba un botón de chaleco y el hilo pendía, flojo. Tenía una mancha de grasa en la corbata de seda y un raspón en la puntera de la bota.

“Soltero”, decidió la mujer. A pesar de sus ojos inteligentes y de la boca sensible, había en él algo infantil, vulnerable, que agitó sus instintos maternales.

Él se acercó un paso. El movimiento, torpe, recordó a Anna lo que le dijo el general Courtney: Garrick había perdido una de las piernas en un accidente de caza, siendo jovencito.

—Esto, que ocurre inmediatamente después de la muerte de mi único hijo —estaba diciendo Garrick, con una expresión que bastó a ablandar las reservas de Anna—, ya es demasiado para mí. No sólo he perdido a mi hijo, sino también a mi nuera y a mi nieto, antes de poder conocerlos.

Por fin Anna comprendió de qué se trataba. Su rostro enrojeció con una furia tal que Garry retrocedió instintivamente.

—¡No vuelva a decir eso! —Y lo siguió, acercándole tanto la cara que las narices llegaron casi a tocarse. —¡No se atreva a repetir eso!

—Señora —tartamudeó Garry—, lo siento, pero no comprendo. ¿En qué la he ofendido?

—¡Centaine no ha muerto! ¡No se atreva a insinuar nunca más que ella murió! ¿Me entiende bien?

—¿Dice usted que la esposa de Michael está con vida?

—Sí, Centaine está con vida. Claro que está con vida.

—Pero ¿dónde? —Una lenta alegría amanecía en los descoloridos ojos azules de Garry.

—Eso es lo que vamos a averiguar —le dijo Anna, con firmeza—. Tenemos que hallarla, usted y yo.

Garry Courtney tenía una suite en el hotel Mount Nelson, en el centro de Ciudad del Cabo. No había, por supuesto, otro alojamiento para los caballeros que visitaban la ciudad. El registro del hotel incluía a estadistas, exploradores, magnates, príncipes y almirantes. Los hermanos Courtney siempre ocupaban las mismas habitaciones, con vista a los jardines por un lado y por el otro a las pendientes rocosas de la montaña, tan próxima que casi bloqueaba la mitad del cielo.

Ese legendario paisaje no distrajo a Anna ni por un segundo. Después de echar un rápido vistazo al saloncito, puso el bolso en la mesa y revolvió su contenido. Sacó las fotografías enmarcadas en plata y las mostró a Garry, que se mantenía detrás, indeciso.

—Por Dios, ¡es Michael! —Tomó el marco de sus manos para mirar, con ansiedad, la fotografía del Escuadrón N° 21, tomada pocos meses antes. —Me cuesta creer que… —Garry tragó saliva antes de proseguir: —¿Puedo hacerle sacar una copia para mí?

Anna asintió, y el hombre se fijó entonces en las dos fotos de la segunda hoja.

—¿Ésta es Centaine? —dijo, pronunciando el nombre a la inglesa.

—No, su madre. —Anna señaló la otra foto, corrigiéndole la pronunciación: —Centaine es ésta.

—Se parece mucho. La madre es más bonita, pero la hija… Centaine… tiene más carácter.

Anna volvió a asentir.

—Ya sabe por qué no puede haber muerto. No es de las que renuncian con facilidad. —Sus modales se tornaron bruscos. —Pero estamos perdiendo tiempo. Necesitamos un mapa.

Pocos minutos después, el botones llamó a la puerta. Extendieron el mapa entre ambos.

—No entiendo de estas cosas —dijo Anna—. Muéstreme dónde se hundió el barco.

Garry había obtenido la posición gracias al oficial del *Inflexible* y la marcó en el mapa.

—¿Ve? —exclamó la mujer, triunfante—. ¡Está a pocos centímetros de la tierra! —Acarició con el dedo el contorno de África. —Tan cerca… Mire qué cerca.

—Son ciento cincuenta kilómetros… o más.

—¿Usted siempre es tan miserable? —le espetó Anna—. Me dijeron que la marea va hacia tierra. Y el viento también soplaba en esa dirección, muy fuerte. Además, conozco a mi nena.

—La corriente corre a cuatro nudos, y el viento… —Garry sacó un rápido cálculo. —Es posible, pero habría demorado días enteros.

Garry comenzaba a disfrutar. Le gustaba la total certeza de

esa mujer. Toda su vida había sido víctima de sus propias dudas y de su indecisión, no recordaba haberse sentido nunca tan seguro de una sola cosa como ella de todo.

—Bueno, con el viento y el agua llevándola, ¿dónde salió a la costa? —preguntó Anna—. Muéstreme.

Garry marcó a lápiz su cálculo.

—Yo diría que... ¡por aquí!

— ¡Ah! —Anna puso un dedo grueso y poderoso en el mapa, sonriendo. Cuando sonreía no parecía tanto a Chaka, el feroz mastín de Garry. Él también sonrió. —¡Ah, bueno! ¿Conoce usted este lugar?

—Bueno, un poco. Fui con Botha y Smuts en 1914, como corresponsal del *Times*. Desembarcamos aquí, en Walvis Bay.

—¡Bien, bien! Entonces no hay problema. Iremos a buscar a Centaine, ¿no? ¿Podemos partir mañana?

—No es tan fácil —observó Garry, confundido—. Vea, es uno de los peores desiertos del mundo.

La sonrisa de la mujerona desapareció.

—Usted se lo pasa viendo dificultades —le dijo, amenazante—. Siempre quiere hablar, en vez de hacer. Y mientras usted habla, ¿qué le está pasando a Centaine, eh? ¡Tenemos que ir en seguida!

El coronel la miró, asombrado. Ella ya parecía conocerlo a fondo. Había reconocido en él al soñador, al romántico que se contenta con vivir de ilusiones y no en el duro mundo de la realidad.

—Ya no hay tiempo para hablar. Hay que hacer cosas. Primero prepararemos una lista de esas cosas. Después las haremos. A ver. ¿Qué es lo primero?

Nadie había hablado nunca así a Garry desde que dejara de ser un niño. Dado su rango militar, su condecoración, su herencia, sus obras de historia y su fama de filósofo, el mundo lo trataba con el respeto debido a un sabio. Él sabía que no merecía tal respeto y, aterrorizado, se defendía retirándose aún más en su mundo imaginario.

—Mientras hace la lista, quítese el chaleco.

—¿Cómo, señora? —preguntó Garry, escandalizado.

—No me llamo señora, me llamo Anna. Ahora déme su chaleco. Le falta un botón.

Él obedeció. Luego, en mangas de camisa, anotó en una hoja del hotel:

—Lo primero es telegrafiar al gobernador militar de Windhoek. Necesitamos permisos, porque ésa es zona militar. También necesitamos de su colaboración para que nos indique dónde hallar provisiones y agua.

Una vez instado a poner manos a la obra, Garry estaba trabajando con prontitud. Anna, sentada frente a él, cosía el botón.

—¿Qué provisiones? Ahí hace falta una segunda lista.

—Por supuesto. —Garry acercó otra hoja.

—¡Bueno! —Anna cortó el hilo con los dientes y le entregó el chaleco. —Ahora puede ponérselo.

—Sí, *Mevrou* —aceptó el hombre, mansamente. No recordaba desde cuándo no se sentía tan bien.

Había pasado ya la medianoche cuando Garry salió al pequeño balcón del dormitorio, en bata, para tomar un poco de aire antes de acostarse. Mientras repasaba los acontecimientos del día, aquella optimista sensación de bienestar no se apartó de él.

Entre él y Anna habían hecho prodigios. Ya tenían la respuesta del gobernador militar de Windhoek. Como de costumbre, el nombre de Courtney había abierto la puerta a una total colaboración; tenían pasajes reservados en el tren de la tarde siguiente, que los llevaría hasta Windhoek en cuatro días de viaje.

Hasta habían completado la mayor parte de los preparativos para la expedición. Garry llamó por teléfono, aparato que merecía sus graves reservas, al propietario de un gran negocio de tiendas; las provisiones serían entregadas, en los embalajes etiquetados, a la estación de ferrocarril. El propietario, después de asegurar que estarían a tiempo, envió una camioneta con varias ropas de safari para Garry y Anna.

La mujer rechazó casi todo lo ofrecido por "frívolo y costoso", escogió sólo largas faldas de algodón, botas pesadas con cordones y suelas claveteadas, ropa interior de franela y, por insistencia de Garry, un sombrero de corcho.

Ya estaba preparada la transferencia de tres mil libras al Banco de Windhoek, para cubrir los gastos finales de la expedición. Todo había sido ejecutado con prontitud, decisión y eficiencia.

Aspiró una buena bocanada de su cigarro y arrojó la colilla por el borde del balcón, para volver a su cuarto. Dejó caer su bata en la silla y se metió entre las sábanas blancas. En cuanto apagó la luz, sus viejas dudas aparecieron en tropel, surgidas de la oscuridad.

—Es una locura —susuró.

Y volvió a ver, mentalmente, aquellos desiertos terribles, reverberando sin fin en el calor cegador. Mil quinientos kilómetros de costa, barridos por una corriente tan fría que ni siquiera un hombre fuerte podía sobrevivir por más de algunas horas, antes de morir por la hipotermia.

Iniciaban la búsqueda de una joven delicada, en estado de gravidez, a quien se había visto por última vez saltando desde la cubierta de un navío medio hundido, hacia el mar oscuro y helado, a ciento cincuenta kilómetros de una costa salvaje. ¿Qué posibilidades había de hallarla? Ni siquiera quiso calcularlas.

—Una locura —repitió, angustiado.

Y de pronto lamentó que Anna no estuviera allí para animarlo. Todavía estaba tratando de buscar una excusa para hacerla venir desde su habitación, situada al final del corredor, cuando se quedó dormirlo.

Centaine comprendió que se estaba ahogando. Se había visto succionada a tal profundidad que se le apretaban los pulmones bajo el peso de las aguas oscuras. Sentía la cabeza colmada del monstruoso rugir del barco hundido; la presión le hacía chillar los tímpanos.

Supo que no tenía salvación, pero luchó con todas sus fuerzas, pataleando y manoteando para aferrarse a la vida, a pesar de la atracción helada de las aguas. Combatió la quemante agonía de sus pulmones y la necesidad de respirar, hasta que la turbulencia y el vértigo la hicieron perder el sentido de dirección. Aún así seguía luchando, segura de que moriría tratando de salvar la vida a su bebé.

De pronto sintió que cedía el terrible peso del agua en las

costillas, y los pulmones se le henchían en el pecho. Una corriente de aire, escapada del casco roto, la levantó como a una chispa, impulsándola hacia la superficie, con el chaleco salvavidas tironeando de ella hasta hundírsele en las axilas.

Fue arrojada a buena altura sobre la superficie. Trató de respirar, pero le entró agua en los pulmones maltratados y tuvo que toser, en torturantes paroxismos, hasta despejar los pasos de aire. Entonces fue casi como si el dulce aire fuera demasiado fuerte para ella. Quemaba como fuego.

Poco a poco logró dominar su respiración, pero las olas surgieron inesperadamente, sofocándola otra vez. Tuvo que aprender a regular cada inspiración según el ritmo del océano. Entre ola y ola, trató de estudiar su situación. No había sufrido daños. No parecía tener huesos fracturados, a pesar de la terrible caída y el impacto contra el agua. Aún podía mover todos sus miembros y dominaba sus sentidos. Pero inmediatamente sintió la primera invasión del frío hacia la sangre.

"Tengo que salir del agua", comprendió. "Uno de los botes."

Por primera vez trató de percibir ruidos. Al principio sólo le llegó el viento y el rumor de las olas. Luego, débilmente, algunas voces humanas, un coro de gritos y graznidos. Abrió la boca para pedir ayuda, pero una ola le rompió en la cara, haciéndola tragar agua otra vez.

Le llevó algunos minutos recobrarse. En cuanto despejó los pulmones comenzó a nadar, ceñuda, en dirección a las voces. No podía malgastar fuerzas buscando vanamente la ayuda ajena. Le estorbaba el chaleco salvavidas y las olas le rompían contra el cuerpo, pero siguió nadando.

"Tengo que salir del agua", se decía, una y otra vez. "Lo que mata es el frío. Tengo que llegar a uno de los botes."

De pronto su mano golpeó contra algo sólido, con fuerza tal que le desgarró la piel de los nudillos. Instantáneamente trató de aferrarse. Era algo grande, que flotaba por encima de su cabeza, pero no halló de dónde sujetarse y comenzó a tantear el contorno de aquel fragmento flotante.

"No es grande..." Calculó que mediría tres metros y medio de longitud y la mitad de anchura. Estaba hecho de madera pintada al aceite. Uno de los bordes estaba tan astillado que le raspaba la mano. Sintió las punzadas en la piel, pero el frío amortiguó el dolor.

Un extremo de la madera flotaba a mayor altura. El otro se hundía por debajo de la superficie. Por allí trepó, boca abajo. Inmediatamente sintió lo precario de aquella estructura; aunque sólo había subido el torso y aún tenía las piernas colgando en el agua, la madera se inclinó peligrosamente hacia ella.

—Cuidado, pedazo de idiota —protestó una voz áspera—. Nos vas a dar vuelta.

Algún otro había encontrado la balsa antes que ella.

—Perdón —jadeó—. No sabía que...

—No importa, muchacho, ten cuidado. —El hombre de la balsa la había tomado por uno de los grumetes. —A ver, tómate de mi mano.

Centaine, forcejeando frenéticamente, tomó unos dedos tendidos y se aferró de ellos.

—Despacio.

Pataleó con fuerza, en tanto el hombre tiraba de ella para subirla por el plano inclinado, resbaloso por la pintura. Por fin su mano libre halló de dónde aferrarse. Quedó tendida boca abajo en aquella cubierta agitada, inestable. Súbitamente se sentía demasiado débil y estremecida para levantar siquiera la cabeza.

Estaba fuera de aquellas aguas mortales.

—¿Estás bien, hijo?

Su salvador se había tendido junto a ella.

—Estoy bien. —Sintió el contacto de una mano en la espalda.

—Ah, tienes chaleco, qué bien. Usa las cintas para atarte a este puntal. A ver, deja que te enseñe.

Ató a Centaine a una saliente que había ante ella.

—Hice un nudo corredizo. Si zozobramos, tira de esta punta, ¿ves?

—Sí, gracias. Muchas gracias.

—Deja eso para después, muchacho.

El hombre apoyó la cabeza en los brazos y ambos siguieron así, tendidos, empapados, temblando en el inestable navío.

Sin volver a hablar, sin siquiera ver sino las siluetas difusas en la oscuridad, pronto aprendieron a equilibrar la balsa entre ambos, con coordinados y sutiles movimientos. El viento era cada vez más cruel y el mar también se embravecía, pero consiguieron mantener el lado alto de la balsa hacia adelante, para que sólo de vez en cuando rompiera alguna ola contra ellos.

Al cabo de un rato, Centaine cayó en un sueño agotado, tan profundo que era casi comatoso. Despertó a la luz del día: una luz opaca y gris, en un mundo de aguas grises y nubes grises, amenazadoras. Su compañero estaba en cuclillas sobre la insegura cubierta, observándola con atención.

—La señorita Sol —dijo, en cuanto ella abrió los ojos—. No me imaginé que era usted cuando la subí a bordo, anoche.

Ella se incorporó rápidamente. El diminuto navío se meció bajo ellos de un modo peligroso.

—Despacio, linda, despacio. —El hombre alargó una mano deformada para contenerla. En el antebrazo tenía tatuada una sirena. —Me llamo Ernie, señorita. Marinero, Ernie Simpson. La reconocí en seguida, claro. Todo el mundo conoce a bordo a la señorita Sol.

Era flaco y viejo; el pelo gris estaba pegado por la sal a su frente; su cara parecía una pasa de uva, pero su sonrisa era amable, a pesar de los dientes amarillos y torcidos.

—¿Qué ha sido de los otros, Ernie? —Centaine miró en derredor, frenética, comprendiendo nuevamente lo horrible de su situación.

—Se fueron con Davy Jones, casi todos.

—¿Quién es Davy Jones?

—Quiero decir que se ahogaron. Malditos los hunos que hicieron esto.

La noche había ocultado a los ojos de Centaine lo pavoroso de aquella situación. La realidad visible en ese momento era infinitamente peor que cuanto imaginó. Cuando caían en el valle de las olas se veían empequeñecidos por las paredes de agua; al ascender en las crestas, el panorama era tan solitario que acobardaba. No había sino agua y cielo; ni un bote ni un nadador ni siquiera un ave marina.

—Estamos completamente solos —susurró—. *Touts seuls.*

—Anímese, linda. Estamos vivitos y coleando, y eso es lo que cuenta.

Mientras ella dormía, Ernie se había mantenido ocupado en recoger algunos fragmentos del naufragio. Había tras la balsa un gran trozo de lona y, en derredor, pedazos de cuerda de cáñamo. Flotaba como un monstruoso pulpo de tentáculos laxos.

—La lona de un bote —explicó Ernie, viendo su interés—, y algunas otras porquerías, con su perdón, señorita. Nunca se sabe qué puede hacer falta.

Había reunido su colección de fragmentos con trozos de soga tomados de la lona y, mientras hablaba con Centaine, iba abriendo los fragmentos de cordel para unirlos en un solo trozo.

—Tengo sed —susurró Centaine, pues la sal le había quemado la boca, dejándole los labios calientes.

—Piense en otra cosa —le aconsejó el marinero—. A ver si puede ayudarme con esto. ¿Sabe empalmar?

La muchacha sacudió la cabeza. Aquel hombre le caía simpático.

—Es fácil, linda. Venga que le enseño. ¡Mire!

Ernie tenía una navaja de bolsillo atada al cinturón; con el punzón de la parte trasera estaba abriendo las fibras.

—Una por una, como una serpiente en su agujero, ¡vea!

Centaine aprendió de inmediato, y el trabajo la ayudó a no pensar en la horrible situación.

—¿Sabe dónde estamos, Ernie?

—No soy navegador, señorita Sol, pero estamos al oeste de la costa africana. No sé a qué distancia, pero por allá anda el África.

—Ayer, en la medición del mediodía, estábamos a ciento sesenta y cinco kilómetros de la costa.

—Seguro que tiene razón. Yo sólo sé que la corriente nos ayuda y el viento también. —Volvió la cara hacia el cielo. —Si pudiéramos poner una vela…

—¿Tiene algo pensado, Ernie?

—Siempre tengo algo pensado, señorita, aunque no siempre tengo éxito, para serle franco. —La miró con una gran sonrisa. —Pero antes vamos a terminar con esta soga.

En cuanto tuvieron seis metros de soga armada, el marinero le entregó la navaja.

—Átesela a la cintura, linda. Eso es. No es cuestión de perderla, ¿no?

Se deslizó por el costado de la balsa para nadar como un perrito hasta los restos de naufragio que arrastraban. Mientras Centaine tiraba y empujaba, siguiendo sus directivas, lograron poner en posición dos de los palos rescatados y los ataron bien con la soga de cáñamo.

—Botalones —explicó Ernie, escupiendo agua salada—. Lo aprendí de los nativos de Hawaii.

La balsa había quedado dramáticamente estabilizada. Ernie volvió a bordo.

—Ahora podemos pensar en la vela.

Les costó cuatro intentos abortados enarbolar un mástil y armar una vela con la lona del bote.

—No ganaremos la Copa de América, linda, pero estamos avanzando. Mire la estela.

Iban dejando una estela perezosa y grasienta tras el torpe navío. Ernie ajustó la vela con cuidado.

—Dos nudos, cuanto menos —calculó—. Muy bien, señorita Sol. Usted es de las buenas. Yo no hubiera podido solo con todo esto. —Estaba encaramado en la proa, dirigiendo la balsa con un trozo de tablón a manera de timón. —Ahora acomódese y descanse un rato. Usted y yo vamos a tener que turnarnos.

Por todo el resto de ese día, el viento llegó en ráfagas. Dos veces les derribó el tosco mástil. En cada oportunidad, Ernie tuvo que meterse en el agua para recobrarlo. El esfuerzo requerido para levantar el pesado botalón y la lona mojada, ponerlos en su sitio y atarlos otra vez, dejó a Centaine estremecida y exhausta.

Al caer la noche, los vientos se moderaron, estabilizándose desde el suroeste. Las nubes, al abrirse, les permitieron ver las estrellas.

—Estoy deshecho. Tendrá que ocuparse del timón, señorita Sol.

Ernie le enseñó a manejar el timón, al que la balsa respondía renuente.

—Aquella estrella roja, se llama Antares. Ésa que tiene una estrellita blanca a cada lado, justo como un marinero de licencia con una novia de cada brazo, con el perdón de usted, señorita Sol. Bueno, si apunta siempre hacia Antares todo andará bien.

El viejo marinero se acurrucó a sus pies, como un perro amigo, mientras ella, en cuclillas a popa, sostenía el tosco timón bajo un brazo. El oleaje amainó con el viento; el paso por las aguas parecía acelerarse. Al mirar hacia atrás vio la fosforecencia verde de la estela que dejaban. Contempló la roja y gigantesca Antares, con sus dos consortes, que iba trepando la negra cortina del cielo. Y como se sentía solitaria, asustada, pensó en Anna.

—Mi querida Anna, ¿dónde estás? ¿Vives aún? ¿Llegaste a uno de los botes o también tú estás aferrada a algún resto del naufragio, aguardando el dictamen del mar?

Tanto echaba de menos el consuelo de su vieja niñera que se sintió a punto de convertirse en una niña; hubiera querido sentarse en el regazo de Anna y ocultar la cara en su vasto seno. Habría sido fácil tenderse junto a Ernie y no esforzarse más.

Sollozó en voz alta.

El sollozó la sobresaltó. De pronto se enfureció consigo misma y con su propia debilidad. Al limpiarse las lágrimas con los dedos, sintió el crujido de la sal seca en las pestañas. Deliberadamente, cambió su furia de destinatario, apartándola de sí para arrojarla contra el destino que tanto la maltrataba.

—¿Por qué? —preguntó a la estrella roja—. ¿Qué hice para que me trates así? ¿Me estás castigando? *Michel*, mi padre, Nuage y Anna, todo lo que amaba. ¿Por qué me haces esto?

Interrumpió el pensamiento, horrorizada por lo cerca que estaba de la blasfemia. Temblando de frío, apoyó la mano libre sobre el vientre, buscando alguna señal de vida dentro de su cuerpo: algún bulto, algún movimiento. Ante la desilusión, el enojo volvió con toda su fuerza y una especie de desafío salvaje.

—Voy a hacer un juramento. Tal como he sido maltratada implacablemente, así lucharé yo por sobrevivir. Seas Dios o diablo, tú me has asignado esto. Y te juro que voy a soportarlo, y que mi hijo lo soportará conmigo.

Estaba delirando. Se dio cuenta, pero no importaba. Se había incorporado sobre las rodillas y sacudía el puño hacia la estrella roja, desafiante, colérica.

—¡Ven! —la retó—. ¡Empéñate en contra de mí y terminemos de una vez!

Si esperaba un trueno y un relámpago, no los hubo; sólo el ruido del viento en el tosco mástil y el roce de la vela, más el burbujeo de la estela bajo la popa de la embarcación. Centaine volvió a sentarse sobre los talones y, aferrada al timón, apuntó lúgubremente la balsa hacia el este.

Con la primera luz del día apareció un pájaro, que se demoró un momento sobrevolando la cabeza de la muchacha. Era pequeño, del color gris azulado de los fusiles y alas bellamente cinceladas. Su grito sonaba suave y solitario.

—Despierte, Ernie —gritó Centaine.

El esfuerzo le partió los labios hinchados; una gota de sangre le corrió por el mentón. Tenía el interior de la boca seco; la sed era algo brillante y ardoroso.

Ernie se incorporó trabajosamente para mirar en derredor, aturdido. Parecía haberse encogido durante la noche; tenía los labios escamados, blancos, incrustados de sal.

—¡Mire, Ernie! ¡Un pájaro! —murmuró Centaine, aunque le sangraban los labios.

—Un pájaro —repitió el marino, levantando la mirada—. Hay tierra cerca.

El ave se alejó volando a baja altura sobre el agua, hasta perderse de vista contra el mar gris.

Al promediar la mañana Centaine señaló hacia adelante. Tenía la boca y los labios tan secos que no podía hablar. Un objeto oscuro, enredado, flotaba delante de la balsa, ondulando sus tentáculos como un monstruo de las profundidades.

—¡Algas marinas! —susurró Ernie.

Cuando estuvieron lo bastante cerca, las levantó con el timón para arrastrar ese pesado colchón vegetal junto a la balsa.

El tallo del alga era grueso como un brazo de hombre; medía cinco metros de longitud y, en su extremo, lucía un denso montón de hojas. Obviamente, la tormenta la había arrancado de las rocas.

El marinero, gimiendo suavemente de sed, cortó parte del

grueso tallo. Bajo el pellejo gomoso había una sección pulposa y, en el interior, una cámara de aire. Ernie retiró la pulpa con su navaja de bolsillo y puso un puñado de esa materia en la boca de Centaine. Chorreaba savia. Su gusto era fuerte y desagradable, a yodo y a pimienta, pero Centaine dejó que el líquido le corriera por la garganta, en un susurro de deleite. Se atracaron con el jugo de las algas y escupieron la fibra. Después de descansar un rato, la fuerza volvió a surgir en sus cuerpos.

Ernie volvió a tomar el timón y manejó la balsa siguiendo el viento. Las nubes tormentosas se habían alejado; el sol les calentó la piel, secándoles la ropa. Al principio levantaron la cabeza hacia aquella caricia, pero pronto se les tornó opresiva; entonces trataron de rehuirle acurrucándose a la sombra diminuta de la vela.

Cuando el sol llegó al cenit quedaron totalmente expuestos a su plena potencia, que les sorbió la humedad del cuerpo. Estrujaron un poco más del jugo de algas, pero esa vez el sabor desagradable dio náuseas a Centaine; si vomitaba perdería gran parte de sus preciosos fluidos. Sólo podían beber el jugo de algas en medidas pequeñas.

Con la espalda apoyada contra el mástil, la muchacha contemplaba el horizonte: un gran anillo de aguas amenazadoras que los rodeaba sin brechas salvo en el este, donde pendía sobre el mar una línea de nubes sombrías.

Le llevó casi una hora notar que, a pesar del viento, la nube no había cambiado de forma. Por el contrario, parecía haberse afirmado y estaba un poquito más alta. Hasta se podían distinguir pequeñísimas irregularidades: picos y valles que no cambiaban su formación, como ocurre con las nubes comunes.

—Ernie —susurró—, Ernie, mire esas nubes.

El viejo parpadeó y se incorporó lentamente. De su garganta empezó a brotar un suave gemido, y Centaine comprendió que era de júbilo.

Se incorporó junto a él y, por primera vez, contempló el continente africano.

África se levantaba desde el mar con tentadora deliberación. Después casi con timidez, se envolvió en la túnica aterciopelada de la noche y retrocedió una vez más.

La balsa siguió avanzando suavemente en las horas de oscuridad, sin que ellos durmieran. Al fin, el cielo comenzó a suavizarse al oeste, con el centelleo de la aurora. Las estrellas palidecieron y, ante ellos, se levantaron las grandes dunas purpúreas del desierto de Namibi.

—¡Qué bella es! —exclamó Centaine.

—Es una tierra dura y feroz, señorita —le advirtió Ernie.

—Pero tan bella...

Las dunas eran esculturas en tonos de malva y violeta; cuando los primeros rayos del sol tocaron las cimas, ardieron en rojo, oro y bronce.

—Hay bellezas y bellezas —murmuró Ernie—. A mí denme las praderas verdes y al diablo con el resto, si me perdona la expresión, señorita.

Las aves marinas venían en largas formaciones desde el continente, volando a tal altura que el sol las doraba. El oleaje suspiraba y gruñía en las playas, como la respiración de una tierra dormida. El viento, que se mantuvo por tanto tiempo firme desde atrás, palpó la tierra y se desvió, dando vuelta la pequeña vela. El mástil cayó por la borda, en un enredo de lona y sogas.

Ambos se miraron, fastidiados. La tierra estaba tan cerca que casi parecía posible tocarla, pero se verían obligados a la cansadora operación de reinstalar el palo. Ninguno de los dos tenía fuerzas para esta nueva empresa.

Por fin, Ernie desató sin decir palabra la correa de su navaja y la entregó a Centaine, que la sujetó a su propia cintura, mientras el viejo volvía a sumergirse para patalear hasta el extremo del mástil. La muchacha, de rodillas, comenzó a desenredar las lonas. Todos los nudos se habían hinchado en el agua; tuvo que utilizar el punzón de la navaja para desatarlos.

Mientras recogía las sogas, Ernie preguntó:

—¿Está lista, linda?

—Lista.

Se levantó, manteniendo un equilibrio incierto en la sacudida balsa, sujetando la soga que servía de guía a la punta del mástil, dispuesta a ayudar a Ernie para levantarlo.

En eso, algo se movió tras la cabeza bamboleante del viejo. Centaine, petrificada, levantó la mano para hacer sombra a los ojos, extrañada por la rara forma de ese objeto. Nadaba a poca profundidad en la corriente verde, y el sol de la mañana le arrancaba destellos metálicos. Pero no era metal; parecía un oscuro terciopelo. Tenía forma de vela, como el barquito de un niño.

—¿Qué pasa, linda?

Ernie había notado su expresión intrigada.

—No sé. Algo extraño viene hacia nosotros, ¡muy veloz!

Ernie giró la cabeza.

—¿Dónde? No veo... —En ese momento, una ola levantó la balsa en alto. —¡Dios nos salve! —gritó Ernie, y braceó con todas sus fuerzas, desgarrando el agua en un torpe frenesí, tratando de alcanzar la balsa.

—¿Qué es?

—¡Ayúdeme a salir! —El marinero tragó agua, sofocado por la espuma que él mismo levantaba. —¡Es un tiburón enorme!

La palabra paralizó a Centaine, que clavó una mirada de petrificado horror en la bestia. Otra ola acababa de levantarla; el ángulo de la luz, al cambiar, atravesó la superficie y lo alumbró como un reflector.

El tiburón tenía un hermoso color azul pizarra, manchado por las movedizas sombras de la superficie, y era inmenso, mucho más largo que la diminuta balsa; el lomo tenía mayor amplitud que los toneles de coñac de Mort Homme. La doble hoja de la cola, fustigante, lo ayudaba a avanzar, irresistiblemente atraído por los forcejeos del hombre.

Centaine retrocedió con un grito.

Los ojos del tiburón tenían un tono dorado, gatuno, y pupilas con forma de pala.

—¡Ayúdeme! —gritó Ernie, que había llegado al borde de la balsa y estaba tratando de subir a bordo.

Con sus pataleos, la balsa se sacudió locamente, inclinada hacia él. La muchacha cayó de rodillas, lo aferró por la muñeca y tiró hacia atrás, con toda la fuerza de su terror. Ernie pudo subir la mitad del cuerpo a la balsa pero las piernas aún pendían por el costado.

El tiburón pereció saltar del agua; el lomo elevado lanzaba destellos azules; la aleta sobresalía como el hacha de un verdugo. En algún libro, Centaine había leído que los tiburones giran sobre el lomo para atacar; por eso no estaba preparada para lo que sucedió.

El gran escualo retrocedió, y la ranura de su boca pareció cobrar volumen al abrirse. Las hileras de colmillos parecían púas de puercoespín. Las mandíbulas se proyectaron y, de inmediato, se cerraron sobre las piernas pataleantes de Ernie. Centaine oyó claramente el chirriar de los dientes serrados sobre el hueso. Luego el tiburón retrocedió, arrastrando a Ernie consigo.

Centaine, que no había soltado la muñeca del hombre, se vio arrojada de rodillas y comenzó a deslizarse por la cubierta mojada. La balsa escoró peligrosamente bajo el peso de ambos y los tirones del tiburón, prendido a las piernas de Ernie.

La muchacha vio, por un instante, la cabeza del animal bajo la superficie. El ojo la miraba con un salvajismo insondable, antes de que la membrana nictitante se deslizara en un guiño sardónico. Muy lentamente, la bestia giró en el agua, con el peso irresistible de un tronco enorme, aplicando una presión demoledora a las mandíbulas aún cerradas sobre las piernas del hombre. Centaine oyó que los huesos se partían con el ruido de las ramas verdes. Los tirones cesaron tan súbitamente que la balsa dio un tumbo, como un péndulo enloquecido, en dirección opuesta.

Ella cayó hacia atrás, sin haber soltado el brazo de Ernie, y lo arrastró consigo, subiéndolo a la balsa. Seguía pataleando, paro ambas piernas estaban grotescamente acortadas: le habían sido amputadas a pocos centímetros por debajo de las rodillas, y los muñones sobresalían de los pantalones desgarrados. No era un corte limpio: varias cintas de carne y piel desgarrada se agitaban con los movimientos del marinero; la sangre era una fuente luminosa bajo el sol.

Ernie giró sobre sí para sentarse en la tabla sacudida, con la vista fija en sus piernas.

—Oh, madre santa, ayúdame —gimió—. Soy hombre muerto.

La sangre brotaba a chorros por las arterias abiertas, formando arroyuelos sobre la superficie blanca, para caer al mar, manchándolo de un pardo nuboso. Parecía humo en el agua.

—¡Mis piernas! —Ernie se aferró la carne herida, pero la sangre siguió brotando entre los dedos. —¡He perdido las piernas! El diablo se llevó mis piernas.

Casi debajo de la balsa se produjo un enorme remolino. La aleta oscura y triangular partió la superficie del agua descolorida.

—¡Olfatea la sangre! —gritó el marinero—. ¡No se da por contento, el diablo! Ya podemos darnos por muertos.

El tiburón giró sobre un costado, mostrando el vientre nevado y las grandes mandíbulas antes de acercarse, con majestuosos vaivenes de la cola. El olor y el gusto de la sangre lo enfurecieron; las aguas se agitaban con sus fuertes movimientos bajo la superficie. En esa oportunidad se dirigió directamente a la parte baja de la balsa.

Se produjo un fuerte golpe: el animal había golpeado la superficie inferior de la tabla con el lomo. Centaine se vio arrojada de espaldas por la fuerza del impacto y tuvo que aferrarse a la balsa con todas sus fuerzas.

—Está tratando de darnos vuelta —gritó Ernie.

La muchacha no había visto tanta sangre en toda su vida. No parecía posible que ese cuerpo flaco y viejo tuviera tanta. Y aún seguía brotando de los muñones.

El tiburón giró en redondo y volvió. Una vez más los levantó un fuerte golpe de carne elástica contra las tablas. La balsa vaciló, a punto de zozobrar, pero volvió a nivelarse y quedó flotando como un corcho.

—No va a renunciar —sollozó Ernie, débilmente—. Ahí vuelve.

La cabeza azul del animal emergió del agua. Sus mandíbulas se cerraron contra la madera, enganchando en ella sus largos colmillos blancos. Allí quedó prendido.

Parecía mirar directamente a Centaine, que yacía sobre el vientre, aferrada a las salientes con ambas manos. Era como un monstruoso cerdo azul, que olfateara la frágil materia de la pequeña embarcación. Una vez más, parpadeó (aquella membrana era lo más aterrorizante que Centaine viera jamás) y comenzó a sacudir la cabeza, sin soltar el costado mordido. Los ocupantes de la balsa se sacudieron de un lado a otro.

—¡Por Dios, va a agarrarnos!

Ernie se apartó a la rastra de aquella cabeza enorme.

—¡No va a parar hasta que nos tenga!

Centaine se levantó de un salto, con el equilibrio de una acróbata; tomó el grueso madero que servía de timón y lo levantó por sobre su cabeza. Después, con todas sus fuerzas, lo descargó contra el hocico del tiburón. El golpe le sacudió los brazos hasta el hombro. Lo repitió una y otra vez pero el timón rebotaba como sobre goma, sin marcar siquiera ese pellejo de lija azul; el tiburón no parecía sentirlo.

Siguió mascando el costado de la balsa, sacudiéndolo salvajemente. Centaine perdió el equilibrio y cayó a medias fuera de las tablas, pero de inmediato volvió a la embarcación y, de rodillas, continuó castigando aquella cabeza enorme e invulnerable, entre sollozos. Una parte de la madera se desgarró, quedando entre las fauces del tiburón, y la cabeza azul se deslizó nuevamente bajo la superficie, con lo que Centaine tuvo un momento de respiro.

—¡Ahí vuelve! —gritó Ernie, débilmente—. ¡No se irá! ¡No va a renunciar!

Y en ese momento Centaine comprendió qué tenía que hacer. No podía permitirse vacilaciones. Tenía que hacerlo por el bien del bebé. Era todo lo que importaba: el hijo de *Michel*.

Ernie estaba sentado en el borde de la balsa, con los muñones mutilados hacia adelante, medio de espaldas a la muchacha.

—¡Ahí viene otra vez! —chilló.

Sus escasos cabellos grises estaban pegados al cráneo por el agua marina y la sangre diluida. El cuero cabelludo centelleaba, pálido, a través de esa fina cobertura. Delante de ellos, las aguas hirvieron ante un nuevo ataque del tiburón. Centaine vio que el bulto oscuro surgía de lo hondo, dirigiéndose nuevamente hacia la balsa.

Se levantó otra vez, con expresión espantada y los ojos llenos de horror. Sujetó con más fuerza el pesado remo de madera. El tiburón se estrelló contra el fondo de la balsa y Centaine se tambaleó, casi a punto de caer.

"Él mismo dijo que era hombre muerto", se dijo, para endurecerse.

Levantó el remo en alto, con la vista fija en la coronilla rosada de Ernie. Luego, con todas sus fuerzas, descargó el madero como si fuera un hacha.

El cráneo de Ernie se hundió bajo el golpe.

—Perdóneme, Ernie —sollozó, al ver caer al viejo hacia delante—. Ya estaba condenado. Y no había otro modo de salvar a mi bebé.

Aunque tenía el cráneo aplastado, giró la cabeza para mirarla. En sus ojos ardía una emoción turbulenta. Trató de hablar; abrió la boca, pero en eso murió el fuego de sus ojos y sus miembros se estiraron, para relajarse de inmediato.

Centaine, sollozando, se arrodilló a su lado.

—Dios me perdone —susurró—, pero mi bebé debe vivir.

El tiburón giró para regresar, alzando su aleta dorsal por sobre la cubierta. La muchacha empujó el cadáver de Ernie por sobre la borda.

El animal describió un giro. Tomó el cuerpo en sus mandíbulas y comenzó a mascarlo tal como lo haría un mastín con su hueso. Mientras tanto, la balsa se alejó a la deriva. El tiburón y su víctima se hundieron gradualmente, desapareciendo en las aguas verdes. Centaine notó entonces que aún tenía el timón en las manos.

Comenzó a usarlo como remo para llevar la balsa hacia la playa. Cada golpe la hacía sollozar. Tenía los ojos nublados. A través de las lágrimas vio los bancos de algas que danzaban y, más allá, el oleaje que se deslizaba sobre una playa de arenas cobrizas. Remó con abnegado frenesí; un borde de la corriente empujaba la balsa, ayudándola. Ya se podía ver el fondo, los diseños corrugados de las arenas sacudidas por el mar, a través del agua límpida.

—Gracias, oh, Dios mío, gracias, gracias —sollozaba, al ritmo del remo.

Y en eso, una vez más, experimentó el desquiciante impacto de un cuerpo enorme contra la cara inferior de la balsa.

Centaine volvió a aferrarse de la saliente, desesperada.

—¡Ha vuelto!

La enorme silueta manchada pasaba por debajo de la balsa, bien destacada contra el fondo de arena reluciente.

—No renuncia jamás.

Sólo había ganado un momentáneo respiro. El tiburón,

después de devorar en cuestión de segundos el sacrificio que le fuera ofrecido, la seguía a las aguas playas, atraído por el olor de la sangre que aún cubría las maderas de la balsa.

Giró en un círculo amplio y volvió a atacar. Esa vez el impacto fue tan terrible que la embarcación comenzó a romperse. Las planchas de madera, ya aflojadas por el duro castigo de la tormenta, se abrieron bajo los pies de Centaine. Sus piernas pasaron hacia abajo; llegó a tocar a esa horrible bestia, sintió su pellejo áspero contra la suave piel de su pantorrilla. Con un grito agudo, recogió las piernas como impulsada por un resorte.

El tiburón, inexorable, giraba y giraba, pero la inclinación de la playa lo obligaba a aproximarse desde alta mar. El ataque siguiente, poderoso como fue, impulsó la balsa hacia la playa. Por uno o dos segundos, la bestia colosal quedó varada en la arena del fondo. De inmediato, con un giro y un gran chapoteo, se liberó para ir en busca de aguas más profundas, dejando al descubierto la aleta dorsal y buena parte del lomo.

Una ola golpeó la balsa, completando la demolición. Centaine cayó al agua, entre una lluvia de tablas, lona y sogas sueltas. Tosiendo y escupiendo, se puso de pie.

Estaba hundida hasta el pecho en el agua fría. A través del agua salobre que le corría por los ojos, vio que el tiburón venía en línea recta hacia ella. Dio un grito, tratando de retroceder hacia la playa, mientras blandía el remo que no había soltado.

—¡Vete! —aulló—. ¡Vete! ¡Déjame!

El animal la golpeó con el hocico, lanzándola en el aire. Centaine cayó sobre el enorme lomo azul, que corcoveó bajo ella como el de un caballo indómito. El contacto era frío, áspero, indeciblemente asqueroso. Se vio arrojada y, de inmediato, recibió un poderoso golpe de aquella cola. Comprendió que era sólo un roce; un impacto directo le habría triturado las costillas.

El tiburón, en sus sacudidas, había removido la arena del fondo y estaba cegado, pero buscó a su presa con la boca en las aguas turbias. Las mandíbulas se golpeaban como un portón de hierro suelto en medio de un huracán, y Centaine recibió un fuerte castigo de aquella cola violenta.

Poco a poco fue trepando por la playa inclinada. Cada vez que caía por un topetazo, se levantaba con esfuerzo, jadeando, cegada, descargando golpes con el remo. Los colmillos se cerraron sobre los gruesos pliegues de su falda, arrancándosela. De inmediato, sus piernas quedaron libres, permitiéndole retroceder unos cuantos pasos más. El nivel del agua cayó por debajo de su cintura.

En ese mismo instante se retiró el oleaje y el tiburón quedó varado, de súbito impotente, privado de su elemento natural. Mientras se retorcía en la arena, Centaine retrocedió, hundida hasta la rodilla en el agua que tironeaba de ella, demasiado exhausta como para volverle la espalda y echar a correr. Y entonces, milagrosamente, se vio de pie sobre arena dura, por sobre la marca del agua.

Arrojó el remo y subió por la playa, tambaleándose, hacia las dunas altas. No tenía fuerzas para llegar tan lejos y cayó en la arena seca, tendida boca bajo. La arena se le adhirió como azúcar al cuerpo y a la cara. Así, laxa bajo el sol, sollozó con miedo, dolor, remordimiento, alivio.

No hubiera podido decir cuánto tiempo permaneció así, pero al cabo de un rato sintió el escozor del sol contra el dorso de las piernas desnudas y se incorporó lentamente. Miró hacia el borde del agua, con algo de miedo, esperando ver a la gran bestia azul varada allí, pero la marea, al ascender, debía de haberla liberado, pues no quedaban rastros de ella. Entonces soltó el aliento, en un involuntario suspiro de alivio, y se levantó, insegura.

Sentía el cuerpo maltrecho, aplastado, muy débil. Al bajar la vista comprobó que el pellejo abrasivo del tiburón le había dejado las pantorrillas ardiendo; en los muslos le estaban brotando ya cardenales de color azul oscuro. Las faldas le habían sido arrancadas por el tiburón; en cuanto a los zapatos, los había descartado antes de saltar desde la cubierta del barco hospital. Estaba desnuda, descontando la blusa empapada y la combinación de camisa y calzones. Sintió una oleada de vergüenza y miró en derredor, apresuradamente. Nunca en su vida había estado tan lejos de otra presencia humana.

"Aquí no hay nadie que pueda verme". Por instinto se había cubierto el pubis con las manos, pero las dejó caer. En eso tocó algo que le colgaba de la cintura: era la navaja de bolsillo de Ernie, que pendía de su correa.

La tomó en la mano y miró hacia el océano. Toda la culpa y remordimiento volvieron en tropel.

—Te debo la vida —susurró—, y la vida de mi hijo. Oh, Ernie, ojalá estuvieras todavía con nosotros.

La soledad se apoderó de ella, tan sobrecogedora que se dejó caer otra vez sobre la arena, cubriéndose la cara con las manos. El sol volvió a hacerla reaccionar. La piel comenzaba a escocerle. De inmediato volvió la sed.

"Tengo que protegerme del sol".

Se levantó a duras penas para mirar en derredor, con más atención.

Estaba en una amplia playa amarilla, cerrada hacia atrás por dunas montañosas. La playa estaba totalmente desierta y se extendía a ambos lados, en audaces curvas, hasta el límite mismo de la vista (treinta, cuarenta y cinco kilómetros, calculó) antes de perderse en el mar. Centaine tenía ante sí la imagen viva de la desolación: no había rocas, no había un rastro de vegetación, ni pájaros, ni animales, ni protección alguna contra el sol.

En eso vio, en el punto de la playa donde saliera a tierra, los restos de la balsa, que giraban y daban tumbos en la marea. Combatiendo su terror al tiburón, vadeó con el agua hasta la rodilla para llevar a la rastra la vela enredada.

A manera de falda ató a su cintura un trozo de lona, utilizando una soga de cáñamo. Luego cortó otro pedazo para cubrirse la cabeza y los hombros.

—Oh, tengo tanta sed...

De pie a la orilla del agua, contempló con ansias los bancos de algas que bailaban en la corriente. Su sed era más poderosa que el asco provocado por el jugo de la planta, pero el terror al tiburón se imponía a ambos, y les volvió la espalda.

Aunque le dolía todo el cuerpo y tenía brazos y piernas cubiertos de cardenales purpúreos, comprendió que su mejor posibilidad consistía en iniciar la marcha, y sólo había una dirección a tomar: Ciudad del Cabo estaba hacia el sur. Sin embargo, más cerca estaban las ciudades alemanas de extraños nombres; las recordó con esfuerzo: Swakopmund y Lüderitzbucht. La más cercana debía de estar a unos quinientos kilómetros.

Quinientos kilómetros. La enormidad de esa distancia le aflojó las piernas. Tuvo que sentarse pesadamente en la arena.

Por fin se levantó.

—No voy a pensar en lo lejos que queda. Voy a pensar sólo un paso por vez.

Se puso de pie. Todo el cuerpo le dolía por los cardenales. Comenzó a renquear a lo largo de la orilla, donde la arena estaba mojada y firme. Al cabo de un rato se le calentaron los músculos y la rigidez se evaporó, permitiéndole alargar el paso.

—¡Sólo un paso por vez! —se dijo.

La soledad era una carga que la derribaría, si ella lo permitía. Levantó la barbilla y miró hacia adelante.

La playa era interminable; asustaba lo invariable del panorama. Las horas que caminó parecieron no causar efecto alguno en el paisaje, y comenzó a creer que estaba en una noria: siempre las arenas interminables hacia adelante, el mar sin cambios a la derecha, el muro de dunas a la izquierda y, por sobre todo, el vasto azul lechoso del cielo.

—Estoy caminando de la nada a la nada —susurró.

Cuando le dolieron las plantas de los pies se sentó para examinarlas. El agua del mar le había suavizado la piel, que la arena áspera gastaba casi hasta despellejarla. Se vendó los pies con trozos de lona y siguió marchando. El sol y el esfuerzo le manchaban la blusa de sudor. La sed se convirtió en una compañera espectral y constante.

Cuando el sol iba a medio camino por el cielo del oeste, apareció hacia adelante un promontorio rocoso. Siquiera porque cambiaba el horrible panorama, Centaine apretó el paso. Pero pronto volvió a tropezar. Un solo día de caminata la había debilitado mucho.

—Llevo tres días sin comer y no he bebido nada desde ayer…

El promontorio rocoso no parecía acercarse. Por fin tuvo que sentarse a descansar. Casi de inmediato, la sed la enfureció.

—Si no bebo algo muy pronto no podré seguir —susurró.

Al mirar hacia adelante, en dirección a la muralla de roca negra, irguió la espalda, incrédula. Seguramente la vista le estaba jugando sucio. Parpadeó rápidamente y volvió a mirar.

—¡Gente! —susurró, levantándose—. ¡Es gente!

Y comenzó a avanzar, a tropezones.

Estaban sentados en las rocas. Se veía el movimiento de las cabezas contra el cielo claro. Entonces, riendo en voz alta, les hizo señas.

—Son tantos... ¿no me estaré volviendo loca?

Trató de gritar, pero sólo emitió un gemido ronco.

La desilusión fue tan intensa que le causó el efecto de un golpe físico.

—Focas —susurró.

Los balidos luctuosos llegaron hasta ella, traídos por la brisa del mar.

Por un rato no creyó tener fuerzas para seguir. Pero al fin se obligó a poner un pie delante del otro y continuó la pesada marcha hacia el promontorio.

Había varios cientos tendidas en las rocas, y otro tanto chapoteando en las aguas que rompían sobre el promontorio. El viento llevó el hedor hasta Centaine. Al acercarse ella, los animales comenzaron a retirarse en dirección al mar, con ridículos movimientos de payasos. La muchacha notó que había decenas de cachorros entre ellas.

—Si al menos pudiera cazar a alguno... —Apretó la navaja en la mano derecha y desplegó la hoja. —Tengo que comer cuanto antes...

Pero los líderes, ya alarmados por su proximidad, estaban deslizándose hacia el agua verde, donde sus torpes pasos se transformaron instantáneamente en milagrosa gracia.

Echó a correr, y el movimiento precipitó una oleada de cuerpos oscuros sobre las rocas. Todavía faltaban cien metros para llegar al más cercano de los animales. Era inútil. Se detuvo, jadeando débilmente, mientras la colonia escapaba hacia el mar.

De pronto se produjo una salvaje conmoción entre ellos, un coro de bramidos y gritos aterrorizados. Dos formas ágiles, oscuras, con forma de lobos, saltaron de entre las rocas, lanzándose contra la apretada colonia de focas. Al parecer, la llegada de la muchacha había distraído a los animales, dando oportunidad a otras bestias de presa. No reconoció en ellas a la hiena parda, pues sólo había visto ilustraciones de la hiena manchada, más grande y feroz.

Esos animales eran los "lobos de la playa" de los colonos holandeses; tenían el tamaño de un mastín, pero los distinguían las orejas en punta y una melena desordenada, erizada por la excitación. Sin cometer errores, eligieron a las crías más indefensas, arrancándolas del flanco de sus pobres madres, y se las llevaron a la rastra, esquivando sin dificultad los grotescos esfuerzos de las hembras por defender a sus hijos.

Centaine echó a correr otra vez. Al acercarse ella, las madres renunciaron, dejándose caer al oleaje desde las rocas negras. Ella tomó un garrote de entre un montón de basura acumulada por la marea alta y corrió por el extremo del promontorio, para cortar el paso a la hiena más cercana.

La bestia, entorpecida por el cachorro que llevaba a la rastra, perdió la delantera, se detuvo y bajó la cabeza, en posición amenazadora. La pequeña foca sangraba copiosamente, con los colmillos clavados en la piel lustrosa, y gritaba como un bebé humano.

La hiena lanzó un gruñido feroz. Centaine se detuvo, de frente al animal, agitando el garrote.

—¡Déjalo! ¡Vete, maldita bestia! ¡Déjalo!

Percibió que la hiena había quedado perpleja ante esa actitud agresiva. Aunque volvió a gruñir, retrocedió algunos pasos, agachándose protectoramente sobre su presa.

Centaine trató de hacerle bajar la cabeza, sosteniendo la mirada de esos formidables ojos amarillos, entre gritos y garrotazos al aire. De pronto, la fiera soltó al herido cachorro de foca y se lanzó directamente contra Centaine, descubriendo los colmillos. La muchacha supo por instinto que era el momento crucial: si corría, la hiena correría tras ella para atacarla.

Lo que hizo fue seguir adelante, enfrentando el ataque del animal, entre redoblados chillidos y balanceando el palo. Por lo visto, la hiena no esperaba esa reacción y le falló el valor. Giró en redondo y corrió otra vez hacia su presa, que se retorcía; clavó los colmillos en la piel sedosa del cuello y volvió a arrastrarla, alejándose.

Al pie de Centaine había una grieta en la roca, llena de piedras redondeadas por el agua. La muchacha tomó una del tamaño de una naranja madura y la arrojó contra su enemiga. Apuntó a la cabeza, pero la pesada piedra no llegó a cubrir la distancia y golpeó a la fiera en una pata, aplastándosela contra el suelo rocoso. La hiena lanzó un chillido, dejó caer el cachorro de foca y se alejó rápidamente, renqueando en tres patas.

Centaine se adelantó corriendo y abrió la navaja. Era una muchacha de campo; había ayudado a Anna y a su padre a sacrificar animales y prepararlos para comer. Con un solo golpe misericordioso, cortó el cuello al cachorro herido y lo dejé sangrar. La hiena rondaba en círculos, gruñendo, renga, indecisa y confundida por el ataque.

Centaine le arrojó varias piedras tomadas de la grieta. Una golpeó al animal en un costado de la cabeza, haciéndolo huir cincuenta pasos antes de detenerse a mirarla con odio.

Había que trabajar con rapidez. Tal como había visto hacer a Anna tantas veces, con las reses de oveja, cortó la cavidad estomacal, apuntando la hoja de modo de no tocar el saco ni las entrañas, y serruchó el cartílago que cerraba el frente de las costillas.

Con las manos ensangrentadas, siguió arrojando piedras a la hiena. Luego, cautelosamente, sacó el estómago de la pequeña foca. La necesidad de líquido era una fiebre furiosa en su interior; sentía ya que su falta amenazaba la existencia del embrión en su vientre, pero hizo una arcada al pensar en lo que debía hacer.

"Cuando yo era niña", le había dicho Anna, "los pastores solían hacerlo cada vez que moría un cordero mamón".

Levantó el pequeño estómago en las manos ahuecadas. Era amarillento y translúcido; casi le pareció ver el contenido a través de la piel. Obviamente, el cachorro había estado mamando golosamente en el momento del ataque, pues la bolsita estaba llena de leche a reventar.

Centaine tragó saliva, asqueada, pero se dijo:

—Si no bebes algo, no llegarás a mañana. Morirás, y también el hijo de *Michel*.

Hizo una diminuta incisión en el estómago, que de inmediato dejó escapar gruesos glóbulos de cuajada. Centaine cerró los ojos y aplicó la boca al tajo, obligándose a chupar esa leche cortada y caliente. Su estómago vacío dio un vuelco, ahogándola con una arcada involuntaria, pero pudo controlarla.

La cuajada tenía un leve gusto a pescado, pero no era del todo desagradable.

Después de un rato descansó, limpiándose la sangre y el moco con el dorso de la mano. Casi podía sentir el fluido que iba empapando sus tejidos, la nueva fuerza que parecía irradiar por su cuerpo exhausto.

Arrojó otra piedra a la hiena y bebió el resto de la leche cuajada. Después, cuidadosamente, abrió la bolsita vacía y la lamió hasta la última gota antes de arrojar a la hiena la membrana vacía.

—Lo voy a compartir contigo —dijo a la bestia gruñona.

Desolló la res, cortando la cabeza y los rudimentarios miembros, y los arrojó también a la hiena. El gran carnívoro parecía haberse resignado y permanecía sentado a veinte pasos, con las orejas erguidas y una expresión cómicamente expectante, a la espera de los restos que ella le arrojaba.

Cortó la carne roja en tiras largas y estrechas, que envolvió en la lona que le cubría la cabeza. Luego retrocedió, permitiendo que la hiena corriera a lamer la sangre de las rocas y a triturar el pequeño esqueleto en sus enormes mandíbulas.

En la cima del promontorio, el viento y la acción del agua habían formado una pequeña saliente. Ese albergue había acogido a otras personas antes que a Centaine, pues allí encontró cenizas de una vieja hoguera. Al escarbar en el polvo, desenterró un trozo de pedernal con forma de triángulo, similar a los que buscaba con Anna en la colina, detrás del *château* de Mort Homme. Sintió una peculiar nostalgia al sostener ese trocito de pedernal en su palma mugrienta. Cuando sintió demasiada lástima por sí misma, guardó el fragmento en el bolsillo de su blusa y se obligó a enfrentar la dura realidad, en vez de llorar por tiempos pasados en una tierra lejana.

—Fuego —dijo, examinando los palos carbonizados.

Puso sus preciosos trozos de carne sobre una piedra, a la entrada de la cueva, para que se secaran al viento, mientras ella juntaba una brazada de leña entre los desechos de la marea. La amontonó junto al antiguo hogar y trató de recordar todo lo que había leído sobre el arte de encender fuego.

—Dos palos —murmuró—. Frotarlos uno contra el otro.

Era una necesidad humana tan básica, tan garantida en su vida anterior, que la falta de fuego era una privación horrorosa.

La madera estaba impregnada de sal y humedad. Eligió dos pedazos, sin tener la menor idea del tipo de material necesario, y se dedicó a experimentar. Trabajó hasta que se le despellejaron los dedos, pero no pudo sacar ni una sola chispa, ni siquiera una voluta de humo, de sus trozos de leña.

Deprimida y desanimada, se recostó contra la pared del refugio para contemplar el crepúsculo. El frío de la brisa la hizo estremecer, obligándola a envolverse más en su chal de lona. En eso sintió el pequeño bulto de pedernal apretado contra su pecho.

Había notado que, en los últimos días, sus pezones se habían puesto muy sensibles, en tanto los pechos se hinchaban y endurecían; en ese momento se los masajeó, pensando que la gravidez le daba nuevas fuerzas. Al mirar hacia el sur vio la estrella especial de *Michel*, a baja altura por sobre el horizonte, donde un lúgubre océano se confundía con el ciclo nocturno.

—Achernar —susurró—. *Miche*...

Y al decir su nombre, tocó otra vez el pedernal guardado en su bolsillo. Fue casi como si *Michel* se lo entregara.

Con las manos estremecidas por la excitación, golpeó el pedernal contra la hoja de acero de la navaja, y las chispas blancas volaron hacia la oscuridad del refugio.

Sacó algunas hilachas de lona y formó con ellas una bola floja, mezclada con astillas de madera; sobre esa bola golpeó el pedernal y el acero. Aunque cada intento provocaba una lluvia de chispas, hizo falta mucho cuidado y paciencia para que, por fin, surgiera una voluta de humo de entre las hilachas. Sopló sobre ellas y logró una diminuta llama amarilla.

Asó las tiras de carne de foca sobre las brasas. Sabían a venado y a conejo, a la vez. Saboreó cada bocado y, después de comer, frotó las dolorosas ampollas provocadas por el sol con un poco de grasa de foca.

Decidió guardar el resto de la carne asada para los días siguientes. Después de avivar el fuego, ajustó la lona alrededor de sus hombros y se acomodó contra la pared del refugio, con el garrote a un lado.

—Debería rezar…

Y al hacerlo se sintió muy cerca de Anna. Era como volver a ser niña, como arrodillarse junto a su cama, bajo la mirada de la niñera.

—Gracias, Dios Todopoderoso, por salvarme del mar, y gracias por la comida y la bebida que me has dado, pero…

La plegaria se arruinó; Centaine sintió contra los labios la presión de recriminaciones en vez de agradecimientos.

—Blasfemia.

Casi podía oír la voz de Anna. Se apresuró a concluir:

—Y dame, señor, fuerzas para enfrentarme a todas las pruebas que me tengas reservadas en los días venideros. Y por favor, dame también sabiduría para que pueda comprender tus designios al amontonar sobre mí estas tribulaciones.

Era lo más cercano a una protesta que podía arriesgar. Aún estaba tratando de hallar un final conveniente cuando se quedó dormida.

Al despertar descubrió que del fuego sólo quedaban brasas. Al principio no pudo saber qué la había sacado de su sueño. De pronto, recordó las circunstancias, con una velocidad enfermante, y oyó el ruido de un animal grande en la oscuridad, junto a la abertura del refugio; parecía estar comiendo.

Se apresuró a amontonar leña sobre las brasas hasta levantar llama. Entonces vio la forma acechante de la hiena, y comprendió que el paquete de carne asada había desaparecido.

Sollozando de furia y frustración, tomó una rama encendida y la arrojó contra la hiena.

—¡Pedazo de bestia ladrona! —gritó.

El animal, aullando, se alejó al galope hacia la oscuridad.

La colonia de focas tomaba sol sobre las rocas, bajo su refugio. Centaine sintió de inmediato las primeras sacudidas del hambre y la sed que traería la jornada.

Armada con dos piedras, cada una del tamaño de su puño y del garrote escogido, se arrastró con elaborada cautela por uno de los barrancos, tratando de llegar a los miembros más cercanos de la colonia. Pero las focas huyeron antes de que hubiera podido cubrir la mitad de la distancia y no salieron del agua mientras ella estuvo a la vista.

Frustrada y con hambre, volvió al refugio. En la roca, junto al hogar, había manchas blancas de grasa endurecida. Aplastó un poco de carbón, reduciéndolo a polvo, y lo mezcló con la grasa en la palma de la mano. Después se untó cuidadosamente con la pasta negra la punta de la nariz y las mejillas, zonas expuestas que el sol le había quemado el día anterior.

Por fin echó un vistazo en derredor. Tenía consigo el cuchillo y el trozo de pedernal, el garrote y la capucha de lona: todas sus posesiones terrenales. Sin embargo, le costaba abandonar el refugio que, por algunas horas, le sirviera de hogar. Tuvo que hacer un esfuerzo para bajar a la playa e iniciar la marcha hacia el sur, por ese paisaje amenazante en su monotonía.

Esa noche no tuvo refugio ni leña. No había comida, no había nada para beber. Envuelta en un trozo de lona, se tendió sobre la arena dura, bajo las dunas. Durante toda la noche, el viento frío la llenó de arena. Al amanecer tenía las pestañas llenas de partículas chispeantes, el pelo apelmazado de sal y arena. El frío, los cardenales y el cansancio muscular la habían dejado tan tiesa que dio los primeros pasos renqueando como una anciana, con el garrote como bastón. Al calentarse los músculos, la rigidez pasó, pero comprendió que su debilidad iba en aumento. Al elevarse el sol, la sed se convirtió en un mudo grito dentro de su cuerpo. Se le hinchaban los labios, resquebrajándose; la lengua parecía untada de una saliva gomosa que no podía tragar.

Se arrodilló al borde del agua para lavarse la cara; mojó el chal de lona y sus escasas vestiduras y, de algún modo, resistió la tentación de tragar un sorbo de esa fresca y clara agua marina.

El alivio fue sólo momentáneo. Cuando el agua se le secó sobre la piel, los cristales salitrosos le escocieron en las quemaduras del sol, quemándole los labios resecos. Su piel parecía estirarse como pergamino. La sed era una obsesión.

Al promediar la tarde, bien hacia adelante, vio algunas formas negras que se movían. Con la mano a modo de visera, echó un vistazo esperanzado. Las motas se resolvieron en cuatro grandes gaviotas, de pechos blancos y lomos negros, que peleaban con los picos abiertos por un trozo de algo arrojado a la playa por las olas.

Cuando Centaine se acercó, las aves extendieron las alas y abandonaron la presa en disputa. Era un gran pez muerto, ya muy mutilado por las gaviotas. Centaine, con renovadas fuerzas, cubrió corriendo los últimos pasos y se dejó caer de rodillas.

Levantó el pescado con ambas manos, pero de inmediato volvió a dejarlo caer, con una arcada, limpiándose las manos con la falda de lona. Estaba podrido; se le habían hundido los dedos en la carne blanda, putrefacta.

Se alejó a la rastra. Abrazada a sus rodillas, siguió mirando ese trozo de carroña maloliente, tratando de dominar la sed.

Requirió de todo su coraje para volver a él. Mirando hacia otro lado para evitar el hedor, cortó un pedazo de esa carne blanca y se lo puso en la boca. Aquella corrupción enfermiza, dulzona, le revolvió el estómago, pero lo mascó con cuidado, sorbiendo los jugos de la podredumbre, y escupió la carne pulposa. Luego cortó otro pedazo.

Aunque asqueada, tanto por su propia degradación como por la carne podrida, siguió succionando los jugos hasta calcular que había tragado una taza de ellos. Entonces descansó por un rato.

Los fluidos la fortificaron gradualmente. Se sentía con más energías; ya podría seguir andando. Caminó por el agua, tratando de quitarse el hedor del pescado podrido de las manos y los labios, pero el gusto se le quedó en la boca.

Muy poco antes del oscurecer la atacó una nueva oleada de debilidad. Cayó en la arena, cubierta por un súbito sudor helado. El calambre, como una espada hundida en su vientre, la dobló en dos. Eructó. El gusto del pescado podrido le llenó la boca y la nariz. Un vómito cálido, maloliente, le subió por la garganta. La desesperó ver tal cantidad de sus fluidos vitales perdidos en la arena, pero no pudo contener otro vómito ni la contorsión explosiva de la diarrea.

—Estoy envenenada.

Cayó en la arena, retorciéndose, presa de espasmos, mientras su cuerpo se purgaba involuntariamente de los jugos tóxicos. Cuando el ataque pasó ya había oscurecido. Se quitó la prenda interior, que había ensuciado y la arrojó aparte. Después se arrastró dolorosamente hasta el mar para lavarse el cuerpo y la cara. Se hizo un buche para quitarse el gusto del vómito y la podredumbre, dispuesta a pagar con más sed el momentáneo alivio de tener la boca limpia.

Por fin, siempre arrastrándose en cuatro patas, subió hasta la arena seca y se tendió en la oscuridad, temblando de frío, para esperar la muerte.

En un principio, Garry Courtney se vio tan envuelto en los preparativos de la expedición que no tuvo tiempo para sopesar las posibilidades de éxito. Le bastaba estar representando el papel de hombre de acción. Como todos los románticos, había soñado en muchas ocasiones con actuar de ese modo. En ese momento en que la oportunidad le caía encima, la aprovechaba con un frenesí de abnegado esfuerzo.

En los largos meses transcurridos desde la llegada del telegrama oficial (ese lacónico mensaje: *Su Majestad lamenta informarle que su hijo, el capitán Michael Courtney, ha muerto en acción),* la existencia de Garry había sido un vacío oscuro, sin finalidad ni dirección. Después, como un milagro, llegó el segundo telegrama, firmado por su gemelo: *Viuda de Michael, embarazada, ha quedado sin hogar ni familia por guerra. Dispongo pasaje en primer barco zarpe rumbo Ciudad del Cabo. Favor esperarla y cuidar de ella. Contesta urgente. Va carta. Sean.*

Un nuevo sol se había alzado en su vida. Cuando también ése, a su vez, fue cruelmente extinguido en las crueles aguas de la Corriente de Bengala, Garry comprendió instintivamente que no podía dejarse arrojar a la noche oscura de la desesperación por la razón y la realidad. Tenía que creer, tenía que apartar todo cálculo para aferrarse, sin pensar, a la remota posibilidad de que la esposa de Michael y su hijo por nacer hubieran sobrevivido al mar y al desierto, de que estuvieran esperando el rescate. Y el único modo de conseguirlo era reemplazar el razonamiento por una actividad febril, por inútil que pareciera. Cuando eso fallaba, podía recurrir a las ilimitadas reservas de Anna Stok, con su fe implacable, sólida como roca.

Los dos llegaron a Windhoek, la antigua capital de África suroccidental, tomada por los británicos dos años antes. El coronel John Wickenham los esperaba en la estación en su papel de gobernador militar del territorio.

El saludo de Wickenham fue tímido. Había recibido una serie de telegramas, en los últimos días; entre ellos, uno del general Jannie Smuts y otro del primer ministro, general Louis Botha; todos le daban instrucciones de ofrecer al visitante la mayor cooperación.

Eso solo no hubiera justificado su respeto. El coronel Garrick Courtney había sido beneficiado con la más alta condecoración al valor; su libro *El enemigo huidizo*, sobre la guerra anglo-bóer, era lectura obligatoria en el colegio al que Wickenham asistió; por otra parte, la influencia política y financiera de los hermanos Courtney era legendaria.

—Permítame expresarle mis condolencias por su pérdida, coronel Courtney —le dijo, en cuanto se estrecharon la mano.

—Muy amable de su parte.

Garry se sentía impostor cada vez que lo llamaban "coronel". Invariablemente, experimentaba la necesidad de explicar que había sido sólo un nombramiento temporario, con un regimiento irregular, en una guerra concluida casi veinte años antes. Para disimular su intranquilidad, se volvió hacia Anna, que permanecía muy tiesa a su lado, con su sombrero de corcho y su larga falda de calicó.

—Quiero presentarle a *Mevrou* Stok —dijo, hablando en afrikaans para que la mujer comprendiera.

Wickenham lo imitó de inmediato.

—*Mevrou* Stok era pasajera del *Protea Castle*; es una de las sobrevivientes recogidas por el *Inflexible*.

Wickenham emitió un silbidito de simpatía.
—Qué experiencia tan desagradable. —Y se volvió hacia Garry. —Permítame asegurarle, coronel, que será un placer ofrecerle toda la ayuda posible.
Anna respondió por él.
—Necesitamos vehículos a motor, muchos vehículos a motor, y hombres que nos ayuden. ¡Pronto, muy pronto!
Para encabezar la marcha contaban con un Ford T, cuyo negro de fábrica había sido reemplazado por un pálido color de arena. A pesar de su frágil aspecto, resultaría formidable para andar por el desierto, capaz de cruzar arenales que hubieran tragado a un vehículo más pesado. Su único punto débil era una tendencia a recalentar, enviando un chorro de preciosa agua sobre el conductor y los pasajeros que ocuparan la cabina abierta.
Para las provisiones, Wickenham les facilitó cuatro camiones Austin, cada uno capaz de llevar media tonelada, y un quinto vehículo, modificado en los talleres del ferrocarril donde se lo había transformado en tanque, con capacidad para doscientos litros de agua. Cada uno de los vehículos iba conducido por un cabo y un ayudante.
Como Anna aplastaba con firmeza cualquier tendencia de Garry a demorarse y eliminaba rudamente las objeciones prácticas de los expertos, el convoy quedó listo para partir a las treinta y seis horas de su llegada. Habían pasado catorce días desde el hundimiento del *Protea Castle*.
Salieron estruendosamente de la ciudad dormida a las cuatro de la mañana. Los camiones iban cargados de equipo, combustible y provisiones; los pasajeros, bien abrigados contra el aire frío de las tierras altas. Tomaron la carretera que circulaba por detrás del ferrocarril, hasta la ciudad costera de Swakopmund, a trescientos kilómetros de distancia.
Las ruedas de los carros habían cavado huellas tan profundas que las cubiertas no podían salir de ellas, salvo en las partes rocosas, donde las dobles zanjas se convertían en callejones sembrados de piedras. Treparon laboriosamente por esos pasos desiguales, obligados a detenerse inesperadamente para reparar un neumático o reemplazar un elástico roto. En catorce horas de viaje demoledor, descendieron mil doscientos metros.

Por fin llegaron a las llanuras de la costa, cubiertas de maleza y corrieron por ellas a la entusiasta velocidad de treinta y seis kilómetros por hora, dejando tras ellos una larga nube de polvo leonado, como humareda de pastos verdes.

La ciudad de Swakopmund era un asombroso toque bávaro transportado al desierto africano; ni siquiera faltaba la arquitectura al estilo Selva Negra ni el largo muelle alargado hacia el mar.

La polvorienta caravana bajó por la calle principal un domingo al mediodía. Había una banda alemana tocando en los jardines de la gobernación, pero los músicos perdieron el ritmo y quedaron en silencio al detenerse el convoy de Garry, frente al hotel. El susto era comprensible, pues las paredes del edificio aún presentaban huellas dejadas por la metralla de la última invasión británica.

Tras el polvo y el calor del desierto, la cerveza local era como la resurrección en el Valhalla.

—Vuelva a llenarlos, tabernero —ordenó Garry, disfrutando de la camaradería masculina y feliz de haber llevado a su grupo hasta allí, sano y salvo.

Los hombres se apretaron a la barra de teca y le sonrieron, con los vasos levantados.

—*Mijnheer!*

Anna acababa de concluir sus someras abluciones y estaba en el vano de la puerta, con los musculosos brazos en jarras y la cara ya inflamada por el sol y el viento, cobrando una lenta expresión de furia.

—*Mijnheer*, está perdiendo tiempo!

Garry se apresuró a reunir a los hombres.

—Vamos, camaradas, tenemos mucho que hacer. Sigamos.

A esa altura, a nadie le quedaban dudas de quién detentaba la verdadera autoridad en esa expedición. Todo el mundo se tragó la cerveza apresuradamente y salió al sol, sacándose la espuma de los labios, sin poder levantar los ojos ante Anna.

Mientras los hombres cargaban combustible y agua, reacomodaban los bultos aflojados y ejecutaban las tareas de mantenimiento y reparación, Garry fue a hacer averiguaciones en la comisaría.

El sargento estaba avisado de su llegada.

—Lo siento mucho, coronel, pero no lo esperábamos hasta dentro de tres o cuatro días. Si hubiera sabido... —Estaba ansioso por serle útil. —Nadie sabe mucho de esas tierras —agregó, mirando hacia la ventana, con un estremecimiento involuntario—, pero tengo a un hombre que le puede servir de guía.

Sacó el llavero de su gancho y condujo a Garry por entre las celdas.

—¡Eh, *swart donder*! ¡Trueno negro! —gruñó, al abrir la cerradura de un calabozo.

Garry parpadeó al ver a su guía, que salió arrastrando los pies, malhumorado y lúgubre.

Era un hotentote con cara de villano. Su único ojo tenía una expresión malévola; el otro estaba cubierto por un parche de cuero. Olía como las cabras salvajes.

—Él conoce bien esas tierras —dijo el sargento, muy sonriente—. Allí es donde robaba los cuernos de rinoceronte y el marfil por los que va a pagar con seis años de encierro, ¿verdad, Kali Piet?

Kali Piet abrió su chaqueta de cuero y revisó el vello de su pecho, reflexivamente.

—Si le trabaja bien, coronel, y si usted lo recomienda, tal vez salga con dos o tres años de partir piedras, no más —explicó el sargento.

Kali Piet halló algo entre los vellos y lo trituró entre las uñas de los pulgares.

—¿Y si no me trabaja bien? —preguntó Garry, vacilante. *Kali* significaba "malo" o "perverso" en swahili; el apodo no inspiraba mucha confianza.

—Oh, bueno —replicó el sargento, tranquilamente—. En ese caso no se moleste en devolvérnoslo. Entiérrelo por cualquier parte, donde no lo encuentren.

La actitud de Kali Piet cambió milagrosamente.

—Buen amo —gimió, en afrikáans—, conozco todos los árboles, todas las rocas, todos los granos de arena. Seré su perro.

Anna estaba esperando a Garry, ya instalada en el asiento trasero del T.

—¡Por qué tardó tanto! —le reprochó—. ¡Mi nena ya lleva dieciséis días sola en los páramos!

Garry puso a Kali Piet bajo la custodia de su hombre principal.

—Cabo —dijo, tratando de hacer una mueca sádica—, si trata de escapar, ¡mátelo!

Cuando el último tejado rojo quedó atrás, el conductor de Garry eructó suavemente y saboreó el regusto de la cerveza con una sonrisa soñadora.

—Disfrútelo —le advirtió Garry—. Hay un largo viaje hasta el próximo vaso.

La senda corría a lo largo de la playa; a la izquierda, la marea verde coronaba con plumas de avestruz las arenas amarillas. Hacia adelante se extendía ese horrible litoral sin rasgos distintivos, envuelto en un deslumbramiento de mar.

Esa carretera era utilizada por los recolectores de algas, que las usaban como fertilizante, pero al avanzar hacia el norte se fue tornando cada vez menos definida, hasta desaparecer por completo.

—¿Qué hay más allá? —preguntó Garry a Kali Piet, que había sido trasladado desde el vehículo de vanguardia.

—Nada —respondió Kali Piet.

Garry nunca había percibido tal amenaza en una palabra vulgar.

—Desde aquí en adelante, nosotros mismos abriremos la ruta —anunció, con una confianza que no sentía.

Los sesenta kilómetros siguientes les llevaron cuatro días. Había antiguos cursos de agua, que tal vez llevaban más de un siglo secos, pero cuyas empinadas orillas estaban sembradas de cantos rodados, grandes como balas de cañón. Había traicioneras planicies en donde los vehículos se hundían inesperadamente en arena blanda, obligándolos a sacarlos a pulso. Había terrenos escabrosos; en uno de ellos, un camión volcó de costado; otro rompió un eje trasero y fue preciso abandonarlo, junto con un montón de equipaje que ya habían descubierto superfluo.

El convoy continuó su trabajoso avance hacia el norte.

Con el calor del mediodía, el agua hervía en los radiadores; entonces avanzaban con volutas de vapor brotando de las válvulas de seguridad y se veían obligados a detenerse cada media hora, para que los motores se enfriaran. En otros lugares había campos de piedra negra, filosa como cuchillos, que tajeaba las finas cubiertas de los neumáticos. En un solo día, Garry contó quince detenciones para cambiar ruedas; por la noche, el hedor de la solución de goma pendía sobre el campamento.

Al quinto día acamparon frente al pico desnudo de la Brandberg, la Montaña Quemada, que surgía de la purpúrea niebla vespertina. Por la mañana, Kali Piet había desaparecido, llevándose un fusil y cincuenta balas, una frazada, cinco botellas de agua y, como toque final, el reloj de oro y un monedero con veinte soberanos que Garry había puesto junto a su bolsa de dormir, por la noche.

Furioso, amenazando con dispararle en cuanto lo viera, Garry encabezó una expedición punitiva con el modelo T. Sin embargo, Kali Piet había elegido bien el momento; a un kilómetro y medio del campamento había entrado en una zona de colinas y valles donde ningún vehículo podría seguirlo.

—Que se vaya —ordenó Anna—. Estamos más seguros sin él, y hace veinte días que mi tesoro... —Se interrumpió. —Debemos seguir adelante, *Mijnheer*; que nada se nos interponga, nada.

La marcha se hacía más difícil día a día, y el avance más lento, más frustrante. Por fin, enfrentados a otra barrera de roca que se alzaba del mar como la cresta de un dinosaurio, para correr tierra adentro, mellada y centellante bajo el sol, Garry se sintió de pronto físicamente exhausto.

—Esto es una locura —murmuró para sus adentros, de pie en la cabina de un camión, sombreándose los ojos para tratar de divisar una entrada en aquella impenetrable muralla—. Los hombres ya están hartos. Hace casi un mes que... nadie puede haber sobrevivido allá por tanto tiempo, aun si hubiera podido llegar a la costa. —Le dolía el muñón de la pierna faltante; cada músculo de su espalda estaba resentido, cada vértebra de su columna parecía triturada por los crueles sacudones del suelo desparejo. —¡Tenemos que regresar!

Bajó de la cabina, con los movimientos tiesos de los viejos, y renqueó hasta Anna, que permanecía junto al Ford, a la cabeza de la columna.

—*Mevrou* —comenzó.

Ella se volvió a mirarlo, poniéndole una manaza roja en el brazo.

—*Mijnheer*... —Su voz era grave. Cuando sonrió, las protestas de Garry se acallaron y él pensó, no por primera vez, que si descontaba lo rojizo de su cara, las severas arrugas de la frente, esa mujer era bastante bonita. Tenía una mandíbula poderosa y decidida, dientes blancos y parejos y, en sus ojos, una suavidad que él nunca le había notado. —*Mijnheer*, estaba pensando que pocos hombres hubieran podido traernos hasta aquí. Sin usted, habríamos fallado. —Le apretó el brazo. —Yo sabía que usted era muy sabio, que había escrito muchos libros, pero ahora sé también que es fuerte y decidido, que elimina cuanto se le interpone en el paso.

Y volvió a estrecharle el brazo. Su mano era cálida y fuerte. Garry descubrió que disfrutaba con ese contacto. Enderezó los hombros y se echó el sombrero hacia adelante, en un ángulo garboso. La espalda ya no le dolía tanto. Anna volvió a sonreír.

—Iré a pie por las rocas, con un grupo. Debemos revisar la costa, metro a metro, mientras usted conduce al convoy por tierra. Así encontraremos otro paso.

Tuvieron que adentrarse seis kilómetros por tierra antes de hallar una ruta precaria por entre las rocas; así pudieron volver hacia el océano.

Cuando Garry vio la silueta distante de Anna, que avanzaba virilmente por la playa lejana, con el grupo detrás, sintió un inesperado alivio; sólo entonces comprendió lo mucho que la había extrañado en esas pocas horas.

Por la noche, los dos se sentaron con la espalda apoyada contra el Ford T, a comer carne en conserva y galletas, que bajaron con café fuerte, endulzado con leche condensada. Garry le dijo, tímidamente:

—Mi esposa también se llamaba Anna. Murió hace mucho tiempo.

—Sí, lo sé —replicó ella, sin dejar de masticar.

—¿Cómo lo sabe? —inquirió Garry, sorprendido.

—*Michel* se lo dijo a Centaine.

La variación del nombre de Michael desconcertó al padre.

—Siempre olvido que ustedes saben mucho sobre Michael. —Tomó una cucharada de carne, mirando la oscuridad. Como de costumbre, los hombres comían a poca distancia, para dejarles intimidad. El fuego encendido con madera de deriva lanzaba un nimbo amarillo; sus voces eran un murmullo en la noche.

—Yo, por el contrario, no sé nada de Centaine. Cuénteme más.

Era un tema que nunca aburría a ninguno de los dos.

—Es una buena muchacha. —Anna siempre comenzaba con esa afirmación. —Pero terca y caprichosa. ¿No le conté aquella vez en que...?

Garry se acercó a ella, con la cabeza inclinada en un gesto de atención.

La luz del fuego jugaba sobre la cara arrugada y poco atractiva de Anna, y él la observaba con una sensación de reconfortante familiaridad. Por lo común, las mujeres lo asustaban; cuanto más bellas y sofisticadas eran, más temía él. Mucho tiempo atrás había aceptado el hecho de que era impotente; lo había descubierto durante su luna de miel, y la risa burlona de su esposa aún le resonaba en los oídos, treinta años después. Nunca dio a otra mujer la oportunidad de reírse de él (Michael no era su hijo, en verdad; el hermano gemelo se había encargado de eso). Ya pasados los cincuenta años de edad, Garry seguía siendo virgen. De vez en cuando, como en esos momentos, el solo pensar en ello lo hacía sentir levemente culpable.

Con esfuerzo, apartó la idea y trató de recobrar la calma y el contento. Pero en eso cobró conciencia del olor que emanaba de esa mujer. Desde que partieran de Swakopmund no habían tenido agua para desperdiciar en baños, y ella olía fuerte. Olía a tierra, sudor y otros secretos almizcles femeninos; Garry se inclinó un poquito más para saborearlo. Las pocas mujeres que había conocido olían a colonia y agua de rosas, insípidas y artificiales. Ésa, en cambio, olía a animal, a un animal fuerte, cálido y saludable.

La observó con fascinación. Ella, siempre hablando en voz

baja y grave, levantó la mano para apartarse de la sien unos mechones de pelo gris. Bajo el brazo tenía una espesa mata de rizos oscuros, todavía húmedos por el calor del día. Al ver eso, la erección de Garry fue súbita y salvaje como un fuerte golpe en la entrepierna. Surgió de él como la rama de un árbol, rígida, doliente de sensaciones que él nunca había soñado, espesa de ansias y soledad, tensa de un deseo que venía de las profundidades mismas de su alma.

La miró, sin poder moverse ni hablar. Como no respondió a una pregunta, Anna apartó la vista del fuego y le vio la cara. Con suavidad, casi con ternura, alargó la mano para tocarle la mejilla.

—Creo, *Mijnheer,* que es hora de acostarme. Espero que duerma bien y sueñe con los angelitos.

Se levantó y pasó, pesadamente, tras la tela alquitranada que servía de biombo al sitio donde ella dormía.

Garry se acostó entre sus propias frazadas, con las manos apretadas a los flancos, escuchando el rumor que ella hacía al desvestirse tras la tela alquitranada. Le dolía el cuerpo. Desde tras el biombo improvisado surgió un rumor largo y profundo que lo sobresaltó; tardó un momento en identificarlo. Por fin comprendió que Anna estaba roncando. Era el sonido más tranquilizador de su vida, pues resultaba imposible asustarse de una mujer que roncaba. Hubiera querido gritar su regocijo a la noche del desierto.

"Estoy enamorado", se dijo, exultante. "Por primera vez en más de treinta años, estoy enamorado."

Sin embargo, con la aurora se evaporó todo el valor que había reunido durante la noche; sólo su amor seguía intacto. Anna tenía los ojos enrojecidos e hinchados por el sueño; el viento de la noche había llenado su pelo gris de cristales de arena. Pero él siguió contemplándola con adoración, hasta que ella le ordenó, bruscamente:

—Coma rápido. Tenemos que salir con la primera luz. Tengo la sensación de que hoy tendremos un buen día. ¡Coma, *Mijnheer*!

"¡Qué mujer!", se dijo Garry, admirado. "¡Si yo pudiera inspirar parte de tanta devoción, tanta lealtad!"

La premonición de Anna pareció, en un principio, bien

fundada, pues no encontraron más barreras rocosas; en cambio, una planicie abierta ondulaba hacia abajo, hacia donde comenzaba la playa, y la superficie era de grava firme, sembrada de pequeñas matas que llegaban a la rodilla. Se podía circular por ella como si fuera una ruta; sólo debían esquivar las pequeñas matas de pastos duros, a muy poca distancia de la playa, para poder detectar cualquier rastro de naufragio, cualquier rastro dejado por un náufrago en la arena.

Garry iba sentado junto a Anna en la parte trasera del Ford. Un barquinazo los arrojó al uno contra la otra, y Garry murmuró una disculpa, pero dejó la pierna sana apretada contra el muslo de ella, sin que la mujer hiciera intento alguno de retirarse.

De pronto, en medio de una tarde que tremolaba de calor, las acuosas cortinas de un espejismo se abrieron delante de ellos por unos pocos instantes; entonces vieron el comienzo de las dunas que se elevaban en la llanura. El pequeño convoy se detuvo delante de ellos y todo el mundo bajó para mirarlas, con asombro e incredulidad.

—Montañas —dijo Garry, suavemente—, una cordillera de arena. Nadie nos advirtió que existía esto.

—¡Tiene que haber un modo de pasar!

Garry sacudió la cabeza, dudando.

—Han de tener ciento cincuenta metros de altura.

—Venga —dijo ella, con firmeza—. Subiremos hasta arriba.

—¡Por Dios! La arena es demasiado suelta... y la altura, mucha... Puede ser peligroso...

—¡Vamos! Que los otros esperen aquí.

Avanzaron trabajosamente, con Anna llevando la delantera, y siguieron la columna empinada de un barranco arenoso. Muy abajo, el grupo de vehículos parecía un montón de juguetes; los hombres que esperaban, apenas hormigas. La arena anaranjada crujía bajo los pies, hundidos hasta los tobillos. Cuando se acercaban demasiado al borde, éste se derrumbaba, provocando una avalancha de arena siseante.

—¡Esto es peligroso! —murmuró Garry—. Si caemos por sobre el borde nos ahogaremos en arena.

Anna se levantó las gruesas faldas de calicó y las sujetó bajo las perneras. Garry, detrás, miraba fijamente, con la boca seca y el corazón golpeándole contra las costillas, el dorso de aquellas piernas desnudas. Eran gruesas y sólidas como troncos de árbol, pero detrás de las rodillas la piel era aterciopelada y cremosa; tenía hoyuelos, como los tienen las niñitas. Era lo más excitante que viera en su vida.

Increíblemente, su cuerpo volvió a reaccionar, como si la mano de un gigante le hubiera sujetado el miembro viril, y su fatiga desapareció. A tropezones, resbalando, siguió tras ella. Las ancas de Anna, anchas como las de una yegua de cría, se mecían a la altura de sus ojos asombrados.

Llegó a lo más alto de la duna sin darse cuenta. La mujer alargó una mano para sostenerlo.

—Por Dios —susurró él—, es un mundo de arena, todo un universo de arena.

Estaban al pie de las dunas más grandes. Hasta la fe de Anna se marchitó un poco.

—Nadie ni nada podría pasar por aquí.

Anna aún le sujetaba el brazo. De pronto lo sacudió.

—Ella está por allí. Casi puedo oír su voz que me llama. No podemos fallarle. Tenemos que encontrarla. No va a durar mucho más.

—Pero pasar a pie sería la muerte segura. Nadie sobreviría allí ni por un día.

—¡Tenemos que hallar un paso! —Anna se sacudió como un enorme San Bernardo, arrojando sus dudas y su momentánea debilidad. Venga. —Lo condujo hacia abajo otra vez. —Hay que hallar un rodeo.

El convoy, con el Ford a la cabeza, se adentró por tierra, siguiendo el pie de las grandes dunas, mientras el día se agotaba. El sol cayó por el cielo, sangrando hasta la muerte sobre las cimas vertiginosas. Esa noche, desde el campamento, las dunas se veían negras y remotas, implacables y hostiles contra la plata lunar del cielo.

—No hay modo de pasar. —Garry miraba fijamente las llamas, sin poder levantar la mirada hacia el rostro de Anna. —Esto seguirá así eternamente.

—Por la mañana volveremos hacia la costa —le dijo ella, plácidamente.

Y se levantó para acostarse, dejándolo dolorido de deseo.

Al día siguiente desandaron el trayecto, siguiendo sus propias huellas. Se hizo de noche antes de que hubieran alcanzado el punto en donde las dunas se reunían con el océano.

—No hay paso —repetía Garry, desesperanzado, pues el oleaje subía hasta las montañas de arena.

Hasta Anna, miserable, miraba en silencio el fuego del campamento.

—Si esperamos aquí —susurró, casi ronca—, tal vez Centaine se reúna con nosotros. Sin duda sabe que su única esperanza consiste en caminar hacia el sur. Si nosotros no podemos llegar a ella, debemos esperar que ella venga a nosotros.

—Nos estamos quedando sin agua —le dijo Garry, en voz baja—. No podemos...

—¿Cuánto tiempo durará?

—Tres días, cuanto más.

—Cuatro días —imploró Anna.

Había en su voz y en su expresión una desolación tal que Garry actuó sin pensar: alargó ambos brazos hacia ella. Sintió cierto terror delicioso cuando Anna le salió al encuentro, y ambos se estrecharon: ella, con desesperación; él, en un tembloroso frenesí de lujuria. Por algunos momentos a Garry le preocupó que los hombres de la otra hoguera pudieran verlos; después dejó de importarle.

—Ven.

Ella lo hizo levantar y lo condujo hasta detrás del biombo de lona. A Garry le temblaban tanto las manos que no pudo desabrochar los botones de su camisa. Ella rió entre dientes, con afecto.

—A ver. —Lo desvistió. —Mi nene tonto.

El viento del desierto soplaba fresco contra su espalda y sus flancos, pero él ardía interiormente de pasión, reprimida por tanto tiempo. Ya no lo avergonzaba su vientre velludo, que se abultaba en una pequeña panza, ni sus muslos, flacos como los de una cigüeña y demasiado largos para el resto de su cuerpo. Trepó sobre ella con frenético apuro, desesperado por sepultarse en esa mujer, por perderse en esa gran suavidad blanca, por ocultarse allí del mundo que fuera tan cruel.

De pronto ocurrió otra vez: sintió que el calor y la fuerza abandonaban su ingle, se sintió marchitar y encoger, tal como aquella otra noche horrible, más de treinta años antes. Y se dejó estar en el blanco colchón de ese vientre, acunado entre los muslos gruesos y poderosos; hubiera querido morir de vergüenza. Esperaba su risa y su desprecio, sabiendo que esa vez quedaría totalmente destruido. No podía escapar, pues estaba envuelto en esos brazos poderosos y los muslos le sujetaban las caderas en una morsa de carne.

—*Mevrou* —barbotó—, lo siento, pero no sirvo de nada. Nunca serví de nada.

Ella volvió a reír entre dientes, pero era una risa cariñosa y compasiva.

—A ver, mi nene —susurró a su oído—, deja que te ayude un poquito.

Y él sintió que aquella mano bajaba, presionando entre los dos vientres desnudos.

—¿Dónde está mi cachorrito? —preguntó ella.

Y los dedos se cerraron en torno de él. Cayó en el pánico. Comenzó a forcejear para liberarse, pero ella lo sujetó con facilidad, sin dejarlo escapar de sus dedos. Eran ásperos como lija, debido al trabajo duro, pero también hábiles e insistentes al tironear de él.

—Ah, qué muchacho tan grande —decía su voz, ronroneante y feliz—. Qué muchacho tan grande.

Él ya no pudo seguir forcejeando; cada nervio, cada músculo de su cuerpo estaba tenso hasta resultar doloroso, y aquellos dedos seguían acariciándolo, instándolo. La voz se tornó más profunda, casi soñolienta, sin urgencia, y lo fue calmando hasta que su cuerpo se distendió.

—¡Ah! —se regodeó ella—. ¿Qué le está pasando a nuestro cachorrito grandote?

De pronto se produjo un endurecimiento a su contacto. Ella volvió a reír con suavidad; los grandes muslos que lo habían sujetado hasta ese momento se apartaron poco a poco.

—Despacio, despacio —le advirtió ella, pues él comenzaba a debatirse otra vez— ¡Así! Eso, eso, eso es.

Lo iba guiando, tratando de controlarlo, pero la prisa de Garry era desesperada.

De pronto le llegó a la nariz una cálida vaharada, rica y fuerte, el maravilloso aroma de la excitación femenina, y él sintió un nuevo impulso de energías hasta el centro de su ser. Era un héroe, un águila, el martillo mismo de los dioses. Era fuerte como un toro, largo como una espada, duro como el granito.

—¡Oh, sí! —jadeó ella—. ¡Así, así!

Y él se impulsó hacia adelante, resbalando en las profundidades de ella, en el exquisito calor, muy distinto a todo lugar que él conociera en toda su existencia. Con creciente apuro, con más violencia, ella se elevaba y caía debajo, como si él fuera una nave en el vendaval, y lo arrullaba, lo urgía con voz entrecortada.

Volvió lentamente desde muy lejos. Ella lo abrazaba, acariciándolo, hablándole otra vez como si fuera un niño.

—Bueno, nene mío. Todo está bien. Ya pasó todo.

Y él comprendió que así era. Todo estaba bien, ya había pasado todo. Nunca en su vida se había sentido tan a salvo, tan seguro, ni conocido una paz tan invasora. Presionó la cara contra sus pechos, sofocándose en la abundante carne maternal. Hubiera querido descansar allí para siempre.

Ella le acarició los pocos cabellos sedosos, apartándoselos de las orejas, y lo miró con ternura. El parche rosado de la calvicie relucía a la luz del fuego, haciendo que le dolieran los pechos por la necesidad de consolarlo. Todo su amor acumulado, toda su preocupación por la muchacha perdida, encontraron una nueva dirección, pues Anna había nacido para prestar socorro y lealtad a otros. Comenzó a acunarlo, arrullándolo.

Más tarde, al amanecer, Garry descubrió que se había producido otro milagro. Al salir del campamento para volver a la cabecera de la playa, descubrió que tenían el camino abierto. Bajo la influencia de la luna, el océano estaba acentuando mucho sus mareas; las aguas, al retirarse, habían dejado una amplia banda de arena húmeda, dura, por debajo de las dunas.

Garry corrió al campamento y sacó a su conductor principal de entre las frazadas.

—¡Resucite a sus hombres, cabo! —gritó—. Quiero que se cargue combustible en el Ford, y raciones, incluyendo agua para cuatro personas por tres días. Y lo quiero todo listo en quince minutos. ¿Me entiende bien? ¡Bueno, muévase, hombre! ¡No se quede mirándome con la boca abierta!

Corrió al encuentro de Anna, que salía de tras la lona.

—¡La marea, *Mevrou*! ¡Podemos pasar!

—¡Ya sabía que usted buscaría el medio, *Mijnheer*!

—Iremos en el Ford, usted, yo y dos hombres, a la máxima velocidad posible, hasta que cambie la marea. Entonces pondremos al Ford por sobre la línea de la marea alta y, cuando se retire, volveremos a avanzar. ¿Puede prepararse para partir en diez minutos? Tenemos que aprovechar plenamente el tiempo. —Giró en redondo. —¡Vamos, cabo, mueva a esos hombres!

El cabo, de espaldas, puso los ojos en blanco y gruñó, como para que su gente lo oyera:

—¿Qué le ha dado a nuestro viejo gorrión? ¡De buenas a primeras actúa como gallito!

Avanzaron duramente por dos horas, llevando el Ford a la velocidad máxima de sesenta kilómetros por hora, mientras la arena estaba firme. Cuando se tornó blanda, los tres pasajeros, incluida Anna, bajaron de un salto para mantenerlo en marcha empujándolo con todo el peso de sus cuerpos. Cuando la arena volvió a endurecerse, treparon al coche y, entre bocinazos de entusiasmo, aceleraron con rumbo norte.

Al fin la marea ascendió hacia ellos. Entonces Garry escogió una abertura entre las dunas y allí condujeron el Ford, empujándolo por la arena seca hasta ponerlo bien por sobre la línea de la marea alta.

Hicieron fuego con madera de deriva, prepararon café y consumieron una comida fría; después se acomodaron a esperar el descenso del agua que les franquearía la playa. Los tres hombres se tendieron a la sombra del vehículo, pero Anna los dejó para caminar a lo largo de la marca dejada por el agua; de vez en cuando se detenía para mirar incansablemente hacia el norte, protegiéndose los ojos del fulgor solar.

Garry, incorporado sobre un codo, la contemplaba con tanto afecto y gratitud que le costaba respirar.

"En el otoño de mi vida, ella me da la juventud que nunca conocí. Ella me ha traído el amor que había pasado de largo", pensó. Cuando la vio desaparecer tras la siguiente bahía arenosa, no soportó perderla de vista.

Se levantó de un salto y corrió tras ella. Al llegar a la saliente la divisó a unos cuatrocientos metros de distancia, inclinada hacia algo, en la cabecera de la playa. Al levantarse lo vio y agitó ambas manos por encima de la cabeza, gritándole. El tronar de las olas ahogó su voz, pero su agitación era tan obvia que él echó a correr.

—*Mijnheer* —anunció ella, corriendo a su encuentro—, he encontrado... —No pudo terminar, pero lo tomó del brazo para arrastrarlo tras de sí. —¡Mire!

Cayó de rodillas junto al objeto. Estaba casi completamente sepultado en la arena, y la marea comenzaba a arremolinarse en derredor.

—¡Es parte de un bote! —Garry se dejó caer junto a ella.

Atacaron juntos la arena a mano limpia, excavando frenéticamente para descubrir el fragmento de madera pintada de blanco.

—Parece parte de un bote salvavidas —gruñó Garry—, tipo Admiralty.

Otra ola subió por la playa, mojándolos hasta la cintura, pero al retirarse se llevó la arena que ellos habían aflojado, dejando al descubierto el nombre; pintado en letras negras sobre el casco roto.

—*Protea C...*

Faltaba el resto; las maderas estaban despintadas y astilladas, rotas por el martilleo del oleaje.

—El *Protea Castle* —susurró Anna, mientras limpiaba la arena de las letras con sus faldas empapadas. —¡Es una prueba! —exclamó volviéndose hacia Garry. Las lágrimas le corrían libremente por las mejillas rojas. —Es una prueba, *Mijnheer*, de que mi tesoro ha llegado a la playa y está sana y salva.

Hasta Garry, ansioso como un recién casado por complacerla, desesperadamente necesitado de creer que tendría un nieto con quien reemplazar a Michael, hasta él la miró boquiabierto.

—Prueba de que ella está con vida... Y usted lo cree, ¿no, *Mijnheer*?

—*Mevrou*... —Garry agitó las manos, en un tormento de

bochorno. —Estoy de acuerdo en que hay una muy buena posibilidad.

—Está con vida. Lo sé. ¿Cómo puede dudarlo? A menos que piense...

La cara roja se plegó en un ceño feroz. Garry capituló, nervioso.

—¡Sí, claro que sí! ¡Lo creo, por cierto! Está con vida, no hay la menor duda, ni la menor duda.

Habiendo ganado la batalla, Anna se enfrentó a la marea ascendente y volcó contra el océano toda la fuerza de su disgusto.

—¿Cuánto tiempo debemos esperar aquí, *Mijnheer*?

—Bueno, *Mevrou*, la marea asciende durante seis horas y se retira por otras seis —explicó, en tono de pedir disculpas—. Pasarán tres horas más antes de que podamos seguir.

—Cada minuto que perdamos ahora puede tener muchísima importancia —le advirtió ella, con ferocidad.

—Bueno, lo siento muchísimo, *Mevrou*.

Garry, humilde, aceptaba sobre sí toda la responsabilidad por el ritmo del universo. La expresión de Anna se suavizó. Echó una mirada en derredor para asegurarse de que nadie los estaba mirando y le deslizó la mano en el hueco del brazo.

—Bueno, al menos sabemos que todavía está con vida. Seguiremos la marcha en cuanto sea posible. Mientras tanto, *Mijnheer*, disponemos de tres horas.

Le clavó una mirada especulativa. A Garry empezaron a temblarle tanto las rodillas que apenas pudo tenerse en pie. Ninguno de los dos volvió a hablar, en tanto ella lo conducía playa arriba, hasta un cerrado cañadón entre dos altas dunas.

Cuando la marea inició el descenso, llevaron el Ford hasta la arena. Las ruedas traseras arrojaban cuñas de centelleante agua marina y arena mojada a gran altura, en tanto avanzaban hacia el norte.

Por dos veces, a lo largo de ocho kilómetros, encontraron restos arrojados a la playa: un salvavidas de lona y un remo roto. Era obvio que llevaban mucho tiempo expuestos a los elementos; no tenían marcas de identificación, pero confirmaron a Anna en su fe. Ella iba sentada en la parte posterior del Ford, con el sombrero de corcho sujeto por un pañuelo atado bajo el mentón. Garry le echaba miradas amorosas, como un cariñoso foxterrier que hiciera la corte a un bulldog.

La marea estaba en su punto más bajo y el Ford iba viajando a cuarenta y cinco kilómetros por hora cuando cayeron en las arenas movedizas. No hubo aviso previo. La playa parecía tan dura y plana como hasta ese momento; sólo había un leve cambio en su contorno. Allí formaba una depresión, y la superficie temblaba como jalea, debido al agua de mar que brotaba desde bajo la arena. Pero iban tan de prisa que no repararon en esas señales y cayeron allí a toda velocidad.

Las ruedas delanteras se hundieron en el guiso blando y se detuvieron en seco. Fue como chocar contra la ladera de una montaña. El conductor se vio arrojado contra la columna del volante, que se quebró con un áspero chasquido, y la barra de acero se le clavó en el esternón, atravesándolo como un pez al asador; la punta mellada le salió por la espalda, debajo del omóplato.

Anna fue arrojada desde el asiento trasero y aterrizó en el blando pantano de arena. Garry se golpeó la frente contra el tablero; del hueso se le desprendió una lonja de piel, que quedó colgando sobre su ceja, mientras la sangre le manaba por la cara. El cabo quedó atrapado en un enredo de equipos sueltos; el brazo se le quebró con un chasquido, como el de un palito seco.

Anna fue la primera en recobrarse y vadeó hundida en la arena, hasta la rodilla. Rodeando con un brazo los hombros de Garry, lo ayudó a salir del asiento delantero y lo llevó a la rastra hasta la arena dura.

—Estoy ciego —susurró él, cayendo de rodillas.

—¡Es sólo un poquito de sangre!

Anna le limpió la cara con su falda, desgarró una tira de calicó del ruedo y vendó apresuradamente la lonja de piel, para sostenerla en su sitio. Después lo dejó para vadear hasta el Ford.

Se estaba hundiendo poco a poco, inclinado hacia adelante. El capó ya estaba cubierto de una pasta amarilla, que se volcaba glotonamente por las puertas, llenando el interior.

Anna tomó al conductor por los hombros y trató de sacarlo, pero estaba firmemente empalado en la barra de dirección. Lo dejó para dedicarse al cabo, que murmuraba y se retorcía espasmódicamente, al recobrar la conciencia. Anna lo liberó y lo llevó a la rastra hasta la arena seca, gruñendo y enrojecida por el esfuerzo. El hombre lanzó un débil grito de dolor y dejó el brazo bamboleando, retorcido, cuando ella lo bajó a la arena.

—*Mijnheer* —exclamó Anna, sacudiendo a Garry—, debemos rescatar el agua antes de que se hunda también.

Garry se levantó, tambaleándose. Tenía la cara pintada con su propia sangre y la camisa manchada, pero la hemorragia había cesado. La siguió hasta el malhadado Ford y la ayudó a llevar las latas de agua hasta la playa.

—Por el conductor no se puede hacer nada —gruñó Anna, mientras contemplaba al Ford que se hundía gradualmente bajo la traicionera superficie, llevándose al muerto. A los pocos minutos no quedaban trazas de ellos. Entonces la mujer volvió su atención al cabo.

—Tiene un hueso fracturado. —El antebrazo se estaba hinchando de un modo alarmante; el hombre estaba pálido y ojeroso por el tormento. —¡Ayúdeme!

Con la ayuda de Garry, que sujetaba al herido, Anna enderezó el miembro fracturado y lo entablilló, utilizando un trozo de madera de deriva. Después cortó otra tira de su falda para hacerle un cabestrillo. Mientras le acomodaba el brazo en él, Garry dijo ásperamente:

—Calculo que debemos hacer unos sesenta kilómetros para regresar...

Pero no pudo concluir, pues Anna lo fulminó con la mirada.

—¡Está hablando de regresar!

—*Mevrou* —suplicó él, con un pequeño gesto de conciliación—, tenemos que regresar. Cuatro litros de agua y un hombre herido... Será mucha suerte si conseguimos salvarnos nosotros.

Ella siguió mirándolo fijamente por unos segundos más; después, gradualmente, dejó caer los hombros.

—Estamos tan cerca de hallarla, tan cerca de Centaine...

Lo siento, siento que puede estar detrás del próximo promontorio. ¿Cómo vamos a renunciar? —susurró.

Por primera vez Garry la veía derrotada. Creyó que el corazón le iba a estallar de amor y piedad.

—¡No renunciaremos jamás! —declaró—. Jamás abandonaremos la búsqueda. Esto es sólo una demora. Seguiremos hasta hallarla.

—Prométamelo, *Mijnheer*. —Anna lo miró con patética ansiedad. —Júreme que no renunciará jamás, que no dudará jamás de que Centaine y su bebé están con vida. Júreme ahora y aquí, ante los ojos del Señor, que no abandonará la búsqueda de su nieto. ¡Déme su mano y júrelo!

Arrodillados en la arena, con la marea alta arremolinada en sus rodillas, frente a frente y de la mano, él hizo el juramento.

—Ahora podemos volver. —Anna se puso de pie. —Pero volveremos y seguiremos adelante hasta encontrarla.

—Sí —asintió Garry—. Volveremos.

En verdad, Centaine debió morir una muerte pequeña, pues al recobrar la conciencia vio la luz matinal por entre los párpados cerrados. La perspectiva de pasar otro día entre tormentos le hizo apretar los párpados con fuerza, tratando de volver a la negra nada.

En eso cobró conciencia de un leve sonido, como el de la brisa matutina entre las ramas secas o el de un insecto que avanzara, con chasqueantes miembros acorazados, por una superficie rocosa. El ruido la preocupaba. Por fin ejecutó el enorme esfuerzo necesario para girar la cabeza hacia él y abrir los ojos.

Un pequeño gnomo humanoide estaba sentado en cuclillas, a diez metros de ella. Comprendió que debía de ser una alucinación. Parpadeó con rapidez, y la lagaña solidificada que le pegoteaba las pestañas le nubló la visión, pero logró distinguir una segunda silueta, acuclillada junto a la primera. Se frotó los ojos, tratando de incorporarse, y sus movimientos provocaron un nuevo estallido de sonidos suaves, crepitantes; aun así tardó varios segundos en comprender que los dos pequeños gnomos estaban conversando entre sí, conteniendo la excitación, y que eran reales, no meras creaciones de su debilidad.

El más próximo a Centaine era una mujer, pues hasta la cintura le pendía un par de tetas fláccidas; parecían bolsas de tabaco vacías. Era vieja... No, Centaine comprendió que esa palabra no alcanzaba a describir su antigüedad. Estaba tan arrugada como una ciruela pasa secada al sol. No tenía un centímetro de piel que no colgara, en pliegues sueltos, que no estuviera arrugada y llena de surcos. Las arrugas no se alineaban en una sola dirección, sino que se entrecruzaban en diseños profundos, como estrellas o rosetas. Los pechos caídos también estaban arrugados, igual que el vientrecito gordo; de las rodillas y los codos le colgaban más bolsas apergaminadas. Centaine, como en un sueño, quedó totalmente encantada. Nunca había visto un ser humano parecido a aquél, ni siquiera en el circo que visitaba Mort Homme todos los veranos, antes de la guerra. Se incorporó trabajosamente sobre un codo para mirarla.

La viejecita tenía un color extraordinario: parecía relumbrar como ámbar a la luz del sol, y Centaine pensó en el cuenco pulido de la pipa de su padre, hecho de espuma de mar y curado con tanto trabajo. Pero ese color era aun más brillante, tanto como un damasco maduro en el árbol. A pesar de su debilidad, por los labios le cruzó una leve sonrisa.

De inmediato, la vieja, que estaba estudiando a Centaine con idéntica atención, le devolvió la sonrisa. La red de sus arrugas se ciñó en torno de los ojos, reduciéndolos a ranuras oblicuas, como las de los chinos. En esas brillantes pupilas negras había un chisporroteo tan alegre que Centaine sintió deseos de alargar los brazos para estrecharla, como si fuera Anna. La mujer tenía los dientes gastados casi hasta las encías y pardos como el tabaco, pero sin huecos entre uno y otro; además, se los veía parejos y fuertes.

—¿Quién es usted? —susurró Centaine, aunque tenía los labios oscuros e hinchados.

La mujer lanzó unos cuantos chasquidos y siseos como respuesta. Bajo la piel suelta y arrugada, su cráneo era pequeño y bien formado; su rostro tenía una dulce forma de corazón.

Le sembraban el cráneo unas diminutas motas de pelo lanudo, gris y descolorido, cada una del tamaño de una arveja, mostrando el cuero cabelludo entre una y otra. Sus orejas, pequeñas y puntiagudas, no se separaban del cráneo, pero no tenían lóbulos; el efecto de los ojos chisporroteantes y las orejas en punta le otorgaba una expresión alerta y burlona.

—¿Tiene agua? —susurró Centaine—. Agua. Por favor.

La vieja giró la cabeza y se dirigió a su compañero, hablando en esa lengua sibilante y llena de chasquidos. Él parecía casi su hermano gemelo: la misma piel de damasco, imposiblemente arrugada, las mismas motas apretadas salpicándole el cuero cabelludo, los mismos ojos brillantes y las orejas en punta, sin lóbulos. Pero era varón. Eso era más que evidente, pues el taparrabos se le había hecho a un lado al sentarse, dejando en libertad un pene ajeno a toda proporción con respecto a su tamaño; la punta circuncisa tocaba la arena; tenía la arrogancia peculiar del miembro viril cuando el hombre está en la flor de la edad, y Centaine se descubrió mirándolo fijamente. Se apresuró a apartar la vista, repitiendo.

—Agua. —Y en esa oportunidad hizo el gesto de beber.

De inmediato se inició una animada discusión entre los dos viejos.

—O'wa, esta criatura está muriendo por falta de agua —dijo la anciana bosquimana a su esposo de treinta años. Pronunciaba la primera sílaba de su nombre con el sonido chasqueante de un beso.

—Ya está muerta —replicó apresuradamente el bosquimano—. Es demasiado tarde, H'ani.

El nombre de su esposa se iniciaba con una aspiración aguda y explosiva, para terminar con un suave chasquido, hecho con la lengua contra la base de los dientes superiores, ese ruido que, en el lenguaje occidental, suele usarse para demostrar un leve fastidio.

—El agua nos pertenece a todos, vivos y moribundos; es la primera ley del desierto, y tú la conoces bien, anciano abuelo. —H'ani, que deseaba mostrarse especialmente persuasiva, se dirigía a su esposo con el más repetuoso de todos los apelativos.

—El agua pertenece a toda la gente —concedió él, asintiendo entre parpadeos—, pero ésta no es San, no es una persona. Pertenece a los otros.

Con esa breve declaración, O'wa había establecido sucintamente el punto de vista del bosquimano en cuanto a sí mismo en relación con el mundo circundante.

El bosquimano era el primer hombre. Sus recuerdos tribales retrocedían hasta más allá de los velos del tiempo, hasta cuando sus antepasados eran los únicos en la tierra. Desde los lejanos lagos del norte hasta las montañas del sur, sus terrenos de caza abarcaban entonces todo el continente. Eran los aborígenes. Eran los hombres, los San.

Los otros eran criaturas aparte. Los primeros habían bajado desde el norte, por los corredores de migración; eran enormes negros que llevaban a sus ganados delante de sí. Mucho más tarde llegaron otros desde el sur, hombres cuya piel tenía el color de un vientre de pescado y enrojecía bajo el sol, y ojos pálidos, con aspecto de ciegos; venían del mar. Y esa hembra era una de ellos. Habían soltado a pastar vacas y ovejas en los antiguos cotos de caza, matando en cambio a los animales salvajes, que eran el sustento de los bosquimanos.

Barridos sus propios medios de subsistencia, el bosquimano tomó los ganados domésticos que reemplazaron a los animales salvajes de la pradera. No tenía sentido de la propiedad ni de la posesión privada. Tomó los ganados ajenos como hubiera tomado las presas de caza, y al hacerlo cometió un delito mortal. Blancos y negros hicieron la guerra a los bosquimanos con implacable ferocidad, realzada por el miedo que les causaban sus diminutos dardos, cuya punta portaba un veneno capaz de causar una muerte segura y dolorosa.

En impis armados con assegais de doble filo, en grupos montados que llevaban armas de fuego, persiguieron a los bosquimanos como si fueran animales perjudiciales. Dispararon contra ellos, los mataron a estocadas, los encerraron herméticamente en cuevas, los quemaron vivos, envenenaron y torturaron, rescatando de la masacre sólo a los niños más pequeños. A ellos se los encadenó por grupos, pues a los que no decaían y morían de tristeza se los podía "domesticar", convirtiéndolos en pequeños esclavos suaves, leales y bastante encantadores.

Las bandas de bosquimanos que sobrevivieron a ese deliberado genocidio retrocedieron hacia las tierras sin agua, donde sólo ellos podían sobrevivir, con su maravilloso conocimiento y su comprensión de la tierra y sus criaturas.

—Es una de los otros —repitió O'wa—, y ya está muerta. El agua alcanza sólo para nuestro viaje.

H'ani no había apartado los ojos del rostro de Centaine, pero se reprochó a sí misma, en silencio: "No tenías por qué hablar del agua, vieja. Si se la hubieras dado sin preguntar, no tendrías que soportar estas tonterías masculinas". Pero se volvió hacia su esposo con una sonrisa.

—Sabio abuelo, mira los ojos de la niña —rogó—. Todavía hay vida en ellos, y también valor. Ésta no morirá mientras no vacíe su cuerpo del último aliento.

Deliberadamente, H'ani descolgó la bolsa de cuero crudo que llevaba al hombro, sin prestar atención a los siseos desaprobatorios de su esposo.

—En el desierto —agregó—, el agua pertenece a todos, a los San y a los otros. No hay diferencias, como has dicho.

Tomó de la bolsa un huevo de avestruz: un orbe casi perfecto, del color del marfil pulido. La cáscara había sido amorosamente decorada con un círculo de pájaros y siluetas de animales; el extremo estaba obstruido con un tapón de madera. El contenido chapoteó al sopesar H'ani el huevo en sus manos. Centaine gimió como un cachorrito al que se le niega la teta.

—Eres una vieja caprichosa —dijo O'wa, disgustado.

Era la protesta más fuerte que la tradición de los bosquimanos permitía. No podía darle órdenes ni prohibirle nada. Un bosquimano sólo podía aconsejar a otro, pues no tenía derechos sobre el prójimo; entre ellos no había jefes ni capitanes; todos eran iguales: hombre y mujer, viejos y jóvenes.

Con cuidado, H'ani destapó el huevo y lo acercó a Centaine, rodeándole el cuello con un brazo para sostenerla, mientras le llevaba el huevo a los labios. La muchacha tragó golosamente, ahogándose, y el agua le goteó por la barbilla. En esa oportunidad H'ani y O'wa lanzaron un siseo horrorizado, pues cada gota era más preciosa que la sangre. H'ani apartó el huevo; Centaine, sollozando, trató de tomarlo.

—No eres cortés —le reprochó H'ani.

Se llevó el huevo a sus propios labios y se llenó la boca hasta abultar las mejillas. Luego puso la mano bajo el mentón de la muchacha y se inclinó hacia adelante, cubriéndole la boca con sus propios labios. Cuidadosamente, inyectó una pocas gotas en la boca de Centaine y esperó a que tragara antes de darle más. Cuando hubo pasado hasta la última gota, se sentó sobre los talones y esperó a que ella pareciera dispuesta a recibir más. Así le pasó una segunda y una tercera bocanadas.

—Esa hembra bebe como una elefanta en el pozo de agua —observó O'wa, agrio—. Ya ha tomado lo suficiente como para colmar el lecho seco del Kuiseb.

Tenía razón, por supuesto, y H'ani debió reconocerlo a su pesar. La muchacha ya había consumido la ración que correspondía a un adulto para todo el día. Volvió a tapar el huevo de avestruz y, aunque Centaine suplicó y estiró ambas manos, sollozante, ella lo guardó con firmeza en la bolsa de cuero.

—Un poquito más, por favor —susurró la muchacha.

Pero la anciana, sin prestarle atención, se volvió hacia su compañero. Ambos discutieron, haciendo graciosos ademanes de pájaro con las manos, haciendo aletear los dedos.

La vieja llevaba un tocado de cuentas blancas, planas, alrededor de la cabeza, y diez o doce sartas de las mismas cuentas en el cuello y los brazos. A la cintura ataba una breve falda de cuero; sobre un hombro, una capa de piel manchada. La falda se mantenía en su sitio gracias a una faja de cuero crudo, de la cual pendía toda una colección de pequeñas calabazas y envases hechos con cuernos de antílope; llevaba también un palo largo, con el extremo ahusado, al que le servía de contrapeso una piedra agujereada.

Centaine se tendió en el suelo, observándola ávidamente. Reconocía por intuición que se estaba discutiendo sobre su propia vida y que la anciana era su abogada defensora.

—Cuanto has dicho es verdad, indudablemente, reverendo abuelo. Estamos de viaje y quienes no pueden mantener el paso ponen en peligro al resto; por lo tanto, deben ser dejados atrás. Así lo indica la tradición. Pero si esperamos este tiempo —agregó, señalando un segmento del tránsito solar en el cielo, que equivalía aproximadamente a una hora—, tal vez esta criatura pueda hallar fuerzas suficientes, y esa breve espera no nos pondría en peligro.

O'wa seguía produciendo un sonido profundo con la glotis y agitando ambas manos desde la cintura. Ese gesto expresivo alarmó a Centaine.

—Nuestro viaje es arduo y aún nos quedan largas distancias por cruzar. Faltan muchos días para las próximas aguas, demorarnos aquí es una tontería.

O'wa llevaba una corona en la cabeza. Centaine, a pesar de su situación, se sintió intrigada; de pronto comprendió de qué se trataba: en una vincha de cuero crudo, sembrada de cuentas, el viejo había puesto catorce flechas diminutas; estaban hechas con juncos de río, plumas de águila y fragmentos de hueso blanco por puntas. Cada punta estaba teñida por una pasta seca, como caramelo de leche recién hecho, y Centaine recordó la descripción hecha por Levaillant.

—¡Veneno! —susurró—. Flechas envenenadas. —Y se estremeció, repasando mentalmente la ilustración del libro, dibujada a mano. —Son bosquimanos, son verdaderos bosquimanos.

Logró incorporarse del todo, y los viejecitos se volvieron a mirarla

—Mira, ya está más fuerte —señaló H'ani.

Pero O'wa hizo ademán de levantarse.

—Estamos de viaje, en el más importante de los viajes, y estamos perdiendo tiempo.

De pronto se alteró la expresión de H'ani. Estaba mirando fijamente el cuerpo de Centaine. Cuando la muchacha se incorporó, la blusa de algodón, ya raída, se había abierto, exponiendo un pecho. Ante el interés de la anciana, Centaine reparó en su desnudez y se apresuró a cubrirse, pero no antes de que la anciana se acercara a saltitos, inclinándose sobre ella. Con gesto impaciente, apartó las manos de Centaine y, con dedos sorprendentemente fuertes, estrujó un pecho a la joven.

Centaine hizo un gesto de dolor, protestando, pero la anciana era tan decidida y autoritaria como Anna. Abrió la blusa desgarrada y tomó uno de los pezones entre el índice y el pulgar, para ordeñarlo suavemente. Al fin apareció en la punta una gota clara. Entonces H'ani tarareó suavemente para sus adentros y empujó a la muchacha, poniéndola de espaldas en la arena para introducir la mano bajo la falda de lona. Sus deditos hurgaron hábilmente en la parte inferior del vientre.

Por fin se sentó sobre los talones, con una sonrisa triunfante dedicada a su compañero.

—Ahora no puedes abandonarla —se jactó—. Es la tradición más poderosa del pueblo no abandonar a una mujer, San o no, si lleva en sí una vida nueva.

O'wa hizo un cansado ademán de capitulación y volvió a sentarse en cuclillas, afectando un aire altanero, mientras su esposa trotaba hasta la orilla del mar con el palo de excavar en las manos. Después de inspeccionar atentamente la arena mojada, hundió la punta del palo en la arena y caminó hacia atrás, abriendo un pequeño surco. La punta del palo tocó un objeto sólido bajo la arena. H'ani se precipitó hacia adelante y, excavando con los dedos, sacó algo que dejó caer en su bolsa. Luego repitió el procedimiento.

Al poco tiempo regresó hasta donde Centaine esperaba y vació la bolsa, dejando caer a la arena un montón de moluscos. Centaine vio de inmediato que eran almejas y se enfureció amargamente ante su propia estupidez. Había pasado días muerta de hambre y de sed, mientras pisaba una playa colmada de esos ricos moluscos.

La anciana utilizó una herramienta cortante de hueso para abrir una de las conchas, sosteniéndola con cuidado a fin de no volcar los jugos, y la pasó a Centaine. La muchacha sorbió extáticamente el fluido de la valva inferior y arrancó la carne con los dedos sucios, para llevársela a la boca.

—*Bon!* —dijo a H'ani, con toda la cara fruncida por el placer—. *Très bon!*

H'ani, sonriendo, agitó afirmativamente la cabeza, mientras operaba con su cuchillo de hueso en otra valva. Su ineficaz herramienta convertía cada apertura en un trabajo difícil, partiendo fragmentos de concha. Al fin, Centaine abrió su navaja y se encargó de la operación.

O'wa había estado demostrando su desaprobación con su actitud distante, pero el chasquido de la hoja hizo que sus ojos giraran hacia Centaine, dilatados de súbito interés.

Los San eran hombres de la Edad de Piedra, pero aunque la forja del hierro estaba más allá de su cultura, él había visto anteriormente algunos implementos metálicos, recogidos por su gente de los campos de batalla de los gigantes negros o tomados secretamente de campamentos extranjeros. En una oportunidad había hablado con un hombre de los San que poseía un implemento parecido a aquél.

El hombre se llamaba Xja; se pronunciaba con el mismo sonido que se hace para apurar a un caballo. Xja se había casado con la hermana mayor de O'wa, treinta y cinco años antes. Siendo joven, su cuñado había hallado el esqueleto de un blanco, en un pozo seco, a las orillas del Kalahari. El cuerpo del viejo cazador de elefantes estaba junto al esqueleto de su caballo y su largo fusil a un lado.

Xja no tocó el arma; sabía, por las leyendas y la dura experiencia, que en ese extraño palo mágico vivía el trueno, pero examinó con timidez el contenido de la mochila podrida, descubriendo tesoros.

En primer lugar, había una bolsa de tabaco con provisión para un mes. Xja se puso una pizca bajo el labio superior y examinó, feliz, el resto de la mochila. Rápidamente descartó un libro y un cilindro de cartón, que contenía bolitas de metal pesado, feas e inútiles. Luego descubrió una bella petaca de metal amarillo, con correa de cuero. La petaca estaba llena de un polvo gris, también inútil, que virtió en la arena, pero el envase era tan maravilloso por su brillo que ninguna mujer podría resistirse a él. Xja, que no era un gran cazador ni excelente bailarín ni buen cantante, languidecía hacía tiempo por la hermana de O'wa, cuya risa sonaba como el agua de un arroyo. Como desesperaba de atraerla, ni siquiera se había atrevido nunca a lanzarle una diminuta flecha con punta de plumas, con el arco ceremonial del amor. Pero con esa reluciente petaca en las manos, estaba seguro de que sería, por fin, su mujer.

En eso Xja encontró el cuchillo y comprendió que con eso ganaría el respeto de los hombres de su tribu, cosa que ansiaba casi tanto como a la adorable hermana de O'wa.

Hacía casi treinta años que O'wa no veía a Xja y a su hermana. Habían desaparecido en las solitarias vastedades de la tierra seca del este, apartados del clan por las extrañas emociones de envidia y odio que el cuchillo evocaba en los otros hombres de la tribu.

Y en ese momento O'wa veía un cuchillo similar en las manos de esa hembra, que abría las valvas de almeja y devoraba cruda la dulce carne amarilla, bebiendo los jugos.

Hasta ese momento se había sentido sólo repelido por el enorme y feo cuerpo de esa hembra, más grande que el hombre más grande de los San; por sus manos y sus pies, tan grandes, por su gruesa mata de pelo y su piel, que el sol había asado. Pero cuando miró el cuchillo volvieron de pronto los confusos sentimientos de aquel entonces, y comprendió que pasaría las noches en vela, pensando en ese cuchillo.

Se levantó.

—Basta —dijo a H'ani—. Es hora de seguir viaje.

—Un poquito más.

—Con niño o sin niño, nadie puede poner en peligro la vida de todos. Debemos seguir.

Una vez más, H'ani comprendió que él tenía razón. Ya habían esperado mucho más de lo conveniente. Se levantó con él y ajustó el bolso a su hombro. De inmediato vio el pánico en los ojos de Centaine, que les adivinaba la intención.

—¡Espérenme! *Attendez!*

Se levantó trabajosamente, aterrorizada al pensar que la abandonaban.

O'wa pasó el pequeño arco a la mano izquierda, guardó su pene bamboleante en el taparrabo de cuero y ajustó la cintura. Después, sin volver una sola mirada hacia las mujeres, echó a andar por el borde de la playa.

H'ani lo siguió. Los dos avanzaban con un trote bamboleante, y Centaine reparó por primera vez en sus pronunciadas nalgas, enormes protuberancias tan sobresalidas que la muchacha hubiera podido montar en las de H'ani como en un pony. La idea le dio ganas de reír. H'ani miró hacia atrás y le encendió una sonrisa de aliento. Luego volvió la cabeza hacia adelante. Su trasero iba dando tumbos, mientras los pechos ancianos flameaban contra el vientre.

Centaine dio un paso tras ellos y se detuvo en seco, horrorizada.

—¡Van mal! —gritó—. ¡Llevan rumbo equivocado!

Los dos pigmeos iban hacia el norte, alejándose de Ciudad del Cabo, Walvis Bay y Lüderitzbucht, de toda civilización.

—No pueden ir hacia allá. Vuelvan. No pueden dejarme sola aquí. No pue...

Centaine estaba frenética. Allá estaba la soledad del desierto, esperándola para consumirla como una fiera hambrienta, si quedaba sola otra vez. Pero si seguía a los dos pequeños ancianos debería volver la espalda a los de su raza y al socorro que pudieran ofrecerle.

Dio algunos pasos inseguros detrás de H'ani.

—¡Por favor, no se vayan!

La anciana comprendió la súplica, pero sabía que había un solo modo de hacer que la criatura siguiera avanzando; no mirar atrás.

—¡Por favor, por favor!

El rítmico trote se llevó a los dos viejecitos perturbadoramente pronto.

Centaine vaciló aún por algunos momentos, mirando hacia el sur, indecisa y desesperada. H'ani ya iba a unos cuatrocientos metros, sin dar señales de aflojar el paso.

—¡Espérenme! —gritó la muchacha y tomó su garrote.

Trató de correr, pero cien pasos más allá se estableció en un paso corto, difícil, pero decidido.

Hacia mediodía, las dos siluetas que seguía se habían reducido a motas, para desaparecer finalmente en la espuma del mar, playa adelante. Sin embargo quedaban sus huellas en las arenas de bronce, pequeñas como las de un niño; Centaine fijó en ellas toda su atención. Jamás sabría de dónde sacó fuerzas para seguir de pie y resistir todo ese día.

Por fin, al anochecer, ya casi perdida su resolución, levantó la vista de las huellas y distinguió, muy adelante, una voluta de humo celeste que se alejaba hacia el mar. Emanaba de una saliente roca amarilla, por sobre la marca de la marea alta. Le costó el resto de sus energías llegar hasta el campamento de los San.

Se dejó caer, totalmente exhausta, junto a la fogata de madera de deriva. H'ani se acercó cloqueando. Como lo haría un pájaro con su pollo, le dio agua de boca a boca. El agua estaba caliente y viscosa por la saliva de la vieja, pero Centaine nunca había probado nada tan delicioso. Tal como antes, no le alcanzó; la mujer tapó el huevo de avestruz antes de que Centaine hubiera calmado su sed.

La muchacha apartó la vista del bolso donde se guardaban los huevos con agua y buscó al viejo.

Sólo era visible su cabeza, pues estaba sumergido entre los bancos de algas, en las aguas verdes. Se había desnudado por completo, exceptuando los collares de cuentas, y estaba armado con el palo aguzado de H'ani. Centaine le vio apuntar rígidamente, como un perro de caza, y lanzar luego un hábil golpe con el palo. El agua estalló, en tanto O'wa forcejeaba con una presa grande y activa. H'ani, palmoteando, lanzó gritos de aliento. Por fin, el viejo sacó a la playa una bestia que aún se debatía.

A pesar de su cansancio, Centaine se levantó sobre las rodillas, con una exclamación de asombro. Sabía qué era aquella presa; por cierto, la langosta era uno de sus bocados favoritos; pero aquel animal era demasiado grande; O'wa casi no podía cargarlo. La gran cola blindada se arrastraba por la arena, mientras que las gruesas barbas sobrepasaban la cabeza del anciano. H'ani corrió con una piedra del tamaño de su propia cabeza. Entre ambos mataron a golpes al enorme crustáceo.

Antes de que oscureciera, O'wa había matado otras dos, cada una de ellas casi tan grande como la primera. Después, él y su esposa excavaron un agujero poco profundo en la arena y lo forraron con hojas de algas marinas.

Mientras ellos preparaban el hoyo para cocinar, Centaine examinó las tres grandes langostas. Eran de una variedad gigantesca; sus bigotes tenían casi la longitud de un brazo y, en la base, eran gruesos como un pulgar.

O'wa y H'ani las sepultaron en el hueco forrado de algas, bajo una leve capa de arena. Luego amontonaron encima una fogata hecha con madera de deriva. Las llamas iluminaban sus cuerpos del color de damascos, en tanto ellos parloteaban, exuberantes. Cuando la labor estuvo concluida, O'wa se incorporó de un brinco y comenzó una pequeña danza, arrastrando los pies y cantando con quebrada voz de falsete, en tanto giraba en torno del fuego. H'ani marcaba el ritmo con las palmas, tarareando a boca cerrada y meciéndose sin levantarse. Y O'wa bailó y bailó, mientras Centaine, exhausta, se maravillaba de su energía, preguntándose vagamente qué sentido tendría aquella danza, qué significaba la letra.

—Te saludo, espíritu de la araña roja del mar. Y a ti te dedico esta danza —cantaba O'wa, agitando las piernas de modo tal que las nalgas desnudas se le sacudían como gelatina—. Te ofrezco mi danza y mi respeto, pues has muerto para que nosotros podamos vivir...

Y H'ani puntuaba la canción con agudos grititos.

O'wa, el hábil y astuto cazador, nunca había matado sin dar gracias a la presa que cayera ante sus flechas o su lanza. Ningún animal era demasiado pequeño o insignificante como para no merecer ese honor. Siendo pequeño también él, reconocía la excelencia de muchas cosas pequeñas y sabía que el pangolín, escamoso comedor de hormigas, merecía aun más honor que el león, y la mantis religiosa, un insecto, era más digna que el elefante o el antílope, pues en cada uno de ellos residía una parte especial del conjunto de dioses que él adoraba.

A sí mismo no se otorgaba más valor que a ninguna de esas bestias, y no tenía sobre ellas más derecho que los dictados por la supervivencia de sí mismo y de su clan. Por eso agradecía a los espíritus de sus presas por darle vida. Cuando el baile terminó, había marcado con los pies todo un camino en la arena, alrededor del fuego.

Él y H'ani apartaron las cenizas y la arena, exponiendo las gigantescas langostas, ya de un intenso bermellón, humeantes en su lecho de algas. Quemándose los dedos y chillando de risa, partieron las colas escamosas y sacaron la rica carne blanca.

H'ani hizo señas a Centaine, que se sentó junto a ellos. Las patas de la langosta contenían palillos de carne, anchos como un dedo; el tórax estaba lleno de hígados amarillos, que la cocción había convertido en salsa. Los San lo utilizaban como condimento para la carne.

Centaine no recordaba haber disfrutado tanto de otra comida. Utilizando el cuchillo, cortó bocados de la cola, mientras H'ani le sonreía a la luz de las llamas, con las mejillas abultadas por la comida, diciendo, una y otra vez:

—¡Nam! ¡Nam!

Centaine, que escuchaba cuidadosamente, lo repitió con la misma inflexión de voz.

—¡Nam!

Y H'ani chilló alegremente.

—¿Oíste, O'wa? ¡La niña dijo "bueno"!

O'wa, gruñendo, observaba el cuchillo en las manos de esa hembra. No podía apartar los ojos de él. La hoja cortaba la carne con tanta limpieza que dejaba brillo en ella. "Qué afilado debe de ser", pensó O'wa. Y el filo de la hoja le arruinó el apetito.

Cuando tuvo el estómago tan lleno que casi dolía, Centaine se acostó junto al fuego. H'ani se le acercó inmediatamente para cavar un hueco en la arena, bajo su cadera. De inmediato la muchacha se sintió más cómoda y volvió a instalarse, pero H'ani estaba tratando de mostrarle algo más.

—No debes poner la cabeza en el suelo, Niña Nam —le explicó—. Debes mantenerla en alto, así.

H'ani clavó un codo en tierra y apoyó la cabeza en su propio hombro. La posición parecía muy incómoda. Centaine se lo agradeció con una sonrisa, pero permaneció acostada.

—Déjala —gruño O'wa—. Ya comprenderá, cuando se le meta un escorpión en la oreja, durante la noche.

—Ya ha aprendido bastante, por un solo día —agregó la mujer—. ¿La oíste decir "nam"? Es su primera palabra y el nombre que voy a darle. "Nam" —repitió—. "Niña Nam".

O'wa, gruñendo, se alejó en la oscuridad para hacer sus necesidades. Comprendía el desacostumbrado interés de su esposa por la extranjera y por la criatura que llevaba en el vientre, pero tenían por delante un viaje terrible y la mujer podía ser un estorbo peligroso. Además, estaba ese cuchillo.

Centaine despertó gritando. Había tenido un sueño terrible, confuso, pero muy inquietante, en el que había visto otra vez a Michael, no en el aeroplano incendiado, sino montado en Nuage. Aún tenía el cuerpo ennegrecido por las llamas y el pelo le ardía como una antorcha; Nuage, entre sus piernas, estaba mutilado por las balas, con el pelaje níveo brillante de sangre y las entrañas colgándole del vientre desgarrado, en tanto galopaba.

—Allí está mi estrella, Centaine. —Michael señaló hacia adelante con una mano que parecía una garra negra. —¿Por qué no la sigues?

—No puedo, Michael —gritó Centaine—, no puedo.

Michael se fue al galope por las dunas, hacia el sur, sin mirar atrás, en tanto Centaine gritaba:

—¡Espera, Michael, espérame!

Aún estaba gritando cuando unas manos suaves la despertaron a sacudones.

—Paz, Niña Nam —le susurró H'ani—. Tienes la cabeza llena de demonios del sueño, pero ya ves, ya se han ido.

La muchacha aún seguía sollozando, estremecida. La vieja se tendió a su lado y extendió sobre ambas su capa de piel, abrazándola, acariciándole el pelo. Al cabo de un rato Centaine se tranquilizó. El cuerpo de la anciana olía a humo de leña, a grasa de animales y a hierbas silvestres, pero no era ofensivo; su calor consoló a la joven, que al fin volvió a dormirse, ya sin pesadillas.

H'ani no durmió; los viejos no necesitan dormir tanto como los jóvenes. Pero también se sentía en paz. El contacto físico con otro ser humano era algo que extrañaba desde hacía largos meses. Sabía desde la infancia lo importante que resultaba, pues al bebé San se lo sujetaba muy cerca del cuerpo materno; después pasaba el resto de su vida en mucho contacto físico con el resto de su clan. Entre ellos, el refrán decía: "La cebra sola es fácil presa del león cazador." Por eso el clan era una entidad muy unida.

Pensando en todo esto, la anciana volvió a entristecerse. La pérdida de los suyos se convirtió en una gran piedra dentro de su pecho, demasiado pesada como para cargarla. Habían sido diecinueve los componentes del clan de O'wa y H'ani; sus tres hijos varones, sus respectivas esposas y los once nietos. El menor todavía no había sido destetado; la mayor, una niña a quien ella amaba profundamente, acababa de menstruar por primera vez cuando la enfermedad se apoderó del clan.

Era una plaga desconocida en los anales de los San, algo

tan veloz y salvaje que H'ani aún no podía comprenderlo ni aceptar lo ocurrido. Comenzaba con un dolor de garganta que se convertía en fiebre devoradora; la piel, de tan caliente, quemaba casi al tacto, y la sed era peor que el Kalahari mismo.

En esa etapa habían muerto los pequeños, apenas uno o dos días después de aparecer los primeros síntomas; los mayores estaban tan debilitados por la enfermedad que no tuvieron fuerzas para sepultarlos; los pequeños cadáveres se descompusieron rápidamente con el calor.

Entonces pasó la fiebre, y ellos creyeron haberse salvado. Enterraron a los niños, pero estaban demasiado débiles como para danzar por los espíritus de los infantes o para despedirlos con canciones.

De todos modos, tampoco ellos se salvaron; la enfermedad no había hecho sino cambiar de forma. Surgió una nueva fiebre, pero al mismo tiempo se les llenaron los pulmones de agua y murieron sofocados.

Murieron todos, salvo O'wa y H'ani. Aun ellos estaban tan cerca de la muerte que tardaron varios días y varias noches en recobrar las fuerzas lo bastante como para apreciar en toda su extensión el desastre sufrido. Cuando ambos se recobraron hasta cierto punto, bailaron por el clan condenado y H'ani lloró por los bebés, a quienes jamás volvería a llevar montados en la cadera, a quienes no podría seguir encantando con sus cuentos.

Analizando la causa y el significado de la tragedia, discutieron interminablemente en derredor de la hoguera, aún dolidos hasta lo más profundo. Por fin, una noche, O'wa dijo:

—Cuando estemos fuertes y podamos enfrentar el viaje (y tú sabes, H'ani, lo temible que ese viaje es) debemos volver al Sitio de Toda la Vida, pues sólo allá encontraremos el significado de esto y descubriremos cómo recompensar a los espíritus furiosos que así nos han aniquilado.

Una vez más, H'ani cobró conciencia del cuerpo joven y fructífero que tenía en los brazos. Su tristeza se aplacó un poquito y sintió renacer el instinto maternal en su pecho marchito, sin leche, agotado por la gran enfermedad.

"Tal vez", pensó, "tal vez los espíritus ya se han ablandado al vernos iniciar el peregrinaje; tal vez otorguen a esta vieja el don de oír, una vez más, el grito de un recién nacido."

Al alba, H'ani destapó uno de los pequeños cuernos que pendían de su faja y, con una pasta aromática, untó las ampollas que el sol había provocado en las mejillas, la nariz y los labios de Centaine, en los raspones y los cardenales que le cubrían brazos y piernas. Parloteaba al trabajar. Luego permitió que la muchacha bebiera una ración de agua, bien medida. Ella aún estaba saboreándola, como si se tratara de un precioso Bordeaux, cuando los dos San, sin mayor ceremonia, se levantaron, pusieron la cara al norte y partieron por la playa con su rítmico trote.

Centaine se levantó de un salto, consternada. Sin pérdida de tiempo, recogió su garrote, se acomodó la capucha de lona y echó a andar tras ellos.

Con el primer kilómetro comprendió lo mucho que la había fortalecido el descanso y el alimento. Al principio pudo mantener a la vista a aquellas dos pequeñas siluetas, vio que H'ani hurgaba la arena con su palo, recogía una almeja casi sin detenerse y se la entregaba a O'wa, para retirar después otra para sí misma; la comió sin dejar su trote.

Centaine afiló un extremo de su palo y la imitó; al principio no tuvo éxito; por fin comprendió que las almejas estaban en hoyos de la arena... y H'ani conocía algún medio para localizarlas. Era inútil excavar sin saber. Desde entonces sólo excavó donde H'ani había marcado la arena y, sin dejar de correr, bebió agradecida los jugos del molusco.

A pesar de sus esfuerzos, pronto aminoró el paso. Los dos San se fueron alejando poco a poco y, una vez más, desaparecieron de su vista. Hacia mediodía Centaine se veía reducida a caminar arrastrando los pies; entonces comprendió que necesitaba descansar. En cuanto lo aceptó, levantó los ojos y reconoció, mucho más adelante, el promontorio donde vivía la colonia de focas.

Fue casi como si H'ani hubiera adivinado el límite exacto de su resistencia, pues ella y O'wa la estaban esperando en el refugio de las rocas. La anciana sonrió, parloteando de placer, al ver que Centaine se arrastraba cuesta arriba, para caer exhausta en la cueva, junto al fuego.

H'ani le dio una ración de agua. Mientras tanto hubo otra acalorada discusión entre los dos ancianos, que Centaine observó con interés. Notó que, cada vez que H'ani la señalaba, pronunciaba la palabra "nam". Los gestos de ambos eran tan expresivos que la muchacha creyó comprender: la anciana quería quedarse en bien de ella, mientras que O'wa deseaba proseguir.

Cada vez que H'ani señalaba a su compañero, lo hacía con ese chasquido de beso. Por fin, Centaine interrumpió la discusión señalando también al pequeño bosquimano, mientras decía:

—¡O'wa!

Ambos la miraron, estupefactos. De inmediato, con encantados chillidos de regocijo, festejaron su logro.

—¡O'wa! —H'ani clavó un dedo en las costillas de su marido.

—¡O'wa! —El viejo se palmeó el pecho, sacudiendo afirmativamente la cabeza, muy gratificado.

La discusión había quedado momentáneamente olvidada, tal como Centaine quería. En cuanto pasó el primer entusiasmo, señaló a la vieja, que comprendió rápidamente su pregunta.

—¡H'ani! —anunció, claramente.

Al tercer intento, Centaine pronunció el chasquido final a satisfacción de la encantadísima H'ani. Entonces se tocó el pecho, diciendo:

—Centaine.

Pero eso provocó una aguda negativa y un agitar de manos.

—¡Niña Nam! —H'ani le dio una leve palmada en el hombro.

Centaine se resignó a un nuevo bautismo.

—¡Niña Nam! —aceptó.

—Ya ves, reverendo abuelo —pronunció H'ani, volviéndose hacia su esposo—: Niña Nam puede ser fea, pero aprende pronto y está encinta. Descansaremos aquí y seguiremos mañana. ¡Asunto decidido!

Gruñendo por lo bajo, O'wa se retiró del refugio. Pero volvió al anochecer, con la res fresca de una foca a medio crecer sobre un hombro. Centaine se sentía tan descansada que participó en la ceremonia de agradecimiento, palmoteando con

H'ani e imitando sus grititos agudos, mientras O'wa bailaba alrededor y la foca se asaba sobre las brasas.

El ungüento aplicado por H'ani produjo rápidos resultados. Se secaron las despellejaduras y las ampollas; su piel, de pigmentación celta, se oscureció hasta tomar el color de la teca, al acondicionarse al sol. De todos modos, usaba los dedos para peinarse la cabellera hacia afuera, a fin de protegerse la cara en lo posible.

Día a día recobraba las fuerzas, según su cuerpo respondía al trabajo duro y a la dieta proteica de los frutos de mar. Pronto pudo igualar, con sus largas piernas, el paso impuesto por O'wa; ya no hubo demora ni discusiones sobre los descansos anticipados. Para Centaine se convirtió en cuestión de orgullo mantenerse a la par de la pareja desde el alba al atardecer.

—Ya te enseñaré, viejo demonio —murmuraba para sus adentros, muy consciente del extraño antagonismo que O'wa sentía hacia ella, pero atribuyéndolo a su debilidad, a su falta de recursos y a las demoras que les imponía.

Un día, cuando estaban por iniciar la marcha y a pesar de las protestas de la anciana, tomó la mitad de los huevos de avestruz llenos de agua y los pasó a su chal de lona. En cuanto H'ani comprendió sus intenciones, aceptó de buena gana y codeó sin misericordia al anciano, en tanto iniciaban la marcha del día.

—Niña Nam lleva su parte, como cualquier mujer de los San —dijo.

Y cuando acabó con sus pullas fijó en Centaine toda su atención. Inició su instrucción con toda seriedad, señalando con su palo de excavar; no quedaba satisfecha hasta que la joven repetía la palabra con corrección o daba muestras de haber comprendido la enseñanza.

Al principio, la muchacha lo hacía sólo por mantener contenta a H'ani, pero pronto comenzó a deleitarse con cada nuevo descubrimiento. El viaje de cada día parecía menos pesado, más veloz, a medida que se fortalecía su cuerpo y aumentaba su comprensión.

Lo que ella tomara, en un principio, por un páramo estéril era, en verdad, un mundo que pululaba de vida, extraña y maravillosamente adaptada. Los bancos de algas y los arrecifes subacuáticos eran tesoros de crustáceos, moluscos y gusanos marinos; ocasionalmente, la marea dejaba un cardumen de peces atrapado en algún charco, entre las rocas; la carne tenía un color verdoso, pero asada sobre las brasas era muy sabrosa.

En cierta oportunidad tropezaron con una colonia de pingüinos que estaban anidando en una isla rocosa, conectada al continente por un arrecife, por el cual cruzaron con la marea baja, aunque Centaine cubrió el trayecto horrorizada por la posibilidad de encontrarse con tiburones. Los miles de aves relincharon de cólera cuando los bosquimanos llenaron sus bolsas de huevos verdes. Asados en la arena, bajo el fuego, eran deliciosos, pero tan abundantes que sólo era posible comerlos de a uno por vez; la provisión les duró varios días.

Hasta las variables dunas, con sus flancos resbalosos, albergaban a lagartijas que se enterraban en la arena y a serpientes que se alimentaban de ellas. Los viajeros mataban a palos tanto a las lagartijas como a las serpientes, para cocinarlas sin quitarles la piel. Vencida la aversión inicial, Centaine descubrió que sabían a pollo.

En tanto avanzaban hacia el norte, las dunas se tornaron intermitentes. Ya no presentaban una muralla interrumpida; entre una y otra había valles con fondos de tierra sólida, aunque tan estéril como las dunas y la playa. H'ani guiaba a Centaine hasta ciertas plantas suculentas, que se parecían en un todo a piedras. Al excavar bajo las diminutas hojas se encontraba una raíz del tamaño de una pelota de fútbol, llena de un jugo amargo como la quinina, pero más efectivo que el agua misma para calmar la sed. La pulpa, frotada contra la piel, aliviaba la sequedad causada por el viento, la sal y el sol, dejando el cutis limpio y suave.

El efecto hizo que Centaine, por primera vez, cobrara conciencia de su aspecto. Esa noche, en tanto esperaban que se asara la comida, afiló un palillo para limpiarse las intersecciones de los dientes. Después frotó la dentadura con el índice introducido en sal evaporada, recogida de las rocas. H'ani, que la observaba con aire conocedor, se aproximó con un palillo para desenredarle la cabellera, mientras la arrullaba suavemente, y la peinó con dos trenzas apretadas.

Cuando Centaine despertó aún estaba oscuro. Notó de inmediato que se había producido algún cambio mientras ella dormía. Aunque el fuego había sido reanimado, la luz era extrañamente difusa y las voces excitadas de H'ani y O'wa sonaban apagadas, como si vinieran desde lejos. El aire estaba frío, denso de humedad. La muchacha tardó un rato en notar que estaban envueltos en una espesa niebla, llegada desde el mar durante la noche.

H'ani saltaba de entusiasmo e impaciencia.

—Ven, Niña Nam, ven.

El vocabulario de Centaine ya contenía un centenar de las palabras más importantes. Se levantó.

—Toma. Trae. —H'ani señaló el envase de lona que contenía los huevos de avestruz y, después de recoger su propia bolsa de cuero, corrió hacia la niebla. Centaine salió tras ella para no perderla de vista, pues el mundo había sido borrado por los perlados bancos de niebla.

En el valle, entre las dunas, H'ani cayó de rodillas.

—Mira, Niña Nam.

Tomó a Centaine de la muñeca para obligarla a sentarse a su lado y señaló la planta del desierto, que estaba aplanada contra el suelo. La piel gruesa y suave que cubría aquellas hojas parecida a piedras imitaba exactamente el color de la tierra circundante.

—¡Agua, H'ani! —exclamó Centaine, encantada.

—Agua, Niña Nam.

H'ani lanzó un cloqueo de risa.

La neblina se había condensado en las hojas suaves, corriendo por las superficies inclinadas hasta reunirse en las depresiones del centro, donde los cortos tallos desaparecían en la tierra; la planta era una recolectora de humedad, de maravilloso diseño, y la muchacha comprendió entonces cómo se llenaba aquella raíz subterránea.

—¡Pronto! —ordenó H'ani—. Sol sale pronto.

Plantó en el suelo blando uno de los huevos vacíos y les quitó el tapón. Con una bola de piel de animal, recogió el centelleante charquito de rocío y luego lo estrujó cuidadosamente, virtiendo las gotas en el huevo. Con esa demostración entregó a la muchacha otra bola de piel.

—¡Trabaja! —ordenó.

Centaine trabajó tan de prisa como la anciana, escuchando su parloteo feliz, del que sólo comprendía una palabra de tanto en tanto.

—Esto es una bendición, en verdad. Los espíritus son bondadosos al enviar desde el mar el humo de agua. Ahora el cruce hasta el Sitio de Toda la Vida será menos arduo. Sin el humo de agua hubiéramos podido perecer. Ellos nos han allanado el camino, Niña Nam; tal vez tu bebé nazca en el Sitio de Toda la Vida. Qué prodigiosa benevolencia sería ésa. Pues así tu hijo tendría en sí, por toda su vida, la marca especial de los espíritus; sería el más grande de los cazadores, el más dulce de los cantantes, el más hábil de los bailarines y el más afortunado de todo su clan.

Centaine no comprendía, pero se rió de la anciana; se sentía alegre, feliz, y la sobresaltó el sonido de su propia carcajada. Hacía tanto tiempo... Y respondió a la cháchara de la vieja en francés.

—En realidad, comenzaba a detestar esta dura tierra tuya, H'ani. Después de tanta expectativa por verla, después de las cosas extraordinarias que *Michel* me contaba y todo lo que había leído sobre ella, ¡qué diferente era todo, qué cruel y maligno!

Al oír su tono de voz, H'ani hizo una pausa, con la piel mojada puesta sobre el huevo, y la miró, intrigada.

—Ésta ha sido la primera carcajada que lanzo desde que estoy en África. —Centaine volvió a reír, y H'ani, llena de alivio volvió su atención a la botella. —Hoy el África me ha mostrado por primera vez su cara buena. —Se llevó la piel mojada a los labios para sorber el fresco rocío. —Es un día especial, H'ani, para mí y para mi bebé es un día especial.

Cuando todas las botellas-huevos estuvieron rebosantes y bien tapadas otra vez, ambas se dieron un festín, bebiendo el rocío hasta saciarse. Sólo entonces Centaine miró en derredor, apreciando la importancia de la niebla para las plantas y criaturas del desierto.

Las hormigas obreras corrían de planta en planta, chupando las gotas hasta que el abdomen les quedaba hinchado y traslúcido, a punto de reventar, antes de desaparecer otra vez en sus hormigueros. A la entrada de cada uno se había reunido algún grupo de hormigas para despedir a las reinas en su vuelo nupcial. Las lagartijas de la arena habían bajado de las dunas para darse un banquete de hormigas. También había pequeños roedores rojizos que brincaban por el valle, como diminutos canguros.

—Mira, H'ani, ¿qué es esto? —Centaine había descubierto un extraño insecto, del tamaño de una langosta, que estaba erguido sobre la cabeza. El rocío se condensaba en gotas plateadas sobre su iridiscente cascarón y luego corría hacia el pico ganchudo.

—Bueno comer —dijo H'ani; y se metió el insecto en la boca y, después de triturarlo, lo tragó con deleite.

Centaine se echó a reír.

—Viejecita querida y cómica... ¡Qué encantadora es África! ¡Por fin comprendo en parte lo que *Michel* trataba de decirme!

Con esa brusquedad africana que ya no sorprendía a Centaine, el clima cambió. Los telones de niebla se retiraron, dejando pasar al sol, y a los pocos minutos el rocío había desaparecido de las plantas. Las hormigas se ocultaron en sus madrigueras, sellando las entradas, y las lagartijas volvieron a las dunas, dejando las alas de papel de las hormigas voladoras devoradas para que el viento se las llevara.

H'ani y Centaine volvieron a cargar sus bolsas y, agachadas bajo el peso de los huevos, bajaron a la playa. O'wa ya estaba en el campamento, con una docena de lagartijas gordas ensartadas en un palo y una bolsa llena de ratas del desierto tendida junto al hogar.

—¡Oh, esposo, qué intrépido proveedor eres! —H'ani dejó su bolsa para alabar mejor los esfuerzos del anciano. —¡Sin duda, nunca hubo entre todos los San un cazador que igualara tu habilidad!

O'wa se regodeó desvergonzadamente ante aquellos flagrantes halagos. Por un momento, H'ani desvió la cara; sus ojos enviaron un mensaje a Centaine, en el lenguaje secreto de las mujeres.

"Son niñitos", decía su sonrisa, claramente. "Desde los ocho a los ochenta años, siguen siendo niños." Y Centaine, riendo otra vez, palmoteó, uniéndose a H'ani en su pantomima de aprobación.

—¡O'wa bueno! ¡O'wa sagaz!

Y el anciano, moviendo afirmativamente la cabeza, puso cara solemne e importante.

Como sólo faltaban cuatro o cinco días para la luna llena, después de comer aún se veían oscuras sombras purpúreas debajo de las dunas. Aún estaban demasiado excitados por la visita de la niebla como para poder acostarse a dormir, y Centaine estaba tratando de seguir la charla de los dos viejos.

Por entonces había aprendido los cuatro chasquidos del idioma San, así como ese ruido gutural, que hacía pensar en un estrangulamiento. Sin embargo, aún le costaba comprender las variaciones tonales. Los diferentes tonos eran casi imposibles de detectar para el oído occidental, y Centaine había captado su existencia apenas en los últimos días. La intrigaba el modo en que H'ani repetía la misma palabra, exasperada porque ella no lograba detectar diferencia alguna en las pronunciaciones. De pronto, como si le hubieran quitado de los oídos sendos tapones de cera, oyó las cinco inflexiones distintas: alta, media, baja, ascendente y descendente, que cambiaban, no sólo el sentido de una palabra, sino su relación con el resto de la frase.

Era difícil, todo un desafío; se había sentado cerca de H'ani y le estaba observando los labios atentamente cuando, de pronto, soltó una exclamación de sorpresa y se apretó el vientre con ambas manos.

—¡Se movió! —Su voz se colmó de maravilla. —¡El bebé se movió!

H'ani, comprendiendo inmediatamente, se apresuró a levantar la breve y raída falda de la muchacha para ponerle la mano en el vientre.

—¡Ay, ay! —chilló—. ¡Siento! ¡Lo siento patear como una cebra macho! —Gordas lagrimitas de alegría le brotaron de los ojos achinados, para correr por las profundas arrugas de las mejillas, centelleando a la luz del fuego y bajo el claro de luna.

—Tan fuerte... tan bravo y fuerte... Tócalo, viejo abuelo.

O'wa no pudo negarse a semejante invitación. Centaine, arrodillada a la luz del fuego, con las faldas levantadas descubriendo la parte inferior del cuerpo desnudo, no sintió vergüenza alguna ante el contacto del anciano.

—Ésta es una ocasión muy propicia —anunció O'wa, lleno de solemnidad—. Corresponde que baile para celebrarla.

Y se levantó para bailar a la luz de la luna, en honor del niño por nacer.

La luna se hundió en el mar oscuro, umbrío, pero el cielo ya estaba tomando el color de las naranjas maduras. Centaine permaneció acostada sólo unos segundos, después de despertar. Le sorprendió ver que los dos ancianos seguían tendidos junto a las cenizas de la fogata, pero se apartó del campamento, sabiendo que la marcha del día se iniciaría antes del amanecer.

A discreta distancia del campamento, se puso en cuclillas para orinar. Luego, quitándose los harapos, corrió hacia el mar, recibiendo con ásperos jadeos el agua fría y vigorizante, en tanto se frotaba el cuerpo con puñados de arena. Después volvió a ponerse la ropa sobre el cuerpo húmedo y corrió al campamento. Los ancianos seguían envueltos en sus mantos de cuero, tan quietos que Centaine tuvo un momento de pánico. Pero al fin H'ani tosió y se movió un poco.

"Bueno, al menos están vivos." Centaine, sonriendo, juntó sus pocas pertenencias. Se sentía virtuosa, pues lo habitual era que H'ani la acicateara para levantarla. Pero la vieja volvió a moverse, con un murmullo soñoliento.

Centaine sólo comprendió las palabras "espera, descansa, duerme". Luego H'ani volvió a cubrirse la cabeza con el manto.

La muchacha quedó desconcertada. Puso algunos palillos en el fuego y sopló hasta sacar llama antes de sentarse a esperar.

Venus, el lucero de la mañana, yacía sobre el lomo de las

dunas, pero palideció al aproximarse el sol. Y los dos San seguían durmiendo. Centaine empezó a irritarse ante tanta inactividad. Estaba ya tan fuerte y sana que esperaba con ansias el viaje diario.

Sólo cuando el sol asomó por encima de las dunas se sentó H'ani, bostezando, rascándose.

—¿Ir? —preguntó Centaine, usando el tono ascendente que convertía a la palabra en pregunta.

—No, no. Esperar... noche... luna... allá. —Y señaló las dunas con un rápido pulgar.

—¿Ir tierra? —preguntó Centaine, nada segura de haber comprendido.

—Ir tierra —concordó H'ani.

Centaine sintió una rápida emoción. Por fin iba a abandonar la costa.

—¿Ahora? —inquirió, impaciente.

Por dos veces, en los últimos días, había trepado la duna más cercana para mirar tierra adentro. En una oportunidad había creído ver un distante contorno de montañas azules contra el cielo del anochecer, llamándola para que abandonara ese monótono paisaje marino para ir hacia ese misterioso interior.

—¿Ahora? —repitió, ansiosa.

Y O'wa rió, burlón, acercándose al fuego.

—El mono está ansioso por conocer al leopardo —dijo—, pero ¡escúchalo chillar cuando lo conoce!

H'ani chasqueó la lengua en actitud de desaprobación y se volvió hacia Centaine.

—Hoy descansamos. Esta noche iniciaremos la parte más dura de nuestro viaje. Esta noche, Niña Nam, ¿comprendes? Esta noche, cuando la luna nos alumbre. Esta noche, cuando el sol duerma, pues no hay hombre ni mujer que pueda caminar con el sol por la tierra de las arenas que cantan. Esta noche. Ahora descansa.

—Esta noche —repitió Centaine—. Ahora descanso.

Pero abandonó el campamento y volvió a trepar por las arenas resbaladizas, hasta la cima de la primera duna.

En la playa, ciento veinte metros más abajo, las dos diminutas figuras sentadas junto a la fogata eran motas insignificantes. Luego miró tierra adentro; la duna en donde estaba era sólo el pie de las grandes montañas de arena que se elevaban más allá.

Bajo su mirada, el horizonte tomó un color azul lechoso y comenzó a disolverse en ondulaciones. Desde el desierto surgió una bocanada de calor que la hizo retroceder. Ante sus ojos, la tierra quedó velada por los velos vidriosos, reverberantes, del espejismo provocado por el calor.

Giró para bajar otra vez hacia el campamento. Ni O'wa ni H'ani estaban totalmente ociosos. El viejo estaba haciendo flechas de hueso blanco, mientras su mujer armaba otro collar, formando las cuentas con trozos de conchillas partidas, a las que redondeaba golpeándolas entre dos piedras pequeñas; luego las perforaba con una astilla de hueso y, por fin, las enhebraba en un trozo de tripa.

Mientras la miraba trabajar, Centaine recordó vívidamente a Anna. Se levantó apresuradamente y volvió a alejarse. H'ani levantó la vista de sus cuentas.

—Niña Nam se siente infeliz —dijo.

—Hay agua en los huevos y comida en su panza —gruñó O'wa—. No tiene motivos para sentirse infeliz.

—Extraña a su propio clan —susurró la anciana.

Y el marido no respondió. Ambos comprendían vívidamente aquello y recordaban, en silencio, a los que dejaran en sus tumbas poco profundas, en el páramo.

—Ya estoy fuerte —dijo Centaine, en voz alta— y he aprendido a sobrevivir. No tengo por qué seguirlos. Podría volver otra vez hacia el sur… sola. —Se levantó, insegura, imaginando cómo sería aquello. Fue esa única palabra lo que la decidió. —Sola —repitió—. Si al menos Anna estuviera con vida, si tuviera algún sitio adónde ir, entonces podría intentarlo. —Se dejó caer en la playa, tristemente abrazada a sus rodillas. —Pero no hay modo de volver atrás. Tengo que seguir. Vivir día a día como un animal, como una salvaje, con salvajes. —Se miró los harapos que apenas le cubrían el cuerpo. —Tengo que seguir, y ni siquiera sé hasta dónde. —La desesperación amenazaba abrumarla por completo. Tuvo que luchar contra ella como si fuera un adversario viviente, y murmuró: —No voy a renunciar. No voy a renunciar, y cuando esto termine no volveré a pasar necesidad. Jamás tendré sed ni hambre ni usaré harapos y pieles malolientes otra vez. —Se miró las manos. Tenía las uñas melladas, negras de suciedad, rotas hasta la carne. Cerró el puño para no verlas. —Nunca jamás. Mi hijo y yo no volveremos a pasar necesidades. Lo juro.

Comenzaba la tarde cuando volvió al primitivo campamento. H'ani levantó la mirada hacia ella, sonriendo como un monito envejecido, y Centaine sintió un arrebato de afecto por ella.

—Querida H'ani —susurró—, eres lo único que me queda.

La anciana se levantó para acercarse, llevando el collar de conchillas en ambas manos, y se puso en puntas de pie. Con mucho cuidado, pasó la sarta por la cabeza de Centaine y se lo acomodó sobre el seno, arrullando de satisfacción ante su propia obra.

—Es bellísimo, H'ani. —La voz de Centaine sonaba ronca. —Gracias, muchísimas gracias. —Y de pronto estalló en lágrimas. —Y yo te traté de salvaje. Oh, perdóname. Junto con Anna, eres la persona más dulce y amorosa que he conocido.

Se arrodilló, para poder mirarla frente a frente, y abrazó a la anciana con una fuerza desesperada, apoyando su mejilla contra la marchita de H'ani.

—¿Por qué llora? —preguntó O'wa, desde el borde del fuego.

—Porque es feliz.

—Ése —opinó él— es un motivo muy estúpido. Creo que esta hembra está un poco loca.

Y se levantó, siempre meneando la cabeza, para realizar los preparativos finales antes de iniciar el viaje nocturno.

Los ancianitos estaban más solemnes que de costumbre al ajustarse los mantos y las bolsas. H'ani se acercó a ella y le revisó la correa de la bolsa; luego se arrodilló para ajustarle los vendajes de lona.

—¿Qué pasa? —Actitud tan seria estaba intranquilizando a la muchacha.

H'ani comprendió la pregunta, pero no trató de explicar. Se limitó a llamarla y ambas siguieron a O'wa.

El anciano levantó la voz.

—Espíritu de la Luna, haz luz para nosotros, esta noche, y muéstranos el sendero. —Utilizaba el falsete quebrado que gustaba especialmente a todos los espíritus. Luego trazó unos pocos pasos de danza en la arena. —Espíritu del Gran Sol, duerme bien, y mañana, cuando te alces, no estés enojado. Que tu enojo no nos queme en las arenas que cantan. Después, cuando hayamos cruzado sanos y salvos, lleguemos a los pozos de sorber, danzaremos para ti y te cantaremos nuestro agradecimiento.

Acabó la breve danza con un salto, plantando sus piececitos de niño. Por el momento bastaba; era un pequeño pago anticipado, con la promesa de abonar el resto cuando los espíritus hubieran cumplido su parte en el contrato.

—Ven, anciana abuela —dijo—. Asegúrate de que Niña Nam se mantenga cerca y no quede atrás. Sabes que no podremos volver a buscarla si lo hace.

Y con ese trote rápido, bamboleante, echó a andar por la cuesta de la playa hasta la boca del valle, en el momento en que la luna se desprendía del horizonte oscurecido para iniciar su viaje por los cielos estrellados.

Era extraño viajar de noche, pues el desierto parecía tomar dimensiones nuevas y misteriosas; las dunas parecían más altas, más próximas, envueltas en el claro de luna y en las sombras purpúreas; los valles eran cañones de silencio. Y por sobre todo eso se extendía el vasto dosel de las estrellas y la luna, tan cerca, tan brillantes, que parecía posible arrancarlas como a fruta madura con sólo estirar la mano.

El recuerdo del océano se quedó con ellos por mucho tiempo tras haberse perdido de vista; el suave siseo de sus pasos en la arena parecía repetir el suave beso de las olas en la playa; las vastas aguas verdes seguían refrescando el aire.

La luna había cubierto casi la mitad de su trayecto hacia el cenit cuando, de pronto, Centaine entró en un remolino de calor. Fue como chocar con una barrera sólida, y la muchacha lanzó una exclamación de sorpresa, en tanto H'ani murmuraba, sin quebrar el ritmo de su paso:

—Ahora comienza.

Pero pasaron rápidamente por él. Más allá, el aire estaba

tan frío, por contraste, que Centaine, estremecida, se estrechó el manto alrededor de los hombros.

El valle hizo una torsión. Al rodear una alta duna, en donde las sombras de la luna parecían cardenales, el desierto volvió a lanzarles su aliento.

—No te alejes, Niña Nam.

Pero el calor tenía un peso, una viscosidad tales que Centaine tuvo la sensación de vadear un río de lava. A medianoche hacía más calor allí que en el cuarto de calderas de Mort Homme. Cuando respiraba, el fuego te entraba en el cuerpo como un invasor. Con cada aliento expelido se le llevaba la humedad del cuerpo, como un ladrón.

Hicieron apenas una breve pausa para beber de un huevo. Tanto H'ani como O'wa la miraron con atención cuando ella se lo llevó a los labios, pero ya no hacía falta que le advirtieran nada.

Cuando el cielo comenzó a iluminarse, O'wa aminoró un poco el paso. Una o dos veces se detuvo a estudiar el valle con ojo crítico. Obviamente, estaba eligiendo un sitio para esperar durante el día. Al fin, cuando se detuvieron, fue bajo una duna empinada.

No había material para hacer fuego. H'ani ofreció a Centaine un trozo de pescado, desecado al sol y envuelto en algas marinas, pero ella estaba demasiado cansada como para comer; además, temía que el alimento acrecentara su sed durante el día. Bebió su ración de agua y, fatigada, se levantó para alejarse un poco. En cuanto trató de agacharse, H'ani le espetó una aguda reprimenda y se acercó a la carrera.

—¡No! —repitió.

Centaine quedó azorada y confusa, hasta que la anciana buscó en su mochila y sacó una calabaza seca que usaba como cuenco.

—Aquí —dijo, ofreciendo la calabaza a Centaine, que no comprendía.

Exasperada, la anciana volvió a tomarla y, sosteniéndola entre sus piernas, orinó dentro de ella.

—A ver, hazlo —indicó, ofreciéndola a Centaine otra vez.

—No puedo, H'ani. ¿Delante de todo el mundo? —protestó la muchacha.

—O'wa, ven aquí. Muéstrale a la niña.

El anciano se acercó y, ruidosamente, repitió la demostración de H'ani. A pesar de su bochorno, Centaine no pudo evitar un dejo de envidia.

—¡Eso es mucho más cómodo!

—¡Ahora hazlo!

H'ani le ofreció la calabaza por tercera vez y ella capituló. Se puso de espaldas, por pudor, y agregó, entre los vocingleros acicateos de los viejos, su propio arroyo tintineante a la calabaza común. H'ani se la llevó, triunfal.

—Apura, Niña Nam. El sol no tardará en salir.

Y enseñó a Centaine cómo cavar una pequeña trinchera en la arena para tenderse en ella.

El sol golpeó la faz de la duna, al otro lado del valle, arrojando contra ellos el calor reflejado como en un espejo de bronce pulido. Se tendieron en la banda de sombra y se encogieron en sus trincheras.

A medida que el sol ascendía, la sombra de la duna se iba encogiendo. El calor creció hasta llenar el valle con espejismos de plata. Las dunas iniciaron una danza. Luego, las arenas comenzaron a cantar. Era una vibración grave, pero penetrante, como si el desierto fuera la caja de resonancia de un gigantesco instrumento de cuerdas. Se elevaba, caía, moría, para volver a comenzar.

—Las arenas están cantando —le dijo H'ani, en voz baja.

Y Centaine comprendió. Con la oreja en el suelo, siguió escuchando la extraña y maravillosa música del desierto.

El calor seguía aumentando. Siguiendo el ejemplo de los San, Centaine se cubrió la cabeza con el chal de lona y permaneció inmóvil. Hacía demasiado calor como para dormir, pero cayó en una especie de coma, cabalgando en las largas oleadas de calor como si fueran el ruido del mar.

Y aún hizo más calor. La sombra se encogió hasta desaparecer al llegar el mediodía. Ya no había alivio ni asilo contra su látigo inmisericorde. Centaine yacía jadeando, como un animal baldado; cada aliento parecía abrasarle la garganta y quemarle las fuerzas del cuerpo.

"No puede ser peor", se dijo. "Éste es el final; pronto comenzará a refrescar".

Se equivocaba. El calor se hizo aún más fuerte. El desierto siseaba, vibrando, como una bestia torturada. Centaine tenía miedo de abrir los ojos; tal vez le chamuscara las cuencas.

En eso oyó que la anciana se movía y levantó una esquina de su chal. Vio que la mujer mezclaba cuidadosamente un poco de arena en el cuenco lleno de orina. Acercándose a Centaine, le untó de arena mojada la piel ardiente.

Centaine jadeó de alivio ante aquel contacto fresco. Antes de que pudiera secarse bajo aquel fiero sol, H'ani llenó la trinchera de arena seca, sepultando a la muchacha bajo una fina capa. Luego le acomodó el chal sobre la cabeza.

—Gracias, H'ani —susurró Centaine.

Y la anciana se apartó para cubrir a su esposo.

Con la arena húmeda cerca de la piel y la capa protectora encima, Centaine soportó aquellas horas más calientes. De pronto, con esa brusquedad de África que ya conocía, sintió que cambiaba la temperatura en sus mejillas. El sol ya no era de una blancura deslumbrante: había tomado un maduro tono de manteca.

Al anochecer salieron de sus lechos y se sacudieron la arena. Bebieron con un transporte casi religioso, pero Centaine, una vez más, no pudo obligarse a comer. Por fin O'wa volvió a abrir la marcha.

Ya no había novedad ni fascinación para la muchacha en la marcha nocturna; los cuerpos celestes ya no eran maravillas a contemplar con sobrecogimiento, sino meros instrumentos que marcaban el largo y tortuoso paso de las horas.

La tierra, bajo sus pies, dejó de ser arena suelta para convertirse en dura mica compacta, donde se abrían los cristales llamados "rosas del desierto", con filos de cuchillos que le cortaban las sandalias de lona, obligándola a detenerse para volver a vendarse. Por fin salieron de la planicie y cruzaron una duna baja; desde su cima divisaron otro vasto valle que se abría ante ellos.

O'wa no vacilaba. Si bien aquellas montañas de arena caminarían con el viento, cambiando interminablemente de forma, imposibles de rastrear y de conocer, el hombrecito andaba por ellas como un marinero experimentado en las cambiantes corrientes del océano.

El silencio del desierto parecía entrar en la cabeza de Centaine como cera fundida, apagándole el oído, llenándole los tímpanos con los susurros de la nada, como si tuviera una concha marina contra la oreja.

"¿Es que esta arena no tiene fin?", se preguntó.

Al amanecer se detuvieron y prepararon sus defensas para resistir el sitio del sol. En la hora más calurosa del día, cuando Centaine yacía en su tumba, untada de arena húmeda de orina, sintió que el bebé se movía con más fuerza, como si también él estuviera combatiendo el calor y la sed.

—Paciencia, querido mío —le susurró—. Ahorra tu fuerza. Debemos aprender las lecciones y las costumbres de esta tierra para no tener que sufrir así nunca más. Nunca más.

Esa noche, al levantarse de la trinchera, comió un poco de pescado seco por el bien del bebé. Tal como temía, el alimento le produjo una sed casi insoportable. Sin embargo, le dio fuerzas para soportar el viaje de la noche.

No malgastaba energías hablando en voz alta. Los tres estaban haciendo ahorro de fuerzas y humedad, sin derrocharlas en palabras ni actos innecesarios, pero Centaine levantó la mirada al cielo y vio la estrella de Michael.

—Por favor, haz que termine —rogó silenciosamente—. Haz que termine pronto, porque no sé cuánto más puedo soportar.

Pero no terminó. Era como si las noches fueran cada vez más largas, la arena cada vez más profunda y adherente, los días más feroces. El calor caía sobre ellos como una maza sobre el yunque.

Acabó por perder la cuenta de los días y las noches; se habían confundido en un solo tormento interminable de calor y sed.

"¿Cinco días, seis, tal vez siete?", se preguntó, vagamente. Y contó las botellas-huevo vacías. "Han de ser seis", decidió. "Sólo quedan dos llenas".

Puso una en su mochila mientras H'ani llevaba la otra, compartiendo la carga por igual. Luego comieron los restos del pesado seco y se levantaron para iniciar el viaje de la noche. Pero esa vez no se inició de inmediato.

O'wa pasó un rato mirando hacia el este; giraba levemente la cabeza de un lado a otro, como si escuchara, y por primera vez Centaine detectó una sombra de incertidumbre en su cabecita coronada de flechas. De pronto comenzó a cantar suavemente, con la voz de los fantasmas.

—Espíritu de la gran estrella León —dijo, mirando a Sirio—, eres el único que puede vernos aquí, pues todos los otros espíritus esquivan la tierra de las arenas que cantan. Estamos solos, y el viaje es más duro que cuando pasé por aquí, siendo joven. El sendero se ha tornado oscuro, gran estrella León, pero tú tienes el ojo brillante de un buitre y lo ves todo. Guíanos, te lo suplico. Muéstranos el camino.

Luego tomó el huevo que llevaba H'ani y retiró el tapón, para verter un poquito de agua en la arena. Formó unas bolitas redondas, mientras Centaine gemía, cayendo de rodillas.

—Ya ves, espíritu de la gran estrella León: compartimos contigo el agua —cantó O'wa.

Volvió a tapar el huevo, pero Centaine, con la vista fija en las bolitas de arena húmeda, gimió otra vez.

—Paz, Niña Nam —le susurró H'ani. Para recibir un don especial, a veces es necesario renunciar a lo que es precioso.

Tomó a Centaine por la muñeca para hacerla levantar y giró, siguiendo a su esposo por las dunas interminables.

Ensordecida por el silencio, con el cansancio convertido en una carga aplastante y la sed atormentándola, Centaine siguió adelante; una vez más perdió todo sentido del tiempo, la distancia y la dirección; no veía sino las dos siluetas que bailaban delante de ella; transformadas por los rayos de la luna menguante en diminutas langostas.

Se detuvieron tan de prisa que Centaine chocó con H'ani; habría caído de no sostenerla la vieja, quien, en silencio, la obligó a tenderse en el suelo, lado con lado.

—¿Qué…? —comenzó la muchacha.

Pero H'ani le puso una mano sobre la boca para acallarla.

O'wa se tendió junto a ellas. Cuando Centaine calló su pregunta, le señaló el borde de la duna en la cual estaban acostados.

Sesenta metros más abajo, al pie de la duna, se iniciaba una planicie bañada por el suave claro lunar. Llegaba hasta el límite mismo de la vista: achatada, sin fin; entonces ella recobró la esperanza de haber dejado las dunas detrás, finalmente. Sobre esa llanura se extendía un ralo bosque de árboles muertos, que presentaban un gris leproso a la luz de la luna, levantando los miembros retorcidos como artríticos mendigos. Aquella escena misteriosa despertó en Centaine un escalofrío supersticioso al ver que algo grande e informe se movía entre los viejos árboles, como un monstruo mitológico; se apretó a H'ani, estremecida.

Los dos San temblaban de ansiedad, como perros de caza tirando de la traílla. H'ani sacudió la mano a Centaine, señalando en silencio. Al acostumbrar la vista, la muchacha distinguió otras formas vivas aparte de la primera, aunque permanecían inmóviles como grandes piedras grises. Contó seis en total.

O'wa, tendido de costado, estaba cambiando la cuerda a su pequeño arco de caza. Una vez que probó la tensión, eligió un par de flechas entre las que llevaba en la vincha de cuero y, después de hacer una señal a H'ani, se retiró de la cima. En cuanto estuvo por detrás del horizonte, se levantó de un salto y corrió hacia las sombras, entre los repliegues de la arena.

Las dos mujeres, tendidas tras el risco, permanecían inmóviles y silenciosas como las sombras. Centaine iba aprendiendo la paciencia animal que ese antiguo páramo exigía de todas sus criaturas. El cielo comenzó a florecer con la primera promesa del día; ya se veían con más claridad las bestias, allá abajo.

Eran enormes antílopes. Cuatro yacían en silencio; uno de ellos, más grande y corpulento, permanecía a cierta distancia. Centaine dedujo que era el macho del rebaño, pues tenía tanta alzada como Nuage, su amado potro. Lucía un magnífico par de cuernos, largos, rectos y crueles; la muchacha recordó vívidamente el tapiz *La dame à la Lícorne* del Museo de Cluny, que el padre la había llevado a ver en su decimosegundo cumpleaños.

La luz se intensificó; el macho relucía con un encantador tono bronceado. Tenía la cara marcada con líneas más oscuras, en diseño de diamante, lo cual le daba la apariencia de llevar un bozal. Pero su salvaje dignidad aniquilaba inmediatamente cualquier injerencia de cautiverio.

Giró la noble cabeza hacia donde estaba Centaine, con las orejas erguidas, meneando la cola inquieta. H'ani apoyó la mano en el brazo de la joven y ambas se encogieron contra el suelo. El macho miró en esa dirección por varios minutos, rígido e inmóvil como una talla de mármol. Pero tampoco ellas se movieron, y por fin el animal bajó la cabeza para excavar la tierra suelta de la planicie con sus agudos cascos delanteros.

"¡Ah, sí! Busca la dulce raíz del bi, gran macho espléndido", le exhortó O'wa, para sus adentros. "No levantes la cabeza, maravillosa caudillo de todos los antílopes. Come bien, y te dedicaré una danza tal que todos los espíritus de los antílopes te envidiarán para siempre".

Estaba tendido a cincuenta metros del animal, aún lejos para el alcance de su diminuto arco. Hacía más de una hora que dejara la sombra del valle, y en ese tiempo no había cubierto sino quinientos pasos.

Había una leve depresión en la superficie de la llanura que no llegaba al palmo de profundidad, pero aun a la vaga luz de la luna, O'wa la detectó sin fallar, con ojo de cazador, y en ella estaba, como una pequeña serpiente de color ambarino. Al igual que la serpiente, se arrastraba sobre el vientre, con lentas ondulaciones, rezando en silencio a los espíritus de la estrella León, que lo habían guiado hasta esa presa.

De pronto el antílope levantó la cabeza para mirar en derredor, lleno de suspicacia, con las orejas bien abiertas.

—No te alarmes, dulce macho —le urgió O'wa—. Huele la raíz del bi y deja que la paz vuelva a tu corazón.

Los minutos se fueron estirando; por fin el animal lanzó un leve resoplido y bajó la cabeza. Su harén, que lo estaba observando con cautela, se relajó y siguió mascando.

O'wa se deslizó hacia adelante, avanzando por debajo del leve labio de la depresión, con la mejilla rozando la tierra a fin de no mostrar la cabeza; se impulsaba con la cadera, las rodillas y los dedos del pie.

El macho había desenterrado la raíz y la masticaba con ruidoso apetito, sujetándola con una pata delantera para arrancar sus mordiscos. O'wa franqueaba la distancia con paciente sigilo.

—Date un festín, dulce macho; sin ti, tres personas y un niño por nacer morirán con el sol de mañana. No te vayas, gran antílope; espera sólo un ratito más.

No se atrevía a aproximarse más, pero aún faltaba mucho. El pellejo del antílope era duro; su pelaje, espeso. La flecha era un junco liviano, con punta de hueso, que no tenía el mismo filo del hierro.

—Espíritu de la estrella León, no me vuelvas ahora la espalda —invocó O'wa.

Y levantó la mano izquierda, con la palma pálida vuelta hacia el animal.

Pasó casi un minuto sin que nada ocurriera. De pronto, el toro reparó en esa mano desencarnada que parecía salir de la tierra y levantó la cabeza para mirarla. Parecía demasiado pequeña como para ofrecer peligro.

Tras un minuto de total inmovilidad, O'wa agitó seductoramente los dedos. El macho resopló, estirando el hocico en un intento de captar el olor. Pero O'wa operaba contra la pequeña y variable brisa de la mañana, con la engañosa luz del alba a sus espaldas.

Dejó la mano quieta, una vez más. Luego, lentamente, la bajó. El animal dio unos pasos en su dirección y quedó petrificado. Luego, otros pocos pasos, estirando inquisitivamente el cogote, con las orejas hacia adelante. Echó un vistazo a la leve depresión en donde O'wa permanecía apretado a la tierra, sin respirar. La curiosidad hizo que el macho se adelantara una vez más, hasta ponerse al alcance del arco.

En un movimiento de rayo, como la víbora al atacar, O'wa giró de costado, se llevó el penacho de plumas a la mejilla y soltó la flecha. Se disparó como una abeja, cruzando el espacio entre ambos, hasta posarse con un ruido de cachetada en la mejilla del animal, fijando sus púas en la piel suave, bajo la oreja.

El macho retrocedió ante el aguijonazo y giró para alejarse. De inmediato, las hembras partieron a todo galope y todo el rebaño siguió a su precipitado líder, levantando una pálida cola de polvo.

El macho sacudía la cabeza, tratando de quitarse la flecha que le colgaba de la mejilla. Cambió la dirección de su carrera y, deliberadamente, se rozó la cabeza contra el tronco de un viejo árbol muerto.

—¡Clávate hondo! —O'wa estaba de pie, chillando—. ¡Sosténte, flecha, y lleva el veneno de O'wa hasta el corazón! ¡Llévalo rápidamente, pequeña flecha!

Las mujeres bajaron corriendo desde la duna.

—Oh, qué astuto cazador —lo alabó H'ani.

Y Centaine, aunque asombrada, reveló su desilusión, pues el rebaño ya se había perdido de vista en el gris previo al amanecer.

—¿Se fue? —preguntó a H'ani.

—Espera —respondió la vieja—. Sigue pronto. Ahora mira. O'wa hace magia.

El anciano había dejado sus armas a un lado, exceptuando las dos flechas que tenía en la vincha, formando el mismo ángulo que los cuernos del antílope. Luego puso las manos ahuecadas a ambos lados, formando orejas, y alteró sutilmente su pose y el modo de poner la cabeza. Resopló por la nariz, dando pataditas en el suelo, y se transformó, ante los ojos de la muchacha, en un verdadero antílope. La mímica era tan fidedigna que Centaine aplaudió, encantada.

O'wa ejecutó la pantomima de mirar la mano que se movía, aproximarse cautelosamente y por fin, recibir la flecha. Centaine tuvo la sensación de haber visto ya esa escena, tan ajustada era la imitación del incidente.

O'wa partió al galope, con el mismo paso, pero comenzó a debilitarse y a tropezar. Estaba jadeando, se le caía la cabeza, y Centaine sintió una punzada de conmiseración por la bestia herida. Pensó en Nuage y se le llenaron los ojos de lágrimas. Pero H'ani palmoteaba, lanzando grititos de aliento.

—¡Muere, oh, reverenciado macho! ¡Muere para que nosotros vivamos!

O'wa avanzó torpemente, describiendo un amplio círculo, como si los cuernos fueran demasiada carga; cayó a tierra y representó las convulsiones finales del veneno que circulaba por su sangre.

Todo era tan convincente que Centaine ya no veía al pequeño San, sino al animal representado. Ni por un momento puso en duda la eficacia del hechizo simpático tejido por el cazador sobre su presa.

—¡Ah! —gritó H'ani—. Ha caído. El gran macho está terminado.

Y Centaine lo creyó sin vacilar.

Bebieron de los huevos; luego O'wa rompió una rama recta y afiló un extremo, en el cual puso la cabeza de lanza hecha con un hueso de búfalo, que llevaba en su bolsa. Ató a su sitio la pieza y sopesó el arma.

—Es hora de seguir al animal —anunció, abriendo la marcha por la planicie.

La primera impresión de Centaine era correcta. Habían dejado atrás la zona de dunas, pero la planicie que se extendía delante resultaba igualmente lúgubre; las extrañas formas del bosque muerto le daban un aire irreal, ultraterrestre. Centaine se preguntó cuándo habría perecido esa selva; la estremeció la posibilidad de que esos árboles llevaran un milenio así, preservados por el aire seco, como las momias de los faraones.

O'wa estaba siguiendo los rastros del rebaño; aun en las partes cubiertas de guijarros duros, donde Centaine no veía señales de su paso, el pequeño San las guiaba al trote, confiado, sin vacilar. Se detuvo sólo una vez para levantar el palillo de su flecha, caído al pie del árbol muerto en donde el macho se había frotado. La levantó para mostrarla a las mujeres.

—Vean. La punta se clavó.

Faltaba la cabeza de la flecha. O'wa la había diseñado en dos partes, con una sección débil justo detrás del dardo envenenado, para que se quebrara.

La luz iba en rápido aumento. H'ani, que trotaba delante de Centaine, señaló con su palo de excavar. Al principio la muchacha no vio nada, pero al fin distinguió una pequeña viña seca, con unas pocas hojas pardas cerca de la tierra: la primera señal de vida vegetal que veía desde que abandonaron la costa.

Como ya sabía dónde y cómo buscar, Centaine reparó en otras plantas, pardas, quemadas e insignificantes. Pero ya sabía sobre el desierto lo bastante como para adivinar lo que había bajo la superficie. El ánimo se le levantó un poco al ver las primeras matitas del plateado pasto del desierto. Las dunas quedaban atrás; hacia adelante, la tierra iba cobrando vida.

La brisa matutina, que ayudara a O'wa en su acecho, persistió al asomar el sol por sobre el horizonte; gracias a eso, el calor no era tan opresivo como en el país de las dunas. Los San se mostraban más despreocupados. Aun sin los consuelos de H'ani ("Bien ahora, come, bebe pronto"), Centaine sintió la seguridad de que habían pasado la peor etapa del viaje. Tuvo que fruncir los ojos y poner la mano como pantalla, pues el sol bajo ya arrancaba chispas deslumbrantes de luz blanca de los trozos de mica y los guijarros brillantes; el cielo se encendía con una luminosidad caliente, jabonosa, que disolvía el horizonte y lavaba el color, alterando forma y sustancia.

Mucho más adelante se vio una silueta encorvada, yacente. Más allá, las cuatro hembras se demoraban, llenas de lealtad, pero también de miedo, junto al líder caído. Sólo lo abandonaron cuando el pequeño desfile humano estuvo a menos de un kilómetro y medio. Entonces se perdieron al galope en la reverberación del calor.

El macho yacía tal como O'wa lo representara, jadeante, tan debilitado por el veneno de la flecha que la cabeza se le bamboleaba de un lado a otro. Tenía los ojos relucientes de lágrimas y las pestañas largas, curvas, como las de una mujer hermosa. Aun así trató de levantarse para defenderse al ver a O'wa, lanzando en un arco veloz esos cuernos capaces de atravesar a un león adulto. Pero volvió a caer.

O'wa dio una vuelta en derredor, cautelosamente; se lo veía muy frágil, comparado con la mole del animal. Esperaba una oportunidad, con la tosca espada lista, pero el macho arrastró su cuerpo semiparalizado para enfrentarlo. Aún tenía la punta de flecha colgando de la herida.

Centaine volvió a pensar en Nuage, deseando que los sufrimientos terminaran pronto. Dejó su mochila, aflojó su falda y la agitó como si fuera una capa de torero, acercándose hacia el macho herido por el lado opuesto.

—¡Listo, O'wa, listo!

El animal giró al oírla. Ella lo incitó con la lona y los cuernos sisearon en el aire, como un alfanje. Mientras se arrastraba hacia ella, levantando polvo con sus gigantescos cascos, la muchacha brincó ágilmente a un lado.

Aprovechando esa distracción, O'wa se lanzó hacia adelante, lanceando al macho en el cuello, y retorció la espada de hueso en busca de la carótida. La sangre arterial saltó como una pluma de flamenco a la luz del sol. El San se retiró de otro salto para contemplar la muerte.

—Gracias, gran macho. Gracias por dejarnos vivir.

Entre los tres pusieron la res sobre el lomo, pero cuando O'wa se preparaba a hacer el primer corte con su cuchillo de pedernal, Centaine abrió la hoja de su navaja y se la entregó.

O'wa vaciló. Nunca había tocado esa bella arma. Pensaba que, de hacerlo, se le pegaría a los dedos sin que pudiera soltarla nunca más.

—Toma, O'wa —lo instó la muchacha.

Como él aún vacilara, mirando el cuchillo con tímida reverencia, comprendió con súbita intuición los verdaderos motivos del antagonismo que el enano le demostraba: "Quiere el cuchillo, lo desea." Estuvo a punto de soltar la carcajada, pero se dominó.

—Toma, O'wa.

Y el hombrecito alargó lentamente una mano para tomarlo.

—¡Ay, ay! —exclamó, al deslizar el acero por su piel, arrancando una cadena de gotitas rojas a la yema de su pulgar—. ¡Qué arma! ¡Mira, H'ani! —Y exhibió su pulgar herido, con orgullo. —¡Mira qué afilado es!

—Estúpido esposo mío, suele ser para cortar la presa y no al cazador.

O'wa rió feliz, festejando el chiste, y se aplicó a la tarea. Tomó el escroto del macho en la mano izquierda, tiró de él y, con un solo golpe, lo liberó.

—¡Ay! ¡Qué filoso!

Dejó el escroto a un lado; los testículos, asados sobre las brasas, eran un manjar; el saco de piel suave sería una buena bolsita para las cabezas de flecha y otras cosas de valor.

Después, comenzando de esa herida, abrió al animal hasta la mandíbula e hizo incisiones circulares en torno de los miembros. Mientras las mujeres tiraban del cuero suelto, él introdujo el puño cerrado por debajo y el cuero se desprendió en una sola pieza. Luego lo extendieron en el suelo, con el pelo hacia abajo.

O'wa abrió entonces la cavidad estomacal, con la precisión de un cirujano; retiró las pesadas vísceras y las depositó sobre la piel, mientras H'ani corría a juntar el descolorido pasto del desierto. Tuvo que alejarse bastante, pues las matitas estaban dispersas y eran escasas. Ya de regreso, puso el pasto sobre el cuenco de calabaza, mientras O'wa tajeaba la resbaladiza bolsa blanca del rumen, sacando un doble puñado del contenido. Del vegetal sin digerir chorreaba agua, aun antes de que él comenzara a exprimirlo.

Con el manojo de pasto como filtro, llenó la calabaza de fluido y se la llevó a los labios con ambas manos. Bebió largamente, cerrando los ojos en éxtasis, y al bajar el cuenco soltó un eructo atronador. Con una amplia sonrisa, pasó la calabaza a H'ani, que bebió ruidosamente, terminando con otro eructo y una exclamación apreciativa. Mientras se secaba la boca con el dorso de la mano, pasó el cuenco a Centaine.

La muchacha examinó ese líquido claro, pardo-verdoso. "Es sólo jugo de vegetales", se dijo, consolándose. "Ni siquiera está masticado ni mezclado con jugos gástricos." Y levantó la calabaza.

Fue mucho más fácil de lo que había anticipado; sabía a caldo de hierbas y a pasto, con el dejo amargo de la raíz de bi. Al devolver a O'wa el cuenco vacío, imaginó la larga mesa de Mort Homme, con la vajilla de Sèvres, la platería, las copas de cristal; recordó los ajetreos de Anna con las flores, verificando que el pescado fuera bien fresco, que el vino estuviera a la temperatura justa, que el filet tuviera el tono rosado exacto. Rió en voz alta. Estaba muy, muy lejos de Mort Homme.

Los dos pequeños San rieron con ella, interpretando equivocadamente, y los tres volvieron a beber.

—Mira a la niña —indicó H'ani a su esposo—. En las tierras de las arenas que cantan temía por ella, pero ya florece como las flores del desierto después de la lluvia. Es fuerte y tiene el hígado de los leones. ¿Viste cómo ayudó a matar, atrayendo hacia sí la mirada del macho? —O'wa asintió, riendo, entre eructos. —Tendrá su lindo varón, oye lo que te dice la vieja H'ani: un lindo varón.

O'wa, con el vientre hinchado de agua buena, muy sonriente, estaba por asentir cuando su vista bajó al cuchillo que tenía entre los pies. Su sonrisa se evaporó.

—Vieja tonta, estás parloteando como una gallina sin seso mientras la carne se echa a perder.

Levantó el cuchillo. La envidia era una emoción tan extraña a su naturaleza que lo hacía profundamente desdichado, sin que comprendiera del todo los motivos. Pero la idea de devolver el cuchillo a la muchacha lo llenaba de un enfado corrosivo que hasta entonces no conociera. Con el entrecejo fruncido, entre murmullos, retiró las vísceras, cortando delgadas porciones de tripa blanca, que masticó crudas en tanto trabajaba.

Promediaba la mañana cuando las ramas de un árbol seco quedaron festoneadas con largas cintas de carne escarlata; el calor aumentaba tan de prisa que la carne se oscureció y quedó seca casi de inmediato.

Hacía demasiado calor como para comer. Entre H'ani y Centaine extendieron la húmeda piel del antílope sobre un armazón de ramas secas, bajo esa especie de carpa se acurrucaron, buscando refugio contra el sol, mientras refrescaban el cuerpo con los fluidos del segundo estómago.

Al bajar el sol, O'wa tomó sus palillos de encender fuego e inició el trabajoso proceso de arrancarles una chispa. Centaine, impaciente, le quitó la bola de yesca seca. Hasta ese momento el pequeño San y su propia sensación de no estar preparada en absoluto la intimidaban demasiado como para permitirse iniciativas. Sin embargo, el cruce de las dunas y su parte en la cacería le daban audacia. Bajo la mirada curiosa de los San, preparó la yesca, el cuchillo y el pedernal.

Después de lanzar una lluvia de chispas hacia la yesca, se inclinó rápidamente para soplar hasta que levantó llama. Los San lanzaron un chillido de asombro y consternación, llenos de temor supersticioso. Sólo cuando el fuego estuvo bien encendido Centaine pudo tranquilizarlos, hasta que se acercaron a mirar con maravilla el acero y el pedernal. Bajo la tutela de la muchacha, O'wa logró, por fin, arrancar chispas, con una alegría espontánea e infantil.

Tan pronto como la noche trajo alivio sobre el calor del sol, prepararon un festín de hígado, tripas y riñones asados en el encaje de grasa blanca que cerraba los intestinos. Mientras las mujeres preparaban el fuego, O'wa bailó por el espíritu del antílope, tal como había prometido, saltando tan alto como cuando era joven. Después se sentó en cuclillas ante el fuego y comenzó a comer.

Los dos San comían con la grasa corriéndoles por la barbilla hasta el pecho. Comieron hasta que el estómago hinchado quedó convertido en sendos globos. Y siguieron comiendo hasta mucho después de que Centaine se sintió satisfecha.

De vez en cuando, Centaine los veía a punto de abandonar, pues quedaban boquiabiertos mirándose como búhos soñolientos a la luz del fuego. Pero O'wa ponía ambas manos en el vientre abultado y se apoyaba sobre una sola nalga, con la cara contraída, gruñendo y forcejeando hasta que lograba soltar un resonante pedo. H'ani, desde el otro lado de la fogata, respondía con una descarga igualmente atronadora. Ambos soltaban la risa y volvían a llenarse la boca de carne.

Centaine se adormeció, comprendiendo que esa energía era la reacción natural de un pueblo acostumbrado a las privaciones, cuando se encontraba súbitamente con una montaña de alimento y sin medios de conservarlo.

Cuando despertó, al amanecer, ellos seguían comiendo.

Al ascender el sol, los dos San se tendieron bajo la carpa de cuero, con el vientre distendido, y roncaron a lo largo de las horas calurosas. Al anochecer reavivaron el fuego y volvieron al banquete. Por entonces, los restos del antílope despedían un olor potente, pero eso no pareció sino estimularles el apetito.

Cuando O'wa se levantó para retirarse fuera del círculo luminoso, para atender asuntos privados, Centaine notó que sus nalgas, flojas y caídas al salir de las dunas, estaban tensas, redondas y lustrosas.

—Como la joroba de los camellos —rió.

Y H'ani, riendo con ella, le ofreció una tajada de grasa, asada hasta quedar parda y seca.

Una vez más, pasaron el día durmiendo, como un nido de pitones que digiriera el pantagruélico banquete. Al anochecer, con las bolsas llenas de duros trozos de carne seca, O'wa abrió la marcha hacia el este, por la planicie, bajo el claro lunar. Él llevaba la piel del antílope doblada y en equilibrio sobre la cabeza.

Gradualmente, la planicie fue alterando sus características. Entre los finos pastos del desierto aparecieron matitas ralas, que no llegaban a la rodilla de Centaine. En cierta oportunidad O'wa se detuvo para señalar una silueta alta, fantasmagórica, que cruzaba al trote hacia adelante. Era un cuerpo oscuro, rodeado de un blanco esponjoso. Sólo al desaparecer la forma entre las sombras comprendió Centaine que era un avestruz.

Al amanecer, O'wa extendió el cuero de antílope para formar un cobijo, donde esperaron durante todo el día. Cuando bajó el sol, los tres bebieron las últimas gotas de agua que quedaban en los huevos. Los San estaban silenciosos y serios cuando volvieron a emprender la marcha. Sin agua, la muerte estaba a pocas horas de distancia.

Amaneció, pero O'wa, en vez de establecer campamento inmediatamente, pasó largo rato examinando el cielo. Después se adelantó en un amplio semicírculo, como un perro de caza en busca del ave: con la cabeza en alto girando lentamente de lado a lado y la nariz aspirando el aire.

—¿Qué hace O'wa? —preguntó Centaine.

—Huele. —H'ani olfateó para mostrarle. —Huele agua.

Centaine observó, incrédula:

—Agua no huele, H'ani.

—¡Sí, sí! Espera, ves.

O'wa había tomado una decisión.

—¡Vamos! —las llamó.

Las mujeres levantaron sus bolsas para correr detrás de él. Al cabo de una hora, la muchacha comprendió que, si O'wa estaba errado, podría darse por muerta. Los huevos estaban vacíos; el calor y el sol le estaban sorbiendo la humedad del cuerpo; su fin llegaría antes de que les cayera encima el calor abrasador del mediodía.

O'wa partió a toda carrera, con el paso que los San llaman

"los cuernos", utilizado por el cazador cuando ve la cornamenta de una presa en el horizonte. Las mujeres, con sus cargas, no podían imitarlo.

Una hora después distinguieron, muy adelante, su forma diminuta. Cuando al fin lo alcanzaron, él las recibió con una ancha sonrisa de bienvenida y anunció, grandilocuente:

—O'wa las ha guiado, sin error, hasta los pozos de sorber del elefante de un solo colmillo.

Los orígenes del nombre se perdían muy atrás, en la historia oral de los San. El anciano, pavoneándose desvergonzadamente, las precedió por la suave pendiente del cauce.

Era un lecho de río, ancho, pero Centaine vio de inmediato que estaba completamente seco, lleno de arena suelta y resbaladiza como las de las dunas. El ánimo se le derrumbó instantáneamente al mirar en derredor.

El serpentino curso de agua tenía unos cien pasos de amplitud y cortaba el lecho de grava de la planicie. Aunque no había agua, ambas riberas estaban oscurecidas por matas mucho más densas que en las áridas llanuras. La maleza llegaba casi a la cintura, y algún arbusto se elevaba sobre el resto. Los San parloteaban alegremente, y H'ani seguía de cerca a su esposo, que se paseaba por la arena del río con aire importante.

La muchacha se dejó caer y levantó un puñado de arena anaranjada, para dejarlo correr entre sus dedos, desconsolada. En eso notó que el lecho del río estaba muy pisoteado por cascos de antílope. En algunos lugares, la arena estaba amontonada como por niños que hubieran estado haciendo castillos. O'wa examinaba una de esas pilas, con expresión crítica, y Centaine se levantó para ver qué había descubierto. Probablemente, los antílopes habían estado excavando el lecho, pero la arena había rellenado el agujero casi por completo. O'wa asintió, con cara de sabio.

—Éste es buen lugar. Aquí haremos nuestro pozo de sorber. Llévate a la niña y enséñale a construir un refugio.

Centaine estaba tan sedienta y fustigada por el calor que se sentía mareada y descompuesta, pero soltó la correa de su bolsa y trepó cansadamente por la ribera, siguiendo a H'ani, para ayudarle a cortar gajos elásticos y ramas espinosas.

Prontamente erigieron, en el lecho del río, dos refugios rudimentarios; clavaron los gajos en círculo, arqueándolos para atarlos en manojo por la parte alta; cubrieron uno con ramas y el otro con la maloliente piel de antílope. Eran muy primitivos, sin costados y con suelo de arena, pero Centaine se dejó caer a la sombra, agradecida, para observar a O'wa.

En primer lugar retiró de sus flechas las cabezas envenenadas, manejándolas con mucho cuidado, pues un solo arañazo podía ser fatal. Envolvió cada punta en un trozo de cuero crudo y las guardó en una de las bolsas que le colgaban del cinturón.

Luego comenzó a juntar los trozos de junco, sellando las uniones con una bola de goma de acacia, hasta tener una sola vara de juncos huecos, más alta que él mismo.

—Ayúdame, florecilla de mi vida —indicó a H'ani, halagándola descaradamente.

Ambos comenzaron a excavar juntos en la arena, a mano limpia. Para evitar que las partículas volvieran a rellenar el agujero, le dieron forma de chimenea: más ancha arriba, estrechándose gradualmente, hasta que la cabeza y los hombros de O'wa desaparecieron en el pozo. Al fin comenzó a arrojar puñados de arena más oscura y húmeda. Aún siguió excavando, sostenido por los tobillos por H'ani con todo el cuerpo metido en el agujero. Por fin, en respuesta a apagados gritos desde las profundidades, ella le alcanzó la vara hueca.

O'wa, cabeza abajo en el pozo, acomodó cuidadosamente el extremo abierto del junco y puso alrededor un filtro de ramitas y hojas, para evitar que se tapara. Las mujeres lo sacaron tirando de sus tobillos, cubierto de arena anaranjada. H'ani tuvo que limpiarle las orejas, las pestañas y los mechones de pelo gris.

Con cuidado, de a un puñado por vez, O'wa volvió a llenar el pozo, sin alterar el filtro ni el junco. Cuando todo estuvo terminado, afirmó la arena con palmaditas, dejando un trocito de caña asomado en la superficie.

Mientras O'wa daba los toques finales a su pozo, H'ani eligió una ramita verde, le quitó las espinas y la peló. Luego ayudó a Centaine a destapar los huevos y los dispuso en una pulcra hilera, junto al pozo.

O'wa se tendió de vientre en la arena, bien estirado, y aplicó los labios al extremo del tubo. H'ani se puso en cuclillas junto a él, atenta, con los huevos a mano y la ramita verde entre los dedos.

—¡Estoy lista, cazador de mi corazón! —le dijo.

Y O'wa comenzó a succionar.

Centaine, desde su refugio, lo vio convertirse en una bomba humana; su pecho se henchía y se desinflaba, doblando casi su tamaño con cada aspiración sibilante. De pronto, la muchacha se dio cuenta de que había una pesada carga en el tubo. Los ojos de O'wa, cerrados con fuerza, desaparecían tras una red de arrugas y bolsas; su rostro, oscurecido por el esfuerzo, había tomado el color de los caramelos de leche. Su cuerpo pulsaba, bombeando, hinchándose como una rana, forcejeando para aspirar un gran peso por el fino tubo de junco.

De pronto emitió una especie de maullido, sin quebrar el ritmo de sus poderosas succiones. H'ani se inclinó hacia adelante y le acomodó suavemente la ramita pelada en la comisura de la boca. Una gota de agua, reluciente como un diamante, apareció entre los labios del anciano, deslizándose por la ramita. Tembló en el extremo por un instante y cayó en el huevo que H'ani sostenía debajo.

—Agua buena, cantante de mi alma —lo alentó la anciana—. ¡Agua dulce y buena!

Desde la boca del viejo, el flujo se convirtió en un parejo goteo de plata, en tanto succionaba y dejaba correr el agua al exhalar.

El esfuerzo requerido era enorme, pues O'wa estaba elevando el agua a una altura, superior al metro ochenta. La muchacha, reverente, lo vio llenar una botella-huevo, y otra, y aun una tercera, sin pausa.

H'ani, arrodillada a su lado, lo atendía y le daba aliento, acomodando la ramita y las botellas, arrullándolo con suavidad. De pronto Centaine sintió un extraño arrebato de solidaridad por ese par de ancianitos, comprendiendo que el regocijo, la tragedia y las incesantes durezas habían forjado con ellos una unión tan resistente como si fueran una sola entidad. Comprendió que los años duros los habían dotado de humor, sensibilidad, fortaleza y sabiduría simple, pero sobre todo de amor, y los envidió sin rencores.

"¡Si yo pudiera estar ligada a otro ser humano como estos dos!", se dijo. Y en ese momento comprendió que había llegado a amarlos.

Por fin, O'wa se apartó del tubo y quedó tendido, jadeando, estremecido como un corredor de maratones al terminar la carrera. H'ani llevó uno de los huevos a Centaine.

—Bebe, Niña Nam —ofreció.

La muchacha, casi a su pesar, dolorosamente consciente del esfuerzo que había costado cosechar cada invalorable gota, bebió.

Bebió poco, piadosamente, y devolvió el huevo.

—Agua buena, H'ani —dijo.

Aunque era salobre, aunque estaba mezclada con la saliva del viejo, Centaine comprendía a fondo que, para los San, "agua buena" era cualquier fluido que los mantuviera con vida en el desierto.

Se levantó para acercarse a O'wa, que seguía tendido en la arena.

—Agua buena, O'wa —dijo, arrodillándose junto a él.

Era visible el modo en que el esfuerzo lo había agotado, pero él le sonrió moviendo afirmativamente la cabeza.

—Agua buena, Niña Nam.

Centaine soltó la correa que llevaba a la cintura y le ofreció el cuchillo con ambas manos. Le había salvado la vida; bien podía necesitarlo otra vez, en los duros días venideros.

—Toma, O'wa —dijo—. Cuchillo para O'wa.

El anciano miró fijamente la navaja. El tono oscuro y sanguíneo de su arrugada carita palideció, como si una gran devastación le vaciara los ojos de expresión.

—Toma, O'wa —le urgió ella.

—Es demasiado —susurró él, con pánico en los ojos.

Centaine le tomó la muñeca para ponerle la palma hacia arriba. Puso allí el cuchillo y le dobló los dedos sobre él. El pecho de O'wa se henchía, jadeante, tanto como al sacar el agua del pozo, Una lágrima le brotó por la comisura de un ojo y corrió por el surco profundo de la nariz.

—¿Por qué lloras, viejo tonto? —preguntó H'ani.

—Lloro de alegría por este regalo —respondió él, tratando de mantener la dignidad, aunque tenía la voz ahogada.

—Es un motivo muy estúpido para llorar —le dijo H'ani.

Y guiñó los ojos, traviesa, en tanto cubría su risa con una mano delgada y graciosa.

Siguieron el lecho seco hacia el este, pero la urgencia que los acompañara en las marchas nocturnas por la zona de dunas había quedado atrás; en ese momento había agua buena bajo la arena.

Viajaban desde antes del amanecer hasta que el calor los llevaba a buscar refugio, y volvían a emprender el viaje al avanzar la tarde, hasta después de oscurecer. El paso era lento, pues cazaban durante la marcha.

H'ani hizo un palo de excavar especialmente para Centaine y le enseñó a usarlo. A los pocos días, Centaine sabía ya reconocer las señas superficiales de muchas plantas y raíces comestibles. Pronto fue evidente que, así como la habilidad de O'wa para rastrear y cazar era casi sobrenatural, eran las mujeres las que daban al clan los zumos de la vida, con lo que juntaban durante la marcha. Cuando la caza escaseaba o estaba ausente por días y semanas, se vivía de las plantas que ellas llevaban al campamento.

Aunque Centaine aprendía con rapidez y tenía vista de águila, sabía que jamás podría igualar los conocimientos innatos y la percepción de la anciana. H'ani sabía hallar plantas e insectos que no daban señales superficiales de sus escondrijos; cuando excavaba, la tierra volaba en todas direcciones.

—¿Cómo haces? —pudo preguntar Centaine, al fin, pues su dominio del idioma San aumentaba día a día.

—Así como O'wa descubrió los pozos de sorber desde lejos —explicó H'ani—. Lo huelo, Niña Nam. ¡Huele! ¡Usa la nariz!

—Te burlas de mí, reverenda abuela —protestó Centaine.

Pero a partir de entonces observó a H'ani con cuidado. En verdad, parecía olfatear los profundos nidos de termitas para robarles el "pan", con el que preparaba un guiso de mal sabor, pero nutritivo.

—Igual que Káiser Wilhelm —se maravilló la muchacha.

Y le decía: *Cherche!*, tal como ella y Anna al gran cerdo que las ayudaba a buscar trufas en el bosque de Mort Homme.

—*Cherche*, H'ani.

Y la anciana reía, festejando la broma que no comprendía. De inmediato, como si tal cosa, obraba un milagro.

Cierto atardecer, ella y Centaine se quedaron atrás, pues O'wa se había adelantado en busca de un sitio donde recordaba que los avestruces solían depositar sus huevos. Las dos discutían amistosamente.

— ¡No, no, Niña Nam! ¡No debes sacar dos raíces del mismo lugar! Siempre debes dejar una antes de excavar otra vez. ¡Ya te lo he dicho! —la regañó la anciana.

—¿Por qué? —preguntó Centaine, incorporándose; al apartarse los gruesos rizos de la frente, dejó un manchón sudoroso de barro en la piel.

—Porque debes dejar una para los niños.

—Vieja tonta. No hay niños.

—Ya los habrá —H'ani señaló significativamente el vientre de la muchacha—. Ya los habrá. Y si no les dejamos nada, ¿qué dirán de nosotros cuando pasen hambre?

—¡Pero hay tantas plantas! —protestó la joven, exasperada.

—Cuando O'wa encuentre el nido de avestruz, dejará algunos huevos. Cuando tú encuentres dos raíces, dejarás una. Así tu hijo crecerá fuerte y sonreirá al repetir tu nombre a sus hijos.

H'ani interrumpió su conferencia y corrió hasta un sitio pedregoso y desnudo, en la ribera del lecho seco, torciendo la nariz al inclinarse.

—*Cherche!*, H'ani! —exclamó Centaine riendo.

H'ani, riendo también, comenzó a cavar; después cayó de rodillas y sacó algo del hueco.

—Es la primera que ves, Niña Nam. Huele. Sabe muy bien.

Le entregó un tubérculo irregular, parecido a una patata, y la muchacha lo olfateó, ansiosa. Los ojos se le dilataron ante el recordado aroma. Rápidamente, quitó el polvo aferrado a la superficie y le dio un mordisco.

—¡H'ani, vieja querida! —gritó—. ¡Es una trufa! Una trufa de verdad. No tiene la misma forma ni el mismo color, pero sí el mismo gusto que las trufas de mi tierra.

O'wa había hallado sus nidos de avestruz. Centaine batió uno en su propia cáscara partida y le mezcló las trufas picadas, para cocinar una enorme *omelette aux truffes* sobre una piedra plana, calentada en la fogata.

A pesar del polvo, que le daba un color grisáceo, los granos de arena y los trocitos de cáscara que crujían entre los dientes, la comieron con deleite.

Sólo al tenderse bajo el primitivo techo de ramitas y hojas, Centaine cedió a la nostalgia que había invocado el sabor de las trufas, sepultando la cara en el hueco de su brazo para sofocar los sollozos.

—Oh, Anna, daría cualquier cosa, cualquier cosa por volver a ver tu cara vieja y fea...

Mientras seguían el lecho seco del río y las semanas se convertían en meses, el niño por nacer cobraba fuerzas.

Dada la dieta escasa, pero saludable, y el diario ejercicio de caminar, cavar, llevar y estirarse, la criatura no llegaba a ser demasiado grande y ella lo mantenía alto, pero los pechos se le llenaron; a veces, cuando estaba sola, frotándose el cuerpo con la fibra jugosa del tubérculo de bi, se los miraba, orgullosa, admirando la audaz inclinación hacia arriba de los extremos rosados.

—Ojalá pudieras vérmelos ahora, Anna —murmuró—. Ya no podrías decir que parezco un muchachito. Pero, como siempre, te quejarías de mis piernas, que son demasiado largas, delgadas y musculosas. Oh, Anna, dónde estarás...

Una mañana, al amanecer, cuando ya llevaban varias horas viajando, Centaine se detuvo en la cima de una leve elevación para mirar en derredor.

El aire todavía estaba fresco y tan límpido que se veía hasta el horizonte. Más tarde, el calor lo espesaría hasta convertirlo en una opalina translúcida; el sol borraría todo el color del paisaje. Pero en ese momento las formas se veían nítidas y coloridas. Las ondulantes planicies se borroneaban con pastos plateados y había árboles de verdad, vivientes, no esas momias antiguas que permanecían de pie detrás de las dunas. Más allá de los bosques de acacias se veían colinas, elevadas abruptamente en la planicie: las kopjes de África, castigadas por el viento y talladas por el calor del sol en formas geométricas, afiladas como dientes de dragón. La luz suave del amanecer arrancaba tonos de sepia, rojo y bronce de sus paredes rocosas.

Centaine se detuvo, apoyada en su palo de excavar, sobrecogida por la áspera grandeza del panorama. En las planicies polvorientas pastaban rebaños de antílopes, pálidos como humo e igualmente insustanciales. Ante la mirada de la muchacha, los más cercanos se asustaron de la presencia humana y echaron a correr, con la conducta característica de esos animales: bajaron la cabeza hasta que el hocico llegó casi a tocar los cuatro cascos y brincaron directamente hacia arriba, con las patas rectas, en tanto abrían el largo pliegue de piel que les corría por el lomo, desplegando la melena plumosa y blanca que allí se ocultaba.

—¡Oh, míralos, H'ani! —gritó Centaine—. ¡Qué bellos son!

El brinco de alarma era contagioso; cientos de antílopes saltaban por la llanura, con las crines blancas centelleantes.

O'wa dejó caer su carga, bajó la cabeza y los imitó a la perfección, saltando con las piernas tiesas y los dedos en movimiento sobre la espalda, hasta que pareció transformarse en uno de aquellos pequeños animales. Las dos mujeres, abrumadas de risa, tuvieron que sentarse, abrazadas. La alegría les duró mucho tiempo después de que las montañas se ocultaron tras las nieblas de calor.

En esos largos altos, en medio del día, O'wa tomó la costumbre de separarse de las mujeres. Centaine se habituó a ver su pequeña silueta sentada a la sombra de un espinillo, con las piernas cruzadas, raspando con la navaja el cuero de antílope tendido sobre su regazo. Llevaba la piel, cuidadosamente plegada y enrollada, sobre la cabeza; cierta vez en que Centaine quiso examinarla, el anciano se agitó tanto que ella lo apaciguó con prontitud:

—¡No tenía malas intenciones, anciano abuelo!

Pero aquello le despertó la curiosidad. El viejo era un artesano al que, por lo común, le encantaba mostrar sus obras.

No protestaba cuando Centaine lo miraba partir cortezas maleables para hacer carcajs para sus flechas, decorándolos con diseños de aves y animales, quemadas en la madera con una brasa de la fogata.

También le mostró cómo hacer puntas de flechas de huesos duros, que molía pacientemente contra una piedra plana. Hasta la llevó consigo cuando fue en busca de las larvas de escarabajo con las que envenenaba sus cabezas de flecha, capaces de matar a un hombre en pocas horas. Hasta le permitió ver cómo se hacía una flauta primitiva, que usaba para acompañarse con penetrantes toques al bailar, y cómo tallaba decoraciones en la pesada jabalina que utilizaba para cazar pájaros al vuelo.

Pero cuando trabajaba la piel de antílope se retiraba a una distancia prudente y permanecía solo.

El río de arena que habían seguido por tanto tiempo se contorsionó, por fin, en una serie de meandros cerrados, como las convulsiones de una serpiente moribunda, y terminó abruptamente en una hoya seca, tan amplia que los árboles del otro lado eran sólo una línea oscura y ondulante en el horizonte. La superficie de la hoya estaba blanca de cristales, dejados por las sales evaporadas. El reflejo del sol de mediodía, en esa superficie, resultaba doloroso y convertía el cielo en pálida plata. Los bosquimanos la llamaban "el gran lugar blanco".

En la empinada ribera de la hoya construyeron refugios, más fuertes y mejor techados que los anteriores; eso daba al campamento un aire de permanencia. Los dos pequeños San se acomodaron a una rutina sin exigencias, aunque con un subyacente aire de expectativa que Centaine detectó.

—¿Por qué nos detenemos aquí, H'ani?

—Esperemos para hacer la travesía —fue cuanto la vieja pudo decirle.

—¿La travesía de qué? ¿Adónde vamos? —insistió la muchacha.

Pero H'ani se tornó vaga y señaló hacia el este en un arco amplio, respondiendo con un nombre que Centaine sólo pudo traducir por "un lugar donde nada debe morir".

El hijo de Centaine cobraba fuerzas dentro de su vientre hinchado. A veces era difícil respirar, y casi imposible ponerse cómoda en el suelo desnudo. En su pequeño refugio, se preparó un nido con suave pasto del desierto, lo cual divirtió a los dos viejos, para quienes la tierra era bastante como lecho y el hombro buena almohada.

Centaine, tendida en su nido, trataba de contar los días y los meses transcurridos desde que estuvo con Michael, pero el tiempo se le borroneaba, se le perdía en un telescopio, de modo tal que sólo podía estar segura de la proximidad del momento. H'ani confirmó su cálculo, hurgándole el vientre con dedos suaves y conocedores.

—El bebé se mueve mucho y pelea por liberarse. Será un varón.

Y llevó a Centaine al desierto, para juntar las hierbas especiales que necesitarían durante el nacimiento.

A diferencia de muchos pueblos de la Edad de Piedra, los San tenían perfecta conciencia de los procesos de creación y veían el acto sexual, no como una cosa aislada, sino como el primer paso en el largo viaje hacia el nacimiento.

—¿Dónde está el padre de tu niño que crece, Niña Nam? —preguntó H'ani. Al ver las lágrimas en los ojos de la muchacha, se respondió a sí misma, suavemente: —Ha muerto en las tierras del norte, al final de la tierra. ¿No es así?

—¿Cómo sabes que vengo del norte? —preguntó Centaine, feliz de abandonar el doloroso tema.

—Eres grande, más grande que ningún San del desierto —explicó H'ani—. Por lo tanto, debes venir de una tierra rica, donde vivir es fácil: una tierra de buenas lluvias y comida abundante. —Para la anciana, el agua era toda la vida. —Como los vientos de lluvia vienen desde el norte, tú también debes de venir del norte.

Intrigada por esa lógica, Centaine sonrió.

—¿Y cómo sabes que vengo de lejos?

—Porque tu piel es pálida, no oscurecida, como la piel de los San. Aquí, en el centro del mundo, el sol está en lo alto, pero nunca baja hacia el norte o el sur, y en el este y el oeste es bajo y quema. Tú has de venir desde muy lejos, donde el sol no tiene calor ni fuerza para oscurecerte la piel.

—¿Sabes de otra personas como yo, H'ani? ¿Gente grande, de piel clara? ¿Habías visto antes a alguien como yo? —preguntó la muchacha, ansiosa. Al ver que la anciana desviaba la mirada, la tomó por el brazo. —Dime, sabia abuela, ¿dónde has visto a mi gente? ¿En qué dirección y a qué distancia? ¿Puedo llegar a ellos? Dímelo, por favor.

Los ojos de H'ani se nublaron con una película de incomprensión. Se quitó un grano de moco seco de la nariz y lo examinó con minuciosa atención.

—Dime, H'ani —insistió Centaine, sacudiéndole suavemente el brazo.

—He oído a los viejos hablar de esas cosas —admitió H'ani, a regañadientes—, pero nunca vi a esa gente y no sé dónde se los puede encontrar.

Centaine comprendió que mentía. De pronto, en un parloteo vehemente, la anciana prosiguió:

—Son fieros como leones, ponzoñosos como el escorpión; los San se ocultan de ellos.

Se levantó de un salto, agitada. Después de tomar su mochila y su palo de cavar, salió apresuradamente del campamento y no regresó hasta el crepúsculo.

Esa noche, después de que Centaine se acurrucó en su lecho de pasto, H'ani susurró a O'wa:

—La niña extraña a su gente.

—La he visto mirar hacia el sur, con tristeza en los ojos —admitió O'wa.

—¿Cuántos días hay que viajar para llegar a la tierra de los gigantes pálidos? —preguntó la anciana, a su pesar—. ¿Cuánto debe marchar para reunirse con su propio clan?

—Menos de una luna —gruñó él.

Ambos guardaron silencio por largo rato, con la vista fija en las llamas azuladas de los espinillos.

—Quiero oír el llanto de un bebé una vez más, antes de morir —dijo H'ani por fin.

Y O'wa asintió. Ambos giraron las caritas en forma de corazón hacia el este, mirando la oscuridad, hacia el Sitio de Toda la Vida.

Cierta vez en que H'ani descubrió a Centaine arrodillada a solas, rezando en el páramo, preguntó:

—¿Con quién hablas, Niña Nam?

Centaine se vio en dificultades, pues si bien el idioma de los San era rico y complejo en cuanto a descripciones de los aspectos materiales del mundo desértico, resultaba sumamente difícil utilizarlo para transmitir ideas abstractas.

Sin embargo, después de largas discusiones que se prolongaron por varios días, mientras recogían plantas en el desierto o cocinaban sobre el fuego, Centaine logró describir su concepto de la Deidad, y H'ani asintió, dubitativa, murmurando con el entrecejo fruncido.

—¿Hablas con los espíritus? —dijo—. Pero casi todos los espíritus viven en las estrellas. Si hablas tan bajo, ¿cómo te van a oír? Es necesario bailar, cantar y silbar con fuerza para llamarles la atención. —Bajó la voz. —Y aun así no es seguro que te escuchen, pues he descubierto que los espíritus de las estrellas son variables y olvidadizos. —H'ani miró en derredor, como una conspiradora. —Según mi experiencia, Niña Nam, Mantis y Eleótrago son mucho más confiables.

—¿Mantis y Eleótrago? —repitió Centaine, tratando de no delatar que se estaba divirtiendo.

—Mantis es un insecto de ojos enormes que lo ven todo, con brazos, como un hombrecito. Eleótrago es un animal... oh, sí, mucho más grande que el antílope saltarín, con una panza tan llena de grasa que roza la tierra. —A los San les gustaba la grasa casi tanto como la miel silvestre. —Y con cuernos retorcidos que tocan el cielo. Si tenemos suerte, encontraremos tanto a Mantis como a Eleótrago en el lugar al que vamos. Mientras tanto, sigue hablando con las estrellas, Niña Nam, pues son hermosas, pero pon tu confianza en Mantis y Eleótrago.

Así, simplemente, explicó H'ani la religión de los San. Esa noche, ella y Centaine se sentaron bajo el cielo despejado. La anciana señaló el tren centelleante de Orión.

—Ése es el rebaño de cebras celestiales, Niña Nam, y allí está el cazador inepto —señaló la estrella Aldebarán—, enviado por sus siete esposas —su dedo torcido apuntó a las Pléyades— a buscar carne. ¿Ves cómo ha disparado su flecha, que pasó alta y a un costado, para caer a los pies de la estrella León? —Sirio, la más brillante de todas las estrellas fijas, parecía, en verdad, leonina. —Y ahora el cazador teme recoger su arco y teme volver con sus siete mujeres; por eso se pasa la eternidad allí sentado, titilando de miedo. Igual que un hombre, Niña Nam. —H'ani se rió y clavó su pulgar huesudo en las escuálidas costillas de su marido.

Como los San también amaban las estrellas, el vínculo de afecto que los unía a Centaine se fortaleció tanto que ella les señaló la estrella de Michael y la suya propia, en el sur.

—Pero Niña Nam —protestó O'wa—, ¿cómo es posible que esa estrella te pertenezca? No pertenece a nadie y pertenece a todos, como la sombra del espinillo y el agua en el desierto, o como la tierra que pisamos. A nadie y a todos. Nadie es dueño del Eleótrago, pero podemos tomar su grasa, si la necesitamos. Nadie es dueño de las plantas de bi, pero podemos recogerlas, a condición de dejar algunas para los niños. ¿Cómo puedes decir que una estrella te pertenece con exclusividad?

Era una expresión de la filosofía que constituyera la tragedia de su pueblo, una negativa de la propiedad individual que los condenó a una persecución inmisericorde, a la masacre, a la esclavitud o al exilio, en los lejanos sitios del desierto en donde ningún otro ser humano podía sobrevivir.

Así pasaban los monótonos días de la espera, en discusiones y en la tranquila rutina de cazar y recoger plantas. Un atardecer, los dos San, galvanizados por el entusiasmo, miraron hacia el norte, con las caritas de ámbar levantadas a un cielo impecablemente azul.

Centaine unos pocos minutos después descubrió qué los había excitado. Por fin vio la nube, asomada por sobre el horizonte del norte, como el dedo de una mano ciclópea. Crecía bajo su mirada, con la parte superior achatada en forma de yunque. El trueno distante gruñó como un león cazador. Pronto se la vio alta, encendida con los tonos del crepúsculo y con sus propios relámpagos interiores.

Esa noche, O'wa bailó, silbó, cantó alabanzas a los espíritus de las nubes hasta derrumbarse de agotamiento. Pero al amanecer la nube se había dispersado.

Sin embargo, el cielo había perdido su azul impoluto; había bandas de cirros que lo cruzaban. El aire mismo parecía haber cambiado; se lo sentía cargado con una estática que causaba cosquilleos en la piel de Centaine; el calor era pesado y lánguido, aun más duro de soportar que los secos mediodías, y las nubes de tormenta, trepadas por sobre el horizonte norte, agitaban en el cielo sus monstruosas cabezas.

Día a día se hicieron más altas y numerosas, agrupándose como una legión de gigantes en marcha hacia el sur. Una enervante frazada de aire húmedo se tendió sobre la tierra, sofocando cuanto existía sobre ella.

—Por favor, que llueva —susurraba Centaine, todos los días, mientras el sudor le corría por las mejillas y el niño le pesaba en el vientre como una piedra enorme.

Por la noche, O'wa bailaba y cantaba:

—Espíritu de la nube, mira cómo te espera la tierra, tal como una gran antílope hembra en celo tiembla esperando al macho. Baja desde lo alto, Espíritu de la Nube al que veneramos, y vuelca tus fluidos generadores sobre tu esposa tierra. Monta a tu amante, y de tu simiente ella parirá nueva vida en abundancia.

Y cuando H'ani gorjeó el estribillo, Centaine gritó con el mismo fervor.

Una mañana no hubo sol; las nubes se extendían en una masa gris sólida, de horizonte a horizonte. Bajas al principio, bajaron aún más, y un relámpago se desprendió del vientre gris, atronando la tierra de modo tal que pareció saltar entre los pies. Una sola gota de lluvia golpeó a Centaine en el centro de la frente; era pesada como una piedra; la sorpresa la hizo retroceder, lanzando una exclamación asombrada.

En eso se abrieron las nubes y la lluvia cayó sobre ellos, densa como un manga de langostas. Cada gota, al tocar la superficie de la hoya, rodaba hasta convertirse en un glóbulo de lodo o hacía estremecer las delgadas ramas de los bordes, como si en ellas se posaran bandadas de pájaros invisibles.

La lluvia acicateó la piel de la muchacha. Una gota le pegó en un ojo, cegándola por un segundo. Parpadeó para despejarlo y, riendo, vio que O'wa y H'ani corrían por la hoya. Habían descartado sus magras vestiduras y bailaban desnudos bajo la lluvia. Cada gota que caía sobre la piel arrugada y ambarina los hacía aullar de deleite.

Centaine se quitó la falda de lona y el chal. Desnuda, se irguió con los brazos abiertos y la cara vuelta hacia las nubes. La lluvia la azotó, fundiéndole la cabellera oscura con el rostro y los hombros. Se la apartó con las manos y abrió la boca cuanto pudo.

Era como estar bajo una cascada. La lluvia le llenaba la boca a medida que iba tragando el agua. El extremo más alejado de la hoya desapareció tras los velos azules de la lluvia. La superficie se convirtió en barro amarillo.

La tierra parecía disolverse; el agua le llegaba ya a los tobillos y el lodo sedoso chasqueaba entre los dedos de los pies. Los tres bailaron y cantaron hasta que O'wa se detuvo abruptamente, inclinando la cabeza para escuchar.

Centaine no oía nada, aparte de los truenos y el latigueo de la lluvia, pero O'wa gritó una advertencia. Corrieron a la ribera de la hoya, resbalando en el barro y en las aguas amarillas, que por entonces les llegaban ya casi al muslo. Desde el borde, Centaine oyó el ruido que alarmara a O'wa: un rumor grave, como el del viento entre árboles altos.

—El río —señaló O'wa—, el río vuelve a la vida.

Llegó como un ser viviente, como una monstruosa pitón amarilla, por el lecho arenoso, y siseó de ribera a ribera, arrastrando cuerpos de animales ahogados y las ramas de árboles arrancados por la inundación. Irrumpió en la hoya inundada y corrió en olas serradas por la superficie, golpeando contra la orilla, envolviéndose a sus piernas, amenazando con arrastrarlos.

Ellos recogieron sus pocas pertenencias y vadearon hasta tierras más altas, sirviéndose mutuamente de apoyo. Las nubes trajeron una noche prematura; hacía frío. No cabía posibilidad de encender fuego; los tres, acurrucados para calentarse entre sí, temblaban sin remedio.

La lluvia siguió del mismo modo toda aquella noche.

En un amanecer opaco y plomizo, contemplaron el paisaje inundado: un vasto lago reverberante, donde se veían islotes de tierras altas y acacias aisladas, como lomos de ballenas.

—¿Es que jamás va a parar? —susurró Centaine.

Los dientes le castañeteaban incontrolablemente y el frío parecía haberle llegado al vientre, pues el niño se retorcía y pateaba a manera de protesta.

—Por favor, que pare ahora mismo.

Los San soportaban el frío con la misma fortaleza que mostraban ante todas las penurias. La lluvia, en vez de amainar, pareció acrecentar su ritmo y ocultó la tierra triste tras una cortina de vidrio.

Por fin cesó. No hubo previo aviso; dejó de caer en cascada densa, cesó por completo. El techo de nubes bajas y amoratadas se abrió, desprendiéndose como la cáscara de una fruta madura, dejando al descubierto el azul lavado del cielo. El sol estalló sobre ellos con cegador brillo, sorprendiendo una vez más a Centaine con los súbitos contrastes de ese continente salvaje.

Antes del mediodía, la tierra sedienta bebió las aguas que habían caído sobre ella. La inundación desapareció sin dejar rastros. Sólo en la hoya quedaba agua de superficie, lanzando destellos sulfurosos de ribera a ribera. Pero la tierra estaba limpia, vívida de color, desaparecido el polvo que había cubierto cada árbol, cada mata. Entonces Centaine vio verdes que nunca había soñado en esa tierra leonada. La tierra, aún húmeda, ofrecía ocres, anaranjados y rojos; las alondras del desierto cantaban con júbilo.

Tendieron sus escasas pertenencias al sol. Mientras se secaban, despidiendo vapor, O'wa no pudo contenerse y danzó, extático.

—Los espíritus de las nubes nos han abierto la ruta. Han llenado los abrevaderos hacia el este. Prepárate, H'ani, mi florecita del desierto; antes del amanecer nos pondremos en marcha.

Tras un primer día de marcha entraron en un país nuevo, tan diferente que no parecía pertenecer al mismo continente. Allí las antiguas dunas se habían consolidado, convirtiéndose en suaves ondulaciones que originaban una abundante vida vegetal. En los valles se veían praderas doradas y acacias aisladas, lo cual daba al paisaje el aspecto de un cuidado parque. En las depresiones, las lluvias recientes habían quedado aprisionadas en los abrevaderos, y la tierra parecía zumbar de vida. Entre las briznas amarillas asomaban tiernos brotes de un verde delicado, y verdaderos jardines de flores silvestres aparecían como por arte de magia. Centaine recogió capullos y los trenzó, formando guirnaldas para sí y para H'ani. La vieja se pavoneó como una novia.

—Ojalá tuviera un espejo para mostrarte lo adorable que estás —se lamentó Centaine abrazándola.

El viaje de cada día resultaba leve y despreocupado, tras las privaciones de las áridas llanuras. Al acampar contaban con el indecible lujo de frutas silvestres, nueces, piezas de caza y agua en abundancia.

Una noche, O'wa trepó muy arriba, por las ramas hinchadas de un monstruoso baobab, y ahumó una colmena que habitaba el tronco hueco desde los tiempos de su bisabuelo y antes aún. Bajó con una calabaza llena de miel oscura, perfumada por los capullos de la acacia.

Día a día encontraban nuevas especies de animales salvajes.

—Bajan desde el río grande y los pantanos —explicaba O'wa—. Siguen las aguas; cuando se sequen volverán al norte.

Por la noche, Centaine despertó ante un ruido nuevo, infinitamente más espeluznante que el gemir de los chacales o los gritos maniáticos de las hienas. Centaine salió de su pequeña choza y corrió en busca de H'ani.

—¿Qué era eso, anciana abuela? ¡Ese ruido es aterrorizante!

La anciana abrazó su cuerpo estremecido.

—Hasta el más bravo de los hombres tiembla la primera vez que oye rugir al león —la tranquilizó—. Pero no temas, Niña Nam; O'wa ha hecho un hechizo para protegernos. Esta noche el león hallará otras presas.

Pero pasaron todo el resto de la noche muy cerca del fuego, alimentándolo con leña. Por lo visto, H'ani tenía tan poca fe como Centaine en los hechizos de su esposo.

Al amanecer, el horrible coro se retiró hacia el este. O'wa les mostró las enormes huellas gatunas en la tierra blanda.

Al amanecer del noveno día, después de abandonar "el

gran lugar blanco", cuando se aproximaban a otro abrevadero, entre los bosques de mopani, se oyó un crujido, como un disparo de cañón. Los tres quedaron paralizados.

—¿Qué es, H'ani?

Pero la anciana la acalló con un gesto. Se oían los chasquidos de la maleza al quebrarse. De pronto, un ruido resonante, como un trompetazo.

O'wa se apresuró a probar el viento, tal como Centaine le veía hacer antes de cada cacería, y las condujo en un amplio rodeo por el bosque. Por fin se detuvo otra vez bajo el follaje lustroso de un mopani, donde dejó sus armas y su mochila.

—¡Ven! —indicó a Centaine, por señas.

Veloz como un mono, trepó por el tronco. Centaine, apenas estorbada por su vientre, lo siguió hasta una horqueta de las ramas altas, desde donde pudo mirar el valle y el abrevadero.

—¡Elefantes!

Iban hacia el agua, marchando con su paso tranquilo, meneando la cabeza hasta hacer flamear las enormes orejas, gustando ya el dulzor del agua.

Había reinas viejas, de orejas desgarradas, cuyas vértebras sobresalían en los lomos arqueados, y machos jóvenes de colmillos amarillentos, y crías ruidosas, aún sin destetar, que corrían para mantenerse junto a las madres. Delante de todos, el macho de la manada avanzaba majestuosamente.

Medía tres metros de alzada y estaba cubierto de cicatrices; la piel abolsada le colgaba desde las rodillas; sus colmillos eran de doble longitud y grosor que los de cualquier otro macho del grupo.

Parecía viejísimo, pero también sin edad; enorme y fuerte, dueño de una grandeza y un misterio que, a los ojos de Centaine, contenían la esencia misma de esa tierra.

Lothar De La Rey halló el rastro de la manada de elefantes tres días después de abandonar el río Cunene. Él y sus rastreadores ovambos lo estudiaron con atención, abriéndose en círculo por la tierra pisoteada. Cuando se reunieron otra vez, Lothar hizo una seña al cabecilla.

—Habla, Hendrick.

El ovambo era tan alto como Lothar, pero más cargado de hombros. Su piel era oscura y suave como chocolate fundido.

—Un buen rebaño —fue la opinión—. Cuarenta hembras, muchas con cría, y ocho machos jóvenes.

El guerrero llevaba un turbante oscuro envuelto en la orgullosa cabeza, y guirnaldas de collares sobre el pecho musculoso, pero también pantalones de montar y una cartuchera con municiones colgada a un hombro.

—Y el jefe es tan viejo que tiene gastadas las plantas, tan viejo que ya no puede masticar la comida y deja estiércol áspero de corteza y ramitas. Camina pesadamente sobre las patas delanteras, por lo grande de sus colmillos. Vale la pena seguirlo —dijo Hendrick, cambiando el fusil Máuser a la mano derecha, lleno de expectativa.

—El rastro está barrido por el viento —observó Lothar, en voz baja, y surcado por insectos—. Data de tres días.

—Se están alimentando —insistió Hendrick—; están desparramados y avanzan con lentitud; las crías los demoran.

—Tendremos que enviar de regreso a los caballos. No podemos arriesgarlos en el cinturón de tse-tsé. ¿Podríamos alcanzarlos a pie?

Lothar desnudó su bufanda para secarse la cara, pensativo. Necesitaba ese marfil. Había ido al Cunene en cuanto sus expedicionarios le enviaron la noticia de que habían caído buenas lluvias. Sabía que los brotes nuevos y el agua de superficie incitarían a los rebaños, haciéndolos cruzar el río, fuera de territorio portugués.

—A pie podemos alcanzarlos en dos días —prometió Hendrick.

Como era famoso por su optimismo, Lothar bromeó:

—Y todas las noches, al acampar, tendremos a diez lindas muchachas por cabeza, cada una con una jarra de cerveza, esperándonos.

Hendrick echó la cabeza hacia atrás con un gruesa carcajada.

—Está bien, en tres días —concedió—, y tal vez haya una sola muchacha, pero muy hermosa y bien dispuesta.

Lothar calculó las posibilidades por un momento, aún.

Era un buen macho, y hasta los miembros más jóvenes y las hembras darían diez kilos de marfil cada uno. Contaba con doce de sus mejores hombres, aunque debía enviar a dos de regreso con los caballos; aun así eran suficientes como para hacer el trabajo. Si se encontraban con el rebaño, existía una buena posibilidad de matar a todos los animales que llevaran marfil.

Lothar De La Rey estaba totalmente en la ruina. Había perdido la fortuna de su familia; se lo consideraba traidor y renegado por continuar la lucha tras la rendición del coronel Franke, y se había puesto precio a su cabeza. Tal vez ésta era su última posibilidad de recobrar su fortuna. Conocía lo bastante a los británicos como para saber que, al terminar la guerra, pondrían toda su atención en el gobierno de los nuevos territorios. Pronto habría funcionarios hasta en las zonas más remotas, que impondrían la ley, sobre todo en lo referente a la caza ilegal de marfil. Los buenos tiempos estaban terminando.

—¡Que los caballos vayan de regreso! —ordenó—. ¡Sigan el rastro!

Corrieron sobre las huellas, turnándose para tomar la delantera. Al caer la tarde entraron en el cinturón de tse-tsé. Las crueles moscas salieron en mangas de la sombra para acosarlos. Los hombres cortaron manojos de hojas verdes, con los que se cepillaban las espaldas mutuamente, sin dejar de correr. Al caer la noche habían sacado dos días de ventaja al rebaño; el rastro era tan fresco que las hormigas león aún no habían construido sus trampitas en las huellas.

Los detuvo la oscuridad. Se tendieron en la tierra dura, para dormir como una manada de galgos. Pero cuando la luna franqueó las copas de los mopanis, Lothar los levantó a puntapiés. La inclinación de la luz los favorecía, remarcando el rastro con un borde de sombra; los troncos desnudos de los mopanis, que los elefantes habían despojado de corteza, relucían como espejos para guiarlos durante la noche. Al salir el sol alargaron el paso.

Una hora después del amanecer salieron bruscamente del cinturón de tse-tsé. El territorio de esas pequeñas asesinas aladas estaba bien demarcado; se podía cruzar la frontera en cien pasos, dejando atrás los enjambres para pasar a un alivio total. Las ronchas que les escocían en la nuca eran el único recuerdo de sus ataques.

Dos horas antes del mediodía llegaron a un buen abrevadero, en uno de los valles. Les faltaban pocas horas para alcanzar al rebaño.

—Beban pronto —ordenó Lothar, mientras se metía hasta la rodilla en el agua mugrienta, que los elefantes, al bañarse, habían puesto del color del café con leche. Llenó su sombrero y se volcó el agua en la cabeza. Estaba acre y amarga por la sal de la orina de los elefantes (las grandes bestias siempre vaciaban sus vejigas con la impresión del agua fría), pero los cazadores bebieron y volvieron a llenar sus cantimploras.

—Rápido —los instó Lothar, siempre en voz baja, pues el sonido corre en la espesura, y el rebaño estaba muy cerca.

—*¡Baas!*

Hendrick le hacía señas apresuradas. Lothar vadeó hasta el borde del estanque.

—¿Qué pasa?

Sin decir palabra, el gran ovambo señaló el suelo. La huella estaba perfectamente impresa en la arcilla, tan fresca que se superponía a la de los elefantes; aún brotaba agua por las marcas.

—¡Hombres! —exclamó Lothar—. Han pasado hombres por aquí, detrás del rebaño.

—Hombres no: San —lo corrigió Hendrick, ásperamente—. Los pequeños amarillos que matan el ganado. —Los ovambos eran pastores; el ganado era su mayor tesoro y su gran amor. —Los perros del desierto que cortan las ubres a nuestras mejores vacas. —Era la venganza tradicional de los San por las atrocidades que se cometían contra ellos. —Nos llevan sólo minutos de ventaja. Podríamos atraparlos en menos de una hora.

—Pero el ruido de los disparos llegaría hasta el rebaño.

Lothar compartía el odio de su capataz por los bosquimanos. Eran una plaga peligrosa: ladrones de ganado y asesinos. Su propio tío-abuelo había muerto durante una de las grandes cacerías de bosquimanos, cincuenta años atrás, con una pequeña flecha de hueso clavada en una grieta de su armadura de cuero. La historia familiar relataba su muerte con todos los detalles.

Hasta los ingleses, con ese enfermizo sentimentalismo por las razas negras, comprendían que los San no tenían lugar en el siglo XX. Las órdenes de la famosa policía sudafricana de Cecil Rhodes les indicaban matar de inmediato a todos los San y a los perros salvajes, considerando a ambas especies como la misma cosa.

—El marfil —decidió Lothar—. El marfil es más importante que cazar a unos monos amarillos.

—¡*Baas*, aquí!

Hendrick, que avanzaba por el borde del estanque, se había detenido abruptamente. Su tono y la posición alerta de su cabeza hicieron que Lothar corriera hacia él. Se sentó prontamente sobre los talones para examinar el nuevo rastro.

—¡No es San! —susurró Hendrick—. Demasiado grande.

—Mujer —replicó Lothar. El pie estrecho, las marcas pequeñas y bien formadas de los dedos, eran inconfundibles. —Una mujer joven. —Las marcas de los dedos eran más profundas que las del talón, y eso indicaba un paso elástico, joven.

—¡No es posible!

Hendrick se dejó caer junto a él y, sin tocar la huella, midió el arco. Lothar se echó hacia atrás, sacudiendo sus rizos mojados.

Los negros del África, que caminan descalzos desde el primer paso, dejan una huella siempre plana.

—Una persona de zapato —observó Hendrick, suavemente.

—¿Una mujer blanca? ¡Imposible! ¡Aquí, viajando en compañía de salvajes! Por el amor de Dios, ¡estamos a muchos cientos de kilómetros de cualquier centro civilizado!

—Pero es así: una joven blanca, cautiva de los San —confirmó el ovambo.

Lothar frunció el entrecejo. La tradición de caballerosidad hacia las mujeres de su propia raza era una parte integral de su crianza, uno de los pilares de su religión protestante. Por ser militar y cazador, porque era parte de su oficio, podía leer las señales dejadas en la tierra como si viera con sus propios ojos a la bestia o al ser humano que los hiciera. Allí, inclinado sobre esas marcas, formó una imagen mental. Vio a una muchacha de huesos finos, piernas largas, proporciones graciosas, pero fuerte y orgullosa, con un paso decidido que la llevaba casi en puntas de pie. También era valiente y decidida; en el páramo no había lugar para débiles, y era obvio que esa muchacha estaba en todo su poder vital. Formada la imagen, Lothar cobró conciencia de un profundo vacío dentro de su alma.

—Debemos buscar a esa mujer —dijo suavemente—, para rescatarla de los San.

Hendrick desvió los ojos hacia arriba, buscó su rapé y volcó un poquito en la palma rosada.

—El viento está contra nosotros. Ellos viajan a favor del viento. No podremos alcanzarlos.

—Siempre hay cien motivos para que no hagamos lo que no quieres hacer. —Lothar se peinó con los dedos el pelo mojado y volvió a atarlo a la nuca con el cordón de cuero. —Estamos rastreando a San, no a animales. El viento no tiene importancia.

—Los San son animales —Hendrick se tapó una de las amplias fosas nasales con el pulgar y absorbió el polvo rojo por la otra. —Con este viento nos olfatearán a tres kilómetros de distancia, y nos oirán mucho antes de que los tengamos a la vista.

—¡Linda historia! —se burló Lothar—. ¡Muy digna de ti, el mentiroso más grande de todos los ovambos! —Y luego, bruscamente: —Basta de charla. Seguimos a la muchacha blanca. Busquen el rastro.

Desde la horqueta alta, Centaine observó con creciente placer al rebaño de elefantes. En cuanto superó el miedo causado por su tamaño y su monumental fealdad, cobró rápida conciencia del vínculo afectivo que parecía unir a todos sus miembros. Entonces comenzaron a parecerle casi humanos.

El patriarca estaba muy arrugado y era obvio que le dolían las articulaciones. Todos lo trataban con respeto y dejaron una parte del estanque para su uso exclusivo.

Del otro lado, los machos jóvenes y las hembras bebían y

se bañaban, echándose agua y lodo sobre el lomo con las trompas. Una vez saciados se levantaban alegremente, entrelazando las trompas como en un abrazo de amor, y parecían sonreír con indulgencia a las crías que les pasaban bajo el vientre.

Uno de los más pequeños, que parecía un cerdo por el tamaño y por su gordura, trató de pasar bajo el tronco de un árbol caído dentro del estanque y quedó atascado en el lodo. Presa de un cómico susto, soltó un chillido de terror. Todos los elefantes reaccionaron instantáneamente, corriendo al estanque para levantar espuma con sus grandes cascos.

—Creen que un cocodrilo ha atrapado al pequeño —susurró O'wa.

—¡Pobre cocodrilo! —respondió la muchacha.

La madre liberó a su cría, que huyó a esconderse entre sus patas, prendiéndose a la teta con histérico alivio. El enfurecido rebaño se tranquilizó, pero dando muestras de desilusión por no haber tenido el placer de hacer pedazos al odiado cocodrilo.

Cuando el viejo macho se levantó, finalmente, para seguir la marcha por el bosque, las hembras se apresuraron a reunir a sus crías y, obedientes, siguieron al patriarca. Mucho después de haber desaparecido todos en la selva se oía el crujir de las ramas rotas.

Centaine y O'wa bajaron del mopani sonriendo de placer.

—Los pequeños eran traviesos como bebés humanos —comentó la muchacha a H'ani.

—Los llamamos "el gran pueblo" —aseveró H'ani—, porque son sabios y afectuosos como los San.

Cuando bajaron al borde del estanque, Centaine se maravilló ante las montañas de estiércol dejadas por los elefantes.

—"A Anna le encantaría esto para la huerta..." Pero se contuvo. "No debo pensar tanto en el pasado". Se inclinó para lavarse la cara, pues hasta el agua cenagosa ofrecía alivio en el calor creciente. Pero de pronto O'wa se puso tieso, inclinando la cabeza hacia el norte, en la dirección que traía el rebaño.

—¿Qué pasa, anciano abuelo?

H'ani había captado inmediatamente su cambio de actitud. O'wa tardó un momento en contestar, pero sus ojos revelaban preocupación y los labios se le torcían, nerviosos.

—Hay algo en el viento: un sonido, un olor, no estoy seguro —susurró. Y de pronto, con súbita decisión: —Hay peligro... cerca. Debemos huir.

H'ani se levantó instantáneamente, tomando el bolso de huevos. Nunca discutía con la intuición de su esposo, que los había salvado con frecuencia desde que vivían juntos.

—Niña Nam —dijo, con suavidad, pero ansiosa—, apúrate.

—H'ani, hace tanto calor... —Centaine se volvió, fastidiada, pues ya estaba metida hasta las rodillas en el charco. —Quiero...

—Hay peligro, gran peligro.

Los dos San, arremolinándose como pájaros asustados, corrieron hacia el amparo de la selva. Centaine sabía que, en cuestión de segundos, habrían desaparecido, y la soledad seguía siendo el mayor de sus miedos. Salió corriendo del charco, tomó su bolsa y su palo y se vistió mientras corría.

O'wa describió un veloz círculo por la selva, cambiando de rumbo hasta sentir el viento contra la nuca. Los San, como el búfalo y el elefante, siempre huían a favor del viento cuando estaban alarmados, para que el olor del victimario llegara hasta ellos.

O'wa se detuvo para que Centaine los alcanzara.

—¿Qué pasa, O'wa? —jadeó la muchacha.

—Peligro, peligro mortal.

La agitación de ambos ancianos era obvia y contagiosa. Centaine había aprendido a no formular preguntas en situaciones semejantes.

—¿Qué debo hacer?

—Cubrir las huellas como te enseñé.

Ella recordó las pacientes instrucciones que el anciano le había dado sobre el arte de confundir y ocultar las huellas de modo tal que al perseguidor le resultara difícil o imposible seguirlos. Era una de las habilidades de que dependían los San para sobrevivir.

—H'ani primero. Luego tú. —O'wa había tomado el mando en forma absoluta. —Síguela y haz lo mismo que ella. Yo iré detrás, cubriendo tus errores.

La anciana era rápida y ágil como un pájaro. Volaba por la selva, evitando el terreno abierto, donde sus huellas se destacarían con claridad. Buscaba rumbos difíciles, pasando bajo matas espinosas donde el perseguidor no pudiera pasar, pisando sobre matas de pasto o corriendo a lo largo de los troncos caídos. Cambiaba la longitud de su paso, saltaba de costado a suelos más duros y empleaba todas las tretas aprendidas en su dura vida.

Centaine la seguía, con menos habilidad, dejando alguna huella de vez en cuando o haciendo caer una hoja verde al pasar. O'wa iba detrás, con una escoba de pasto en la mano, y borraba la señal dejada por la muchacha, se inclinaba a recoger la hoja verde delatora, reacomodaba delicadamente los tallos doblados del pasto. Guiaba a H'ani con pequeños gorjeos de pájaro, y ella respondía de inmediato, girando a derecha o izquierda, acelerando o quedándose inmóvil por algunos segundos, para que O'wa pudiera escuchar y olfatear la brisa, buscando el olor del victimario. Luego volvía a correr a la menor señal.

De pronto se abrió ante ellos otra pradera, de unos ochocientos metros de amplitud, sembrada de altas acacias; más allá se elevaba un barranco bajo, densamente poblado de árboles. Hacia allí se encaminaba O'wa.

Sabía que ese barranco estaba compuesto de caliche, duro como la roca, quebrado y desigual, donde ningún ser humano podría seguirlos. Una vez que llegaran a él estarían a salvo, pero si los atrapaban cruzando la pradera serían presa fácil, sobre todo si los perseguidores estaban armados con el humo que mata de lejos.

Perdió unos segundos preciosos en olfatear el aire. Era difícil juzgar la distancia de ese olor ofensivo en la brisa: jabón desinfectante, rapé, ropas de lana sin lavar, grasa de vaca rancia con la que los ovambos se untaban el cuerpo. Pero habría que arriesgarse a campo descubierto.

Sus habilidades no podían cubrir todas las señales dejadas por Niña Nam en la tierra arenosa. Por más que se esforzara, no haría sino dificultar la persecución, pero la capacidad rastreadora de los ovambos era casi igual a la suya. Sólo en el barranco de caliche estaría seguro de confundirlos. Silbó con el silbo del pájaro carmesí y H'ani, obediente, comenzó a cruzar la pradera, atravesando el pasto amarillo.

—Corre, pajarito —le pidió O'wa, suavemente—. Si nos atrapan aquí podemos darnos por muertos.

—Nos han olfateado. —Hendrick se volvió para mirar a Lothar. —Vea cómo están cubriendo las huellas.

En el borde de la selva, las presas parecían haber alzado vuelo como los pájaros. Las huellas parecían desaparecer. Bruscamente, Hendrick hizo una seña a los otros cazadores ovambos, que se dispersaron rápidamente, en una amplia red, y avanzaron en fila. A la derecha, un hombre emitió un suave silbido y les indicó una nueva dirección con la mano.

—Corren a favor del viento —murmuró Hendrick a Lothar, que iba diez pasos más allá—. Debí haberlo imaginado.

La red de rastreadores giró en ese rumbo y siguió avanzando. Un hombre silbó a la izquierda, confirmando la dirección con el mismo movimiento, y todos partieron al trote.

Algo hacia adelante, Lothar reparó en un color algo diferente de la tierra, al parecer impertérrita: había un parche, no más grande que un pie humano, de arena más clara. Se detuvo a examinarlo. Era una huella de pie, cuidadosamente barrida. Lothar silbó suavemente e hizo señas de continuar adelante.

—¿Ahora me cree cuando le digo que los San olfatean como los elefantes? —le preguntó Hendrick, mientras trotaban.

—Creo sólo en lo que ven mis ojos. —Lothar sonrió—. Cuando vea a un bosquimano olfateando el suelo, te creeré.

Hendrick rió entre dientes, pero con ojos fríos y sin humor.

—Tienen flechas —observó.

—No dejaremos que se acerquen. Dispara en el momento en que los veas, pero ten cuidado con la mujer blanca. Mataré al hombre que le haga daño. Díselo a los otros.

La orden de Lothar corrió suavemente por la línea.

—Disparen contra los San, pero mucho cuidado con la mujer blanca.

Por dos veces perdieron el rastro y fue preciso volver a la

última huella detectada, buscar en derredor y seguir avanzando con nuevo rumbo. Los San estaban ganando tiempo y distancia con cada detención. Lothar echaba chispas.

—Se nos están adelantando —anunció a Hendrick—. Voy a correr en esta dirección. Ustedes sigan el rastro, por si vuelven a desviarse.

—¡Tenga cuidado! —le gritó Hendrick—. Pueden estar emboscados. Cuídese de las flechas.

Lothar, sin prestar atención a esas advertencias, corrió por la selva, ya sin buscar las señales, por si hubieran proseguido directamente hacia adelante. Tenía la esperanza de sorprender a los bosquimanos, obligándolos a mostrarse, o de acosarlos tanto que abandonaran a la cautiva. No reparaba en las espinas que le desgarraban la ropa. Corría al máximo de su velocidad, esquivando ramas bajas y troncos caídos.

De pronto salió del busque a una pradera abierta; entonces se detuvo, jadeando, con el sudor corriéndole por los ojos y empapándole la espalda.

Al otro lado de la pradera, por debajo del barranco, se veía un movimiento: pequeñas motas negras por sobre el pasto amarillo y ondulante. Trepó al árbol más cercano para ver mejor.

Mientras trataba de recobrar el aliento, sacó el pequeño telescopio de su bolsa y lo extendió en toda su longitud. Como le temblaban las manos, no fue fácil regularlo, pero recorrió con el lente el extremo opuesto de la llanura.

En el campo visual del artefacto aparecieron tres siluetas humanas en fila india, avanzando en dirección opuesta a él, ya casi en la empalizada que formaban los troncos de los árboles. Sólo la cabeza y los hombros asomaban por sobre el pasto. Una era más alta que las otras dos.

Los observó por algunos segundos antes de que llegaran a la línea de los árboles. Dos de ellos desaparecieron inmediatamente, pero la figura más alta se detuvo, trepó a un tronco caído y miró en dirección a Lothar.

Era una muchacha. Llevaba el largo pelo oscuro dividido en dos gruesas trenzas que le pendían sobre los hombros. El telescopio mostró su expresión, temerosa, pero también desafiante. Había un contorno aristocrático en su mentón y en su frente; la boca era plena y firme; los ojos oscuros, orgullosos y brillantes. Su piel tenía un intenso tono dorado, que por un momento él confundió con el de las mulatas. Pero en eso la muchacha cambió de hombro la bolsa que llevaba y la tosca tela que le cubría el torso se abrió por un instante.

Lothar vio un destello de piel clara y suave, no tocada por el sol, formando un pecho pleno y joven, de forma delicada. Entonces sintió en las piernas una debilidad que no se debía a la dura carrera. Quedó sin aliento por un instante. De inmediato, el aire rugió en sus oídos al llenarle los pulmones.

La muchacha giró la cabeza, ofreciéndole el perfil. En ese instante, Lothar comprendió que nunca había visto mujer más atractiva. Todo él la deseaba con ansias. Ella le volvió la espalda y dio un salto ágil, saliendo del campo de la lente, y desapareció. Las ramas del bosque temblaron por algunos segundos después de su paso.

Lothar se sintió como un ciego de nacimiento al que, por un breve instante, se le hubiera mostrado el milagro de la vista, sólo para hundirlo otra vez en la oscuridad. El vacío dejado por la muchacha era tan horroroso que, por varios segundos, no pudo moverse. Por fin bajó de un salto, rodó de rodillas y volvió a levantarse.

Emitió un silbido agudo y esperó la respuesta de Hendrick, muy detrás. Pero no aguardó que los hombres lo alcanzaran: cruzó la pradera a toda carrera. Pero sus pies parecían pesados como plomo. Llegó al punto en donde la muchacha se había detenido para mirar hacia atrás y encontró el tocón en donde se trepó. Había dejado marcas profundas y claras en la tierra blanda, al saltar, pero pocos pasos más allá estaba el caliche del barranco, duro como mármol, áspero y quebrado, donde no habría señal alguna. Lothar no perdió tiempo en buscarla: trepó por entre la maleza hasta lo alto del barranco, esperando verlos desde allí.

El bosque lo rodeó por doquier, aun cuando trepó a las ramas altas de un solitario baobab, el techo de la selva se extendía hasta el horizonte, gris e imponente.

Volvió cansadamente sobre sus pasos hasta el borde de la llanura. Los ovambos lo estaban esperando.

—Los perdimos en el suelo duro —fue el saludo de su capataz.

—Ábranse hacia adelante. Tenemos que hallarlos.
—Ya lo intenté. El rastro se perdió.
—No podemos renunciar. Los buscaremos. No los dejaré escapar.
—Los vio —comentó Hendrick suavemente, observando el rostro de su amo.
—Sí.
—Era una muchacha blanca —insistió Hendrick—. Usted la vio, ¿verdad?
—No podemos dejarla aquí, en el desierto. —Lothar apartó la vista para que Hendrick no viera el sitio vacío de su alma. —Tenemos que hallarla.
—Trataremos otra vez —concordó el ovambo. Y luego, con una sonrisa astuta: —¿Era hermosa?
—Sí —susurró Lothar, sin mirarlo—, era hermosa.
Se sacudió como quien despierta de un sueño. La línea de su mandíbula se hizo más dura.
—Que tus hombres suban al risco —ordenó.
Lo revisaron como una jauría de perros de caza, centímetro a centímetro, inclinándose sobre la roca amarilla y avanzando con una lentitud dolorosa, pero sólo hallaron otra marca del paso de los San y la muchacha.
En una de las ramas bajas, cerca de la cima, a la altura del hombro de Lothar, había un mechón de pelo humano, arrancado de la cabeza de la joven al agacharse ella para pasar bajo la rama. Era rizado y elástico, tan largo como su brazo; relucía al sol, como seda negra. Lothar lo enroscó cuidadosamente a su índice. Cuando sus hombres no miraban, abrió el medallón que le colgaba del cuello, con cadena de oro. Dentro tenía una miniatura de su madre. Puso el rizo sobre ella y volvió a cerrarlo.
Siguió buscando huellas con sus hombres hasta el oscurecer. Por la mañana los puso en marcha en cuanto se pudo ver el suelo. Los dividió en dos equipos: uno al mando de Hendrick, para buscar por el lado este; el otro, con Lothar, revisó el extremo occidental, donde el caliche se fundía con las arenas del Kalahari, tratando de descubrir el punto en que las presas habían abandonado otra vez el barranco.
Cuatro días después aún no habían interceptado el rastro.

Dos de los ovambos desertaron durante la noche, llevándose los fusiles.

—Perderemos al resto —le advirtió Hendrick, por lo bajo—. Están diciendo que esto es una locura. No comprenden. Ya hemos perdido al rebaño de elefantes y en esta empresa ya no hay ganancia. El rastro se perdió. Los San y la mujer han escapado. Ya no los hallará.

Hendrick tenía razón; aquello se había tornado obsesivo. Un simple vistazo a un rostro de mujer lo había vuelto loco. Lothar, suspirando, volvió lentamente la espalda al barranco.

—Muy bien. —Elevó la voz para que lo oyera el resto de sus hombres, que lo seguía con aire de desconsuelo. —Dejen el rastro; se perdió. Volvemos atrás.

El efecto fue milagroso. Todos apretaron el paso y a sus rostros volvió la vida.

Lothar permaneció en el barranco, en tanto el grupo iniciaba el descenso. Contemplaba los bosques hacia el este, hacia el misterioso interior por donde pocos blancos se habían aventurado, y acariciaba su guardapelo.

—¿Adónde fuiste? ¿Hacia allá, adentrándote en el Kalahari? ¿Por qué no me esperaste, por qué echaste a correr?

No había respuestas. Dejó caer el guardapelo por la pechera de su camisa.

—Si alguna vez vuelvo a cruzarme con tu rastro no me desorientarás con tanta facilidad, linda. La próxima vez te seguiré hasta el fin del mundo —susurró.

Y se volvió para bajar por la pendiente.

O'wa cambió bruscamente de dirección y siguió el barranco hacia el sur, manteniéndose justo por debajo de la cima; impulsaba a las mujeres a correr tanto como podían, pesadamente cargadas y sobre suelo desigual. No les permitió descansar, aunque Centaine comenzaba a cansarse mucho y le rogaba por sobre el hombro.

Al promediar la tarde les permitió dejar sus mochilas y despatarrarse en la cuesta rocosa, mientras él bajaba subrepticiamente para reconocer la línea de contacto entre las arenas y el caliche, buscando un punto en donde hacer el cruce. A medio camino se detuvo a olfatear, captando el leve hedor de la carroña. A un lado encontró los restos de una vieja cebra macho, que los leones habían sorprendido al cruzar el barranco. El cadáver databa de varias semanas, pues los fragmentos de piel y carne se habían secado ya y los huesos estaban esparcidos entre las rocas.

O'wa buscó rápidamente los cuatro cascos de la cebra, que estaban intactos. Las hienas aún no los habían reducido a pedazos. Con la navaja retiró la cobertura endurecida de los cascos, separando la masa ósea de los metatarsos, y volvió apresuradamente en busca de las mujeres. Después de conducirlas hasta el borde donde comenzaba la tierra blanda, se arrodilló frente a Centaine.

—Llevaré primero a Niña Nam y volveré por ti —dijo a H'ani, mientras ataba los cascos a los pies de Centaine, utilizando cordel de sanseveria.

—Debemos darnos prisa, anciano abuelo, pues nos siguen de cerca —advirtió la vieja, oliendo la brisa con ansiedad, la cabeza inclinada para oír cada ruidito en el bosque.

—¿Quiénes son? —Centaine había recobrado ya, no sólo su aliento, sino también su curiosidad y su razonamiento. —¿Quién nos persigue? No he visto ni oído nada. ¿Son gente como yo, O'wa? ¿Son de mi pueblo?

H'ani se apresuró a intervenir antes de que su marido respondiera.

—Son negros. Negros muy grandes, del norte, no de tu gente.

Aunque ella y O'wa había visto al hombre blanco, en el límite de la pradera, al mirar desde el barranco, ambos habían acordado, en pocas palabras, que conservarían con ellos a Niña Nam.

—¿Estás segura, H'ani? —Centaine se tambaleaba sobre los cascos de cebra, como una niñita con zapatos de tacos altos. —¿No eran gente de piel clara, como yo?

De pronto se le había ocurrido la horrible posibilidad de estar huyendo de sus salvadores.

—¡No, no! —H'ani sacudió las manos, muy agitada. La niña estaba muy cerca del parto; presenciar ese momento era lo último que aún le interesaba en la vida. —No eran pieles-claras, como tú. —Pensó en lo más horrible que contenía la mitología de los San. —Son grandes gigantes negros que comen carne humana.

—¡Caníbales! —exclamó Centaine, horrorizada.

—¡Sí, sí! Por eso nos persiguen. Quieren cortar al niño de tu vientre y…

—¡Vamos, O'wa! —exclamó la muchacha—. ¡Pronto, pronto!

O'wa, con el otro par de cascos atado a sus pies, la condujo fuera del barranco, caminando tras ella para crear la ilusión de que una cebra había abandonado el suelo rocoso para alejarse por el bosque.

A un kilómetro y medio del risco escondió a Centaine en un matorral espinoso; le quitó los cascos y, después de invertir los que él llevaba puestos, volvió en busca de H'ani. Los dos San, cada uno con sus sandalias de cascos, recorrieron la misma huella y, al llegar al escondrijo de Centaine, dejaron lo cascos para huir hacia el este.

O'wa las obligó a caminar toda la noche. Al amanecer, mientras las mujeres dormían, exhaustas, volvió sobre la huella por si sus perseguidores no se hubieran dejado engañar por la treta de los cascos. Aunque no pudo descubrir señales de seguimiento, la marcha forzada se prolongó por tres días y noches más, sin encender fogatas y utilizando todos los accidentes naturales para disimular el rastro.

A la tercera noche se sintió lo bastante seguro como para decir a las mujeres:

—Podemos encender fuego.

Y bailó con abnegado frenesí ante la luz rojiza, cantando alabanzas a todos los espíritus, incluidos Mantis y Eleótrago. Tal como explicó seriamente a Centaine, no se sabía con seguridad quiénes los habían ayudado escapar y, por lo tanto, era necesario agradecerles a todos. Bailó hasta que se puso la luna y, a la mañana siguiente, durmió hasta la salida del sol. Entonces reanudaron la marcha descansada de costumbre; hasta se detuvieron antes de tiempo, ese primer día, porque O'wa descubrió una colonia de liebres.

—Es la última vez que podemos cazar; los espíritus son muy insistentes sobre eso. Ningún hombre de los San puede matar a ningún ser viviente en un radio de cinco días de marcha con respecto al "Sitio de Toda la Vida" —explicó a Centaine.

Mientras tanto, eligió brotes largos y flexibles, los descortezó y los ató uno con otro, hasta obtener una vara de unos nueve metros de largo. En la última sección dejó una rama lateral que formaba un ángulo agudo con el tronco principal, como un tosco anzuelo; afiló ese gancho y lo endureció al fuego. Después pasó largo rato examinando cautelosamente las madrigueras, antes de elegir una que se ajustara a sus necesidades.

Mientras la mujer se arrodillaba a su lado, introdujo el gancho de la vara por la abertura de la madriguera y la fue haciendo correr suavemente, guiándola por las curvas subterráneas, hasta que casi toda la vara quedó bajo tierra.

De pronto la vara pulsó con fuerza en sus manos. De inmediato O'wa tiró hacia atrás, como el pescador que siente el tirón del pez.

—Ahora está pateando contra la vara, tratando de pegarle con las patas traseras —gruñó O'wa, mientras empujaba la vara un poco más, tentando a la liebre acorralada para que lo rechazara otra vez a patadas.

En esa oportunidad la vara cobró vida en sus manos, retorciéndose.

—¡Lo enganché!

Y aplicó todo su peso contra la vara, hundiendo la punta afilada en la carne del animal.

—Cava, H'ani. Cava, Niña Nam.

La dos mujeres hicieron volar la tierra suelta con sus palos, cavando rápidamente. Los chillidos apagados de la liebre enganchada se hacían más claros, hasta que por fin O'wa sacó al peludo animal. Era del tamaño de un gato grande y pateaba con fuerza con sus poderosas patas traseras, hasta que H'ani la despachó con un fuerte golpe de garrote.

Al anochecer habían matado otras dos. Después de haberles dado la gracias, se hicieron un festín con la dulce carne asada: la última que comerían en mucho tiempo.

Por la mañana, cuando iniciaron el último tramo del viaje, un viento caliente y áspero les sopló en la cara.

Aunque para O'wa era tabú cazar, el Kalahari florecía con rica abundancia, tanto por encima de la tierra como por debajo de ella. Había flores y plantas suculentas con las que se podía hacer ensalada, raíces y tubérculos, frutas y nueces ricas en proteínas; los abrevaderos, todos ellos rebosantes, estaban a distancias fáciles de recorrer. Sólo el viento les estorbaba, siempre contra la cara, caliente, abrasivo debido a la arena; se veían obligados a cubrirse el rostro con los chales de cuero e inclinarse hacia adelante.

Los rebaños mixtos de cebras y ñus, en las hoyas amplias y en la praderas de pastura, volvían la grupa a la molesta brisa. El viento levantaba el polvo de la superficie y lo arremolinaba hasta el cielo, tornando el aire neblinoso, hasta que el mismo sol se convertía en un difuso globo anaranjado y el horizonte se achicharraba.

El polvo flotaba en la superficie de los abrevaderos, se convertía en lodo dentro de la nariz, crujía entre los dientes. Formaba pequeñas cuentas mojadas en la comisura de los ojos y resquebrajaba la piel a tal punto que H'ani y Centaine se vieron forzadas a usar y triturar las semillas de la agria ciruela silvestre para extraer aceite con qué untarse el cuerpo y las plantas de los pies.

Sin embargo, con cada día de marcha los viejos se mostraban más fuertes, activos y entusiastas. Ese viento parecía afectarlos cada vez menos. Había un nuevo garbo en su paso y más animación en la charla. Centaine, en cambio, vacilaba y quedaba atrás, casi como en el principio.

En el quinto atardecer desde que cruzaran el barranco, Centaine entró tambaleándose al campamento que los San ya habían establecido en la orilla de otra hoya abierta. Se tendió en el suelo desnudo, demasiado acalorada y exhausta como para juntar pasto para su cama.

Cuando H'ani le llevó la comida, la rechazó con impaciencia.

—No quiero. No quiero nada. Odio esta tierra. Odio el calor y el polvo.

H'ani la tranquilizó:

—Pronto, muy pronto llegaremos al Sitio de Toda La Vida, y allí nacerá tu bebé.

Pero Centaine le volvió la espalda.

—Déjame. Déjame en paz.

La despertaron los gritos de los ancianos y se levantó con dificultad. Se sentía gorda, sucia y cansada, aunque había dormido tanto que el sol ya coronaba las copas de los árboles al otro lado de la hoya. De inmediato vio que el viento había cesado durante la noche y que el polvo se había asentado casi por completo. El residuo transformó la aurora en un calidoscopio de vistosos colores.

—¡Ves, Niña Nam! —la llamó H'ani, chillando como un escarabajo.

Centaine se enderezó lentamente y observó el paisaje que las nubes de polvo habían oscurecido la tarde anterior.

Al otro lado de la hoya se alzaba abruptamente, en el desierto, una gran montaña con lomo de ballena, de flancos escarpados y cima simétricamente redondeada. Relucía con los ricos rojos y dorados de la aurora, con la apariencia de un monstruo sin cabeza. Partes de la montaña estaban desnudas, mostrando la roca colorada y los lisos acantilados; en otras partes, en cambio, presentaba densos bosques, donde los árboles eran mucho más altos y robustos que los de la cima o los de las laderas. La extraña luz rojiza se velaba de polvo, y los silencios del amanecer africano cubrían toda la montaña de una majestuosa serenidad.

Centaine sintió que todas sus miserias y sus penas se evaporaban al mirarla.

—¡El Sitio de Toda La Vida! —Al pronunciar el nombre, la agitación de H'ani pasó, dejando su voz reducida a un susurro. —Para ver esto por última vez viajamos tanto.

O'wa también había quedado en silencio, pero hizo un gesto afirmativo.

—Aquí es donde hacemos, por fin, las paces con todos los espíritus de nuestro pueblo.

Centaine sintió el mismo sobrecogimiento religioso que había experimentado en la catedral de Arras, al contemplar los vitrales. Comprendió que estaba en el umbral de un sitio sagrado y cayó lentamente de rodillas, apretando con las manos el vientre henchido.

La montaña estaba más lejos de lo que parecía a la luz rojiza del alba. En tanto avanzaban en su dirección, pareció retroceder en vez de acercarse. Al cambiar la luz, también la montaña cambió de humor, tornándose remota y austera.

O'wa cantaba, mientras trotaba a la vanguardia.

—Ved, espíritus de los San,
Venimos a vuestro sitio secreto
Con las manos limpias, sin manchas de sangre.
Ved, espíritus de Eleótrago y de Mantis,
Venimos a visitaros con
Corazones jubilosos y canciones para divertiros...

La montaña cambió otra vez; se estremecía, temblaba al aumentar el calor. Ya no era piedra sólida; reverberaba como agua, ondulaba como humo.

Se liberó de la tierra y flotó en el aire, en un espejismo de plata.

—Oh, montaña pájaro
que vuelas en el cielo,
Te traemos alabanzas.
Oh, montaña elefante, más grande que
cualquier bestia del cielo o de la tierra,
Te saludamos.

Así cantaba O'wa y el sol giró en el cenit y el aire fue más fresco, de modo que la Montaña de Toda la Vida volvió a posarse en tierra y se levantó muy alto por sobre ellos.

Llegaron a la cuesta de piedras sueltas, amontonadas contra los barrancos, y se detuvieron a contemplar la alta cima. Las rocas estaban pintadas de líquenes, en amarillo sulfúrico y verde ácido. En una saliente, a noventa metros de altura, se veía un diminuto antílope; al asustarse huyó, con un grito que fue como el silbato de un niño, saltando de saliente en saliente, hasta desaparecer en la cima.

Treparon por la ardua cuesta hasta tocar la base del barranco. La roca era lisa y fresca. Sobresalía en lo alto como el vasto tejado de una catedral.

—No os enojéis, espíritus, porque vengamos a vuestro lugar sagrado —susurró H'ani; las lágrimas le corrían por las ancianas mejillas—. Venimos humildemente y en paz, buenos espíritus. Venimos a descubrir cuál ha sido nuestro delito y cómo podemos corregirlo.

O'wa alargó la mano para tomar la de su esposa. Parecían dos niñitos desnudos ante la roca lisa.

—Venimos para cantar y danzar por vosotros —susurró O'Wa—. Venimos a hacer las paces y así, con vuestro favor, reunirnos con los hijos de nuestro clan, que murieron de la gran fiebre en un lugar lejano.

Había tal vulnerabilidad en ese íntimo instante que Centaine tuvo vergüenza de mirarlos y se alejó por la estrecha galería, ante el barranco. De pronto se detuvo, contemplando maravillada la alta pared de roca que pendía por sobre su cabeza.

—Animales —susurró.

Un miedo supersticioso le erizó la carne de los brazos, pues el muro estaba decorado con pinturas: frescos de extraños animales, cuya infantil simplicidad los dotaba de una belleza de ensueño; sin embargo, el parecido con las bestias representadas era conmovedor. Reconoció los oscuros contornos de los elefantes y los rinocerontes, los ñus y los antílopes, cuyos cuernos marchaban en cerradas falanges por las paredes de piedra.

—Y gente —agregó ella, distinguiendo las formas humanas que corrían persiguiendo a los rebaños silvestres. Los San se veían como seres mágicos, armados de arcos y coronados de flechas; los hombres lucían penes orgullosamente erectos, desproporcionados en su tamaño, y las mujeres, pechos y nalgas prominentes: las señales distintivas de la belleza femenina.

Las pinturas trepaban a tal altura que el artista debía haber construido andamios, como Miguel Ángel, para trabajar en ellos. Las perspectivas eran ingenuas: una figura humana era más grande que el rinoceronte perseguido. Pero eso parecía aumentar el encanto, y Centaine se perdió en la maravilla. Por fin se quedó admirando una bellísima cascada de eleótragos superpuestos, tan amorosamente representados que no se podía ignorar el lugar especial que ocupaba esa bestia en la mitología San.

H'ani, al encontrarla, se sentó en cuclillas junto a ella.

—¿Quién pintó esto? —preguntó Centaine.

—Los espíritus de los San, hace mucho tiempo.

—¿No son obra de hombres?

—¡No, no! Los hombres no poseen el arte. Éstos son dibujos de los espíritus.

Conque la habilidad de los artistas se había perdido. Centaine se sintió desilusionada. Había albergado la esperanza de que la anciana fuera una de las artistas, para tener la oportunidad de verla trabajar.

—Hace mucho tiempo —repitió H'ani—, antes de lo que recuerdan mi padre o mi abuelo.

Centaine se tragó la desilusión, entregándose al deleite de aquella maravilla.

Quedaba poca luz, pero mientras la hubo avanzaron lentamente por la base del barranco, con la cabeza echada hacia atrás para admirar aquella galería de arte antiguo. En ciertos lugares la roca se había partido; en otros, las tormentas, los vientos y el tiempo habían destruido los frescos; pero en los callejones protegidos y bajo las salientes, la pintura parecía tan fresca, los colores tan vívidos, como si hubieran sido pintados ese mismo día.

Con los últimos minutos del día llegaron a un refugio donde otros habían acampado anteriormente, pues el hogar estaba lleno de cenizas y el barranco ennegrecido por el hollín; había un montón de leña seca, lista para el uso.

—Mañana sabremos si los espíritus siguen hostiles o si se nos permitirá proseguir —advirtió H'ani a Centaine—. Partiremos muy temprano, pues debemos llegar al sitio oculto antes de que salga el sol, mientras dure el frescor. Los guardianes se ponen inquietos y peligrosos con el calor.

—¿Qué lugar es éste? —insistió Centaine.

Una vez más, la vieja se mostró vaga y deliberadamente distraída. Repitió la palabra San que tiene los diversos significados de "lugar oculto", "refugio oscuro" o "vagina", y no dijo más.

Tal como H'ani se lo había advertido, iniciaron la marcha

mucho antes del amanecer; los ancianos estaban silenciosos y preocupados; Centaine creyó notar que tenían miedo.

Cuando el cielo apenas comenzaba a aclararse, el sendero giró abruptamente en el barranco, entrando en un valle estrecho, en forma de cuña, donde el suelo estaba cubierto de plantas tan abundantes que debía de haber agua buena debajo de la superficie. El sendero estaba borroso; por lo visto, nadie pasaba por allí desde hacía meses o años. Había que agacharse para pasar bajo las ramas entrelazadas y franquear ramas caídas o brotes nuevos. En los barrancos, muy arriba, Centaine distinguió los enormes nidos de los buitres.

—El Sitio de Toda la Vida —dijo H'ani, viendo su interés por esas aves—. Toda criatura nacida aquí es especial y lleva la bendición de los espíritus. Hasta los pájaros parecen saberlo.

Los altos barrancos se cerraron sobre ellos al estrecharse el valle. Por fin, el sendero terminó contra la roca, en el ángulo donde el valle se estrechaba del todo, y el cielo quedó oculto.

O'wa, de pie ante la pared, cantó con su áspera voz fantasmal:

—Deseamos entrar en vuestro sitio más secreto, Espíritus de todas las Criaturas, Espíritus de Nuestro Clan. Abridnos el paso. —Tendió los brazos, suplicante. —Quieran los guardianes del pasaje dejarnos cruzar.

Bajó los brazos y dio un paso hacia la roca negra, desapareciendo de la vista. Centaine ahogó una exclamación de alarma y quiso dar un paso hacia adelante, pero H'ani le tocó el brazo para retenerla.

—Ahora hay mucho peligro, Niña Nam. Si los guardianes nos rechazan, moriremos. No corras, no agites los brazos. Camina lentamente pero con decisión, y pide la bendición de los espíritus en tanto cruces.

H'ani le soltó el mazo y entró en la roca, siguiendo a su esposo.

Centaine vaciló por un momento. Estuvo a punto de girar en redondo, pero al fin la acicatearon la curiosidad y el miedo a la soledad. Lentamente, entró en la pared donde H'ani había desaparecido. Sólo entonces vio la abertura; una estrecha grieta vertical, de amplitud apenas suficiente como para permitirle pasar de costado.

Aspiró hondo y pasó.

Más allá del estrecho portal se detuvo para acostumbrar la vista a la penumbra. Estaba en un túnel oscuro y largo. Notó de inmediato que era una abertura natural, pues las paredes no estaban trabajadas por herramientas; además, había ramas laterales y huecos a bastante altura. Oyó el susurro de los pies descalzos que la precedían sobre el suelo rocoso. Y también otro ruido. Un murmullo grave, como el mar oído desde lejos.

—Síguenos, Niña Nam. No te alejes.

La voz de H'ani flotó hasta ella y Centaine se adelantó con lentitud, mirando fijamente las sombras, tratando de descubrir de dónde provenía ese murmullo vibrante.

En la penumbra, por sobre ella, vio formas extrañas, como los hongos que crecen en los troncos de los árboles secos o las alas múltiples de las mariposas. Colgaban tan bajo que era preciso agacharse para esquivarlas. Y en eso, con un súbito escalofrío, descubrió de qué se trataba.

La caverna era una enorme colmena. Esas estructuras eran los panales, tan grandes que cada uno contendría cientos de litros de miel. Por fin distinguió a los insectos que zumbaban sobre los panales, centelleando a la luz escasa, y recordó lo que Michael le había contado sobre las abejas africanas.

—Son más grandes y más negras que las de aquí, y tan crueles que les he visto matar a un búfalo a aguijonazos. —Siguió a las siluetas diminutas que la precedían, atreviéndose apenas a respirar, con la piel erizada al esperar el primer dardo quemante, obligándose a no correr. Los insectos venenosos estaban agrupados a pocos centímetros de su cabeza y el coro zumbante pareció elevarse hasta ensordecerla.

—Por aquí, Niña Nam. No tengas miedo. Si temes, el pequeño pueblo alado olerá tu miedo —advirtió H'ani, suavemente.

Una abeja se posó en la mejilla de Centaine.

Levantó la mano, por instinto, para quitársela, pero contuvo el movimiento con un esfuerzo. La abeja le cosquilleó por la cara hasta el labio superior. En eso se le posó otra en el antebrazo levantado.

La miró, horrorizada. Era enorme, negra como el carbón, con anillos dorados en el abdomen. Las alas estaban cerradas como hojas de navaja; los ojos múltiples chisporroteaban a la luz escasa.

—Por favor, abejita, por favor... —susurró Centaine.

El insecto arqueó el lomo. Desde el abdomen asomó la punta del aguijón, una aguja de color rojo oscuro.

—Por favor, déjame pasar con mi bebé.

La abeja curvó su cuerpo y el aguijón tocó la piel suave de la articulación. Centaine se puso tensa. Sabía que al dolor de la picadura seguiría el olor dulzón del veneno, que enloquecería al vasto enjambre. Se imaginó sepultada bajo una alfombra viviente, retorciéndose en el suelo de la caverna, muriendo de la forma más espeluznante.

—Por favor —susurró—, deja que mi bebé nazca en tus sitios secretos y te honraremos por todos los días de nuestra vida.

La abeja retrajo el aguijón palpitante y ejecutó una intrincada danza sobre el brazo, entre giros, reverencias y contragiros. Por fin, con un mercúrico golpe de alas, salió disparada.

Centaine siguió lentamente. Hacia adelante vio el nimbo dorado de una luz reflejada. El insecto que tenía en la cara le caminó por los labios, impidiéndole hablar. Pero rezó en silencio:

"Aunque camine por el valle de las sombras, por favor, abejita, déjame pasar, te lo pido por mi bebé".

Hubo un zumbido áspero y la abeja pasó como un relámpago ante sus ojos: una mota dorada. Aunque todavía le escocía la piel al recordar sus patitas ásperas, mantuvo los brazos apretados a los flancos y siguió caminando con paso mesurado. Pareció tardar una eternidad en llegar al extremo del túnel y salir por él, a la temprana luz del amanecer. Las piernas se le doblaron, como reacción al pánico. Hubiera caído de no sostenerla O'wa.

—Ahora estás a salvo. Los guardianes nos han permitido entrar al sitio sagrado.

Las palabras la hicieran reaccionar. Aunque todavía temblaba y su respiración era trabajosa, Centaine miró en derredor.

Habían pasado a una concavidad oculta en el corazón de la montaña, un anfiteatro de redondez perfecta cavado en la roca. Las paredes caían a pico por decenas de metros, con un lustre satánico, como si hubieran sido quemadas por el estallido de una caldera. Pero por encima estaba el cielo abierto.

El profundo cuenco de roca debía de medir un kilómetro y medio en su parte más ancha. A esa hora del día, la luz del sol aún no llegaba al suelo, y los bosquecillos que lo cubrían estaban frescos de rocío. Centaine los notó parecidos a olivos, por las hojas claras y la fruta amarillo-rojiza que pendía de las ramas abiertas. El suelo del valle formaba una suave concavidad, alfombrada de fruta caída.

H'ani recogió una y se la ofreció.

—Mongongo, muy bueno.

Centaine le dio un mordisco y soltó una exclamación, pues sus dientes acababan de chocar dolorosamente con el gran carozo. Había sólo una fina capa de pulpa alrededor, pero era gustosa como la de los dátiles, aunque no tan dulce.

Desde las ramas alzó ruidoso vuelo una bandada de palomas verdes, regordetas. Centaine notó entonces que el valle hervía de pájaros y pequeños animales, que se daban un festín con las frutas de los mongongos.

—El Sitio de Toda la Vida —susurró, hechizada por aquella extraña belleza, por el agudo contraste entre los acantilados desnudos y ese fondo suavemente boscoso.

O'wa apretó el paso por el tosco sendero que llevaba al centro del cuenco. Centaine, al seguirlo, distinguió una pequeña colina de negra roca volcánica, entre los árboles. Era simétrica y cónica; se elevaba en el centro exacto del anfiteatro.

La colina en sí, como el fondo del valle, estaba muy cubierta de bosques; el pasto y los mongongos crecían profusamente entra las rocas negras. Una tropa de monos de cara negra parloteaba desde los árboles, agachando amenazadoramente la cabeza, entre muecas de alarma.

Cuando Centaine y H'ani alcanzaron a O'wa, lo encontraron de pie frente a una sombría abertura, en el flanco de la colina. Parecía la entrada a una mina pero Centaine, al mirar mejor, notó que el piso de la mina descendía en un leve ángulo. Empujó a O'wa para ver mejor, pero el anciano la tomó del brazo.

—No te apresures, Niña Nam. Debemos hacer los preparativos como corresponde.

Y se la llevó suavemente.

Algo más adelante había un antiguo campamento San entre las rocas protectoras. Los empajados de los albergues se habían derrumbado de vejez. O'wa los quemó por completo, sabiendo que las chozas deshabitadas están llenas de serpientes y sabandijas, y las dos mujeres los reconstruyeron con ramas tiernas y pasto recién cortado.

—Tengo hambre —dijo Centaine, recordando que no comía desde la noche anterior.

—Ven.

H'ani la condujo al bosquecillo, donde llenaron sus mochilas con la fruta caída. Ya en el campamento, le mostró cómo desprender la capa exterior de la pulpa y partir el carozo entre dos piedras planas. La semilla parecía una almendra seca. Comieron unas cuantas, para calmar lo peor del hambre. Tenían gusto a nuez.

—Las comeremos de muchos modos diferentes —prometió H'ani— y de cada modo tendrán un gusto diferente: asadas, molidas con hojas, hervidas como pan de maíz... Serán nuestro único alimento en este sitio, donde matar está prohibido.

Mientras preparaba la comida, O'wa regresó al campamento con una brazada de raíces recién desenterradas y se apartó para prepararlas en soledad.

Comieron antes del oscurecer. Las nueces resultaron inesperadamente satisfactorias. En cuanto tuvo el estómago lleno, la alcanzó el efecto de los esfuerzos y las tensiones vividas durante el día. Apenas pudo llegar a la rastra hasta su refugio.

Despertó descansada y con cierta sensación de entusiasmo, que no hubiera podido explicar. Los San ya estaban ocupados alrededor del fuego. En cuanto estuvo con ellos, O'wa, henchido de expectativa nerviosa y de importancia, les dijo:

—Ahora debemos prepararnos para descender al más secreto de todos los lugares. ¿Te avienes a la purificación, anciana abuela?

Por lo visto, era una pregunta formal.

—Me avengo, anciano abuelo. —H'ani dio una suave palmada de aquiescencia.

—¿Te avienes a la purificación, Niña Nam?

—Me avengo, anciano abuelo.

Centaine imitó el gesto. O'wa, con un ademán afirmativo, sacó un cuerno de su cinturón. Tenía la punta perforada y estaba lleno de raíces y hierbas picadas: las mismas que recogiera la tarde anterior.

Tomó una brasa encendida del fuego, con los dedos, y la dejó caer en la abertura del cuerno. Soplando sobre él hizo elevar una voluta de humo azul, al arder las hierbas lentamente.

En cuanto la pipa estuvo bien encendida, el viejo se levantó para ponerse detrás de las dos mujeres sentadas. Aplicó la boca al extremo perforado del cuerno y aspiró con fuerza; luego soltó el humo hacia ellas. Era acre y muy desagradable; dejó un gusto amargo en la garganta de Centaine, que murmuró una protesta y comenzó a levantarse; pero H'ani la obligó a sentarse de un tirón. O'wa seguía aspirando y exhalando el humo. Al cabo de un rato, a Centaine le resultó menos ofensivo. Se relajó recostada contra H'ani, que la rodeó con un brazo. Lentamente, la muchacha fue cobrando conciencia de un maravilloso bienestar. Sentía el cuerpo ligero como el de un pájaro, como si pudiera flotar hacia arriba con las espirales de humo azul.

—¡Oh, H'ani, me siento tan bien! —susurró.

El aire, en derredor, parecía chisporrotear de tan claro; su visión se aclaró, magnificándose a tal punto que veía cada grieta en los acantilados circundantes, y los bosquecillos parecían hechos de cristales verdes.

Cobró conciencia de que O'wa estaba arrodillado frente a ella y le sonrió, soñadora. Le estaba ofreciendo algo, con ambas manos extendidas.

—Es para el niño —le dijo. Su voz parecía venir desde muy lejos y despertaba ecos extraños en sus oídos. —Es la esterilla del nacimiento. Debería haberla hecho el padre, pero eso no pudo ser. Toma, Niña Nam: tómala y da a luz un valiente varón sobre ella.

O'wa se inclinó hacia adelante, poniendo el regalo sobre

su falda. Tardó largos segundos en notar que era la piel de antílope en la cual O'wa había trabajado tanto tiempo, con tanta dedicación. La desplegó con exagerada cautela; el cuerpo había sido raspado y curtido hasta tener la maleabilidad de una tela fina. Cuando la acarició, el pelaje era como satén.

—Gracias, anciano abuelo. —Su propia voz llegó como desde lejos, con extrañas reverberaciones.

—Es para el niño —repitió él, y succionó la pipa de cuerno.

—Para el niño, sí.

La cabeza de Centaine pareció flotar, libre de su cuerpo. O'wa exhaló una bocanada de humo azul contra su cara y ella no hizo esfuerzo alguno por evitarlo; por el contrario, se inclinó hacia adelante para mirarlo a los ojos. Las pupilas del anciano se habían reducido a puntos negros centelleantes; los iris tenían el color del ámbar oscuro, con un diseño de líneas negras rodeando las pupilas. La hipnotizaban.

—Por el bien del niño, que la paz de este lugar entre en tu alma —dijo O'wa, a través del humo.

Y Centaine sintió que así era.

—Paz —murmuró.

Y en el centro de su ser percibió una extraña quietud, una calma monumental.

Tiempo, espacio y luz blanca se entremezclaron, convirtiéndose en una sola cosa. Sentada en el centro del universo, sonreía serenamente. Oyó que O'wa cantaba, muy lejos, y se meció suavemente, siguiendo el ritmo; sentía al niño muy dentro de sí, acurrucado. De pronto, increíblemente, sintió latir aquel diminuto corazón, como el de un pájaro atrapado, y la maravilla la envolvió toda.

—Hemos venido a purificarnos —cantó O'wa—. Hemos venido a lavar toda ofensa, hemos venido a pagar...

Centaine sintió que la mano de H'ani se deslizaba en la de ella, como un frágil animal, y giró lentamente la cabeza para sonreír ante aquel rostro amado.

—Ya es hora, Niña Nam.

Centaine cargó sobre los hombros la piel del antílope. No hacía falta esfuerzo alguno para levantarse. Flotaba por sobre la tierra, con la manito de H'ani aferrando la suya.

Llegaron a la abertura en el flanco de la colina y, aunque

era oscura empinada, ella se adelantó sonriendo, sin sentir bajo los pies la áspera roca volcánica. El pasillo descendía por una breve distancia antes de nivelarse, formando una caverna natural. Por allí siguieron a O'wa.

La luz se filtraba desde la entrada y desde varias aberturas de la cúpula. El aire era húmedo y caliente. Las nubes de vapor se elevaban suavemente desde la superficie de un estanque circular, que colmaba la caverna de lado a lado. La superficie del agua de color verde burbujeaba, con fuerte olor a azufre.

O'wa dejó caer su taparrabo y se adentró en el agua. Le llegaba a la rodilla, pero a medida que caminaba se fue sumergiendo hasta que sólo le quedó la cabeza fuera. H'ani lo siguió, también desnuda. Centaine puso a un lado la piel de antílope y dejó caer su falda.

El agua estaba caliente; casi quemaba. Era una fuente termal. Pero Centaine no se sintió incómoda. Avanzó un poco más antes de ponerse lentamente de rodillas, para que el agua le llegara al mentón. El fondo era de grava y guijarros ásperos. Su cuerpo se empapó en el fiero calor de las aguas, arremolinadas a su alrededor tras burbujear desde lo más profundo de la tierra.

Oyó que O'wa cantaba con suavidad, pero las nubes de vapor se cerraron en derredor, cegándola.

—Queremos pagar —cantaba O'wa—. Deseamos se nos perdonen nuestras ofensas a los Espíritus...

Centaine vio que se iba formando una silueta en las nubes de vapor: un fantasma oscuro, insustancial.

—¿Quién eres? —preguntó, en un murmullo.

La silueta tomó firmeza. Entonces reconoció los ojos (las otras facciones eran borrosas): eran los del viejo marinero a quien ella sacrificara ante el tiburón.

—Por favor —susurró—, perdóname. Era por mi bebé. Por favor, perdona mi pecado.

Por un momento le pareció ver cierta comprensión en esos ojos viejos y tristes. Luego la imagen se desvaneció en los bancos de vapor, para ser reemplazada por otros: una multitud de memorias y criaturas de sueños. A todos les habló.

—Oh, papá, si yo hubiera sido más fuerte, si hubiera podido llenar el sitio de mamá...

Oyó las voces de los San, que saludaban a sus propios fantasmas, a sus propios recuerdos. O'wa volvía a cazar con sus hijos varones. H'ani veía a sus bebés, a sus nietos, y los arrullaba con amor y pesar.

—Oh, *Michel*... —Sus ojos eran de un azul maravilloso.

—Te amaré por siempre, sí. Oh, sí. Nuestro hijo llevará tu nombre. Te lo prometo, mi amor; llevará tu nombre.

No hubiera podido decir cuánto tiempo pasó en el estanque, pero gradualmente se evaporaron las fantasías y los fantasmas. Entonces sintió las manos de H'ani que la conducían al borde rocoso. El agua caliente parecía haberla dejado sin fuerzas. Su cuerpo relucía, muy rosado, y ya no quedaba en su piel polvo del desierto. Sentía las rodillas débiles y gomosas.

H'ani envolvió su cuerpo mojado con la piel de antílope y la ayudó a ascender el pasaje rocoso hasta la superficie. Ya había caído la noche. La luna tenía el brillo suficiente como para arrojar sombras entre sus pies. H'ani la condujo hasta el tosco refugio y la envolvió en el cuero.

—Los Espíritus han perdonado —susurró—. Están complacidos, porque hemos hecho el viaje. Enviaron a mis bebés para que me saludaran y me lo dijeran. Puedes dormir en paz, Niña Nam: ya no hay ofensas. Somos bienvenidos aquí.

Centaine despertó confusa, sin saber qué le estaba pasando; ni siquiera estaba segura de dónde estaba. En los primeros segundos creyó que estaba otra vez en la alcoba de Mort Homme, con Anna junto a su lecho. En eso cobró conciencia del áspero pasto y de la dura tierra donde estaba tendida, olió el cuero crudo que la cubría. Y de inmediato volvió el dolor. Era como si una garra se cerrara sobre la parte inferior de su cuerpo, con uñas crueles, estrujándola. Gritó involuntariamente y se dobló en dos, apretándose el vientre.

Con el dolor volvió precipitadamente la realidad. Su mente quedó clara y despejada, tras las alucinaciones del día anterior. Comprendió, instintivamente, que la inmersión en las aguas del estanque y el humo de drogas habían precipitado el nacimiento.

—¡H'ani! —llamó.

La anciana se materializó, saliendo de la penumbra gris.

—¡Ya ha comenzado!

H'ani la ayudó a levantarse y recogió la piel de antílope.

—Ven —susurró—. Debemos ir adonde podamos estar solas.

H'ani debía haber elegido el sitio con anticipación, pues llevó a la muchacha directamente hasta una depresión del terreno, a poca distancia del campamento, pero oculto de él por el bosquecillo de mongongos. Extendió la piel bajo un árbol grande y sobre ella acomodó a Centaine. Se arrodilló para quitarle la raída falda de lona; luego, con dedos rápidos y fuertes, efectuó un examen breve, pero completo. Por fin se sentó sobre los talones.

—Pronto, Niña Nam, muy pronto.

Sonreía, feliz, pero la respuesta de Centaine se cortó con otra contracción.

—¡Ah, el niño está impaciente! —asintió H'ani.

Pasada la contracción, Centaine quedó tendida, jadeante; pero apenas había recobrado el aliento cuando volvió a ponerse tensa.

—¡Oh, H'ani , tómame la mano, por favor! ¡Por favor!

Algo estalló dentro de su cuerpo. Un líquido caliente brotó de ella, mojándole las piernas.

—Ya está muy cerca —le aseguró H'ani.

Centaine lanzó un gritito.

—Ahora.

H'ani tiró de ella para sentarla, pero la muchacha se dejó caer.

—Ya viene, H'ani.

—¡Levántate! —le espetó la anciana—. ¡Ahora debes ayudarlo! Levántate. No ayudas al bebé si te quedas tendida de espaldas.

La obligó a ponerse en cuclillas, con las rodillas y los pies bien abiertos en la posición natural para evacuar.

—Sujétate del árbol —le indicó, apresuradamente—. ¡Así!

Y guió las manos de Centaine por la corteza áspera. Centaine, gimiendo, apretó la frente contra el tronco.

—¡Ahora! —H'ani se arrodilló detrás de ella, rodeándole el cuerpo con los brazos flacos.

—¡Oh, H'ani...! —se elevó, penetrante, el grito de Centaine.

—¡Sí! Yo te ayudaré a pujar. —En el momento en que la muchacha pujaba, instintivamente, ella oprimió el abrazo. —¡Puja, Niña Nam, más! ¡Más!

Los músculos de la joven se abultaron, endureciéndose como bandas de hierro. Sentía un enorme bloqueo dentro de sí. Aferrada al árbol, forcejeó gimiendo, hasta sentir que la obstrucción se movía un poquito antes de volver a atascarse.

—¡H'ani! —gritó.

Y los brazos flacos se cerraron en torno de ella; la anciana gimió acompañándola, en tanto pujaban juntas. El cuerpo desnudo de la anciana se apretó a la espalda arqueada de Centaine, y ella sintió fluir la fuerza de aquella carne vieja y marchita, como una corriente eléctrica.

—Otra vez, Niña Nam —gruñó la anciana—. Está cerca, muy cerca. ¡Ahora! ¡Fuerza, Niña Nam, mucha fuerza!

Centaine pujó con toda su energía y su voluntad, apretando los dientes casi hasta romperlos; los ojos se le abultaron en las órbitas. De pronto, sintió que algo se desgarraba, produciéndole una quemadura punzante. A pesar del dolor, halló fuerzas para otra rigurosa convulsión. Lo atascado volvió a moverse. Hubo un deslizamiento, una liberación. Algo enorme, increíblemente pesado, salió de ella. En el mismo instante, la mano de H'ani pasó entre sus nalgas, para guiar, proteger y dar la bienvenida.

El dolor pasó, como en una bendición, dejándola estremecida y cubierta de sudor, pero vacía, por fin vacía, como si le hubieran arrancado las vísceras.

H'ani dejó de estrecharla, y Centaine se sujetó del tronco, entre profundas aspiraciones. En eso sintió que algo caliente, mojado y resbaloso se movía entre sus pies. Se apartó cautelosamente del árbol para mirar. De ella pendía aún un revoltijo de tubos carnosos, centelleantes; unido a ellos, envuelto en sus recodos, yacía el infante, en un charco de fluido sanguinolento sobre la piel de antílope.

Era pequeño. La sorprendió tanta pequeñez. Pero los miembros se estiraban en espasmódicos gestos. La cabecita estaba cubierta de una densa gorra de rizos negros, empapados, pegados al cráneo.

Las manos de H'ani , desde atrás, levantaron al bebé, poniéndolo fuera de su vista. De inmediato Centaine sintió una devastadora soledad... pero estaba demasiado débil como para protestar. Percibió un leve tironeo del cordón umbilical, en tanto la anciana maniobraba con el niño. De pronto, un grito furioso que le llegó al corazón.

La risa de H'ani se unió a coro con los coléricos bramidos. Centaine no había oído nunca una carcajada tan inequívocamente jubilosa.

—Oh, Niña Nam, escúchalo. ¡Ruge como un cachorro de león!

La muchacha se volvió, estorbada por las sogas carnosas que colgaban de su propio cuerpo, ligándola todavía al infante. El niño pataleaba entre las manos de H'ani , mojado y desafiante, enrojecido de furia, con los ojos hinchados y cerrados con fuerza. Pero la boca rosada, sin dientes, se abría de par en par para expresar su indignación.

—¿Varón, H'ani? —preguntó Centaine, jadeante.

—¡Oh, sí! ¡Ya lo creo! ¡Varón!

Con la punta del índice, la viejecita hizo cosquillas en el pene diminuto, que se levantó tiesamente, como para respaldar el enojo, liberando un poderoso chorro de orina.

—¡Mira, mira! —H'ani se ahogaba de risa. —¡Se mea en el mundo! Todos los espíritus de este lugar son testigos de que acaba de nacer un verdadero cachorro de león.

Y ofreció el bebé pataleante a la madre.

—Límpiale los ojos y la nariz —ordenó.

Como una gata, Centaine, sin necesidad de más instrucciones, lamió el moco de los párpados hinchados, la nariz y la boca. Luego H'ani lo dio vuelta, con familiar experiencia, y ató el cordón umbilical con las suaves fibras interiores del mongongo, antes de cortarlo con un rápido golpe de su cuchillo de hueso. Envolvió el extremo de la tripa en las hojas medicinales del membrillo silvestre y lo sostuvo en su sitio con una banda de cuero crudo.

Sentada en la piel de antílope, en un charco de sangre y fluidos amnióticos, Centaine observó su obra con ojos brillantes.

—¡Ahora! —asintió la anciana, con mucha satisfacción—. Ya está listo para el pecho.

Y lo puso en el regazo de la madre.

Sólo hizo falta una presentación muy somera entre los dos. H'ani apretó el pezón de Centaine y tocó los labios del infante con la punta mojada. El niño se prendió a ella como una sanguijuela, con un rítmico ruido de succión. Por algunos momentos, Centaine se sorprendió de las súbitas contracciones de su vientre, pero eso quedó olvidado ante la maravilla y el misterio de examinar aquel increíble triunfo.

Desplegó suavemente el puño diminuto, asombrándose ante la perfección de cada dedito, de las uñas perladas, no más grandes que un grano de arroz; cuando le apretó un dedo, con sorprendente fuerza, también le apretó el corazón. Ella acarició el pelo oscuro, húmedo, que al secarse brotaba en bucles. La llenaba de un respeto religioso ver el pulso bajo la fina membrana que cubría la abertura del cráneo.

El niño dejó de mamar y quedó quieto en sus brazos; así pudo apartarlo del pecho para examinarle la cara. Sonreía. Descontando los párpados hinchados, tenía las facciones bien formadas, no aplastadas y gomosas como las de otros recién nacidos. La frente era amplia; la nariz, grande. Pensó en Michael. Pero no, era más arrogante que la nariz de Michael. Y entonces recordó al general Sean Courtney.

—¡Eso! —exclamó, riendo—. ¡Es la auténtica nariz de los Courtney!

El bebé se puso rígido y expulsó aire; un reguero de leche le goteó por la comisura de la boca. De inmediato volvió a buscar el pecho, exigente, moviendo la cabeza de un lado a otro. Centaine lo pasó al otro brazo y guió el pezón hasta su boca abierta.

H'ani, arrodillada frente a ella, trabajaba entre sus rodillas. Centaine se mordió el labio, con una mueca de dolor, al salir la placenta. La anciana la envolvió en las hojas de una planta, la ató con corteza y correteó con el envoltorio hacia el interior del bosquecillo.

Al regresar encontró al niño dormido en el regazo de su madre, con las piernas abiertas y el vientre tenso como un globo.

—Si lo permites, voy a buscar a O'wa —sugirió—. Seguramente ha oído los gritos del nacimiento.

—Oh, sí, tráelo pronto.

Centaine se había olvidado del anciano; le encantaba la oportunidad de exhibir su maravillosa adquisición.

O'wa apareció tímidamente y se sentó a poca distancia, con la acostumbrada falta de temeridad masculina ante el femenino misterio del nacimiento.

—Acércate, anciano abuelo —lo alentó la muchacha.

Él se acercó, de rodillas, y miró al niño dormido con aire solemne,

—¿Qué te parece? —preguntó la joven—. ¿Será cazador? ¿Un cazador hábil y valiente como O'wa?

O'wa lanzó los pequeños chasquidos que reservaba para aquellas raras ocasiones en que no encontraba palabras para expresarse. Su rostro era una telaraña de arrugas, como las de un pequinés preocupado. De pronto el niño dio una fuerte patada y gritó en su sueño. El anciano se disolvió en risitas incontrolables.

—Ya creía que jamás volvería a ver eso —jadeó.

Tímidamente, alargó una mano para tomar el piececito rosado.

Cuando el niño volvió a patear, para él fue demasiado. Se levantó de un salto y comenzó a bailar en derredor de la piel de antílope. H'ani se dominó durante tres circuitos, pero al fin también ella se levantó para bailar con su esposo, siguiéndolo con las manos en las caderas, saltando cuando él saltaba, meneando su prominente trasero y cantando el estribillo a las alabanzas del marido.

—Sus flechas volarán hasta las estrellas,
y cuando los hombres digan su nombre
desde allá se oirá…

Y H'ani intervenía con el estribillo.

—Y hallará agua buena,
dondequiera vaya hallará agua buena.

O'wa, chillando, sacudió las piernas y los hombros.

—Su vista brillante divisará la presa
cuando los demás estén ciegos.
Sin esfuerzo seguirá el rastro sobre el suelo rocoso…
…Y hallará agua buena,
en todo campamento hallará agua buena…
…Las doncellas más bonitas sonreirán
e irán en puntillas hasta su fogata, por la noche…

Y H'ani reiteraba:

—…Y hallará agua buena,
dondequiera vaya hallará agua buena.

Estaban dando su bendición al niño, deseándole todos los tesoros del pueblo San. Centaine sintió que el corazón se le partía de amor por ellos y por el bultito rosado que tenía en el regazo.

Cuando al fin los viejos ya no pudieron bailar y cantar, se arrodillaron frente a ella.

—Como bisabuelos del niño, nos gustaría darle un nombre —explicó H'ani, tímida—. ¿Está permitido?

—Habla, anciana abuela. Habla, anciano abuelo.

H'ani miró a su esposo, que le hizo una señal de aliento.

—Llamaremos al niño Shasa.

Las lágrimas escocieron en los párpados de la joven, al comprender el gran honor que estaban haciendo a su hijo: le daban el nombre del elemento más precioso, más vital del universo San.

—Shasa… Agua Buena.

Centaine parpadeó para alejar las lágrimas y les sonrió.

—Doy a este niño el nombre de Michel Shasa de Thiry Courtney —dijo, suavemente.

Y cada uno de los viejos estiró la mano, por turnos, para tocar los ojos y la boca del niño, a manera de bendición.

Las aguas sulfurosas y mineralizadas del estanque subterráneo poseían cualidades extraordinarias. Todos los mediodías y al atardecer, Centaine se remojaba en su calor, el modo en que las señales del parto iban desapareciendo era casi milagroso. Estaba en estupendo estado físico, por supuesto, sin un gramo de grasa superflua; el cuerpo fuerte de Shasa y la facilidad del alumbramiento eran su consecuencia directa. Más aún, los San, que consideraban el parto como un proceso natural y rutinario, no la mimaban ni la alentaban a comportarse como una inválida.

Sus músculos jóvenes, elásticos y bien ejercitados, recobraron velozmente las fuerzas y la resistencia. Como la piel no se le había estirado mucho, le quedó libre de estrías, y el vientre se recogió muy pronto, hasta devolverle el perfil de gato. Sólo sus pechos estaban hinchados y duros, por lo copioso de su leche. Shasa se atracaba de ella y crecía como una planta desértica después de la lluvia.

Una vez más, allí estaban el estanque y sus aguas.

—Es extraño —le dijo H'ani—, pero las madres que beben estas aguas mientras amamantan siempre crían niños de huesos duros como rocas y dientes que brillan como marfil pulido. Es una de las bendiciones de los espíritus que custodian este lugar.

A mediodía, el sol pasaba por una de las aberturas de la caverna, en un sólido cono de luz. A Centaine le encantaba regodearse en él, moviéndose a través del estanque para seguirlo, sin perder su mágico círculo de luz.

Metida hasta la barbilla en el agua verde, escuchaba los resoplidos y las quejas de Shasa, mientras dormía. Lo había envuelto en la piel de antílope para dejarlo junto al estanque, donde pudiera verlo con sólo girar la cabeza.

El fondo del estanque estaba cubierto de grava y guijarros. Recogió un puñado para mirarlos a la luz del sol, con placer especial, pues eran extraños y bellos. Había ágatas venosas, pulidas por el agua como si fueran huevos de golondrina, piedras de un suave azul, con líneas rojas, rosadas o amarillas, jaspes y cornalinas en tonos de borgoña, ónices negros y ojos de tigre.

—Voy a hacer un collar para H'ani. ¡Un regalo de parte de Shasa!

Comenzó a recolectar las piedras más bonitas y con las formas más interesantes.

—Necesito una pieza central para el collar —decidió.

Revisó puñados de grava, examinándola a la luz del sol, hasta hallar exactamente lo que estaba buscando.

Era una piedra incolora, clara como el agua; pero cuando captaba la luz solar contenía un arco iris cautivo, un fuego interno que ardía con todos los colores del espectro. Centaine pasó una hora larga, perezosa, haciendo girar lentamente el guijarro bajo el rayo de sol, contemplando con deleite sus maravillosas cascadas de luz. La piedra no era grande, no más que la fruta madura del mongongo, pero se trataba de un cristal multifacético simétrico, perfecto para ocupar el centro del collar.

Diseñó el collar de H'ani con infinito cuidado, dedicándole muchas horas mientras Shasa mamaba; cambió la disposición de sus guijarros hasta lograr el orden que más le gustaba. Pero aun entonces no estuvo del todo satisfecha, pues la piedra central incolora, tan chisporroteante y regular, hacía que las otras parecieran opacas y poco interesantes.

Aun así comenzó a experimentar con el modo de enhebrar los guijarros. Allí tropezó inmediatamente con problemas. Uno o dos eran tan blandos que, mediante persistentes esfuerzos y muchos punzones de hueso gastados, logró finalmente perforarlos. Otros, quebradizos, se hicieron añicos. Otros eran demasiado duros. El cristal centelleante, sobre todo, resistió a todos sus esfuerzos. Después de romper diez o doce herramientas de hueso por trabajar con él, permanecía absolutamente intacto.

Entonces pidió consejo a O'wa. En cuanto él comprendió de qué se trataba mostró un entusiasmo juvenil. Experimentaron y fracasaron diez veces antes de hallar, finalmente, el modo de pegar las piedras más duras al cordel de sanseveria trenzado, utilizando goma de acacia. Centaine comenzó a formar el collar; en el proceso estuvo a punto de enloquecer a O'wa, pues descartó cincuenta trozos de cordel.

—Éste es demasiado grueso —decía—. Éste no tiene suficiente resistencia.

Y O'wa, que también era un perfeccionista, se tomó el problema muy a pecho.

Por fin Centaine deshizo el ruedo de su falda de lona y, trenzando las hebras con las fibras de sanseveria, obtuvo un hilo fino y fuerte, que los satisfizo a ambos.

Cuando el collar estuvo terminado, la satisfacción de O'wa no habría sido mayor de haber concebido, planeado y ejecutado el proyecto enteramente por cuenta propia. Se parecía más a un pectoral que a un collar, pues tenía un solo cordel en la parte trasera del cuello y las piedras estaban entretejidas en una decoración con forma de plato, que pendía sobre el pecho con el cristal grande en el centro y un mosaico de ágatas coloreadas, jaspes y berilos rodeándolo.

Hasta Centaine quedó encantada con su obra.

—Quedó mejor de lo que esperaba —dijo a O'wa, en francés, mientras lo movía al sol—. No será tan bueno como si lo hubiera hecho Monsieur Cartier, pero no está mal, considerando que son los primeros esfuerzos de una muchacha salvaje en un sitio salvaje.

Convirtieron la presentación en una pequeña ceremonia. H'ani, sonriente, parecía un pequeño duende ambarino cuando Centaine le dio las gracias por ser un parangón de abuela y la mejor partera de todos los San. Pero el regalo, una vez puesto en su cuello, resultó demasiado grande y pesado para un cuerpecito tan frágil.

—¡Ja, mira, viejo, tú que estás tan orgulloso de ese cuchillo tuyo! ¡No es nada junto a esto! —dijo a su esposo, acariciando amorosamente el collar—. ¡Éste es un verdadero regalo! Ahora llevo la luna y las estrellas alrededor de mi cuello.

Y se negó a quitárselo. Le golpeaba contra la clavícula cuando manejaba su palo de excavar o se inclinaba a recoger las nueces de Mongongo. Cuando se agachaba sobre las fogatas, colgaba entre las bolsas de sus tetas vacías. Hasta por la noche, mientras dormía con la cabeza sobre el hombro desnudo, Centaine veía, desde su propio refugio, el brillo del collar sobre su pecho. Y parecía servir de peso al viejo cuerpecito, manteniéndolo contra la tierra.

Una vez que Centaine dejó de interesarse por el collar, ya recobrada totalmente su vitalidad después del parto, los días comenzaron a parecerle demasiado largos y los acantilados rocosos del valle tan restrictivos como los altos muros de una prisión.

La diaria rutina de la vida no exigía esfuerzos. Shasa dormía montado en su cadera o atado a su espalda, mientras ella juntaba las nueces caídas en el bosquecillo o ayudaba a H'ani a recoger leña. Sus menstruaciones se reanudaron normalmente. Le escocían las energías sin gastar.

Tenía súbitos arranques de depresión, en los que hasta la inocente cháchara de H'ani la irritaba; entonces se alejaba con el bebé. Si bien el niño dormía profundamente mientras eso ocurría, ella lo ponía en su regazo para hablarle en francés o en inglés. Le hablaba de su padre y del *château*, de Nuage, de Anna, del general Courtney; los nombres y los recuerdos provocaban en ella una profunda melancolía. A veces, por las noches, cuando no podía dormir, escuchaba la música de su mente: los compases de *Aída* o las canciones que entonaban los campesinos de Mort Homme durante la *vendange*.

Así pasaron los meses y las estaciones del desierto fueron rotando. Los mongongos florecieron y volvieron a dar frutos. Un día, Shasa se incorporó sobre manos y rodillas para iniciar sus primeras exploraciones del valle, para deleite de todos. Sin embargo, el humor de Centaine variaba con más violencia que las estaciones; la alegría que le inspiraba Shasa, y su contento con la compañía de los ancianos alternaba con estados más depresivos, en los que se sentía como prisionera de por vida en el valle.

"Ellos vinieron aquí a morir", comprendió, al ver el modo en que los viejos San se habían establecido en la rutina fija, "pero yo no quiero morir. ¡Quiero vivir, vivir!"

H'ani, que la observaba atentamente, decidió que había llegado el momento. Un día dijo a O'wa:

—Mañana, Niña Nam y yo saldremos del valle.

—¿Por qué, vieja? —inquirió el marido, asombrado, pues estaba totalmente satisfecho y no pensaba salir.

—Necesitamos medicinas y un cambio de comida.

—No hay motivo para arriesgarse a pasar por entre los guardianes del túnel.

—Saldremos con el frescor del amanecer, cuando las abejas están soñolientas, y entraremos al caer la noche. Además, los guardianes nos han aceptado.

O'wa iba a protestar, pero ella lo cortó en seco:

—Es necesario, viejo abuelo; hay cosas que los hombres no comprenden.

Centaine, tal como H'ani esperaba, se mostró entusiasmada por la promesa de una salida. Despertó a la anciana a sacudones, mucho antes de la hora acordada. Ambas se deslizaron silenciosamente por el túnel de las abejas. Después, con Shasa bien atado a su espalda y la mochila colgada de un hombro, Centaine bajó corriendo por el estrecho valle hasta salir a los espacios interminables del desierto, tal como un escolar cuando se le permite salir del aula. Su buen humor duró toda la mañana. Ella y H'ani conversaban alegremente, caminando por el bosque en procura de las raíces que H'ani decía necesitar.

Con el calor del mediodía, buscaron refugio bajo una acacia y, mientras Centaine amamantaba al niño, H'ani se acurrucó a la sombra para dormitar como una vieja gata amarilla. Una vez que Shasa estuvo satisfecho, la muchacha apoyó la espalda contra el tronco de la acacia y también dormitó.

La despertó un ruido de cascos y resoplidos; abrió los ojos, pero sin moverse. Un grupo de cebras se había acercado sin ver a los seres humanos, pues tenían la brisa en contra y el pasto medía casi un metro de altura.

Había, cuanto menos, cien animales en el rebaño: crías recién nacidas, de patas demasiado largas para el cuerpo, que no se apartaban de sus madres y miraban el mundo con ojos enormes, aprensivos; crías más crecidas y de paso seguro; hembras preñadas y machos de grandes ancas. Centaine recordó vívidamente a Nuage, en la flor de su edad. Apoyada contra el tronco de la acacia, respirando apenas, los observaba con profundo placer. Se acercaron aún más, tanto que le hubiera bastado estirar la mano para tocar a uno de los potrillos. Pasaban tan cerca que notó el intrincado diseño del pelaje, distinto en cada animal, como huellas digitales; las bandas oscuras tenían un duplicado más claro, de color anaranjado cremoso, que constituía a cada cebra en una obra de arte.

En eso, uno de los machos, magnífico animal de buena alzada y cola espesa, apartó a una yegua joven de los otros, mordisqueándole los flancos y el cuello antes de acariciarla con el hocico.

La hembra coqueteaba, muy consciente de su deseable condición; puso los ojos en blanco y le dio un mordisco cruel, haciéndolo retroceder. Pero el macho volvió y trató de ponerle el hocico bajo la cola, en la tensa hinchazón del celo. Ella lanzó un chillido de indignado pudor y una coz demasiado alta.

Centaine se sintió inexplicablemente conmovida. Compartía la creciente excitación de la hembra, su ficción de rechazo, que estaba aumentando el ardor del semental. Por fin la hembra se sometió, inmóvil, levantando la cola. Centaine sintió que su propio cuerpo se ponía tenso de expectativa. Cuando el semental sepultó en su compañera la larga raíz palpitante, la muchacha apretó bruscamente las rodillas, ahogando una exclamación.

Esa noche, en su tosco refugio, junto al estanque termal, soñó con Michael y el viejo granero. Despertó con una soledad profunda, corrosiva, y un descontento indirecto que no cedió siquiera cuando puso a Shasa a mamar.

Su negro humor perduró. Las altas paredes del valle se cerraban en derredor, como si le impidieran respirar. Sin embargo pasaron otros cuatro días antes de que pudiera convencer a H'ani de efectuar otra expedición por los bosques abiertos.

Buscó al rebaño de cebras mientras caminaban entre los mopanis, pero en esa oportunidad los bosques parecían extrañamente desiertos; los pocos animales silvestres que pudo ver parecían desconfiados y huidizos; se alarmaban de inmediato ante la presencia humana, aun desde muy lejos.

—Hay algo raro —murmuró H'ani, mientras descansaba del calor del mediodía—. No sé qué es, pero los animales también lo sienten. Me pone intranquila. Deberíamos volver al valle para hablar con O'wa. Él sabe más que yo de estas cosas.

—Oh, H'ani, todavía no —le rogó Centaine—. Quedémonos un rato más. Me siento tan libre...

—No me gusta lo que está pasando aquí —insistió la anciana.

—Las abejas —apuntó la muchacha, inspirada—. No podemos pasar por el túnel hasta que baje el sol.

Y aunque H'ani, gruñó, malhumorada, tuvo que acceder.

—Pero escucha lo que te dice esta vieja: aquí pasa algo raro, algo malo.

Ninguna de las dos pudo dormir cuando llegó el mediodía. H'ani levantó al niño en cuanto acabó de mamar.

—Cómo crece —susurró. Había una sombra de pena en sus ojos brillantes. —Ojalá pudiera verlo crecido, recto y alto como el mopani.

—Así será, anciana abuela —replicó Centaine, sonriendo—; vivirás hasta verlo hecho hombre.

H'ani levantó la mirada.

—Se irán los dos, algún día, muy pronto. Lo presiento: tú volverás con los tuyos. —Su voz sonó áspera de pesar. —Se irán los dos, y entonces a esta vieja no le quedará nada por qué vivir.

—No, anciana abuela. —La joven le tomó la mano. —Tal vez nos vayamos algún día. Pero volveremos a ti, te doy mi palabra.

H'ani liberó suavemente su mano. Siempre sin mirarla, se levantó.

—El calor ha pasado.

Volvieron hacia la montaña, caminando por el bosque, guardando buena distancia entre sí; se mantenían apenas a la vista, salvo cuando se interponía un matorral más denso. Centaine, según su costumbre, iba hablando en francés para adiestrar el oído del niño, al sonido del idioma y para ejercitar su propia dicción.

Estaban muy cerca de la cuesta, bajo los barrancos, cuando la muchacha vio las huellas frescas de un par de cebras, profundamente impresas en la tierra blanda. Las instrucciones de H'ani le habían desarrollado agudas facultades de observación, y O'wa le había enseñado a leer las señales de la espesura con facilidad. En esas huellas había algo que la intrigaba. Corrían paralelas, como si los animales hubieran estado atados entre sí. Pasó a Shasa a la otra cadera y giró para examinarlas con más atención.

De pronto se detuvo, con un respingo que alarmó a la criatura, arrancándole un chillido de protesta. Centaine, paralizada de sorpresa, miraba fijamente la impresión de los cascos, sin comprender del todo lo que veía. De pronto, una oleada de emociones y comprensión la hizo tambalear. Ahora comprendía la agitada conducta de los animales salvajes y la premonición de H'ani. Se echó a temblar, a un tiempo con miedo y alegría, confusión y estremecido entusiasmo.

—Shasa —susurró—, no son huellas de cebra. —Los cascos mostraban medialunas de acero. —¡Jinetes, Shasa! ¡Hombres civilizados que montan caballos calzados de acero!

Parecía imposible que hubieran pasado por allí, en ese lejano desierto. Por instinto, sus manos volaron al chal de lona que usaba sobre los hombros, del que sus pechos asomaban sin vergüenza. Se los cubrió, echando en derredor una mirada temerosa. En su vida con los San había llegado a aceptar la desnudez como algo completamente natural, pero en ese momento cobraba conciencia de que tenía las faldas muy por encima de sus rodillas. Y sentía vergüenza.

Se apartó de las huellas como de un dedo acusador.

—Hombres. Un hombre civilizado —repitió.

De inmediato, la imagen de Michael se formó en su mente. Las ansias se impusieron al pudor. Volvió a adelantarse, arrodillándose junto al rastro para mirarlo con avidez. No se atrevía a tocarlo, por si resultara ser una alucinación.

Estaba fresco, tan fresco que bajo su mirada se derrumbó el borde limpio de una impresión, en un goteo de arena suelta.

—Una hora, Shasa. Pasaron hace una hora, cuanto más.

Los jinetes iban al paso, a menos de ocho kilómetros por hora.

—Hay un hombre civilizado a ocho kilómetros a la redonda, en este mismo instante, Shasa.

Se levantó de un salto y corrió cincuenta pasos, siguiendo la línea, antes de detenerse otra vez para arrodillarse. Antes no lo hubiera visto, pero tras la instrucción recibida de O'wa pudo distinguir la extraña textura del metal, aunque no era más grande que la uña de su pulgar y había caído entre pastos secos.

Lo recogió en la palma de la mano. Era un botón de bronce oscurecido, del tipo militar; del que aún pendía el hilo roto. Lo estudió como si se tratara de una joya invalorable. El diseño mostraba un unicornio y un antílope teniendo un escudo; debajo, una cinta con el lema:

—*Ex Unitate Vires* —leyó en voz alta. Había visto esos botones en la chaqueta del general Sean Courtney, aunque bien pulidos. —De la unidad, la fuerza: el escudo de armas de la Unión Sudafricana.

—¡Un soldado, Shasa! ¡Uno de los hombres del general Courtney!

En ese momento se oyó un silbido lejano: la llamada de H'ani. Centaine se levantó de un salto, pero se demoró, indecisa. Todos sus instintos le ordenaban que corriera desesperadamente tras el jinete, para rogarle que le permitiera viajar con ellos a la civilización. Pero H'ani volvió a silbar y ella giró.

Sabía el terror que provocaba en los San cualquier extraño, pues los viejos le habían contado todos los relatos de las brutales persecuciones sufridas.

"H'ani no debe ver estas huellas."

Con la mano sombreándole los ojos, echó una mirada nostálgica en la dirección que llevaba el rastro, pero nada se movía entre los árboles de mopani.

—Ella trataría de detenernos, Shasa; ella y O'wa harían cualquier cosa para detenernos. ¿Cómo vamos a dejarlos, pobres viejos? Sin embargo, ellos no pueden venir con nosotros; correrían un peligro aún mayor. Pero no podemos dejar pasar esta oportunidad. Puede ser la única.

H'ani volvió a silbar, esta vez mucho más cerca. Su pequeña silueta asomaba ya entre los árboles; venía hacia ella. La mano de Centaine se cerró, culpable, sobre el botón de bronce, para guardarlo rápidamente en el fondo de su mochila.

—H'ani no debe ver las huellas —repitió.

Y levantó la mirada hacia los acantilados para orientarse, a fin de poder encontrarlas más tarde. Luego giró en redondo y corrió al encuentro de la vieja.

Esa noche, mientras ejecutaban las labores acostumbradas, a Centaine le costó disimular su nervioso entusiasmo; respondía con distracción a las preguntas de H'ani. Después de comer, terminado ya el breve crepúsculo africano, volvió a su refugio y se acomodó como para dormir, echando la piel de antílope sobre su cuerpo y el del niño. Aunque permanecía quieta, regulando la respiración, estaba preocupada y nerviosa. Trató de tomar una decisión.

No tenía modo de saber quiénes eran los jinetes, pero estaba decidida a no poner a los San en peligro de muerte. Pero también estaba igualmente decidida a correr el riesgo de seguir esas tentadoras huellas, por su promesa de rescate. Quería volver a su propio mundo, escapar de esa dura existencia, que acabaría por convertir en salvajes a ella y a su hijo.

—Necesitamos darnos ventaja, para que podamos alcanzar a los jinetes antes de que H'ani y O'wa noten nuestra ausencia. Así no nos seguirán y no se verán expuestos al peligro. Nos iremos en cuanto salga la luna, bebé.

Permaneció quieta y tensa, fingiendo dormir, hasta que la luna asomó por el anillo del valle. Entonces se levantó en silencio. Shasa soltó un murmullo soñoliento, en tanto ella recogía su mochila y su palo, para salir calladamente al camino. Se detuvo a mirar desde el recodo de la colina. El fuego estaba reducido a brasas, pero la luna aún iluminaba el refugio de los ancianos. O'wa estaba entre las sombras, pero el claro lunar bañaba claramente a H'ani.

Su piel ambarina parecía relumbrar bajo la luz suave. La cara, apoyada en su propio hombro, miraba hacia Centaine. Se la notaba triste, desesperanzada, como en un anticipo de la terrible pena que sufriría al despertar; el collar de guijarros relucía opacamente sobre su pecho huesudo.

—Adiós, anciana abuela —susurró Centaine—. Gracias por tanta bondad. Siempre te amaré. Perdónanos, pequeña H'ani, pero tenemos que irnos.

Centaine tuvo que tomar coraje para doblar el recodo que la separaba del campamento. Al correr hacia el túnel de las abejas, las lágrimas le borraban el claro de luna, con sabor a agua de mar.

Avanzó a tientas por la total oscuridad, entre el cálido olor de miel, hasta salir al estrecho valle. Allí se detuvo a escuchar, temiendo oír pasos de pies descalzos detrás de ella, pero el único ruido era el chillido de algún chacal, allá abajo, en la planicie. Centaine continuó su marcha.

Al llegar a terreno llano, Shasa se quejó, moviéndose sobre su cadera; ella, sin detenerse, acomodó el chal para que tuviera el pecho al alcance. El niño se prendió de él, goloso, mientras ella le susurraba, apretando el paso:

—No temas, bebé, aunque ésta sea la primera vez que estamos solos por la noche. Los jinetes han de haber acampado a poca distancia. Los alcanzaremos antes del amanecer, antes de que H'ani y O'wa hayan despertado. No mires las sombras, Shasa; no imagines cosas…

Siguió hablando con suavidad para afirmar su propio coraje, pues la noche estaba llena de misterios y amenazas. Hasta entonces nunca se había dado cuenta de que dependía tanto de los dos ancianos.

—Ya deberíamos haber hallado el rastro, Shasa. —Centaine se detuvo, insegura, mirando a su alrededor. A la luz de la luna todo parecía distinto. —Seguramente lo pasamos por alto.

Volvió atrás, iniciando un trote ansioso.

—Estoy segura de que estaba al comienzo de esta pradera. —Y de pronto, en un arrebato de alivio: —Allí está. Claro, la luna no estaba antes a nuestro favor.

En ese momento, los cascos se veían bien bordeados de sombra; las herraduras habían mordido profundamente la tierra arenosa. ¡Cuánto le había enseñado O'wa! Veía las huellas con tanta claridad que hubiera podido seguirlas a la carrera.

Los jinetes no habían hecho esfuerzo alguno por ocultar su rastro y no había viento que lo borrara. En cierta oportunidad, uno de ellos había desmontado para llevar a su caballo por la brida durante un trecho.

La regocijó ver que ese hombre llevaba botas, botas de montar con tacones de altura media y suelas bien gastadas. A pesar de la poca luz, notó, por la longitud de los pasos y la leve inclinación de la punta hacia afuera, que era alto, de pies estrechos y largos; caminaba con facilidad y confianza. Eso pareció confirmar todas sus esperanzas.

—Espérenos —susurró—. Por favor, señor, espere a que Shasa y yo lo alcancemos.

Iba ganando ventaja rápidamente.

—Debemos buscar la fogata, Shasa. Han de estar acampados a poca distancia de... —Se interrumpió. —¡Epa! ¿Qué fue eso, Shasa? ¿Lo viste?

Clavó la vista en el bosque.

—Estoy segura de haber visto algo. —Miró en derredor. —Pero ya no está. —Cambió a Shasa al otro lado de la cadera. —¡Qué pesado te estás poniendo! Pero no importa. Ya falta poco.

Siguió la marcha, y los árboles fueron raleando. Por fin Centaine se encontró ante otra pradera abierta. La luna daba un claro lustre metálico al pasto corto.

Inspeccionó ansiosamente el terreno abierto, centrando su atención en cada irregularidad oscura, con la esperanza de ver caballos atados cerca de alguna fogata y siluetas humanas envueltas en sus frazadas, pero sólo se veían tocones de árboles u hormigueros. Al otro lado de la pradera pastaba un pequeño rebaño de ñus.

—No te preocupes, Shasa —dijo, en voz alta, para disimular su intensa desilusión—. Tienen que haber acampado entre los árboles.

Los ñus levantaron la cabeza y se lanzaron en una estampida resoplante. El polvo fino quedó suspendido tras ellos como niebla.

—¿Qué los asustó, Shasa? Tenemos el viento de frente; no pueden habernos olfateado. —Se perdió el ruido del rebaño lanzado en carrera. —¡Algo los persiguió!

Miró en derredor, con cautela.

—Estoy imaginando cosas. Estoy viendo cosas que no existen. No podemos dejarnos asustar por las sombras.

Centaine siguió avanzando con firmeza, pero a poca distancia de allí volvió a detenerse, asustada.

—¿Oíste eso, Shasa? Algo nos sigue. Oigo los pasos, pero ahora se ha detenido. Siento que nos observa.

En ese momento, una nube pequeña cruzó por delante de la luna; el mundo quedó a oscuras.

—Pronto asomará la luna otra vez. —Centaine estrechó al

niño con tanta fuerza que le hizo dar un balido de protesta.
—Disculpa, bebé.

Aflojó el abrazo y, al reanudar la marcha, dio un tropezón.

—Lamento haber venido... No, eso no es cierto. Teníamos que hacerlo. Hay que ser valientes, Shasa. No podemos seguir el rastro mientras no salga la luna.

Se sentó a descansar, con la vista fija en el cielo. La luna era un nimbo pálido a través de la leve nube gris; de pronto se abrió un agujero en la capa nubosa y, por un momento, la luz inundó la pradera de suave platino.

—¡Shasa!

La voz de Centaine se elevó en un grito agudo.

Había algo allí fuera: una forma clara, enorme, grande como un caballo, pero con un porte siniestro, subrepticio, nada equino. Ante su grito se perdió de vista tras el pasto.

Centaine se levantó de un salto y corrió hacia los árboles, pero antes de que los alcanzara la luna volvió a desaparecer. En la oscuridad, la muchacha cayó cuan larga era. Shasa chilló contra su pecho, asustado.

—Por favor, calla, bebé. —Centaine lo abrazó, pero el niño, sintiendo su terror, siguió gritando. —No, Shasa. Harás que nos siga.

Centaine temblaba sin remedio. Esa cosa enorme, en la oscuridad, era como una amenaza ultraterrena; tenía un aura maligna casi palpable, y ella sabía qué era. Lo había visto otras veces.

Se apretó contra el suelo, tratando de cubrir al niño con su propio cuerpo. Un huracán de sonido colmó la noche, llenándole la cabeza, llenándole hasta el alma misma. Ella lo había oído antes, pero nunca tan cerca.

—Oh, madre de Dios —susurró.

Era el rugido pleno de un león. El sonido más aterrorizante de los páramos africanos.

En ese momento la luna volvió a despejarse, permitiéndole ver al león con claridad. Estaba frente a ella, a cincuenta pasos de distancia. Era inmenso; su melena, totalmente extendida, parecía una rojiza cola de pavo real; su cola volaba de un lado a otro, como un metrónomo. En eso alargó el cuello y abrió las fauces, mostrando los colmillos de marfil, que centellearon como dagas... y volvió a rugir.

Toda la ferocidad de África parecía haber sido destilada en esa descarga horrible, que le detuvo el corazón, apretándole los pulmones. Sintió que los intestinos y la vejiga se le aflojaban a tal punto que le costó contenerse. Shasa, en sus brazos, se retorcía, gritando. Bastó eso para sacar a Centaine de su paroxismo de terror.

El león era un macho viejo, expulsado por la manada. Tenía los dientes y las garras gastados, la piel llena de cicatrices y el lomo casi pelado. En la batalla sucesoria con el macho joven que lo expulsara había perdido un ojo.

Estaba enfermo y muerto de hambre; las costillas parecían asomar bajo el pelaje ralo. Tres días antes, impulsado por el hambre, había atacado a un puercoespín, cuyas púas venenosas le dejaran profundos pinchazos en el cuello y las mejillas; esas lastimaduras ya estaban supurando, infectadas. Era viejo, débil, inseguro; tenía la confianza hecha trizas; desconfiaba del hombre y del olor humano. En otros tiempos, hambriento como estaba, hubiera atacado velozmente y en silencio; pero en ese momento se demoraba, acechando, entre rugidos nerviosos e indecisos.

Centaine se levantó de un salto. Fue un movimiento instintivo. Había visto al viejo gato de su casa con los ratones y el modo en que reaccionaba por reflejo cuando su víctima intentaba la huida. De algún modo, sabía que si echaba a correr atraería inmediatamente al felino.

Lanzó un grito y corrió directamente hacia el león, apuntándole con el palo afilado. El animal giró en redondo y partió al galope; cincuenta pasos más allá se detuvo a mirarla, sacudiendo la cola de lado a lado, entre gruñidos de frustración.

Centaine retrocedió, sin dejar de mirarlo, con Shasa bajo un brazo y el palo en la otra mano. Echó un vistazo por sobre su hombro: el mopani más próximo estaba aislado del resto del bosque. Era recto y resistente; la primera horqueta estaba a buena distancia del suelo, pero parecía estar en el otro extremo de la tierra.

—No debemos correr, Shasa —susurró. Le temblaba la voz. —Despacio, muy despacio.

El sudor le corría hasta los ojos, aunque se estremecía de miedo.

El león describió un círculo hacia el bosque, con la cabeza baja y las orejas erguidas. Su único ojo tenía el brillo de una navaja.

—Debemos llegar al árbol, Shasa.

El bebé chilló, pateándole la cadera. El león se detuvo, olfateando.

—Oh, por Dios, qué grande es.

Su pie se enganchó en algo. Estuvo a punto de caer, y el animal se precipitó hacia adelante, con terribles rugidos. Centaine dio otro grito y agitó el palo.

El león se detuvo, pero en esa oportunidad no retrocedió. La miraba de frente, bajando amenazadora la gran cabeza. Cuando la muchacha volvió a retroceder, él la siguió.

—El árbol, Shasa. ¡Tenemos que llegar al árbol!

La fiera describió otro círculo, mientras ella levantaba la mirada. Otra nube se acercaba desde el norte.

—¡Por favor, no cubras la luna! —susurró, con voz quebrada.

Comprendía que la vida de ambos dependía de esa luz suave, incierta. Instintivamente sabía que el gran felino cobraría audacia en la oscuridad. Aun en esos momentos, los círculos eran cada vez más cerrados. Se estaba acercando, todavía cauteloso, pero sin dejar de observarla. Faltaban sólo segundos para el ataque final.

Algo la golpeó por detrás. Ella soltó un chillido y estuvo a punto de caer, antes de notar que había chocado con el tronco del mopani. Se aferró a él, pues las piernas ya no la sostenían, y descolgó la mochila de su hombro.

Temblaba tanto que estuvo a punto de dejarla caer, pero sacó los huevos de avestruz, uno a uno, y puso a Shasa en la bolsa, con los pies hacia abajo, de modo tal que sólo asomara su cabeza. El niño, con la cara enrojecida, gritaba de furia.

—Calla, por favor, calla…

Volvió a tomar su palo y se lo metió en el cinturón de soga, como si fuera una espada. De un solo salto alcanzó la primera rama y trepó, descalza, buscando apoyo en la corteza dura. Nunca se hubiera creído capaz, pero la desesperación le prestó reservas insospechadas: logró izarse con su carga, a fuerza de brazos y piernas, y se arrastró por la rama.

Aun así estaba sólo a metro y medio del suelo. El león, con un gruñido horrible, corrió un trecho. Centaine, de pie en la rama, buscó otro sitio, y otro. La corteza era áspera y abrasiva como piel de cocodrilo. Cuando alcanzó los nueve metros de altura, sus dedos y pantorrillas estaban sangrando.

El león, al olfatear la sangre de sus despellejaduras, llegó a un frenesí de hambre. Después de oler los huevos de avestruz, llenos de agua, que la muchacha había dejado al pie del mopani, volvió a rugir.

—Estamos a salvo, Shasa.

Centaine sollozaba de alivio, acurrucada en la horqueta, con el niño en el regazo, sin dejar de vigilar a la vieja bestia por entre el follaje. Notó que ya se veía con más claridad; la luz del amanecer estaba ruborizando el cielo.

—Pronto será de día, Shasa. Entonces la bestia se irá.

Allá abajo, el león se alzó de manos contra el tronco, mirándola, y desgarró con las uñas la corteza del árbol, rompiendo otra vez en esos terribles aullidos. Las heridas manaron savia.

—¡Vete! —le gritó Centaine.

El león se bajó sobre los cuartos traseros para lanzarse hacia arriba y logró clavar las cuatro patas.

—¡No! ¡Vete!

Michael le había dicho que los leones no trepaban a los árboles; lo mismo había leído en los libros de Levaillant. Pero aquel felino enorme escaló el tronco y quedó en equilibrio sobre la rama principal, a tres metros del suelo, mirándola.

—¡Shasa! —En ese momento comprendió que el león iba a alcanzarla. Con trepar no había hecho sino demorar el momento. —Tenemos que salvarte, Shasa.

Se estiró hacia arriba, de pie en la horqueta, aferrada a la rama lateral.

—¡Allí!

Por encima de su cabeza había una rama quebrada que asomaba como un perchero. Empleando el resto de sus fuerzas, levantó la bolsa de cuero crudo en donde había puesto al niño y enganchó la correa en el muñón.

—Adiós, querido mío —jadeó—. Tal vez H'ani te encuentre.

Shasa pateaba y se debatía. La bolsa se balanceó en lo alto, mientras Centaine se dejaba caer otra vez en la horqueta para sacar el palo afilado.

—Quédate quieto, bebé. Por favor, quédate quieto.

No levantó la mirada. Estaba observando al león.

El león se estiró hacia arriba, en equilibrio sobre la rama, y volvió a rugir. Centaine olió entonces sus heridas supurantes y el hedor de carroña de su aliento. La bestia saltó hacia arriba.

Sus garras rompieron la corteza, pero se engancharon en ella. Así pudo subir, en una serie de saltos convulsivos. Su único ojo seguía fijo en Centaine. Iba en línea recta hacia ella.

La muchacha lanzó un alarido y le clavó el palo en las fauces, con todas sus fuerzas. Sintió que la punta afilada se hundía en la membrana mucosa, al fondo de la garganta, y vio un chorro de sangre escarlata. De inmediato, el león cerró las mandíbulas contra el palo y, con un solo movimiento de cabeza, se lo arrancó de las manos para arrojarlo al suelo.

Luego, con la sangre brotándole en abundancia entre los dientes, lanzando una nube rosada con cada rugido, estiró una pata enorme.

Centaine levantó las piernas como impulsada por un resorte, tratando de evitarla, pero no fue lo bastante rápida. Una de las uñas curvas, larga y gruesa como el dedo de un hombre, se le clavó sobre el tobillo, tirando de ella salvajemente.

Al verse arrancada de la horqueta, rodeó con ambos brazos la rama lateral y se aferró de ella, con todas sus fuerzas. Sentía que el peso insoportable de la bestia le estiraba la pierna, hasta que le crujieron las articulaciones de la rodilla y la cadera. El dolor trepó por su columna, llenándole el cráneo como un cohete al estallar. Sus brazos comenzaban a aflojarse. Centímetro a centímetro, iba descendiendo.

—Cuida de mi bebé —aulló—. Por favor, Dios mío, protege a mi bebé.

Era otra salida a tontas y a locas. Garry estaba completamente convencido de ello, aunque no iba a cometer la tontería de decirlo en voz alta. Hasta el pensarlo le despertaba remordimientos. Miró de reojo a la mujer que amaba.

Anna había aprendido inglés y perdido un poco de peso en los dieciocho meses, breves y dulces meses, transcurridos desde que él la conoció. Esto último era lo único que él hubiera querido alterar. En realidad, vivía instándola a comer. Todos los días le llevaba tortas y golosinas a las habitaciones del hotel de Windhoek donde se habían establecido de modo permanente. Aun así, ella perdía peso.

Claro, pasaban poco tiempo en el hotel, se dijo él, entristecido. Pasaban demasiado tiempo andando por los matorrales, como en esos momentos. En cuanto él lograba hacerle recuperar un par de kilos, ya partían otra vez, a sacudirse por remotos caminos en el primer Fiat abierto con el que reemplazaron al Ford T. Cuando las rutas desaparecían, recurrían a caballos y mulas para seguir los rumores y, con frecuencia, informaciones deliberadamente erróneas.

"Los viejos locos", tal el título que se ganaron en buena ley de un extremo a otro del territorio. Garry se horrorizaba al calcular los costos de esa búsqueda incesante, pero de inmediato pensaba: "¿Y en qué otra cosa podría gastar el dinero, salvo en Anna?" Por lo tanto, se arrojaba de cabeza en la locura.

Claro: a veces, al despertar en la noche, pensaba las cosas con sensatez. Entonces sabía que su nieto no existía, que su nuera se había ahogado dieciocho meses antes, llevando consigo su último vínculo con Michael. Entonces volvía a sentir un dolor terrible, hasta que buscaba a tientas a Anna y se acurrucaba contra ella. Aun dormida, la mujer parecía percibir su necesidad y le ofrecía refugio.

Por la mañana despertaba fresco y revitalizado, perdida toda lógica, devuelta la fe ciega, listo para partir en la próxima aventura fantástica que tuvieran por delante.

Garry hizo imprimir cinco mil carteles para distribuir por todas las comisarías, tribunales, correos y estaciones ferroviarias del suroeste de África. Dondequiera fueran, siempre llevaban unos cuantos en el asiento trasero y los pegaban en todas las paredes de negocios y bares que encontraran, o en los árboles de rutas desoladas. Con pequeños sobornos de golosinas, los entregaban a los pilluelos negros o blancos, con instrucciones de llevarlos a casa, a los kraals, a los campamentos, y entregarlos a sus mayores.

£5.000 RECOMPENSA £5.000

Por cualquier información que ayude al rescate de CENTAINE DE THIRY COURTNEY, sobreviviente del buque hospital PROTEA CASTLE, bárbaramente torpedeado por un submarino alemán, el 28 de agosto de 1917, ante la costa norte de SWAKOPMUND. LA SEÑORA COURTNEY habría sido lanzada a la costa y podría estar al cuidado de tribus salvajes o sola en los páramos.

Toda información concerniente a su paradero debe ser transmitida a quien suscribe, en el HOTEL KAISERHOF, WINDHOEK.

Tte. Cnel. G. C. COURTNEY

Cinco mil libras era una fortuna: veinte años de salarios para el obrero común; lo bastante como para comprar un rancho, llenarlo de ganado y de ovejas, y vivir sin problemas el resto de la vida. Eran muchos los que deseaban esa recompensa o cualquier suma menor que pudieran arrancar a Garry, mediante vagas promesas, historias fantasiosas y mentiras descaradas.

En las habitaciones del hotel, él y Anna entrevistaron a los esperanzados que nunca habían llegado más allá de donde terminaban las vías ferroviarias, pero estaban dispuestos a guiar expediciones por el desierto; otros habían visto a Centaine, sin lugar a dudas, y sólo necesitaban unas miserables mil libras para ir a buscarla. Había espiritistas y clarividentes que se mantenían en contacto constante con ella, en un plano superior. Hubo hasta un caballero que se ofreció a venderles su propia hija, a precio regalado, para reemplazar a la muchacha perdida.

Garry los recibía a todos alegremente; escuchaba sus relatos, revisaba sus teorías o instrucciones; se sentaba ante la tabla Ouija de los espiritistas. En cierta oportunidad, siguió a uno de ellos, que llevaba un anillo de Centaine suspendido de un cordel, en un peregrinaje de ochocientos kilómetros a través del desierto. Se le presentaron varias jóvenes de diversos tipos y coloración, que aseguraban ser Centaine de Thiry Courtney o estar dispuestas a hacer por él lo mismo que esa muchacha. Algunas se pusieron insultantes al verse rechazadas y Anna tuvo que expulsarlas personalmente del hotel.

"No me extraña que esté perdiendo peso", se dijo Garry. Y se inclinó para tocarle el muslo, sonriendo con cariño, mientras pensaba en el viejo dicho: "Te agradecemos, Dios, lo que tenemos, pero con un poco más nos harías felices".

—Llegaremos pronto.

Ella asintió, respondiendo.

—Esta vez vamos a encontrarla. Lo sé. Tengo la certeza.

—Sí —repuso Garry, como correspondía—. Esta vez será diferente.

Con esa afirmación no corría el peligro de mentir. Ninguna de sus muchas expediciones había comenzado de modo tan misterioso.

Uno de los letreros ofreciendo recompensa les había llegado doblado en dos y sellado con lacre. Tenía matasellos de cuatro días antes y había sido despachado desde Usakos, una estación a medio camino entre Windhoek y la costa. Como el envío no tenía estampilla, Garry se vio obligado a pagar el franqueo. La dirección estaba escrita con letra audaz, pero culta, inconfundiblemente alemana. Al romper el sello, encontró una lacónica cita escrita al pie de la hoja y un mapa dibujado a mano por el que debía guiarse. No tenía firma.

Garry telegrafió inmediatamente al jefe de correos de Usakos, confiando en que, dado el escaso volumen de correspondencia de la zona, el hombre recordara todos los despachos. En verdad, así era. El cartel había sido dejado en el umbral de la oficina durante la noche, sin que nadie viera al remitente.

Todo eso intrigó a Garry y a Anna (probablemente era lo que buscaba el remitente), que se mostraron ansiosos por acudir a la cita. Se les indicaba un punto de la estéril Kamas Hochtland, a doscientos veinte kilómetros de Windhoek.

Tardaron tres días en cubrir aquellos tramos atroces, pero después de perderse diez o doce veces, de cambiar otras tantas gomas, todo ese tiempo durmiendo en el suelo, junto al Fiat, ya estaban casi en el sitio indicado.

El sol calcinaba desde un cielo sin nubes. Anna parecía impermeable al calor, al polvo, a las incomodidades del desierto. Garry, que la miraba con una admiración sin límites, estuvo a punto de pasar por alto una curva cerrada. El coche se balanceó ante el vacío que se abría ante ellos. Su conductor viró y aplicó el freno de mano.

Estaban en el borde de un profundo cañón que cortaba la meseta como un hachazo. El sendero descendía hacia el fondo, en una serie de curvas, como las contorsiones de una serpiente herida. Varios metros más abajo, el río era una cinta estrecha que lanzaba reflejos cegadores.

—Es aquí —dijo Garry—. No me gusta. Allá abajo estaremos a merced de cualquier asesino.

—*Mijnheer*, ya llegamos tarde a la cita…

—No sé si alguna vez podremos salir de allí. Y Dios sabe que nadie va a encontrarnos, como no sea reducidos a huesos.

—Vamos, *Mijnheer.* Más tarde hablaremos.

Él aspiró con fuerza. A veces resultaba muy inconveniente formar pareja con una mujer de voluntad fuerte. Soltó el freno de mano y el Fiat franqueó el borde del cañón. Ya no había modo de retroceder.

El descenso fue una pesadilla; la pendiente era tan a pique que los frenos humeaban.

—Ahora ya sé por qué nuestro amigo eligió este lugar. Nos tiene a su merced.

Cuarenta minutos más tarde llegaron al fondo del cañón. Las paredes eran tan altas que bloqueaban el sol, dejándolos en la sombra. De todos modos, el calor era asfixiante, pues allí abajo no llegaba la brisa.

A cada lado del río había una estrecha banda de tierra nivelada, cubierta de toscos espinillos. Garry sacó el Fiat de la senda y ambos bajaron, tiesos, sacudiéndose el polvo rojo. El agua tenía un color opaco y ponzoñoso, como el amarillo de los desechos químicos.

—Bueno… —Garry inspeccionó ambas riberas y los acantilados. —Parece que estamos solos. Nuestro amigo no se deja ver.

—Esperaremos.

—Por supuesto, *Mevrou.* —Levantó el sombrero para limpiarse la cara con el pañuelo que llevaba al cuello. —¿Puedo sugerir que tomemos una taza de té?

Anna tomó la tetera y bajó hasta el río; después de probar el agua, con suspicacia, llenó el recipiente y subió. Garry ya tenía una fogata de espinillos entre dos piedras planas. Mientras la pava se calentaba, sacó una frazada y la botella de *schnapps*. Virtió una medida generosa en cada uno de los jarritos, agregó una cucharada de azúcar y los llenó de té fuerte. Había descubierto que el *schnapps,* como el chocolate, causaba un efecto suavizante en Anna. Tal vez el viaje no fuera tiempo perdido, pensó, mientras agregaba un juicioso chorrito de licor al jarrito de su compañera, para llevárselo.

Antes de llegar a la frazada en donde ella se había sentado, Garry soltó un grito asustado y dejó caer el jarrito, salpicándose las botas con té hirviendo. Sin apartar la vista de las malezas que crecían detrás de Anna, levantó las manos. Anna echó una sola mirada por sobre el hombro.

De inmediato estaba de pie, blandiendo ante sí un leño encendido. Garry se apresuró a ponerse junto a su mole protectora.

—¡No se acerquen! —aulló la mujer—. ¡Al primero que se acerque le rompo la cabeza!

Estaban rodeados. La banda se les había acercado por la maleza.

—¡Oh, Dios, yo sabía que era una trampa! —murmuró el coronel. Sin duda alguna, eran los asesinos más feroces que jamás viera.

—No tenemos dinero, y nada que valga la pena robar...

Cuántos habría, se preguntó, desesperado. Tres... no, había otro detrás del árbol: cuatro rufianes asesinos. El jefe, obviamente, era un gigante negro, con el pecho cruzado de cartucheras y un máuser en el hueco del brazo. Una barba lanuda le enmarcaba el rostro, como la melena de un león comehombres.

Los otros estaban bien armados. Llevaban piezas sueltas de uniformes militares y ropas civiles, todas muy gastadas y raídas; algunos iban descalzos; otros, con botas ya deformadas y arruinadas por las duras marchas. Sólo las armas mostraban el efecto de un buen cuidado; las llevaban con amor, casi como un padre a su primogénito.

Garry pensó fugazmente en el revólver que llevaba bajo el tablero del Fiat, pero abandonó inmediatamente idea tan descabellada.

—No nos hagan daño —rogó, poniéndose detrás de Anna.

De pronto, con una sensación de total incredulidad, se vio abandonado por ella: la mujer se había lanzado al ataque, blandiendo el leño como un hacha de vikingo, y atacaba directamente al enorme jefe:

—¡Atrás, grandísimo cerdo! —rugió, en flamenco—. ¡Fuera de aquí, hijo de una reverenda puta, nacida en el Hades!

La banda, tomada por sorpresa, se diseminó en un pandemonio, tratando de esquivar el leño humeante que siseaba por encima.

—¡Cómo te atreves, bastardo hediondo, parido por una puta roñosa...!

Garry, aún temblando de pánico, la miraba fijamente, en una mezcla de horror y admiración por esa nueva demostración de su amante. En su vida había oído grandes maldiciones; existía cierto legendario sargento, durante la rebelión de los zulúes, cuyas admoniciones a los soldados hacían que los hombres viajaran muchas millas para escucharlo. Pero ese hombre era un maestro de escuela dominical, comparado con Anna. Se habría podido cobrar entrada para escucharla. Su elocuencia sólo podía compararse con su destreza para manejar el leño.

En cuestión de segundos sólo quedaba el gigantesco ovambo para soportar el ataque de la mujer. Era ágil y rápido, lo que le permitió esquivar el leño hasta refugiarse tras el espinillo más cercano.

—¡Sal si eres hombre, panza amarilla, cara negra, remedo de mono con bolas azules! —Garry tomó nota de lo colorido de la metáfora. —¡Sal para que te mate!

El ovambo rechazó la invitación, cauteloso.

—No, no. No he venido a pelear con ustedes, sino a buscarlos —respondió, en afrikaans.

Ella bajó lentamente el leño.

—¿Tú escribiste la carta?

El ovambo sacudió la cabeza.

—Vengo a llevarlos hasta el que la escribió.

Dos hombres quedaron custodiando el Fiat, en tanto él conducía a los blancos por el cañón. Había tramos tan empinados y estrechos que sólo se podía pasar en fila india. Esos lugares estaban custodiados por otros guerrilleros, de los que sólo se veía la coronilla y el centelleo de los fusiles. El sitio para la reunión había sido elegido con astucia, pues nadie podía seguirlos sin ser visto. Ni un ejército podría rescatarlos.

—Podemos considerarnos muy afortunados si salimos de esto —murmuró para sí. Y en voz alta: —Me duele la pierna, ¿no podemos descansar?

Pero nadie lo miró siquiera, y tuvo que apretar el paso para mantenerse cerca de Anna.

Inesperadamente, el guía viró en un recodo de piedra y se encontraron en un campamento, bajo un barranco saliente sobre el río. A pesar de su cansancio, Garry divisó un sendero empinado que podría servir para escapar ante un ataque por sorpresa.

Tocó el brazo a Anna, señalando el camino, pero ella no prestaba atención sino al hombre que había salido de la densa sombra de una caverna.

Aunque Garry lo doblaba en edad, en los primeros segundos se sintió torpe y tonto. El joven no dijo una palabra; se limitó a ponerse bajo el sol, mirando a Garry con inmovilidad de gato en el cuerpo alto, elegante. El coronel recordó entonces todo lo que no era.

Ese hombre tenía el pelo dorado; le colgaba hasta los hombros desnudos, blanqueado por el sol, ofreciendo un asombroso contraste con sus facciones bien bronceadas. En otros tiempos debía de haber sido hermoso como una muchacha agraciada, pero las llamaradas de la vida habían quemado en él toda suavidad, dejándole, como en el hierro forjado, las marcas del yunque.

Era alto, pero no desgarbado; tampoco inclinaba los hombros. Mostraba una delgadez de músculos fuertes. Llevaba sólo pantalones de montar y botas. Del cuello le colgaba una cadena de oro con un pequeño medallón, cosa que ningún caballero inglés usaría jamás. Garry trató de sentir superioridad, pero aquella mirada inexpresiva se lo hacía difícil.

—El coronel Courtney —dijo.

Una vez más, Garry se vio tomado por sorpresa. La voz, a pesar del fuerte acento, era la de un hombre educado y culto. La sonrisa le hacía perder algo de dureza.

—No se alarme, por favor. Usted es el coronel Courtney, ¿no?

—Sí. —A Garry le costó hablar. —Soy el coronel Courtney. ¿Usted escribió esta nota?

Sacó el letrero del bolsillo y trató de desplegarlo, pero le temblaban tanto las manos que acabó por romperlo. La sonrisa del hombre fue una suave burla.

—Sí, yo lo mandé llamar.

—¿Sabe dónde hallar a la muchacha perdida? —preguntó Anna, acercándose, ansiosa.

—Tal vez —respondió él, con un encogimiento de hombros.

—¿La ha visto? —insistió la mujer.

—Comencemos por el principio.

—Quiere dinero. —La voz de Garry sonó innecesariamente alta. —Bueno, no he traído un solo soberano, puede estar seguro. Si su intención es robarnos, no tenemos aquí nada de valor.

—Ah, coronel —exclamó el hombre dorado, sonriendo. Su encanto era tan inesperado en su exuberancia juvenil que sintió cómo se derretía el antagonismo de Anna. —Me dice la nariz que eso no es cierto. —Olfateó teatralmente. —No lo dudo: ¡habanos! Le advierto, coronel, que sería capaz de matar por un habano.

Garry se apresuró a retroceder, involuntariamente. Luego, comprendiendo que se trataba de una broma, esbozó una sonrisa débil y sacó la cigarrera del bolsillo.

—¡Un Romeo y Julieta! —murmuró el hombre dorado, con reverencia—. Una vaharada del paraíso. —Encendió un fósforo en la suela de la bota y, después de cortar la punta con un mordisco, aplicó la llama y cerró los ojos con éxtasis. Luego dedicó a Anna una leve reverencia. —Le ruego me disculpe, señora, pero hace más de dos años que no pruebo un buen cigarro.

—Está bien —intervino el coronel, cobrando coraje—, usted sabe mi nombre y está fumando mi cigarro. Lo menos que puede hacer es presentarse.

—Perdonen. —El hombre se irguió, entrechocando los tacos a la manera teutónica. —Soy Lothar De La Rey, para servirlos.

—Oh, Dios mío... —El flamante coraje de Garry se evaporó. —Sé quién es usted. Han puesto precio a su cabeza. Cuando lo atrapen lo ahorcarán. Es un criminal buscado, señor.

—Mi querido coronel, prefiero considerarme soldado y patriota.

—Los soldados no siguen batallando y destruyendo propiedades después de una rendición formal. El coronel Franke se rindió hace casi cuatro años.

—Yo no reconocí el derecho del coronel a rendirse —aclaró Lothar, despectivamente—. Yo era soldado del Káiser y de la Alemania imperial.

—La misma Alemania se rindió, hace tres meses.

—En efecto, y desde entonces no he perpetrado ningún acto de guerra.

—Pero todavía está en armas y...

—No puedo entregarme por lo mismo que usted ha expresado tan sucintamente: si lo hago, los suyos van a ahorcarme.

Como si el escrutinio de Garry lo hubiera hecho cobrar súbita conciencia de su torso desnudo, Lothar alargó la mano hacia su chaquetilla, que pendía de un espinillo, recién lavada. Mientras se la ponía, los botones de bronce centellearon. Garry entornó los ojos.

—Maldición, señor, su insolencia es insoportable. Esa chaqueta es del ejército británico. Está usando un uniforme nuestro. Eso, por sí, bastaría para fusilarlo de inmediato.

—¿Preferiría que anduviera desnudo, coronel? Aun a sus ojos ha de ser obvio que estamos pasando por estrecheces. No me causa ningún placer usar esta chaqueta británica. Por desgracia, no puedo elegir.

—Insulta el uniforme con el que murió mi hijo.

—La muerte de su hijo no me causa ningún placer, como tampoco me lo causan estos harapos.

—Por Dios, hombre, cómo tiene el descaro...

Garry estaba tomando aliento para lanzar una andanada devastadora, pero Anna lo interrumpió, llena de impaciencia:

—*Mijnheer* De La Rey, ¿ha visto a mi niñita?

Garry tuvo que rendirse, pues Lothar se volvió hacia ella.

Sus facciones tomaron una expresión extrañamente compasiva.

—Vi a una muchacha, sí. Vi a una joven en la espesura, pero no sé si era la que ustedes buscan.

—¿Podría guiarnos hasta ella? —preguntó Garry.

Lothar volvió a endurecer el rostro.

—Trataría de hallarla, dadas ciertas condiciones.

—Dinero —repitió el coronel, secamente.

—¿Por qué será que a los ricos les obsesiona el dinero? —Lothar dio una pitada al cigarro, dejando que el humo fragante se le deslizara por la lengua. —Sí, coronel, necesito dinero —asintió—. Pero no cinco mil libras. Necesitaría mil para equipar una expedición con la que ir al desierto en donde la vi. Necesitaríamos buenos caballos, porque los nuestros están casi arruinados, y carretas en las que llevar agua. Y también debería pagar a mis hombres. Con mil libras cubriría esos gastos.

—¿Qué más? —preguntó Garry—. Seguramente hay otro precio.

—Sí, lo hay. Estoy harto de vivir a la sombra del patíbulo.

—¡Quiere que le perdonen sus crímenes! —exclamó Garry, incrédulo—. ¿Y por qué piensa que eso está a mi alcance?

—Usted es un hombre poderoso, coronel, amigo personal tanto de Smuts como de Botha. Su hermano es general y ministro del gobierno...

—No pienso alterar el curso de la justicia.

—Yo luché en una guerra honorable, coronel. Luché hasta el fin, como sus amigos Smuts y Botha en otros tiempos. No soy ni criminal ni asesino. Perdí a mi padre, a mi madre, a mi esposa y a mi hijo. Pagué la derrota a buen precio. Ahora quiero el derecho de vivir como un hombre común. Y usted quiere a esa muchacha.

—No puedo aceptar eso. Usted es un enemigo —balbuceó Garry.

—Encuentre a la muchacha —intervino Anna, suavemente— y será libre. El coronel Courtney se encargará de eso. Le doy mi palabra.

Lothar le echó una mirada. Luego se volvió hacia Garry y sonrió otra vez, adivinando quién tenía allí autoridad.

—Y bien, coronel, ¿hacemos trato?

—¿Cómo sé quién es esa muchacha? ¿Cómo sé si es mi nuera? ¿Se aviene a un examen?

Lothar se encogió de hombros.

—Como guste.

Garry se volvió hacia Anna.

—Muéstraselas y deja que elija —indicó.

Ambos habían ideado esa prueba para descartar a los mentirosos atraídos por la recompensa. La mujer abrió la voluminosa bolsa que llevaba al hombro y sacó un grueso sobre de papel madera. Contenía varias fotografías de tamaño postal, que entregó a Lothar. Él las revisó prontamente; todas representaban a muchachas jóvenes y habían sido tomadas en estudios.

—No —dijo, devolviéndolas a Anna—. Lamento haberlos hecho viajar tanto por nada. La muchacha que yo vi no es ninguna de éstas. —Miró al ovambo por sobre el hombro. —Bueno, Hendrick, llévalos otra vez al coche.

—Espere, *Mijnheer*. —Anna dejó caer el montón de fotos en la bolsa y sacó un sobre más pequeño. —Hay más.

—Son cautelosos —observó el joven, comprendiendo.

—Muchos han tratado de engañarnos. Cinco mil libras es mucho dinero —dijo Garry.

Pero Lothar no apartó la vista de las fotografías. Descartó dos antes de detenerse en la tercera.

—Es ésta.

Centaine de Thiry, con su vestido blanco de confirmación, le sonreía tímidamente.

—Ahora es más grande, y su pelo... —Lothar lo describió con un ademán, indicando una melena espesa y revuelta. —Pero esos ojos... Sí, es ella.

Ni Garry ni Anna podían hablar. Llevaban un año y medio persiguiendo ese momento. Acababa de llegar y ellos no podían creerlo.

—Necesito sentarme —murmuró la mujer, de pronto.

Garry la ayudó a acomodarse en un tronco, junto a la entrada de la cueva. Mientras tanto, Lothar sacó el medallón por la pechera de la camisa y abrió la tapa. De él sacó un mechón de pelo oscuro que ofreció a Anna.

Ella lo aceptó casi con miedo. Luego, con un gesto ferozmente protector, se lo llevó a los labios, cerrando los ojos. Por las comisuras de los párpados apretados se filtraron dos gruesas lágrimas, que le corrieron por las mejillas rojas.

—Es sólo un poco de pelo. Podría ser de cualquiera. ¿Cómo sabes...? —preguntó Garry, incómodo.

—Oh, pedazo de tonto —susurró Anna, ásperamente—. Más de mil noches cepillé esa cabellera. ¿Te parece que soy capaz de no reconocerlo a primera vista, dondequiera lo vea?

—¿Cuánto tiempo necesitará? —volvió a preguntar Garry.

Lothar frunció el entrecejo, irritado.

—En el nombre de Dios, ¿cuántas veces debo decirle que no lo sé?

Los tres se habían sentado en derredor del fuego, a la entrada de la cueva. Llevaban horas hablando; las estrellas ya asomaban por la estrecha franja de cielo enmarcada por el cañón.

—Ya les he explicado dónde vi a la muchacha y en qué circunstancias. ¿No me comprendieron? ¿Tengo que explicarlo todo otra vez?

Anna levantó una mano para tranquilizarlo.

—Estamos desesperados y hacemos preguntas estúpidas. Perdone.

—Muy bien. —Lothar volvió a encender el extremo del cigarro con una ramita sacada del fuego. —La muchacha era cautiva de San salvajes; son astutos y crueles como animales. Ellos sabían que yo los iba siguiendo y me desorientaron con facilidad. Podrían hacerlo otra vez, si volviera a encontrarles el rastro. La zona por donde debo buscar es enorme, casi del tamaño de Bélgica. Hace más de un año que vi a la muchacha; podría haber muerto de enfermedad, por obra de animales salvajes o a manos de esos monitos asesinos.

—No lo sugiera, *Mijnheer* —rogó Anna.

Lothar levantó las manos.

—No sé —dijo—. ¿Varios meses, un año? ¿Qué puedo decirles?

—Nosotros deberíamos ir con usted —murmuró Garry—. Debería permitirnos que tomáramos parte en la búsqueda. Al menos, díganos en qué zona la vio.

—Usted no confiaba en mí, coronel. Muy bien, ahora soy

yo el que no confía. En cuanto tenga a la muchacha en sus manos, yo dejo de serle útil. —El joven se quitó la colilla de la boca para examinarla tristemente. Ya no quedaba una sola pitada; con melancolía, la arrojó al fuego. —No, coronel: cuando halle a la muchacha haremos formalmente el trueque: la amnistía para mí y su nuera para usted.

—Aceptamos, *Mijnheer*. —Anna tocó suavemente a Garry en el codo. —Le entregaremos mil libras lo antes posible. Cuando tenga a Centaine a salvo, nos enviará el nombre del caballo blanco de la muchacha. Sólo ella puede revelárselo; de ese modo estaremos seguros de que no nos está engañando. Lo esperaremos con la amnistía lista y firmada.

Lothar alargó una mano por sobre la fogata.

—¿De acuerdo, coronel?

Garry vaciló un momento, pero Anna lo codeó con tanta energía que estiró la mano, gruñendo.

—De acuerdo.

—Un último favor, *Mijnheer* De La Rey: prepararé un paquete para Centaine con lo que ella necesite: ropa buena y cosas de mujeres. Se lo entregaré junto con el dinero. ¿Quiere dárselo cuando la halle? —concluyó Anna.

—Si la hallo —corrigió Lothar, asintiendo.

—Cuando la halle —reafirmó Anna, sin vacilar.

Lothar necesitó casi cinco semanas para efectuar sus preparativos y regresar a aquel remoto abrevadero, al sur del río Cunene, donde había visto el rastro de su presa.

Todavía quedaba agua en la hoya. Era sorprendente que esas depresiones sin sombra y de poca profundidad retuvieran el agua en esas condiciones desérticas, y Lothar se preguntó, como antes, si no habría alguna filtración subterránea desde los ríos del norte. De todos modos, el hecho de que aún quedara agua en la superficie le daba buenas oportunidades de poder adentrarse hacia el este.

Mientras sus hombres llenaban los toneles de agua, Lothar comenzó a pasear por la periferia. Allí, increíblemente, encontró la huella de la muchacha, aún conservada en la arcilla, tal como la había visto la vez anterior.

Se arrodilló junto a la marca, para seguir con los dedos el contorno de aquel pie pequeño, gracioso. El sol había secado el molde hasta darle la dureza de un ladrillo. En derredor, el barro estaba pisoteado por los búfalos, los rinocerontes y los elefantes, pero esa única huella permanecía intacta.

—Es un presagio —se dijo. Y soltó una risita cínica. —Nunca he creído en presagios: ¿por qué comenzar ahora?

Pero se sentía alegre y optimista cuando reunió a sus hombres, junto a la fogata del anochecer.

Aparte de sus sirvientes y los carreros, contaba con cuatro rifleros montados que lo ayudarían en la búsqueda. Los cuatro estaban con él desde los tiempos de la rebelión. Habían luchado y sangrado a la par, compartiendo alguna botella robada, una frazada en las gélidas noches del desierto o las últimas hebras de tabaco. Él los amaba un poco, aunque no confiaba en ellos.

Allí estaba "Swart Hendrick", el Negro Enrique, el ovambo alto cuya negrura tenía un tono purpúreo; "Klein Boy", Muchachito, su hijo bastardo; "Vark Jan", Cerdo John, un khoisa arrugado y amarillo, por cuyas venas corrían sangres mezcladas, pues su abuela había sido una bosquimana esclava, capturada de niña. Por fin, Vuil Lippe, el hotentote cuyos labios parecían hígado recién cortado, con el vocabulario que le había dado el nombre de Labios Sucios.

"Mi traílla de caza", pensó Lothar sonriendo con un poco de afecto y un poco de asco. "Como lobos medio domesticados, se volverían contra mí al primer signo de debilidad".

—Muy bien, grandísimos hijos de mala hiena, escúchenme. Buscamos a esos pequeños asesinos amarillos, los San. —Le chispearon los ojos. —Buscamos a la muchacha blanca que ellos llevaban cautiva. Hay cien soberanos de oro para quien encuentre su rastro. La cacería se hará así.

Lothar alisó la arena entre los pies y trazó los planes con una ramita.

—Las carretas seguirán la línea de los abrevaderos, aquí y aquí. Nos abriremos en abanico, por aquí y por aquí. Entre todos podemos cubrir ochenta kilómetros de territorio.

Y así partieron con rumbo Este, como él había planeado. Diez días después descubrieron el rastro de un pequeño grupo de San salvajes. Lothar llamó a sus expedicionarios y todos siguieron las huellas diminutas.

Avanzaban con extrema cautela, estudiando con cuidado el terreno con el telescopio de Lothar y evitando los lugares donde se pudiera tender una emboscada. La idea de que se le clavara una flecha envenenada en la carne hacía estremecer a Lothar, con sólo concebirla. Las balas y las bayonetas eran cosa de su oficio, pero los sucios venenos de esos pigmeos le quitaban el coraje, aumentando su odio.

Lothar descubrió que había ocho San en el grupo: dos hombres adultos y dos mujeres, probablemente las esposas. También había cuatro niños pequeños, dos aún de pecho y dos que apenas caminaban solos.

—Los niños los demorarán —se alegró Vark Jan—. No pueden seguir con ese paso.

—Quiero a uno con vida —les advirtió Lothar—. Tengo que interrogarlo con respecto a la muchacha.

Vark Jan había aprendido, de su abuela esclava, el idioma de los San, lo bastante como para interrogar a un cautivo.

—Atrape a uno —sonrió— y lo haré hablar, téngalo por seguro.

Los San estaban cazando y recogiendo plantas. La banda de Lothar se les acercaba rápidamente. Les faltaba apenas una hora para alcanzarlos cuando los pigmeos, dadas sus percepciones animales, sintieron su presencia.

Lothar individualizó el punto en que se habían dado cuenta, pues allí parecía desaparecer toda huella.

—Están borrando el rastro —gruñó—. Desmonten y busquen.

—Han levantado a los niños. —Vark Jan se agachó para examinar la tierra. —Los niños son demasiado pequeños como para cubrir su propio rastro. Las mujeres los llevan en brazos, pero se cansarán pronto con esa carga.

Aunque el rastro parecía terminar allí, aun para los ojos experimentados de Lothar, había señales que Vark Jan y Swart Hendrick podían seguir. El paso era más lento, pues debieron desmontar para estudiar el suelo desde más cerca, pero a las cuatro horas Swart Hendrick sonrió.

—Las mujeres se están cansando rápidamente. Dejan mejores huellas y se mueven con más lentitud. Los estamos alcanzando.

Mucho más adelante, las mujeres San, cargadas con el peso de los niños, miraron hacia atrás con un suave gemido. Los caballos al otro lado de la llanura parecían aumentados por el espejismo al tamaño de monstruos. Pero ni siquiera la aparición de los perseguidores pudo imprimirles mayor velocidad.

—Debo hacer como la oca —dijo el mayor de los varones San, refiriéndose al modo en que la oca se finge herida para alejar a los perseguidores del nido—. Si logro que me sigan, tal vez los caballos se agoten de sed. Cuando lleguen al abrevadero siguiente, después de beber y llenar los huevos de agua… —Entregó a su esposa un cuerno herméticamente cerrado, sin necesidad de decir las palabras fatídicas; envenenar un pozo de agua era algo tan desesperado que ninguno de ellos quería mencionarlo. —Si pueden matar los caballos, estarán a salvo. Trataré de darles tiempo.

El viejo cazador se acercó a cada uno de los niños y los tocó en los párpados y en los labios, a manera de bendición y despedida, mirándolos con solemnidad. Al acercarse a la mujer que le había dado dos hijos varones, ella soltó un leve gemido. El marido se lo reprochó con una mirada que decía claramente: “No demuestres miedo frente a los pequeños”.

Después, mientras descartaba la ropa y la mochila de cuero, susurró al más joven, su compañero de mil cacerías:

—Sé un padre para mis hijos. —Le entregó la mochila y dio un paso atrás. —¡Ahora vayan!

Mientras su clan se alejaba al trote, el anciano cambió el cordel a su pequeño arco y, cuidadosamente, desató las bandas de cuero que protegían sus puntas de flecha. Su familia desapareció al otro lado de la llanura. Él les volvió la espalda y fue al encuentro de sus perseguidores.

Lothar estaba nervioso por la lentitud de la marcha. Aunque sabía que la presa le llevaba sólo una hora de ventaja, habían perdido el rastro otra vez y estaban detenidos, cuando él ardía por alcanzarlos. Estaban en terreno abierto, en una planicie que se extendía hasta un indeterminado encuentro con el cielo. La llanura mostraba, aquí y allá, manchas oscuras de maleza baja, donde el espejismo creaba danzas y movimientos ante la lente del telescopio. Habría sido imposible distinguir una silueta humana entre ellos a más de un kilómetro y medio.

Los caballos estaban casi agotados; necesitaban agua con urgencia. En muy poco tiempo tendría que cancelar la persecución y volver a la carreta de agua. Volvió a levantar el telescopio, pero un grito salvaje le hizo dar un respingo y mirar en derredor. Swart Hendrick señalaba hacia la izquierda. El hombre del extremo izquierdo, Vuil Lippe, estaba tratando de dominar su montura, que se alzaba de manos.

Lothar había oído decir que los caballos reaccionaban al olor de los bosquimanos salvajes como ante el del león, pero hasta entonces no lo había creído. Vuil Lippe estaba indefenso, sujetando las riendas con ambas manos, el fusil en la vaina de la silla. En ese momento, el caballo lo arrojó por sobre el matorral, dejándolo despatarrado en el polvo.

Casi milagrosamente, otra forma humana pareció surgir de la tierra misma. La carita de duende lampiño asomó a menos de veinte pasos, detrás del jinete desmontado. Por difícil que pareciera, debía haberse ocultado totalmente tras una mata donde ni siquiera una liebre habría encontrado refugio.

Mientras Lothar miraba la escena inerme y horrorizado, el hombrecito estiró su arco y dejó volar la flecha, como una mota de polvo a la luz del sol. De inmediato giró en redondo y se alejó en línea recta.

Los hombres de Lothar gritaban y hacían lo posible por volver a montar, pero los caballos parecían haberse contagiado del mismo terror y caminaban en círculos, alzándose de manos. Lothar fue el primero en montar de un salto, sin tocar los estribos. De inmediato partió al galope en línea recta.

El bosquimano ya estaba desapareciendo entre la maleza baja, alterada por el espejismo, con un trote bamboleante que lo alejaba a una velocidad increíble. El hombre contra quien disparó había dejado a su caballo en libertad y estaba de pie, con las piernas muy abiertas, meneándose ligeramente.

—¿Estás bien? —preguntó Lothar, al pasar.

Y entonces vio la flecha.

Le colgaba hasta el pecho, pero la punta estaba clavada en

la mejilla de Vuil Lippe. Lothar, al ver su expresión aturdida, desmontó de un salto y lo tomó por los hombros.

—Soy hombre muerto —dijo el herido, suavemente, con los brazos caídos a ambos lados.

Lothar tomó la flecha y trató de arrancarla. La piel de la mejilla se levantó en un pico, y el hombre gritó, tambaleándose. Lothar apretó los dientes y tiró otra vez, pero en esa oportunidad se rompió el frágil junco, dejando la punta de hueso clavada en la carne. El herido comenzó a retorcerse.

Su jefe lo agarró del pelo grasiento para examinarle la cara.

—Quédate quieto, maldición.

De la herida salía un trocito de hueso, untado con una goma negra. "Euphorbia latex", se dijo Lothar, que conocía las armas de los San, pues su padre había reunido una importante colección de objetos tribales. Identificó de inmediato el veneno: látex destilado de la euphorbia, planta rara en el desierto. El veneno se iba esparciendo bajo la piel, tiñéndola de color purpúreo liláceo, al ser absorbido por los vasos sanguíneos.

—¿Cuánto tiempo?

Los ojos torturados de Lippe buscaron los de Lothar, pidiendo consuelo.

El látex parecía destilado recientemente; no había perdido nada de su virulencia. Pero Vuil Lippe era grande, fuerte, saludable. Su cuerpo combatiría contra la toxina. Aquello duraría unas cuantas horas horribles, que parecerían una eternidad.

—¿No puedes sacarla cortando? —rogó el herido.

—Se ha metido muy dentro. Te desangrarías.

—¡Quémala!

—Morirías de dolor.

Lothar lo ayudó a sentarse, en el momento en que llegaba Hendrick con el resto del grupo.

—Que dos hombres se queden con él —ordenó el jefe—. Hendrick, tú y yo seguiremos a ese cerdo amarillo.

Azuzaron a los fatigados caballos y, a los veinte minutos, vieron al bosquimano adelante. Parecía disolverse y bailar en los espejismos del calor. Lothar sintió que una rabia oscura hacía presa en él: esa especie de odio que el hombre sólo siente por aquello que, en lo más hondo de su corazón, le inspira miedo.

—¡Ve a la derecha! —ordenó Lothar a su compañero—. Así lo interceptarás si se desvía.

Y picaron espuelas para acercarse velozmente al hombrecito.

—Con esta muerte cobraremos la otra —prometió Lothar, sombrío, mientras sacaba el rollo de frazadas que llevaba en la montura, delante de sí.

La piel de oveja lo defendería de esas frágiles flechas. Se envolvió con ella el torso y se cubrió la boca y la nariz con una punta. Con la ancha ala del sombrero baja sobre la frente, sólo quedaba una ranura para sus ojos.

El bosquimano huía a doscientos metros de distancia, desnudo, con excepción del arco en una mano y el halo de diminutas flechas enhebradas a un cordón de cuero, alrededor de la cabeza. El cuerpo le brillaba de sudor; tenía un color de ámbar reluciente, casi translúcido a la luz del sol. Corría como una gacela; sus pequeños pies apenas rozaban la tierra.

Se oyó el chasquido del máuser y una bala levantó una fuente de polvo claro justo detrás del pigmeo. El bosquimano dio un respingo y de inmediato, de modo increíble, aumentó la celeridad de su huida, alejándose de los dos jinetes lanzados al galope. Lothar echó una mirada a Hendrick; había aflojado las riendas y usaba ambas manos para cargar nuevamente su arma.

—¡No dispares! —chilló Lothar, furioso— . ¡Lo quiero vivo! —Hendrick bajó el máuser.

El bosquimano mantuvo ese último impulso a lo largo de un kilómetro y medio más; después gradualmente, fue aminorando la marcha. Una vez más comenzaban a acercársele.

Lothar vio que las piernas le vacilaban y los pies colgaban de los tobillos, debido al agotamiento. Pero su caballo estaba casi exhausto. Echaba abundante espuma por la boca, que salpicaba las botas del jinete.

Cincuenta metros más allá, el exhausto pigmeo giró en redondo y se enfrentó a él. Su pecho parecía un fuelle y le goteaba el sudor por la barba ahusada. Sus ojos tenían una mirada salvaje, feroz, desafiante, al poner la flecha en el arco.

—¡Ven, pequeño monstruo! —gritó Lothar, para hacer que el bosquimano apuntara contra él y no contra el caballo.

La treta dio resultado: el hombrecito levantó el arco y lanzó la flecha en un solo movimiento. El proyectil voló como un rayo de luz y alcanzó a Lothar a la altura de la garganta, pero la gruesa lana de oveja lo rechazó. La flecha cayó rozando la bota.

El bosquimano estaba tratando desesperadamente de poner otra flecha en el momento en que Lothar se inclinó desde la silla, como un jugador de polo, y levantó el máuser. El caño se estrelló contra la cabeza del pigmeo, por sobre la oreja, arrojándolo al suelo. Lothar sofrenó a su caballo y desmontó de un salto. Pero Hendrick le había ganado de mano y estaba ya levantando furiosamente la culata del máuser, listo para descargarla contra el hombrecito tendido. Lothar lo aferró por un hombro, apartándolo con tanta fuerza que estuvo a punto de hacerlo caer.

—¡Vivo, te dije! —gruñó, en tanto se arrodillaba junto al cuerpo despatarrado.

De la oreja brotaba un hilo de sangre. Lothar sintió una punzada de preocupación, mientras buscaba el pulso en la carótida. En seguida soltó una exclamación de alivio. Recogió el arco diminuto y lo partió en sus manos, arrojando los fragmentos a un lado. Luego, con el cuchillo de caza, cortó el cordón de cuero que rodeaba la frente del pigmeo y rompió las flechas, de a una por vez, manejándolas con sumo cuidado.

En tanto ponía al cautivo boca abajo, gritó a Hendrick que trajera las correas de su mochila. Con ellas ató firmemente al pigmeo, reparando con sorpresa en su perfecto desarrollo muscular y en la gracia de los pies y las manos. Ató los cordones de cuero en las muñecas y en los codos, en los tobillos y las rodillas, apretando tanto los nudos que se clavaron con fuerza en la piel ambarina.

Por fin levantó al salvaje con una sola mano, como si fuera un muñeco, y lo cruzó en la montura. El movimiento revivió al cautivo, que levantó la cabeza, abriendo los ojos. Eran del color de la miel fresca. Lothar retrocedió involuntariamente: tenía la sensación de estar mirando a los ojos de un leopardo atrapado.

—Son animales —dijo.

Hendrick asintió.

—Peor que animales, pues tienen la astucia de los hombres sin ser humanos.

Lothar tomó las riendas y condujo a su exhausta cabalgadura hasta el sitio donde dejaron al herido Vuil Lippe.

Los otros lo habían envuelto en una frazada gris, con una piel de oveja por colchón. Por lo visto, esperaban que Lothar lo atendiera, pero éste no deseaba intervenir en eso. Sabía que Vuil Lippe estaba más allá de toda ayuda que él pudiera brindarle, y postergó el momento con el acto de descargar al bosquimano sobre la tierra arenosa. El cuerpecito se acurrucó defensivamente. Lothar ató a su caballo y se acercó lentamente al círculo reunido alrededor del envenenado.

Vio de inmediato que el veneno estaba actuando con rapidez. Lippe tenía un costado de la cara grotescamente hinchado, entrecruzado de furiosas líneas purpúreas. La hinchazón le cerraba un ojo, cuyo párpado parecía otra uva demasiado madura, reluciente y negra. El otro ojo estaba muy abierto, pero la pupila se había reducido a un punto. No daba señales de conciencia; probablemente había perdido ya la vista. Respiraba con suma dificultad, pues el veneno le estaba paralizando los pulmones.

Lothar le tocó la frente; su piel estaba fría y húmeda como la de un reptil. Sabía que Hendrick y los otros lo estaban observando, pues en muchas ocasiones le habían visto atender una herida de bala, acomodar una pierna fracturada, arrancar un diente podrido y realizar distintas operaciones de cirugía menor. Esperaban que hiciera algo por el moribundo, pero esa expectativa y su propia impotencia enfurecían al jefe.

De pronto Lippe soltó un grito estrangulado y comenzó a temblar como un epiléptico; el único ojo abierto giró, poniéndose en blanco, y el cuerpo se arqueó bajo la frazada.

—Convulsiones —dijo Lothar—, como por una picadura de mamba. Ya no falta mucho.

El moribundo apretó los dientes con fuerza y se mordió la lengua hinchada, reduciéndola a tiras, mientras Lothar trataba, desesperada e inútilmente, de abrirle las mandíbulas. La sangre corrió por la garganta del hotentote, hasta los pulmones semiparalizados, ahogándolo.

El cuerpo se arqueó en otra convulsión rígida. Debajo de la frazada se oyó una explosión borboteante, al vaciarse los intestinos contraídos.

Cuando al fin acabó aquella muerte prolongada y sucia, hasta los hombres más endurecidos se mostraban temblorosos y callados.

Cavaron una tumba de poca profundidad y allí dejaron el cadáver, aún envuelto en la frazada sucia. Lo cubrieron de prisa, como para liberarse de tanto horror.

Uno de ellos encendió una fogata con ramitas y preparó una jarra de café. Lothar sacó la media botella de coñac del país y la pasó de mano en mano. Todos apartaban la vista del bosquimano, que seguía acurrucado en la arena.

Bebieron el café en silencio, sentados en círculo. Por fin, Vark Jan, el hotentote mestizo que hablaba el idioma de los San, arrojó los restos de su café al fuego y se levantó para acercarse al cautivo.

Lo levantó por las muñecas atadas, forzándole los brazos hacia arriba por la espalda. Lo llevó hasta la fogata y recogió un palito encendido con el que le tocó la punta desnuda del pene. El San ahogó un grito y se sacudió salvajemente; en tanto, una ampolla se formaba como por milagro en la piel de sus genitales. Parecía una suave babosa de plata.

Los hombres, sentados en torno del fuego, rieron. Esa risa era el sonido del odio y el terror que les inspiraba la muerte por envenenamiento, del dolor por la pérdida de un compañero, del deseo de venganza y la sádica necesidad de infligir sufrimiento y humillaciones, los peores imaginables.

Lothar se estremeció ante esa carcajada. Las bases inseguras de su humanidad vacilaban, agitadas por las mismas pasiones animales. Con un esfuerzo supremo, las contuvo y se levantó. No podía evitar lo que estaba por ocurrir, tal como no se puede apartar a un león hambriento de la pieza recién cazada. Si lo intentaba, se volverían contra él.

Apartó los ojos de la cara del bosquimano, de esos ojos salvajes, asediados. Sin duda alguna, el hombrecito sabía que le esperaba la muerte, pero ni siquiera él imaginaba cómo sería. Lothar miró, en cambio, las caras de sus propios hombres y se sintió asqueado, sucio. Aquellas facciones parecían distorsionarse, como ante un vidrio de mala calidad, manchadas de lujuria.

Probablemente, el mismo bosquimano recibiría de buen grado el fin, después de haber sido montado por cada uno de aquellos hombres, violado como una mujer.

—Bueno… —Trató de mantener su expresión neutra, pero su voz sonaba áspera de asco. —Ahora vuelvo a las carretas. El San es de ustedes, pero recuerden: debo saber si ha visto u oído hablar de la muchacha blanca. Debe contestar esa pregunta. Es todo.

Se acercó a su caballo y montó. Mientras se alejaba, sin mirar atrás oyó un grito tan cargado de indignación y tormento que se le erizó la piel, pero de inmediato se perdió en el gemido del viento desértico.

Mucho más tarde, mientras yacía tendido bajo el toldo de su carreta, leyendo un viejo ejemplar de Goethe a la luz de una lámpara, sus hombres se acercaron a caballo, riendo. Era la carcajada satisfecha de quienes han bebido y comido a reventar. Swart Hendrick se acercó, tambaleándose como si hubiera tomado vino; el frente de sus pantalones tenía gotas de sangre seca.

—El San no había visto a ninguna mujer blanca, pero oyó decir algo extraño e inexplicable ante el fuego, cuando se encontraron con otros San, en el desierto; se hablaba de una mujer y una criatura, de una tierra extranjera donde el sol nunca luce, que vivían con dos miembros de ese pueblo.

Lothar se incorporó sobre un codo, recordando a los dos pequeños bosquimanos a los que vio con la muchacha.

—¿Dónde? ¿No dijo dónde? —preguntó, ansioso.

—Existe un sitio, muy dentro del Kalahari, que es sagrado a todos los San. Nos dio el rumbo…

—Pero dónde, Hendrick, maldito seas, ¿dónde?

—Un viaje largo, quince días, viajando como ellos.

—¿Qué lugar es ése? ¿Cómo lo reconoceremos?

—Eso no lo dijo —admitió el ovambo—. Sus ganas de seguir vivo no eran tantas como nosotros creíamos. Murió antes de decírnoslo.

—Mañana iremos en esa dirección —ordenó Lothar.

—Hay otros San, los que perdimos hoy. Con caballos frescos podríamos alcanzarlos mañana, antes del oscurecer. Van con mujeres y…

—¡No! —bramó Lothar—. Mañana vamos hacia ese lugar secreto de los páramos.

Cuando la gran montaña árida se elevó abruptamente en la planicie, Lothar creyó, en un principio, que se trataba de algún efecto de la luz.

No sabía de ninguna descripción, en las tradiciones ni en la historia verbal de las tribus desérticas, que mencionara como posible la existencia de semejante lugar. Los únicos hombres blancos que habían viajado por ese territorio (Livingstone y Oswell, rumbo al descubrimiento del lago Ngami; Andersen y Galton en sus expediciones de caza) no hablaban de esa montaña.

Por eso Lothar dudó de lo que veía en la incierta luz crepuscular. El ocaso estaba tan cargado de polvo que acentuaba el efecto de un truco de escenario.

Sin embargo, con la primera luz del nuevo día la silueta seguía allí, oscura y claramente recortada contra un cielo que tomaba un tono de madreperla con la llegada del alba. Según cabalgaba en esa dirección, se iba elevando más y más de la planicie, hasta desprenderse finalmente de la tierra para flotar en el cielo, con su propio espejismo centelleante.

Al detenerse ante los altos barrancos, Lothar ya no pudo dudar de que se trataba del sitio sagrado mencionado por el San moribundo; su convicción quedó confirmada cuando trepó por las cuestas y descubrió las maravillosas pinturas.

—Es aquí, pero el lugar es tan extenso… Si la muchacha está aquí, tal vez jamás la encontremos. Hay demasiadas cuevas, valles y escondrijos. Podríamos buscar eternamente.

Volvió a dividir a sus hombres en grupos y los envió a pie, para explorar y revisar las cuestas más próximas de la montaña. Luego dejó las carretas en un bosquecillo sombreado, a cargo de Swart Hendrick, aquel de quien menos desconfiaba, y partió para circunvalar la montaña, llevando sólo un caballo de remonta.

Tras dos días de viaje, en los cuales tomó notas y dibujó un tosco mapa, con ayuda de su brújula de bolsillo, pudo calcular con alguna certidumbre que esa montaña se extendía, probablemente, por unos cuarenta y cinco kilómetros; su anchura podía ser de seis o siete: era un largo barranco gneísico, con estratos de piedra arenisca.

Rodeó la extremidad oriental de la montaña, deduciendo, por las indicaciones de su brújula, que estaba volviendo, por el lado opuesto a aquel en que dejara las carretas. Cada vez que algún detalle de los acantilados le llamaba la atención, una grieta o un conjunto de cuevas, por ejemplo, detenía los caballos y trepaba para explorar.

En cierta oportunidad descubrió una pequeña vertiente de agua dulce y clara, que brotaba de la base del barranco, goteando hasta un cuenco natural, abierto en la roca. Llenó sus cantimploras y se quitó la ropa para lavarla. Por fin se bañó, aspirando bruscamente ante el deleite del frío, y siguió su camino descansado y fresco.

En otros sitios halló nuevas pinturas San que cubrían la faz rocosa; lo maravilló la precisión del artista, que había ilustrado las formas del eleótrago y del búfalo de modo tal que ni siquiera su ojo de cazador les encontró falla alguna.

Sin embargo, todas eran señales antiguas. No halló ningún rastro de presencia humana reciente.

El bosque y la planicie, debajo de los acantilados, hervían de caza; no tuvo ninguna dificultad en matar a una gacela joven y gorda o a un buen antílope por día, para no carecer de carne fresca. En el tercer crepúsculo mató a una hembra de impala y preparó un *kebab* con las tripas, los riñones y el hígado, ensartándolos en una ramita verde para asarlos sobre brasas.

Pero el olor a carne fresca atrajo a su campamento una indeseable presencia. Tuvo que pasar de pie el resto de la noche, junto a los caballos, con el fusil en la mano, mientras un león hambriento gruñía y se quejaba en la oscuridad, apenas más allá de la luz arrojada por el fuego. Por la mañana, al examinar las huellas, descubrió que era un macho adulto, ya viejo, con un miembro herido que lo hacía renquear pesadamente.

—Bruto peligroso —murmuró, en la esperanza de que se hubiera ido.

Vana esperanza: esa noche los caballos comenzaron a moverse, inquietos, relinchando, en cuanto se puso el sol. El león debía de haberlo seguido a distancia durante el día; envalentonado por la oscuridad, se acercaba para rondar el campamento.

—Otra noche sin dormir —se resignó, mientras amontonaba leña sobre el fuego, dispuesto a montar guardia.

Al ponerse el capote sufrió otra leve irritación: faltaba uno de los botones de bronce y, por la abertura, pasaría el frío de la noche desértica.

Fue una noche larga y desagradable, pero poco después de medianoche el león pareció cansarse de aquella infructuosa vigilia y se alejó. Lothar le oyó emitir una última tirada de gemebundos gruñidos a unos setecientos metros de distancia. Después se hizo el silencio.

Cansado, revisó los frenos de los caballos y volvió al fuego, para envolverse en las frazadas, siempre totalmente vestido y con las botas puestas. A los pocos minutos dormía profundamente y sin soñar.

Despertó con desconcertante brusquedad y se descubrió sentado, con el fusil en las manos. En los oídos le resonaba el atronador rugir de un león furioso.

El fuego se había reducido a cenizas blancas, pero las copas de los árboles se veían negras contra el cielo, ya palidecido por el amanecer. Lothar arrojó a un lado sus frazadas; y se puso de pie. Los caballos estaban tiesos de alarma, con las orejas erguidas hacia adelante y la vista fija en la pradera, cuyos pastos plateados asomaban apenas entre el telón de los mopanis.

El león volvió a rugir. Lothar calculó que estaba a unos setecientos u ochocientos metros, en la dirección en que miraban los caballos. El rugido del león corre tanto en la noche que una persona sin experiencia lo hubiera creído mucho más cerca, sin poder determinar la dirección.

Una vez más, la horrible cacofonía colmó el bosque. Lothar nunca había oído de semejante comportamiento en esas bestias, de tanto enojo y frustración. De pronto sacudió la cabeza, espantado. En la pausa entre un rugido y otro, había oído un sonido inconfundible: un alarido humano de absoluto terror.

Lothar reaccionó sin pensar. Tomó el freno de su caballo favorito y montó en pelo, hundiendo los talones en sus costillas hasta ponerlo al galope, hacia el extremo de la pradera. Se inclinó sobre el cuello del animal para esquivar las ramas bajas, pero al salir a terreno abierto irguió la espalda para mirar en derredor, frenético.

En los pocos minutos transcurridos desde que despertó, la luz había aumentado y el cielo, hacia el este, era un resplandor de naranjas palpitantes. Había un alto mopani separado del resto del bosque, rodeado por el pasto seco y bajo de la pradera. Entre las ramas, muy arriba, se veía una enorme masa oscura. Un movimiento confuso, pero violento, agitaba las ramas del mopani, azotando el cielo con ellas.

Lothar puso a su caballo en esa dirección. Los atronadores rugidos del león se entremezclaron con otro alarido agudo. Sólo entonces pudo ver lo que estaba pasando en la copa del mopani. Le costó creerlo.

—¡Dios bendito! —juró, asombrado.

Nunca había oído decir que los leones pudieran trepar a los árboles, pero allí estaba el gran felino bronceado, en las ramas bamboleantes, aferrado con las patas traseras al tronco para estirar las delanteras, en crueles manotazos, hacia una silueta humana muy poco más allá de su alcance.

—¡Arre, arre!

Lothar acicateó a su caballo con codos y talones, urgiéndolo a tomar su máxima velocidad. Al llegar al mopani desmontó de un salto y se hizo a un lado, con la cabeza hacia atrás y el fusil listo, tratando de apuntar al animal.

El león y su víctima formaban una sola silueta, confusa e indistinta, contra el cielo. Cualquier disparo desde abajo podía herir con tanta facilidad a uno como a la otra, y había gruesas ramas de mopani que desviarían la bala.

Lothar caminó de costado hasta hallar un hueco entre las ramas y se llevó el fusil al hombro, apuntando directamente hacia arriba, pero aún indeciso. En eso el león descolgó a medias a su víctima, tirando de ella hacia abajo. Los alaridos eran tan penosos y atormentados que el joven no pudo esperar más.

Apuntó hacia la columna vertebral del animal, a la base del rabo, el punto más distante del cuerpo contorsionado de su víctima, que aún se aferraba desesperadamente a una de las ramas. Al disparar, la bala del pesado máuser se enterró en la base de la columna del león y la desgarró hacia arriba, siguiendo la línea de las vértebras por un palmo, destruyendo los grandes nervios de las patas.

Los cuartos traseros del león sufrieron un espasmo; las garras amarillas se retrajeron involuntariamente, soltando la corteza, y las patas paralizadas perdieron fuerza. El gran felino cayó del árbol, retorciéndose, entre rugidos, golpeando las ramas inferiores al caer.

Y arrastró consigo a la víctima, pues aún tenía las garras delanteras clavadas en la carne blanda, que sacudía con sus convulsiones. Cayeron juntos en un montón, con un impacto que Lothar sintió a través de la suela de sus botas. Había saltado para ponerse a salvo al verlos caer por entre las ramas, pero en ese momento se apresuró a acercarse.

El león tenía las patas traseras abiertas, como las de un sapo, y yacía a medias sobre el cuerpo humano. Se levantó sobre las manos y se arrastró hacia Lothar, abriendo las fauces para rugir. El hedor de su aliento era carroña y corrupción; una espuma maloliente salpicó la cara y los brazos desnudos del joven.

Lothar clavó el caño del máuser en esa boca espantosa y disparó, desgarrando el cráneo, que estalló en una fuente de sangre y sesos. El león permaneció un segundo más erguido sobre las patas delanteras, tiesas. Luego, con un tremendo suspiro, sus pulmones se vaciaron y el animal cayó lentamente sobre el flanco.

Lothar dejó caer el máuser y se arrojó de rodillas junto al león, para tratar de sacar el otro cuerpo. Sólo asomaba la mitad inferior: un par de piernas desnudas, tostadas y esbeltas, y las caderas estrechas envueltas en una raída falda de lona.

El joven se levantó de un salto y tomó al león por la cola, tirando con todo su peso hasta liberar el cuerpo. Vio de inmediato que era una mujer y se inclinó para levantarla. La cabeza, con su gruesa mata de pelo oscuro, rizoso, cayó sin vida. Él le puso una mano ahuecada bajo la nuca, como si sostuviera a un recién nacido, para mirarla a la cara.

Era el rostro de la fotografía, el que había visto tanto tiempo antes por la lente de su telescopio, el que lo perseguía y lo acicateaba. Pero estaba desprovisto de toda vida.

Las largas pestañas permanecían entrelazadas; no había expresión en las facciones suaves, muy bronceadas por el sol, y la boca ancha, fuerte, estaba laxa. Los labios suaves se entreabrieron, dejando al descubierto dientes pequeños, blancos y parejos; un pequeño hilo de saliva goteó por la comisura.

—¡No! —Lothar sacudió la cabeza con vehemencia. —¡No puede ser que estés muerta! ¡No es posible, después de todo esto! No puedo...

Se interrumpió; de la espesa cabellera brotaba una serpiente, arrastrándose por la frente ancha hacia el ojo: una serpiente roja, lenta, de sangre fresca.

Lothar se quitó el pañuelo de algodón que llevaba al cuello y limpió la sangre, pero seguía manando con la misma celeridad. Abrió los rizos oscuros hasta hallar la herida en el cráneo brillante: un corte pequeño, pero profundo, hecho por una rama del mopani. En el fondo se veía el brillo del hueso. Lothar unió los labios de la herida y la cubrió con su pañuelo; luego la vendó con su vincha.

Sosteniendo la cabeza herida con el hombro, levantó el cuerpo laxo hasta sentarlo. Uno de los pechos asomó del breve manto de piel, inspirándole una reacción casi blasfema: era tan claro, tierno, vulnerable... Lo cubrió con prontitud, lleno de remordimientos; luego volvió su atención a la pierna herida.

Los tajos paralelos eran pavorosos: habían desgarrado profundamente la piel de la pantorrilla hasta el talón del pie izquierdo. Acostó a la mujer con suavidad y se arrodilló a sus pies para levantarle la pierna, temiendo encontrarse con el súbito chorro de la hemorragia arterial. No se produjo. Era sólo el goteo oscuro de la sangre venosa.

—Gracias, Dios mío —susurró, mientras se quitaba el pesado capote militar y apoyaba la pierna herida en él, para no ensuciarla de tierra.

Luego se quitó la camisa. No la había lavado desde que pasó por la vertiente, dos días antes, y hedía a sudor rancio.

—Pero no hay otra cosa.

Desgarró la tela en tiras y vendó la pierna.

Sabía que allí estaba el verdadero peligro: en las infecciones que un devorador de carroña, como el león, lleva en las uñas y en los colmillos, casi tan mortíferas como los venenos de los bosquimanos. Las garras del león, en especial, surgían de profundas vainas metidas en las plantas de la pata. En esas cavidades había sangre vieja y carne putrefacta, fuente casi segura de infección virulenta y gangrena gaseosa.

—Tengo que llevarte al campamento, Centaine.

Usaba su nombre por primera vez. Eso le hizo sentir una chispa de placer, rápidamente sofocada por el miedo que le inspiraba el frío mortal de aquella piel.

Se apresuró a tomarle el pulso, espantado por su aleteo débil e irregular. Le levantó los hombros para envolverla en el grueso capote y miró en derredor, en busca de su caballo. Estaba en el extremo de la planicie, pastando. Desnudo hasta la cintura y estremecido de frío, corrió en busca del animal y lo llevó hasta el mopani.

Al detenerse para levantar el cuerpo inconsciente de la muchacha quedó petrificado de asombro.

Desde lo alto llegaba un sonido que le desgarraba los nervios, activando sus instintos más profundos. Era el fuerte llanto de un bebé afligido. Enderezó la espalda, rápidamente, y miró hacia arriba.

De las ramas superiores pendía un bulto que se retorcía y se bamboleaba de lado a lado.

"Una mujer y un niño". A la mente le volvieron las palabras del bosquimano moribundo.

Apoyó la cabeza de la muchacha contra el cuerpo caliente del león y dio un salto para alcanzar la rama inferior del mopani. Así fue trepando velozmente hasta el bulto suspendido. Era una mochila de cuero crudo. Soltó la correas y lo bajó hasta poder mirar dentro de la bolsa.

Una cara pequeña e indignada se alzó hacia él, con el entrecejo fruncido. Al verlo enrojeció de miedo y lanzó un chillido.

El recuerdo de su propio hijo lo atacó tan de súbito, tan amargamente, que hizo un gesto de dolor y se tambaleó en la rama. De inmediato sujetó con más fuerza al niño pataleante y sonrió: fue una sonrisa torcida, dolorosa.

—Mucha voz para tan poco hombre —susurró, con voz ronca.

En ningún momento se le ocurrió que pudiera ser una niña; esa furia arrogante sólo podía ser masculina.

Era más fácil trasladar el campamento al mopani bajo el cual yacía Centaine que trasladar a la muchacha hasta el campamento. Tuvo que llevar al niño consigo, pero logró estar de regreso en menos de veinte minutos. Vivió con miedo cada minuto que la madre indefensa pasó a solas, y sintió un alivio inmenso cuando pudo llevar al caballo de remonta hasta donde ella yacía.

Centaine seguía inconsciente. El niño se había ensuciado y estaba muerto de hambre.

Limpió el pequeño trasero rosado con un puñado de pasto saco, recordando los tiempos en que había hecho lo mismo por su propio hijo; luego lo puso bajo el capote, donde pudiera prenderse al pecho de su madre inconsciente.

Puso a hervir una cantimplora con agua y dejó caer en ella una aguja curva de colchonero y un poco de hilo de algodón. Se lavó las manos con una jarra de agua caliente, con jabón desinfectante y, después de vaciar la jarrita, volvió a llenarla y se dedicó a frotar los profundos desgarrones que la muchacha tenía en la pierna. El agua estaba muy caliente. Aplicó jabón desinfectante, introduciendo el dedo hasta el fondo de cada herida, mientras vertía agua caliente y volvía a lavar, una y otra vez.

Centaine gemía y se debatía débilmente, pero él la sujetó para limpiar, ceñudo, las horribles laceraciones. Por fin, no del todo satisfecho, pero seguro de que, si insistía con la limpieza, causaría daños irreparables a los delicados tejidos, sacó de su mochila una botella que llevaba consigo desde hacía cuatro años. Se la había dado el médico misionero que lo atendió de las heridas recibidas en la campaña contra Smuts y

Botha, diciendo: "Algún día puede salvarte la vida". La etiqueta, escrita a mano, ya era ilegible, pero recordó su nombre con esfuerzo: Acriflavin; el líquido pardusco se había evaporado, quedando en la mitad de su volumen.

Lo volcó en las heridas abiertas y trabajó con los dedos hasta hacerlo llegar al fondo de cada corte. Luego utilizó las últimas gotas en el tajo del cuero cabelludo.

Por fin sacó la aguja y el hilo de algodón del agua hirviente. Puso la pierna de la muchacha en su regazo y aspiró hondo.

—Gracias a Dios, está inconsciente.

Juntó los labios de carne viva y pasó por ellos la punta de la aguja.

Le llevó casi dos horas coser su pantorrilla desgarrada, con puntadas toscas, pero efectivas, más parecidas a las de un tapicero que a las de un cirujano. Vendó la pierna con tiras de una camisa limpia, pero aun mientras lo hacía se dijo que, a pesar de tanto esfuerzo, la infección era casi segura. Luego se dedicó al cuero cabelludo. Bastaron tres puntadas para cerrar esa herida.

Luego se abatió sobre él la tensión nerviosa de las últimas horas, dejándolo estremecido y exhausto.

Le costó un esfuerzo iniciar el trabajo en la camilla. Desolló al león y clavó el cuero entre dos largos brotes de mopani, con el pelo hacia arriba. Los caballos relincharon, agitados por el olor del león, pero él los tranquilizó hasta sujetar ambos palos de la camilla en su caballo de remonta. Allí tendió el cuerpo laxo de Centaine, con mucho cuidado; lo envolvió en el capote y lo ató firmemente con trozos de corteza.

Con el niño en la mochila, ya dormido, y llevando de la rienda al caballo de remonta, que arrastraba la camilla, inició la marcha hacia las carretas. Calculaba que tardaría un día entero y ya había pasado el mediodía, pero no podía forzar el paso sin arriesgarse a lastimar a la muchacha.

Poco antes del atardecer, Shasa despertó aullando como un lobo hambriento. Lothar ató a los caballos y lo puso con su madre. A los pocos minutos, Shasa volvía a aullar, frustrado, pataleando contra la solapa del sobretodo. Lothar se vio entonces ante una difícil decisión.

—Es por el niño y ella no lo sabrá jamás —se dijo.

Levantó la solapa del capote, pero vaciló otra vez antes de tocarla tan íntimamente.

—Perdona, por favor —pidió a la muchacha inconsciente, mientras tomaba en la mano el pecho desnudo.

Su peso, su calor, su piel aterciopelada fueron un golpe en la entrepierna, pero trató de no prestar atención. Presionó, masajeó, mientras Shasa le chupaba la mano, furioso. Por fin se sentó sobre los talones y cubrió a Centaine con el abrigo.

—¿Y ahora qué hacemos, muchacho? Tu madre se ha quedado sin leche. —Levantó a Shasa. —No, conmigo no lo intentes, amiguito, porque temo que aquí tampoco se sirven bebidas. Tendremos que acampar aquí y salir de compras.

Cortó ramas de espinillo y las dispuso en un *laager* circular, para mantener fuera a las hienas y a otros animales de presa. Después encendió en el centro una gran hoguera.

—Tú tendrás que venir conmigo —dijo al quejoso bebé.

Se ató al hombro la bolsa de lona y montó el caballo de caza.

Al doblar el recodo de la montaña halló un rebaño de cebras. Con el caballo a modo de pantalla, se acercó hasta quedar a tiro y escogió a una hembra que llevaba una cría pequeña. La mató con un certero disparo en la cabeza. Al acercarse, el potrillo se alejó unos pocos metros y volvió.

—Lo siento, viejito —le dijo Lothar.

El huérfano no tenía posibilidades de sobrevivir; el balazo en la cabeza fue un acto de rápida misericordia.

Lothar se arrodilló junto a la cebra muerta, y puso al descubierto las ubres negras, henchidas. Logró llenar media cantimplora con su leche, espesa y cremosa. La diluyó con otro tanto de agua caliente y mojó con la mezcla un cuadrado de tela de algodón.

Shasa escupió, pataleó y apartó la cara, pero Lothar se mostró insistente.

—No hay otra cosa en el menú, amiguito.

De pronto, Shasa descubrió la treta. Aunque le goteaba la leche por el mentón, parte de ella le llegó a la garganta. Chillaba de impaciencia cada vez que Lothar le quitaba el paño para volver a mojarlo.

Esa noche, el joven durmió con Shasa apretado contra el

pecho. Despertó antes del amanecer, cuando el niño exigió su desayuno. Quedaba leche de cebra de la noche anterior. Después de alimentar al niño, lo lavó con una jarra de agua calentada al fuego. Ya había salido el sol. Lothar lo dejó en el suelo, y el pequeño partió gateando en dirección a los caballos, con sofocados gritos de entusiasmo.

Lothar sintió esa hinchazón del pecho que no experimentaba desde la muerte de su propio hijo. Cuando lo subió a lomos del caballo, Shasa pataleó, gorgoteando de risa, mientras el animal lo olfateaba con las orejas erguidas.

—Te sacaremos buen jinete antes de que sepas caminar —rió Lothar.

Sin embargo, su preocupación fue intensa al acercarse a la camilla de Centaine. La muchacha seguía inconsciente, aunque gemía y agitaba la cabeza al menor contacto contra su pierna. La tenía hinchada y lívida, con sangre seca en la sutura.

—Dios mío, qué desastre —susurró el joven.

Pero no encontró en el muslo las líneas moradas de la gangrena.

Sin embargo hizo otro descubrimiento desagradable: Centaine necesitaba las mismas atenciones que su hijo. La desvistió rápidamente, pues la falda de lona y el manto eran su única vestimenta. Trató de mantenerse clínico e inconmovible al mirarla, pero no pudo.

Hasta ese momento, Lothar había basado su concepto de la belleza femenina en los encantos rubensnianos de su madre, rubia, plácida y redondeada; después de ella, en su esposa Amelia. En ese momento sus normas cambiaban abruptamente. Esa mujer era delgada como un galgo, con un vientre hundido en el que se veía cada músculo, claramente definido bajo la piel. Esa piel, aun donde no había sido tocada por el sol, tenía el color de la crema. El vello del cuerpo no era claro y rato, sino espeso, oscuro, rizado. Sus miembros eran largos y esbeltos, no redondeados y con hoyuelos en las articulaciones. Era firme al tacto; los dedos del joven no se hundían en su carne, como en otras carnes conocidas. Los brazos, las piernas y la cara, por efecto del sol, tenían los tonos de la teca aceitada.

Trató de no demorarse en esas cosas, en tanto la ponía boca abajo, con suave destreza; pero al ver las nalgas, redondas, duras y blancas como un perfecto par de huevos de avestruz, algo se le hundió en el estómago. Terminó de limpiarla con manos que temblaban incontrolablemente.

La tarea no le dio repugnancia; fue tan natural como lo había sido en el caso del niño. Más tarde, después de envolverla en el capote, se arrodilló junto a ella para examinar su rostro con atención.

Una vez más, sus facciones diferían de los conceptos aceptados de la belleza femenina. Ese halo de pelo oscuro, espeso y elástico, era casi africano; las cejas negras, demasiado visibles; el mentón, demasiado terco. Todo el conjunto de las facciones resultaba en exceso firme como para resistir la comparación con la suave flexibilidad de aquellas otras mujeres. A pesar del relajamiento total, Lothar leía en aquella cara las huellas de grandes sufrimientos y privaciones, tal vez tan grandes como los propios. Al tocar la mejilla suave y tostada, sintió por ella una atracción casi fatalista, como si tal hubiera sido su destino desde aquella primera mirada, tantos meses antes. De pronto sacudió la cabeza, fastidiado por su propio sentimentalismo. Era ridículo.

—No sé nada de ti, ni tú de mí.

Levantó rápidamente la mirada y, con un sobresalto culpable, vio que el niño había gateado hasta meterse entre las patas de los caballos. Con alegres arrebatos de risa, estaba lanzando manotazos a los hocicos inquisitivos que lo olfateaban.

Lothar, cargado con el niño y llevando por la brida al caballo de remonta, llegó a las carretas esa misma tarde, cerca del anochecer.

Swart Hendrick y los sirvientes del campamento le salieron al encuentro a la carrera, llenos de curiosidad. Lothar repartió sus órdenes.

—Quiero un albergue separado para esta mujer, junto al mío. Pónganle techo de paja para mantenerlo fresco y costados de lona, que se puedan levantar para dejar pasar la brisa. Y quiero que esté listo antes de la noche.

Llevó a Centaine a su propio camastro y volvió a lavarla

por entero antes de ponerle uno de los camisones largos enviados por Anna Stok.

Aún no estaba consciente, aunque en cierta oportunidad abrió los ojos, soñadores y perdidos, murmurando algo en francés.

—Está a salvo —le dijo él—. Está entre amigos.

Las pupilas reaccionaban a la luz, lo cual era alentador; pero sus párpados se cerraron y volvió a caer en la inconsciencia o en el sueño. Él puso mucho cuidado en no despertarla.

Una vez que le fue posible utilizar su botiquín, Lothar pudo cambiar los vendajes, untándolos generosamente con un ungüento curalotodo, herencia de su madre.

Por entonces el niño tenía hambre otra vez y lo estaba divulgando a todo pulmón. Lothar tenía una cabra lechera en su rebaño. Sentó a Shasa en el regazo y le dio leche de cabra diluida. Más tarde trató de que Centaine tomara un poco de sopa caliente, pero ella se debatió débilmente y estuvo a punto de ahogarse. No quedaba sino llevarla a su refugio, ya terminado por los sirvientes, y acostarla en un camastro hecho con tiras de cuero crudo entrecruzadas, con una piel de oveja por colchón y frazadas limpias. Puso al niño junto a ella y despertó más de una vez, por la noche, para ver cómo estaban.

Poco antes del amanecer cayó, por fin, en un sueño profundo, del que lo despertaron a sacudones casi de inmediato.

—¿Qué pasa? —preguntó, estirando instintivamente la mano hacia el fusil que tenía a la cabecera.

—¡Venga, pronto! —fue el susurro áspero de Swart Hendrick. —El ganado estaba inquieto. Pensé que se trataba de un león.

—¿Y qué es, hombre? —preguntó Lothar, irritado—. ¡Anda, dilo de una vez!

—No era un león. ¡Mucho peor! Hay San salvajes por aquí. Se han pasado la noche rondando el campamento. Creo que quieren robar el ganado.

Lothar sacó las piernas del camastro y buscó a tientas sus botas.

—¿Han vuelto ya Vark Jan y Klein Boy?

Sería más fácil si contaba con un grupo numeroso. Hendrick sacudió la cabeza.

—Todavía no.

—Bueno, cazaremos solos, tú y yo. Ensilla los caballos. Que los diablos amarillos no nos saquen mucha ventaja.

Se levantó revisando la carga del máuser. Luego sacó la piel de oveja de su camastro y salió del refugio para correr hacia los caballos, que Swart Hendrick tenía por las bridas.

O'wa no se había atrevido a aproximarse a más de doscientos pasos del campamento. Aun a esa distancia, lo confundían los sonidos y los olores extraños que llegaban a él. El resonar del hacha contra la madera, el tintineo de un balde, el balido de una cabra, lo sobresaltaban; el olor de la parafina y el jabón, el café y la ropa de lana le despertaban inquietud; en cuanto a los sonidos que hacían esos hombres al hablar, con una cadencia desconocida, con ásperas sibilancias, lo aterrorizaban tanto como el siseo de la serpiente.

Se tendió contra el suelo, con el corazón palpitándole dolorosamente, y susurró a H'ani:

—Niña Nam está con los suyos, por fin. La hemos perdido, anciana abuela. Esto de seguirla es una enfermedad de la cabeza. Los dos sabemos bien que los otros nos asesinarán si nos descubren aquí.

—Niña Nam está herida. Tú mismo leíste las señales bajo el mopani, donde yacía el león muerto —respondió H'ani, también en susurros—. Viste su sangre en el suelo.

—Está con los suyos —repitió O'wa, tozudo—. Ellos la cuidarán. Ya no nos necesita. Se fue en medio de la noche, sin una palabra de despedida.

—Sé que es verdad lo que dices, anciano abuelo, pero ¿cómo podré volver a sonreír si no averiguo cómo está? ¿Cómo podré volver a dormir si no veo al pequeño Shasa sano y salvo, mamando de su pecho?

—Arriesgas tu vida y la mía por echar un vistazo a alguien que se ha ido. Para nosotros han muerto. Déjalos en paz.

—Arriesgo sólo mi vida, esposo mío; para mí ya no tiene valor, si no puedo saber que Niña Nam, hija de mi corazón, ya que no de mi vientre, está con vida y así seguirá. Arriesgo mi propia vida por tocar a Shasa una vez más. No te pido que me acompañes.

H'ani se levantó; antes de que él pudiera protestar, se alejó por la sombra, encaminándose hacia el leve resplandor donde se veía la luz de la fogata, entre los árboles. O'wa se levantó sobre las rodillas, pero volvió a fallarle el valor. Tendido en el suelo, se cubrió la cabeza con un brazo.

—Oh, vieja estúpida —se lamentó—, ¿no sabes que, sin ti, mi corazón es un desierto? Cuando te maten yo moriré cien muertes por la tuya.

H'ani se arrastraba hacia el campamento, contra el viento, observando la dirección del humo de la hoguera, pues sabía que, si el ganado o los caballos la olfateaban, alertarían al campamento con sus movimientos inquietos. Cada pocos pasos se arrojaba al suelo y escuchaba con la vista fija en las sombras que rodeaban a las carretas y a las toscas chozas del campamento, por si salían esos hombres tan altos, tan negros, vestidos con cosas ridículas y centelleantes armas metálicas.

Todos estaban dormidos; era fácil distinguir sus siluetas alrededor del fuego; el hedor de sus cuerpos la estremeció de miedo. Se obligó a levantarse y avanzar, utilizando una de las carretas como pantalla hasta poder agazaparse junto a la rueda.

Estaba segura de que Niña Nam estaba en uno de los refugios, pero si elegía el incorrecto se produciría el desastre. Decidió entrar en el más cercano y se arrastró en cuatro patas hasta la entrada. Tenía buena vista en la oscuridad, casi tanto como un gato, pero sólo veía allí un bulto oscuro, indefinido, sobre una estructura alta; una silueta humana, tal vez; no había modo de estar segura.

La silueta se movió y lanzó un gruñido.

"¡Un hombre!" El corazón le palpitaba con tanta fuerza que temió despertarlo con su latir. Retrocedió y gateó hasta el segundo refugio.

Allí había otra silueta dormida. H'ani se acercó tímidamente. A medio metro de distancia, sus fosas nasales se dilataron: había reconocido el olor lácteo de Shasa y el de la piel de Niña Nam, tan dulce para la anciana como el del melón silvestre.

Se arrodilló junto al camastro. Shasa, sintiendo su presencia, lanzó un gemido. H'ani le tocó la frente y deslizó la punta de su dedito en la boca del niño. Lo había enseñado bien: todos los niños bosquimanos aprendían a quedarse quietos ante ese gesto, pues la seguridad del clan podía depender de su silencio. Shasa se relajó ante el contacto y el olor familiar de la anciana.

H'ani buscó el rostro de Niña Nam. El calor de las mejillas le indicó que estaba un poquito afiebrada; entonces se inclinó para olfatearle el aliento. Tenía la acritud del olor y la enfermedad, pero no el hedor feral de la infección virulenta. Hubiera querido tener tiempo para examinar y curar sus heridas. En cambio puso los labios contra la oreja de la muchacha, susurrando:

—Corazón mío, mi pajarito, invoco a los espíritus del clan para que te protejan. Tu anciano abuelo y yo bailaremos por ti, para darte fuerzas y curarte.

La voz de la anciana llegó a algún sitio profundo de la muchacha inconsciente. En su cerebro se formaron imágenes.

—Anciana abuela —murmuró, sonriendo ante los sueños—, anciana abuela...

—Estoy contigo. Siempre estaré contigo y siempre...

Fue cuanto pudo decir. No podía arriesgarse a soltar el sollozo que se le agazapaba en la garganta, listo para brotarle de los labios. Los tocó una vez más, al niño y a la madre, en los labios y en los ojos cerrados. Luego se levantó y salió precipitadamente de la choza. Las lágrimas la cegaban y el dolor atontaba sus sentidos. Así fue que pasó cerca del corral de espinos en donde estaban los caballos.

Uno de los animales resopló, sacudiendo la cabeza ante aquel áspero olor. En tanto H'ani desaparecía en la noche, uno de los hombres tendidos junto al fuego se levantó de pronto y arrojó la frazada para acercarse a los caballos inquietos. A medio camino se inclinó a mirar una diminuta huella impresa en el polvo.

Era extraño sentirse ahora tan cansada, mientras desandaba con O'wa el trayecto, por la base de la montaña, hacia el valle secreto.

Al seguir el rastro de Niña Nam y Shasa se había sentido capaz de correr eternamente, como si volviera a ser joven, por la preocupación que le causaban aquellos dos seres, tan amados como su anciano esposo. En ese momento, en cambio, sentía todo el peso de su edad; su trote, por lo común alerta y elástico, se reducía a un tranco pesado. El cansancio le dolía en los labios y en la espalda.

O'wa, frente a ella, se movía con la misma lentitud, dejándole sentir el esfuerzo que le costaba cada paso. Antes de que el sol se elevara un palmo en el horizonte, ambos se habían visto privados de la fuerza y el objetivo que hacen posible la supervivencia en el páramo. Una vez más, acababan de sufrir una terrible pérdida, pero esta vez no tenían voluntad para superarla.

O'wa se detuvo y cayó de rodillas. En los largos años que llevaban juntos, ella nunca lo había visto tan agotado. Cuando se arrodilló junto a él, le vio girar lentamente la cabeza para mirarla.

—Anciana abuela, estoy cansado —susurró—. Quisiera dormir por mucho tiempo. El sol me lastima los ojos.

Y levantó la mano para protegérselos.

—Ha sido un camino largo y duro, anciano abuelo, pero ahora estamos en paz con los espíritus de nuestro clan y Niña Nam está a salvo con los suyos. Ahora podemos descansar un rato.

De pronto le subió a la garganta todo el dolor que sentía, sofocándola. Pero no hubo lágrimas. Era como si su vieja estructura marchita hubiera perdido toda la humedad. Y aunque no había lágrimas, la necesidad de llorar era como una flecha clavada en su pecho. Se meció sobre los talones, emitiendo un leve murmullo, en un intento de aliviar el dolor. Eso le impidió oír la llegada de los caballos.

Fue O'wa quien dejó caer la mano y torció la cabeza. H'ani al ver el miedo en sus ojos, escuchó y lo oyó también.

—Nos han descubierto —dijo O'wa. Por un momento, H'ani se sintió vacía hasta de la voluntad de correr a esconderse. —Ya están cerca.

En los ojos del marido había la misma resignación. Eso la acicateó, obligándola a levantarlo a tirones.

—En terreno abierto nos cazarán con la facilidad con que una chita caza a una gacela tullida —dijo, volviéndose a mirar la montaña.

Estaban al pie de la cuesta que, entre matas de pasto dispersas y piedras sueltas, ascendía suavemente hacia la cima.

—Si pudiéramos llegar a la cumbre —susurró ella—, ningún caballo nos seguiría.

—Es demasiado alta, demasiado empinada —protestó O'wa.

—Hay un camino. —Con un dedo huesudo, H'ani señaló la leve senda que zigzagueaba por la roca pelada de la montaña. —Mira, anciano abuelo, mira: los espíritus de la montaña nos muestran el camino.

—Son gamuzas —murmuró O'wa. Dos pequeños animales, alarmados por la proximidad de los jinetes, ascendían con leves saltos por un camino apenas discernible. —No son espíritus de la montaña —repitió el anciano, observando el vuelo de los ágiles animalitos.

—Y yo digo que son los espíritus de la montaña disfrazados de gamuzas —afirmó H'ani, arrastrándolo hacia la cuesta—. Yo digo que nos están mostrando el camino para escapar de nuestros enemigos. Date prisa, viejo estúpido y discutidor; no nos queda otra salida.

Lo tomó de la mano y, juntos, fueron saltando de piedra en piedra, trepando con la torpe agilidad de los viejos mandriles.

Pero antes de llegar a la base del acantilado O'wa tiraba ya de su mano, jadeando de dolor y tambaleándose débilmente.

—El pecho —gritó, tropezando—. Tengo en el pecho un animal que me está comiendo la carne. Siento los dientes...

Y cayó pesadamente entre dos grandes piedras.

—No podemos detenernos —le rogó H'ani, inclinándose hacia él—. Tenemos que seguir.

Y trató de levantarlo.

—Duele tanto —jadeó él—. Siento los dientes que me desgarran el corazón.

Ella, con todas sus fuerzas, logró incorporarlo. En ese momento se oyó un leve grito al pie de la cuesta.

—Nos han visto —exclamó la anciana, mirando a los dos jinetes que salían del bosque—. Vienen por nosotros.

Los vio desmontar de un salto, atar a los animales e iniciar el ascenso. Uno era negro; la cabeza del otro brillaba como el sol sobre agua quieta. Y subieron gritando, con fiereza, con júbilo; era como el clamor de los perros de caza cuando captan el rastro.

Ese sonido animó a O'wa, quien, con ayuda de H'ani, se levantó, aunque inseguro, apretándose el pecho con una mano. Su labios estaban blancos; sus ojos parecían los de una gacela mortalmente herida, y la aterrorizaron tanto como los gritos de abajo.

—Tenemos que seguir.

Llevándolo medio a la rastra, lo condujo hasta la base del acantilado.

—No puedo hacer esto —murmuró él, con voz tan débil que H'ani le acercó el oído a los labios para entender—. No puedo subir.

—Puedes —afirmó ella—. Yo te guiaré. Pon los pies donde yo ponga los míos.

Y subió por la roca, por el empinado sendero marcado por las gamuzas, con sus cascos puntiagudos. El anciano, detrás, subía a paso inestable.

Treinta metros más arriba hallaron una saliente que los protegería de los perseguidores. Subieron trabajosamente, aferrándose a la superficie áspera con la punta de los dedos. El vacío abierto hacia abajo pareció calmar a O'wa, que trepó con más decisión. En cierta oportunidad vaciló, tambaleándose hacia fuera, pero ella alargó la mano hacia atrás para sujetarlo del brazo hasta que pasó el vértigo.

—Sígueme —le dijo—. No mires hacia abajo, anciano abuelo. Mira mis pies y sígueme.

Continuaron ascendiendo más y más. Aunque bajo ellos se abría la planicie, los cazadores quedaban ocultos por la caída del acantilado.

—Sólo falta un poquito. Mira, allí está la cima. Un poquito más y estaremos a salvo. A ver, dame la mano.

Y alargó la mano para ayudarlo a cruzar un sitio peligroso, donde el vacío se abría bajo ellos, forzándolos a cruzarlo.

H'ani miró entre los pies y volvió a verlos, empequeñecidos por la distancia y deformados por la perspectiva. Ambos estaban aún al pie acantilado y la miraban directamente. La cara del blanco brillaba como una nube, tan extrañamente clara, pero tan maligna... H'ani, que nunca había visto un fusil, no hizo esfuerzo alguno por ocultarse. Sabía que estaba fuera del alcance de cualquier flecha, del arco más poderoso. Sin miedo alguno, se inclinó desde la estrecha saliente para ver mejor al enemigo. Vio que el blanco sacudía los brazos tendidos y, desde la punta de su garrote, surgía una pluma de humo blanco.

No llegó a oír el ruido del disparo, pues la bala llegó antes que el ruido. Le penetró por el bajo vientre, subiendo oblicuamente a través de sus intestinos y su estómago, y salió por la espalda después de atravesarle un pulmón. La fuerza del impacto la arrojó de espaldas contra la pared de roca. Su cuerpo sin vida rebotó flojamente hacia adelante y cayó por sobre el borde.

O'wa lanzó un grito, estirando la mano hacia ella. Llegó a tocarla con la punta de los dedos antes de que cayera en el vacío, y se quedó tambaleándose en el borde del precipicio.

—¡Vida mía! —la llamó—. ¡Mi corazoncito!

El dolor de su pecho y el de la pérdida eran demasiado intensos. Dejó que su cuerpo se balanceara hacia afuera y, al cruzar el centro de gravedad, lloró suavemente:

—Te sigo, anciana abuela, hasta el mismo fin del viaje.

Y se dejó hundir en el vacío, sin resistencia. El viento lo desgarró al caer, pero no volvió a emitir otro sonido.

Lothar De La Rey tuvo que ascender seis metros para alcanzar el cuerpo de uno de los bosquimanos, que había quedado hundido como una cuña en una grieta del acantilado.

Se encontró con el cadáver de un viejo, arrugado y esquelético, aplastado por la caída; la piel y la carne se habían desgarrado, descubriendo el hueso del cráneo. Había muy poca sangre, como si el sol y el viento hubieran disecado en vida aquel cuerpecito.

Llevaba, alrededor de la infantil cintura, un breve taparrabo de cuero crudo y algo notable: una navaja plegadiza, del tipo que usaban los marineros británicos. Lothar no esperaba hallar una herramienta como ésa en un cadáver de bosquimano, perdido en los páramos del Kalahari. Retiró la herramienta y la dejó caer en su bolsillo. No había en el cadáver ninguna otra cosa de valor ni de interés. Ni siquiera valía la pena enterrarlo. Dejó al anciano clavado en la grieta y bajó hasta donde Swart Hendrick lo esperaba.

—¿Qué encontró? —preguntó el negro.

—Sólo un viejo, pero tenía esto.

Le mostró el cuchillo, y Swart Hendrick asintió sin mayor interés.

—Esos monos son verdaderos ladrones. Por eso, sin duda, estaban rondando el campamento.

—¿Dónde cayó el otro?

—Entre aquellos espinos. Bajar es peligroso. Yo lo dejaría.

—Quédate, entonces —le indicó Lothar.

Se acercó a la orilla del profundo barranco y miró hacia abajo. El fondo estaba lleno de densos matorrales espinosos. En realidad, el descenso ofrecía peligros, pero Lothar sentía el perverso capricho de no seguir el consejo del ovambo.

Le llevó veinte minutos llegar al fondo del barranco y otro tanto hallar el cadáver del bosquimano que matara de un tiro. Era como buscar un faisán muerto en un matorral poblado sin la ayuda de un buen perro de caza. Por fin fue el zumbido de las moscas fue lo que lo condujo hasta la mano que sobresalía de entre la maleza, con la palma rosada hacia arriba. Sacó el cuerpo a la rastra y notó que era el de una mujer, una vieja bruja de piel increíblemente arrugada y pechos colgantes como bolsas vacías.

Lanzó un gruñido de satisfacción al ver el agujero de la bala, exactamente donde apuntara. Había sido un disparo difícil. Inmediatamente desvió su atención al extraordinario adorno que la vieja llevaba al cuello.

En toda África del sudeste no había visto nunca algo así, aunque la colección de su padre incluía un collar masai, vagamente similar. Pero éste no estaba hecho con cuentas compradas, sino con guijarros de colores, dispuestos con muy buen gusto.

Lothar comprendió que tendría un valor considerable por su rareza y puso a la vieja boca abajo para desatar el cordón.

Estaba empapado par la sangre que manó de la gran herida abierta por la bala al salir; una parte había manchado también las piedras, pero las limpió cuidadosamente. Envolvió el collar en su pañuelo de cabeza y lo guardó en el bolsillo de su pechera.

Una última mirada al cadáver lo convenció de que no había en él ninguna otra cosa interesante. La dejó boca abajo y volvió al difícil ascenso por el barranco.

Centaine sintió la tela de lana que le cubría el cuerpo. Era tan poco familiar que la puso en el umbral mismo de la conciencia. Le pareció estar acostada sobre algo suave, pero sabía que eso era imposible, igual que la luz verde filtrada por la lona. Estaba demasiado cansada como para pensar en esas cosas. Cuando trató de mantener los párpados abiertos, se le cerraron otra vez. Entonces notó su propia debilidad. Le habían sacado las entrañas, como si ella fuera sólo un huevo pasado por agua; quedaba apenas la frágil cáscara exterior. La idea le dio ganas de sonreír paro hasta ese esfuerzo era demasiado grande; se dejó caer nuevamente en aquella adormecedora oscuridad.

Cuando volvió a recobrar parcialmente la conciencia percibió una voz que cantaba por lo bajo. Así, tendida y con los ojos cerrados, notó que comprendía la letra. Era una canción de amor, un lamento por una muchacha conocida antes de la guerra.

La voz era de hombre; le pareció una de las más emocionantes que oyera en su vida. No quería que la canción terminara, pero de pronto se interrumpió y el hombre se echó a reír.

—Así que ése te gusta —exclamó, en afrikaans.

Y una criatura dijo:

—¡Pa! ¡Pa!

Lo dijo con tanta energía, con voz tan clara, que Centaine abrió inmediatamente los ojos. Era la voz de Shasa. Todos los recuerdos de aquella noche, pasada con el león en el mopani, volvieron en tropel. Tuvo ganas de gritar otra vez: "¡Mi bebé, salven a mi bebé!"

Movió la cabeza de un lado a otro y descubrió que estaba sola en una choza, de empajado y lona. Yacía en un camastro, vestida con un largo y fresco camisón de algodón.

—¡Shasa! —llamó, tratando de incorporarse.

Apenas logró una sacudida espasmódica. Su voz era un susurro áspero.

—¡Shasa! —Esa vez reunió todas sus fuerzas. —¡Shasa!

Y el nombre salió como un graznido.

Se oyó una exclamación sorprendida y el ruido de un banquito al caer. La cabaña se oscureció: alguien llenaba el vano de la puerta, y Centaine giró la cabeza hacia la abertura.

Allí había un hombre. Llevaba a Shasa sobre la cadera. Era alto, de hombros anchos, pero estaba a contraluz y sus facciones no eran visibles.

—Conque la princesa dormida acaba de despertar. —Esa voz profunda, emocionante. —Por fin, por fin.

Sin dejar al niño, se acercó al camastro y se inclinó hacia ella.

—Estábamos preocupados —dijo, con suavidad.

Centaine levantó la mirada hacia el rostro más hermoso que nunca viera en hombre alguno: un hombre dorado, de pelo dorado y ojos amarillos de leopardo.

Shasa brincaba sobre su cadera, estirando los brazos hacia ella.

—¡Mamá!

—¡Mi bebé! —Centaine estiró una mano.

El desconocido puso al niño a su lado, en el camastro. Luego tomó a Centaine por los hombros y la incorporó hasta sentarla, apoyándole la espalda en una almohada grande. Sus manos eran oscuras y fuertes, pero los dedos tenían la elegancia de los de un pianista.

—¿Quién es usted? —preguntó ella, en un susurro; bajo los ojos se le veían manchas parecidas a moretones recientes.

—Me llamo Lothar De la Rey —respondió él.

Shasa cerró los puños y golpeó a su madre en el hombro, en un gesto de abrumador afecto.

—¡Despacito! —Lothar lo tomó por la muñeca para contenerlo. —Tu mamá todavía no puede soportar tanto amor.

Ella notó que la expresión del hombre se suavizaba al mirar al niño.

—¿Qué me pasó? —preguntó Centaine—. ¿Dónde estoy?
—Fue atacada y herida por un león. Cuando maté a la bestia, usted cayó del árbol.
—Sí, recuerdo eso, pero después.
—Sufrió una conmoción cerebral; además, las heridas dejadas por el león se infectaron.
—¿Cuánto tiempo? —murmuró ella.
—Seis días, pero ya ha pasado lo peor. Todavía tiene la pierna muy hinchada, *Mevrou* Courtney.
Ella dio un respingo.
—Ese nombre, ¿de dónde lo sacó?
—Sé que usted se llama *Mevrou* Centaine Courtney y que es sobreviviente del buque-hospital *Protea Castle*.
—¿Y cómo sabe todo eso?
—Su suegro me envió a buscarla.
—¿Mi suegro?
—El coronel Courtney. Y esa mujer, Anna Stok.
—¿Anna? ¿Anna vive? —Centaine lo tomó por la muñeca.
—¡De eso no me cabe ninguna duda! —rió el hombre—. ¡Está bien viva!
—¡Es maravilloso! Pensé que se habría ahogado... —La muchacha se interrumpió al darse cuenta de que todavía lo tenía por la muñeca; dejó caer la mano y volvió a recostarse contra la almohada. —Dígame, cuénteme todo. ¿Cómo está? ¿Cómo sabía usted por dónde buscarme? ¿Dónde está Anna ahora? ¿Cuándo podré verla?
Lothar volvió a reír. Tenía dientes muy blancos.
—¡Cuántas preguntas! —Acercó un banquito al camastro. —¿Por dónde debo comenzar?
—Comience por Anna. Dígame todo lo que sepa de ella.
Lo escuchó con avidez, observando su rostro y haciendo otra pregunta en cuanto él acababa de contestar una. Debía luchar contra la debilidad de su cuerpo para disfrutar del sonido de su voz, del intenso placer de recibir buenas noticias del mundo real, después de excursión tan larga. Por fin volvía a comunicarse con alguien de su raza, a ver un rostro blanco y civilizado.
El día estaba a punto de terminar. La penumbra del atardecer ya estaba llenando el pequeño refugio. Shasa lanzó un grito exigente y Lothar se interrumpió.

—Tiene hambre.

—Si nos deja por un rato, *Mijnheer*, voy a alimentarlo.

—No. Ya no tiene más leche.

Centaine sacudió la cabeza como si acabara de recibir una bofetada y se quedó mirándolo con fijeza. Los pensamientos se le agolpaban en la mente. Hasta ese momento, absorta en las noticias y el interrogatorio, no había pensado que en ese campamento no había otra mujer, que había pasado seis días completamente indefensa. Alguien la había atendido, lavado y cambiado; alguien le había dado de comer, además de atenderle las heridas. Pero esas palabras, ese modo de enfocar con tanta franqueza tema tan íntimo, le hizo comprender todo de pronto, y sintió que comenzaba a ruborizarse de vergüenza. Se le encendieron las mejillas. Esos dedos largos, bronceados, debían de haberla tocado en donde un solo hombre la había tocado hasta entonces. Sintió que se le irritaban los ojos al comprender lo que habrían visto esos ojos amarillos.

Ardía de bochorno. Y de pronto, increíblemente, experimentó una excitación cálida, vergonzosa, de modo tal que le costó seguir respirando. Entonces bajó los ojos y apartó la cara para que él no viera sus mejillas encendidas.

Lothar parecía totalmente ajeno a sus apuros.

—Vamos, soldado, le mostraremos a mamá lo que has aprendido.

Levantó a Shasa y le dio de comer con una cuchara, en tanto el niño saltando en su regazo, festejaba la llegada de cada bocado con un:

—¡Hum, hum, hum! —lanzándose hacia él con la boca bien abierta.

—Usted le cae bien —observó Centaine.

—Somos amigos —admitió Lothar, retirando la papilla de la cara de Shasa con un paño húmedo.

—Sabe manejarse con los niños.

Centaine vio de pronto un súbito dolor en aquellos ojos dorados.

—Tenía un hijo varón —fue la respuesta.

Y el hombre dejó a Shasa junto a ella. Luego recogió la cuchara y el plato vacío.

—¿Dónde está su hijo? —preguntó ella, suavemente.

Él se detuvo ante la puerta y se volvió con lentitud.

—Mi hijo ha muerto —respondió, en voz baja.

Centaine estaba más que madura para el amor. Su soledad era un hambre tan intensa que parecía imposible de saciar, ni siquiera con esas largas conversaciones lánguidas bajo el toldo de la carreta. Con Shasa sentado entre ambos, conversaban durante las horas más calurosas de aquellos perezosos días africanos.

Casi siempre hablaban de las cosas que a ella le gustaban más: la música y los libros. Aunque él prefiriera a Goethe y no a Victor Hugo, a Wagner y no a Verdi, esas diferencias les daban bases para divertidas y satisfactorias discusiones. En esas charlas Centaine descubrió que la instrucción de ese hombre excedía con mucho la propia, pero no se resintió por ello. Simplemente, puso aun más atención a su voz. Era maravillosa, después del idioma de los San, lleno de chasquidos y gruñidos. Escuchaba su cadencia como si fuera música.

—¡Cánteme! —ordenaba, cuando habían agotado algún tema en especial—. ¡Shasa y yo lo deseamos!

—¡Para servirlos, por supuesto! —respondía él, sonriendo.

Y, después de dedicarles una burlona reverencia, cantaba sin timidez.

"Levanta al pollo y la gallina te seguirá". Centaine había oído esa frase muchas veces, de labios de Anna. Cuando veía a Shasa recorriendo el campamento, montado sobre los hombros de Lothar, comprendía la verdad del proverbio, pues sus ojos y su corazón los seguían a ambos.

Al principio experimentaba un instantáneo resentimiento cuando el niño saludaba a Lothar gritando: "¡Pa, pa!" Esa palabra hubiera debido ser sólo para Michael. Luego, con una punzada dolorosa, recordaba que Michael yacía en el cementerio de Mort Homme.

Al fin le fue fácil sonreír cuando los primeros pasos de Shasa terminaron en un precipitado regreso a la tierra y se arrastró hacia Lothar, llamándolo a gritos para buscar su consuelo. Eran la ternura y la suavidad con que ese hombre trataba al niño lo que acicateaba el afecto de Centaine, su necesidad de él, pues reconocía que, bajo ese exterior apuesto, existía un hombre duro y feroz. Sus propios hombres, duros también, lo trataban con sumo respeto.

Sólo una vez presenció una ira helada, asesina, que la aterrorizó tanto como al hombre a quien estaba dirigida. Vark Jan, por indolencia e ignorancia, había montado el caballo de caza de Lothar con una silla inadecuada, despellejando casi hasta los huesos el lomo de la bestia. Lothar derribó a Vark Jan con un puñetazo en la cabeza. Luego le arrancó la chaqueta y la camisa a fuerza de latigazos, dejándolo inconsciente, tendido en un charco de sangre.

Esa violencia horrorizó a Centaine, pues había presenciado los brutales detalles desde su camastro. Más tarde, cuando se vio sola en su refugio, su miedo y su asco dejaron sitio a una estremecida excitación.

—Es tan peligroso... —se dijo—. Peligroso y cruel.

Volvió a estremecerse y no pudo dormir. Oía la respiración del hombre, en el refugio vecino.

En total contraste, al día siguiente él se mostró suave y tierno. Con la pierna herida en el regazo, cortó las suturas de algodón y las quitó de la carne inflamada. Quedaron puntos oscuros en la piel, que él olfateó.

—Está limpia. Ese color rojo es sólo el cuerpo, que quería liberarse de los puntos. Ahora cicatrizará con prontitud.

Tenía razón. A los dos días Centaine pudo, apoyándose en una muleta que él le fabricó, efectuar su primera salida.

—Siento que se me doblan las piernas —protestó—. Estoy más débil que Shasa.

—Pronto estará bien otra vez. —Lothar le rodeó los hombros con un brazo para darle apoyo.

Ella se estremeció ante el contacto, deseando que él retirara el brazo sin darse cuenta de nada.

Se detuvieron ante los caballos para que ella acariciara a los animales, disfrutanto nostálgicamente con su olor.

—Quiero volver a montar —le dijo.

—Anna Stok me dijo que usted es toda una amazona. Que tenía un semental blanco.

—Nuage. —Oprimió la cara contra el cuello del caballo de

Lothar para ocultar las lágrimas. —Mi nube blanca. Era bello, fuerte y veloz.

—Nuage. —Lothar la tomó del brazo. —Muy lindo nombre. —Y prosiguió: —Sí, pronto volverá a montar. Nos espera un largo viaje para llegar adonde nos encontraremos con su suegro y Anna Stok.

Por primera vez Centaine cobró conciencia de que ese mágico interludio estaba destinado a terminar. Se apartó del caballo para mirar fijamente a Lothar por sobre su lomo. No quería que aquello terminara; no quería alejarse de él. Y pronto sería así.

—Estoy cansada —comentó—. No creo estar en condiciones de montar, por el momento.

Esa noche, sentada bajo el toldo con un libro en el regazo, para observarlo por entre las pestañas mientras fingía leer, le vio levantar la mirada de pronto y sonreír, con una sonrisa tan sabedora que ella se ruborizó y apartó la vista, confundida.

—Estoy escribiendo al coronel Courtney —dijo él, sentado ante el escritorio de viaje, pluma en mano, sin dejar de sonreír—. Mañana enviaré a un jinete hasta Windhoek, pero tardará más de dos semanas en ir y volver. Informo al coronel dónde y cuándo podremos encontrarnos; he sugerido que sea el día 19 del mes próximo.

"¿Tan pronto?", iba a decir Centaine. En cambio asintió en silencio.

—Sin duda usted estará muy ansiosa por reunirse con su familia, pero no creo que podamos llegar antes de esa fecha.

—Comprendo.

—Sin embargo, enviaré con placer cualquier carta que usted quiera escribir, con el mismo mensajero.

—¡Ah, qué maravilla! Anna, mi querida Anna... ha de estar alborotada como una gallina vieja.

Lothar se levantó.

—Por favor, siéntese aquí y use todo el papel necesario, señora Courtney. Mientras tanto, el señor Shasa y yo nos ocuparemos de su comida.

Curiosamente, una vez escrita la frase de saludo: *Mi queridísima Anna,* no se le ocurrió con qué seguir. Las palabras parecían insulsas.

Doy gracias a Dios porque hayas sobrevivido, aquella noche terrible. He pensado en ti todos los días desde entonces...

Estalló el dique que contenía las palabras y éstas fluyeron en torrentes hacia el papel.

—Hará falta un caballo de carga para llevar esa carta —comentó Lothar, mirando por sobre su hombro.

Centaine, con un respingo de sorpresa notó que había cubierto doce hojas con escritura pequeña.

—Todavía me queda mucho por contarle, pero el resto tendrá que esperar.

Centaine plegó las hojas y las selló con lacre de una cajita de plata, mientras Lothar le tenía la vela.

—Fue extraño —susurró ella—. Casi había olvidado cómo sujetar una pluma. Ha pasado tanto tiempo...

—Nunca me ha contado qué le ocurrió, cómo escapó del barco, cómo sobrevivió tanto tiempo y se alejó cientos de kilómetros de la costa...

—No quiero hablar de eso —lo interrumpió ella, apresuradamente. —Por un momento vio, con los ojos de la mente, dos caritas con forma de corazón, arrugadas, ambarinas. Tuvo que contener los remordimientos por haberlos abandonado con tanta crueldad. —Ni siquiera deseo pensar en eso. Haga el favor de no volver a tocar el tema, señor.

Su tono era muy severo. Él recogió las dos cartas selladas.

—Por supuesto, señora Courtney. Si me disculpa, ahora mismo entregaré esto a Vark Jan, para que parta mañana, antes del amanecer.

El rostro de Lothar estaba rígido, resentido por el rechazo. Ella lo vio acercarse a la fogata de los sirvientes y oyó el murmullo de las órdenes que daba a Vark Jan. Cuando lo vio regresar a la choza, fingió estar concentrada en su lectura, con la esperanza de que él la interrumpiera. Pero Lothar se sentó ante el escritorio y abrió su diario. Era su rito de todas las noches: una anotación en el diario, encuadernado en cuero. Centaine oyó el ruido de la pluma contra el papel, resentida; no quería que él prestara atención a otra cosa y no a ella.

"Nos queda tan poco tiempo", pensó. "Y él lo malgasta de este modo".

Cerró el libro audiblemente, pero el hombre no levantó la mirada.

—¿Qué está escribiendo? —preguntó.

—Usted lo sabe; lo hemos conversado anteriormente, señora Courtney.

—¿Lo escribe todo en su diario?

—Casi todo.

—¿Escribe sobre mí?

Él dejó la pluma y la miró fijamente, haciéndola ruborizar. Pero ella no se decidió a disculparse.

—Usted se estaba entrometiendo en cosas que no le incumbían —adujo.

—Sí.

Para disimular su incomodidad, ella preguntó:

—¿Ha escrito algo sobre mí en su famoso diario?

—Y ahora es usted la curiosa, señora. —Lothar cerró su diario, lo guardó en el cajón del escritorio y se levantó. —Si me permite, debo hacer mi ronda por el campamento.

Así descubrió ella que no podía tratarlo como a su padre, ni siquiera como a Michael Courtney. Lothar era un hombre orgulloso, que no le permitiría invadir su dignidad, un hombre que había luchado toda su vida por el derecho de no obedecer a nadie. No le permitiría aprovecharse de su fuerte sentido de la caballerosidad para con ella y el pequeño Shasa. Descubrió que no podía intimidarlo.

A la mañana siguiente se sintió fastidiada por la actitud formal y altanera de Lothar. Con el correr de las horas llegó a enojarse. “Por semejante tontería se comporta como un niño malcriado”, se dijo. “Bueno, veremos quién es más malcriado de los dos.”

Al segundo día, el enfado había cedido paso a la soledad y la desdicha. Echaba de menos su sonrisa, el placer de las largas discusiones, su carcajada y sus canciones. Mientras contemplaba a Shasa, que caminaba por el campamento colgado de la mano de Lothar, manteniendo con él una de esas locuaces conversaciones que sólo ellos podían entender, la horrorizó descubrir que sentía celos de su propio hijo.

—Yo daré de comer a Shasa —dijo, fríamente—. Es hora de que reasuma mis deberes. No tiene por qué tomarse más molestias, señor.

—Por supuesto, señora Courtney.

Y Centaine hubiera querido gritar: "Por favor, lo siento muchísimo." Pero el orgullo era como una cordillera entre ambos.

Pasó toda la tarde esperando el ruido de su caballo al regresar. Oía sólo lejanos disparos de fusil; ya era oscuro cuando Lothar regresó y ella estaba ya acostada con el niño. Tendida en la oscuridad, oyó las voces y los sonidos, en tanto descargaban los antílopes cazados por el joven para colgarlos de los ganchos. Lothar permaneció levantado hasta tarde con sus hombres, junto al fuego; hasta ella flotaban estallidos de risa, en tanto trataba de dormir.

Por fin lo oyó llegar al refugio vecino. Oyó también el chapoteo del agua cuando él se lavó en el cántaro puesto a la entrada, y el susurro de sus ropas, y finalmente el crujido de su catre al acostarse él.

La despertaron los gritos de Shasa. Comprendió de inmediato que al niño le dolía algo y se levantó, aún medio dormida, para buscarlo a tientas. En la choza de Lothar se encendió un fósforo y la luz de una lámpara.

—¡Chist, silencio, chiquito! —Al acunar a Shasa contra su pecho, el calor del cuerpecito la alarmó.

—¿Puedo entrar? —preguntó Lothar, desde la entrada.

—Oh, sí.

El joven se inclinó para entrar a la choza y dejó la lámpara.

—Shasa está enfermo.

Lothar tomó al niño. Llevaba sólo un par de pantalones de montar; iba descalzo y a pecho descubierto, con el pelo enredado por la almohada.

Después de tocar las mejillas arrebatadas del niño, deslizó un dedo en la boca abierta. Shasa sofocó su aullido y mordió aquel dedo como un tiburón.

—Otro diente —sonrió Lothar—. Se lo palpé esta mañana.

Devolvió el niño a su madre, a pesar del chillido con que el pequeño recibió ese rechazo.

—En seguida vuelvo, soldado.

Centaine lo oyó revolver el botiquín que tenía encadenado al suelo de su carreta. Al volver traía una botellita en la mano. La muchacha arrugó la nariz ante el penetrante olor a aceite de ajo que despedía, una vez quitado el corcho.

—Vamos a curar ese diente malo, qué te parece. —Lothar masajeó las encías del pequeño, que le chupaba el dedo. —Así me gusta, soldado.

Acostó otra vez a Shasa en el catre y, a los pocos minutos, comprobó que dormía otra vez. Entonces recogió la lámpara.

—Buenas noches, señora Courtney —se despidió, en voz baja, acercándose a la entrada.

—¡Lothar! —Ese nombre, en labios de Centaine, los sorprendió a ambos por igual. —Por favor —susurró ella—, hace mucho tiempo que estoy sola. Por favor, no sigas siendo cruel conmigo.

Le tendió ambos brazos. Él se acercó para dejarse caer en el borde del camastro, a su lado.

—Oh, Lothar... —Su voz surgía sofocada, sin aliento. Le echó los brazos al cuello. —Ámame, por favor, oh, ámame...

Y la boca del joven sobre la de ella fue caliente como una fiebre; sus brazos, tan fieros que la dejaron sin aliento.

—Sí, he sido cruel contigo —dijo él, suavemente, con voz temblorosa—, pero sólo porque deseaba desesperadamente abrazarte, porque ardía y sufría de amor por ti...

—Oh, Lothar, abrázame, hazme el amor y no me dejes jamás...

Los días siguientes fueron buena recompensa por todas las privaciones y la soledad de meses, de años enteros. Era como si los hados conspiraran para acumular sobre Centaine todos los deleites que por tanto tiempo se le negaron.

Despertaba, cada amanecer, en el estrecho camastro. Antes de abrir los ojos lo buscaba a tientas, con el torturante miedo de que ya no estuviera allí. Pero siempre estaba. A veces él fingía dormir; entonces ella trataba de abrirle un párpado con la punta de los dedos, y cuando lo conseguía él ponía el ojo en blanco. Centaine, con una risita, le metía la lengua en la oreja; había descubierto que ésa era la única tortura a la cual Lothar no podía resistirse. Se le erizaba la piel; despertaba como un león, la encerraba entre sus brazos y convertía sus risitas en jadeos y, más tarde, en gemidos.

Con la frescura de la mañana, cabalgaban a la par, con Shasa sentado frente a Lothar. En los primeros días mantenían los caballos al paso y no se alejaban del campamento, pero a medida que Centaine recobraba las fuerzas comenzaron a aventurarse más. Al regresar, cubrían el último kilómetro lanzados en un loco galope, jugando una carrera, mientras Shasa, seguro en los brazos de Lothar, chillaba de entusiasmo. Entraban en el campamento sonrosados y desesperados por desayunar.

Las primeras horas de la tarde desértica, largas y perezosas, las pasaban bajo el empajado del refugio, sentados a cierta distancia. Sólo se tocaban brevemente cuando él le entregaba un libro o cuando se pasaban a Shasa, pero se acariciaban mutuamente con los ojos y la voz hasta que el suspenso era como un exquisito tormento.

Al pasar el calor, cuando el sol se suavizaba, Lothar volvía a pedir los caballos; entonces iban hasta el pie de la cuesta, detrás de la montaña. Allí, después de atar a los caballos, Lothar montaba a Shasa en sus hombros y los tres subían hasta uno de los valles estrechos, donde él había descubierto otra fuente termal, bajo un fresco de antiguas pinturas bosquimanas, oculta entre el denso follaje. Brotaba de la cara del acantilado y formaba un pequeño estanque circular en la roca.

En la primera visita fue Lothar quien se resistió a quitarse las ropas. Centaine, en cambio, se sentía feliz de descartar las faldas largas y las enaguas que aún la fastidiaban, para deleitarse en la libertad de la desnudez, a la que se había acostumbrado en el desierto. Ella lo salpicó de agua y lo desafió hasta lograr que se quitara los pantalones para sumergirse apresuradamente en el estanque.

—Eres una desvergonzada —le dijo, bromeando sólo a medias.

La presencia de Shasa los obligaba a contenerse; se tocaban furtivamente bajo las verdes aguas, induciéndose mutuamente a una estremecida distracción, hasta que Lothar no soportaba más y trataba de aferrarla con ese gesto decidido que ella conocía tan bien. Entonces Centaine lo esquivaba con un chillido pudoroso y salía del estanque, para echarse las faldas sobre las piernas mojadas y el trasero, enrojecido por el calor del agua.

Sólo cuando Shasa estaba ya acostado en su catre y la lámpara apagada, sólo entonces se deslizaba, sin aliento, hasta la choza de Lothar. Él la esperaba, excitado por los contactos furtivos y las hábiles retiradas de la jornada. Caían uno en brazos del otro, en un desesperado frenesí, casi como antagonistas trenzados en combate mortal.

Mucho más tarde, abrazados en la oscuridad, en voz muy baja para no despertar a Shasa, trazaban planes y se hacían promesas para un futuro que se extendía ante ellos como si estuvieran en el umbral del paraíso mismo.

Parecían haber pasado sólo unos pocos días cuando, en medio de una tarde abrasadora, Vark Jan entró en el campamento a lomos de un caballo cubierto de espuma.

Llevaba un paquete de cartas, en un envoltorio de lona sellado con alquitrán. Una carta era para Lothar. Constaba de una sola hoja, y él la leyó de una mirada.

Tengo el honor de informarle que obra en mi poder un documento de amnistía en su favor, firmado por el Procurador General del Cabo de Buena Esperanza y el ministro de Justicia de la Unión Sudafricana.

Lo felicito por el éxito de sus esfuerzos y espero con ansiedad el momento de encontrarnos, en el sitio y el momento indicados, oportunidad en que tendré el placer de entregarle ese documento.

Sinceramente suyo,

Coronel Garrick Courtney

Las otras cartas eran para Centaine. Una, también de Garry, les daba la bienvenida a la familia, a ella y a Shasa, asegurándole que ambos contaban con el amor, la consideración y el privilegio que eso significaba.

De la persona más miserable, sumergida en un dolor insoportable, me has transformado, de un solo golpe, en el más feliz y alegre de los padres y abuelos. No veo la hora de abrazarlos a los dos. Haz lo posible porque ese día llegue pronto. Tu afectuoso y respetuoso suegro,

Garrick Courtney

La tercera carta, muchísimo más gruesa que las otras dos juntas, estaba cubierta de la escritura torpe, casi analfabeta, de Anna Stok. Centaine, con el rostro arrebatado de entusiasmo, entre carcajadas de alegría y centelleos de lágrimas, leyó en voz alta algunos fragmentos para beneficio de Lothar. Cuando llegó al final, plegó las dos cartas cuidadosamente.

—Tengo muchos deseos de verlos, pero también lamento dejar que el mundo se entrometa en nuestra felicidad. Quiero ir, pero también quiero quedarme eternamente contigo. ¿Te parece tonto?

—Sí —rió él—, ya lo creo. Partimos al oscurecer.

Viajaban por la noche, para evitar el calor del día en el desierto.

Mientras Shasa dormía profundamente en el camastro de la carreta, atontado por el movimiento de las ruedas, Centaine cabalgaba jumo a Lothar, estribo con estribo. Su pelo brillaba a la luz de la luna; las sombras suavizaban las marcas dejadas en las facciones masculinas por las privaciones y el sufrimiento, de modo tal que a ella le costaba apartar los ojos de ese rostro.

Cada mañana, antes del amanecer, armaban el campamento. Si estaban entre dos abrevaderos, daban agua al ganado y a los caballos, llevándola en baldes, antes de buscar la sombra de los toldos que cerraban las carretas.

Al avanzar la tarde, mientras los sirvientes levantaban campamento y preparaban la jornada nocturna, Lothar salía de caza. Al principio, Centaine lo acompañaba, pues no soportaba separarse de él ni siquiera por una hora. Pero un atardecer, con luz escasa, Lothar disparó mal y su bala desgarró el vientre de una bella gamuza.

Corrió ante los caballos con sorprendente resistencia; una maraña de entrañas le colgaba de la herida abierta. Aun cuando al fin cayó, levantó la cabeza para observar a Lothar, que desmontaba con el cuchillo desenvainado. A partir de ese día, Centaine prefirió quedarse en el campamento mientras él salía en busca de carne fresca.

Por eso estaba sola, aquella noche, cuando el viento llegó súbitamente desde el norte, molesto y frío. Centaine subió a la carreta en busca de un abrigo para Shasa.

El interior estaba atestado de equipos, listo para la jornada nocturna. En la parte trasera estaba el bolso de viaje enviado por Anna, con toda la ropa. Centaine tuvo que pasar por sobre un baúl de madera para alcanzarla. Como las faldas largas le molestaban, se tambaleó sobre la tapa y alargó una mano para sostenerse.

Lo que tocó fue la manija de bronce que decoraba el escritorio de viaje de Lothar, atado a la cama de la carreta. Con el peso de la muchacha, la manija cedió un poco y el cajón se abrió un par de centímetros.

"Ha olvidado echarle llave", pensó. "Debo avisarle". Cerró el cajón y bajó del baúl. Después de sacar el abrigo de Shasa, iba a retirarse cuando sus ojos se posaron otra vez en el cajón del escritorio.

La tentación era como un aguijonazo. Ahí estaba el diario de Lothar.

"Cómo voy a hacer algo tan horrible", se dijo. Sin embargo, su mano se estiró otra vez hacia el bronce.

"¿Qué habrá escrito sobre mí?" Abrió lentamente el cajón, para mirar aquel grueso volumen cubierto de cuero. "¿Tengo, en verdad, deseos de saberlo?" Iba a cerrar otra vez, pero cedió ante la abrumadora tentación. "Sólo leeré lo que se refiera a mí", se prometió.

Se acercó velozmente a la solapa de la carreta para echar una mirada culpable hacia afuera. Swart Hendrick estaba por uncir al buey.

—¿Ha vuelto el señor? —preguntó ella.

—No, señora, y no hemos oído disparos. Hoy vendrá tarde.

—Avíseme si lo ve venir —ordenó.

Y volvió al escritorio.

Se sentó en cuclillas, con el pesado diario en el regazo. Fue un alivio descubrir que estaba escrito casi enteramente en afrikaans, con sólo algún párrafo ocasional en alemán. Lo hojeó hasta hallar la fecha en que él la había rescatado. La anotación cubría cuatro páginas, era la más larga de todo el diario.

Lothar había relatado en detalle el ataque del león y el rescate, el regreso al campamento, mientras ella estaba todavía inconsciente, y agregado una descripción de Shasa que la hizo sonreír.

Un muchachito fuerte, de la edad que tenía Manfred cuando lo vi por última vez. Me siento muy afectado.

Aun sonriendo, Centaine buscó en la página una descripción de sí misma; sus ojos se detuvieron en el párrafo:

No dudo de que ésta sea, en verdad, la mujer buscada, aunque ha cambiado con respecto a la fotografía y a mi breve recuerdo de ella. Tiene el pelo espeso y rizado como el de las muchachas namas, la cara delgada y morena como un mono…

Centaine ahogó una protesta, ofendida.

…pero cuando abrió los ojos, por un momento, creí que se me iba a romper el corazón. Son enormes y suaves.

Algo tranquilizada, siguió volviendo páginas, alerta como un ladrón a los cascos de cualquier caballo. Una palabra le llamó la atención, escrita en limpias letras mayúsculas teutónicas: *Boesmanne*, Bosquimano. Su corazón dio un brinco, totalmente cautivado.

Bosquimanos rondando el campamento, durante la noche. Hendrick descubrió su rastro cerca de los caballos y el ganado. Los seguimos al rayar el alba. Cacería difícil.

La palabra *jag* detuvo a Centaine. "¿Cacería?", se dijo, intrigada. Esa palabra se aplicaba sólo a la persecución de animales. Siguió leyendo.

Alcanzamos a los dos bosquimanos, pero estuvieron a punto de burlarnos, pues treparon el acantilado con la agilidad de mandriles. No pudimos seguirlos; los hubiéramos perdido, pero los perjudicó una tremenda curiosidad, también como de mandriles. Uno de ellos se detuvo en la cima del acantilado para mirarnos. Era un disparo difícil, dado el ángulo y la distancia...

Centaine quedó pálida. No podía creer en lo que estaba leyendo; cada palabra reverberaba en su cráneo como en una caverna vacía y llena de ecos.

Sin embargo, acerté y derribé al bosquimano. Y entonces presencié un incidente notable. No hizo falta volver a disparar, pues el bosquimano restante cayó desde lo alto. Desde abajo casi se hubiera dicho que se había arrojado. Pero no creo que haya sido el caso; los animales no son capaces de suicidarse. Lo más probable es que, dado el terror y el pánico, haya perdido pie. Ambos cuerpos cayeron en lugares de difícil acceso, pero yo estaba decidido a examinarlos, pues son los primeros San salvajes que caen bajo mis balas. El ascenso fue peligroso, pero valió la pena. El primer cuerpo, que correspondía a un hombre muy viejo, el que se había caído del acantilado, no tenía nada notable, salvo una navaja fabricada por Joseph Rodgers, atada a la cintura.

Centaine comenzó a sacudir la cabeza de lado a lado.
—No —susurró—. ¡No puede ser!

Supongo que le fue robada a otro viajero. Probablemente el pillo entró en nuestro campamento con la esperanza de conseguir un botín similar.

Centaine volvió a ver al pequeño O'wa, sentado en cuclillas a la luz del sol, con el cuchillo en las manos y lágrimas de placer corriéndole por las mejillas marchitas.

—¡Oh, por piedad, no! —gimió.

Pero su vista corrió, sin misericordia, por aquellas ordenadas hileras de brutales palabras.

Fue el segundo cadáver el que me dio el mejor trofeo. Era de una mujer, tal vez más vieja que el hombre. Pero al cuello llevaba un adorno desacostumbrado.

El libro cayó del regazo de la muchacha, que se cubrió la cara con ambas manos.

—¡H'ani! —gritó, en la lengua San—. Mi anciana abuela, mi anciana y reverenda abuela, viniste a buscarnos. ¡Y él te mató!

Se mecía de lado a lado, con un murmullo en la garganta, en la actitud con que los San expresan su dolor. De pronto se lanzó contra el escritorio, arrancó el cajón y desparramó hojas sueltas, plumas y barras de lacre por el suelo.

—El collar —sollozaba—, el collar... Tengo que asegurarme.

Tiró de la manija del compartimiento inferior. Estaba cerrado con llave. Con una de las clavijas que sujetaban el toldo, rompió la cerradura y abrió. El compartimiento contenía una fotografía con marco de plata, donde se veía a una rubia regordeta, con un niño en el regazo, y una pila de cartas atadas con una cinta de seda.

Las arrojó al piso y rompió el compartimiento vecino. Había allí una pistola Luger con estuche de madera y una caja de municiones. Las tiró sobre las cartas. En el fondo del compartimiento encontró una cigarrera.

Contenía un envoltorio hecho con un pañuelo de algodón estampado. Al levantarlo, con manos temblorosas, el collar de H'ani cayó de entre sus pliegues. Centaine se quedó mirándolo como si se tratara de una mortífera mamba, con las manos a la espalda.

—H'ani —balbuceó—, oh, mi anciana abuela.

Tuvo que oprimirse los labios con las manos para que no le temblaran. Luego levantó lentamente el collar, con los brazos tendidos.

—Él te asesinó —dijo, en un susurro. Hizo una arcada al ver las negras manchas de sangre sobre las piedras. —Te disparó como si fueras un animal.

Con el collar apretado contra el pecho, volvió a mecerse, con los ojos bien cerrados para contener las lágrimas. Aún estaba así cuando oyó el tamborileo de los cascos y los gritos de los sirvientes que recibían a Lothar.

Se levantó, tambaleándose, atacada de mareos. Su dolor era como una enfermedad. Pero en eso oyó su voz:

—¡A ver, Hendrick, ocúpate de mi caballo! ¿Dónde está la señora?

Entonces su dolor cambió de forma. Aunque todavía le temblaban las manos, levantó el mentón. En sus ojos quemaban, no ya las lágrimas, sino una furia ardorosa.

Levantó la pistola Luger y la sacó de su curvo estuche. La amartilló; un reluciente cartucho se introdujo en el cargador. Con el arma en el bolsillo de la falda, se volvió hacia la abertura de la lona.

Al bajar de un salto vio que Lothar venía hacia ella; el rostro se le encendió de placer al verla.

—Centaine... —Pero se detuvo al ver su expresión. —¡Centaine, pasa algo malo!

Ella le mostró el collar, que centelleaba entre sus dedos estremecidos. No podía hablar.

La cara de Lothar se oscureció. Sus ojos tomaron un brillo furioso.

—¡Has abierto mi escritorio!

—¡La mataste!

—¿A quién? —exclamó él, realmente desconcertado. Y luego: —Oh, a la bosquimana.

—¡Era H'ani!

—No comprendo.

—Mi anciana abuela...

Lothar estaba ya muy alarmado.

—Mira, aquí hay un grave error. Deja que te...

Dio un pase hacia ella, pero Centaine retrocedió, gritando:

—¡No te acerques! ¡No me toques! ¡No vuelvas a tocarme jamás!

Y buscó la pistola en su bolsillo.

—Centaine, tranquilízate. —Él se detuvo al ver la Luger en manos de la muchacha. —¿Te has vuelto loca? —preguntó, asombrado—. A ver, dame eso.

Volvió a avanzar.

—Asesino, monstruo de sangre fría, ¡la mataste! —Centaine sostenía la pistola con ambas manos, enredando el collar con el arma, moviendo el caño en círculos erráticos. —Mataste a mi pequeña H'ani. ¡Te odio!

—¡Centaine!

Lothar alargó la mano para quitarle la pistola. Hubo un relámpago de humo y pólvora, y la Luger saltó hacia arriba, levantando las manos de la muchacha por sobre su cabeza. El disparo sonó como un latigazo, ensordeciéndola.

Lothar dio un brinco hacia atrás y giró en redondo, con los rizos dorados sacudidos como trigo maduro ante el ventarrón. Cayó de rodillas; luego se derrumbó boca abajo.

Centaine dejó caer la pistola y se apoyó contra la carreta. Hendrick, que se acercaba a la carrera, le arrebató el arma.

—Te odio —dijo ella a Lothar, jadeante—. Ojalá mueras, maldito. ¡Muere y vete al infierno!

Centaine llevaba las riendas flojas, dejando que su caballo eligiera su propio paso y su camino. Tenía a Shasa colgado de la cadera, con la cabeza en el hueco de su brazo, tranquilamente dormido.

El viento llevaba cinco días azotando el desierto sin cesar, y las arenas siseaban, arrebatadas de la superficie como la espuma en una playa. Los pequeños rebaños de antílopes volvían la espalda a las ráfagas heladas y escondían el rabo entre las patas.

Centaine se había envuelto la cabeza con una bufanda, a la manera de un turbante, y sostenía una frazada sobre los hombros para abrigarse junto con el niño. El viento frío tironeaba de las esquinas de la colcha, enredando las largas crines de su caballo. Con los ojos entornados para evitar la arena, vio el Dedo de Dios.

Todavía estaba lejos y se lo veía borroso, por efecto del polvo que cargaba el aire, pero perforaba el cielo bajo, visible a pesar de los ocho kilómetros de distancia. Por eso lo había elegido Lothar De La Rey. Se trataba de un detalle inconfundible.

Centaine azuzó al poni hasta ponerlo al trote. Shasa protestó en sueños por el cambio de paso, pero la muchacha se irguió en la silla, tratando de olvidar el dolor y la furia que pesaban sobre ella, amenazando aplastarle el alma.

Poco a poco, la silueta del Dedo de Dios se endureció contra el cielo amarillo; era un esbelto pilar rocoso, que se alzaba hacia el firmamento, para engrosarse finalmente formando una cabeza de cobra, a sesenta metros de altura. Desde la base del monumento surgió un rayo de luz, reflejado sobre metal, que le hirió los ojos. Se los sombreó con la frazada para mirar con atención.

—Shasa —susurró—. ¡Ahí están! Nos esperan.

Azuzó al cansado poni hasta obligarlo a galopar y se levantó en los estribos.

A la sombra de la pétrea columna había estacionado un vehículo de motor. Junto a él se levantaba una pequeña carpa verde, frente a la cual ardía una fogata.

Centaine se quitó el turbante de la cabeza y lo agitó a modo de bandera.

—¡Aquí! —gritó—. ¡Hola! ¡Aquí estoy!

Dos siluetas humanas, borrosas, se apartaron del fuego y miraron en su dirección. Ella siguió saludando y gritando, siempre a todo galope, hasta que una de las personas echó a correr. Era una mujer, una mujer grande, de faldas largas. Las recogía hasta la rodilla para correr, con desesperada prisa, por el suelo blando. Su rostro era de un escarlata brillante, debido al esfuerzo y a la emoción.

—¡Anna! —gritó Centaine—. ¡Oh, Anna!

Por aquella carota roja corría un reguero de lágrimas. Anna dejó caer las faldas y abrió los brazos en toda su amplitud.

—¡Mi nena! —gritó.

La muchacha se arrojó desde la montura y corrió hacia su abrazo, llevando a Shasa contra su pecho.

Mientras ambas lloraban, abrazándose con fuerza y tratando de hablar al mismo tiempo, incoherentes, entre risas y sollozos, Shasa, aplastado entre las dos, soltó un aullido de protesta.

Anna se lo arrebató para abrazarlo.

—Varón. ¡Es un varón!

—Michel. —Centaine sollozó, feliz. —Lo bauticé Michel Shasa.

Y el niño, con un gritito, alzó ambas manos a aquella cara maravillosa, grande y roja como una fruta madura.

—¡Michel! —exclamó Anna, llorosa, besándolo.

Shasa, que sabía mucho de besos, abrió la boca y le untó la barbilla de saliva caliente.

Siempre con el niño en los brazos, Anna llevó a la muchacha de un brazo hasta el campamento.

Una figura alta, de hombros caídos, se acercaba a ellas con aire tímido. El pelo pajizo y gris, ya escaso, descubría una alta frente de estudioso; sus ojos blandos, vagamente miopes, eran azules, como los de todos los Courtney, pero algo más turbios; su nariz, aunque tan grande como la del general Sean Courtney, parecía, de algún modo, avergonzarse de ello.

—Soy el padre de Michael —dijo, tímidamente.

Era como contemplar una fotografía desteñida y manchada de su amado Michael. Centaine sintió un arrebato de culpa, pues había sido desleal a sus votos y al recuerdo del joven. En ese momento sintió que Michael la enfrentaba. Por un momento recordó su cuerpo retorcido en la cabina del aeroplano incendiado y, llena de dolor y remordimientos, corrió hacia Garry para echarle los brazos al cuello.

—¡Papá! —dijo.

Ante esa palabra, toda la reserva de Garry se derrumbó. La abrazó con fuerza, sofocado.

—Ya había perdido las esperanzas…

No pudo seguir. Al ver sus lágrimas, Anna volvió a empezar. Y eso fue demasiado para Shasa, que emitió un gemido doliente. Y los cuatro lloraron, abrazados bajo el Dedo de Dios.

Las carretas parecían nadar hacia ellos por el polvo, meciéndose y dando tumbos sobre el terreno desparejo. Mientras esperaba la llegada, Anna murmuró:

—Debemos estar eternamente agradecidos a este hombre…

Estaba sentada en el asiento trasero del Fiat, con Shasa en el regazo y Centaine a su lado.

—Se le pagará bien —dijo Garry, de pie en el estribo del coche. Llevaba en la mano un documento enrollado y atado con una cinta roja, con el cual estaba dándose golpecitos en la pierna artificial.

—Lo que le pague no será bastante —afirmó Anna, abrazando a Shasa.

—Es un renegado que vive fuera de la ley —aseguró Garry, con el entrecejo fruncido—. Me cuesta mucho...

—Por favor, papá, déle lo que le debemos —sugirió Centaine, con suavidad— y deje que se vaya. No quiero verlo nunca más.

El muchachito semidesnudo que conducía la yunta de bueyes los detuvo con un silbido. Lothar De La Rey bajó lentamente del asiento, con un gesto de dolor.

Al llegar al suelo se detuvo por un momento, sujetándose con la mano libre contra el costado de la carreta. Llevaba el otro brazo en cabestrillo. Su rostro tenía un tono amarillento bajo el bronceado parejo; tenía oscuras ojeras; se habían acentuado las líneas de sufrimiento en las comisuras de la boca y una barba de varios días chisporroteaba en su mandíbula, a pesar de la luz escasa.

—Ese hombre está herido —murmuró Anna—. ¿Qué le pasó?

Centaine, a su lado, apartó silenciosamente la cara.

Lothar reunió fuerzas y salió al encuentro de Garry. A medio camino entre el Fiat y la carreta se estrecharon brevemente la mano; el joven, abochornado, alargó la izquierda.

Sus voces, bajas, no llegaron a la muchacha. Vio que Garry le entregaba el rollo de papel; Lothar soltó la cinta con los dientes y extendió la hoja contra el muslo, inclinándose para leerla.

Al cabo de un momento irguió la espalda y dejó que el pergamino se enrollara otra vez. Hizo un gesto afirmativo y dijo algo a Garry, manteniendo el rostro impávido. El coronel frotó las suelas contra la arena, azorado, e hizo un gesto indeciso, como si ofreciera otra vez la mano pero no se decidiera del todo, ya que Lothar no lo miraba.

A quien miraba era a Centaine. Apartó a Garry de un leve empujón y echó a andar lentamente hacia ella. De inmediato, la joven tomó a Shasa, que estaba sentado en el regazo de Anna, y se acurrucó con él en el rincón más apartado del asiento, fulminando al hombre con la mirada. Lothar se detuvo y levantó la mano sana hacia ella, en un leve gesto de súplica, pero la dejó caer al notar que la expresión de la muchacha no cambiaba.

Garry, intrigado, los observaba a ambos.

—¿Ya podemos irnos, papá? —preguntó Centaine, con voz clara.

—Por supuesto, querida.

El suegro se apresuró a acercarse al Fiat y se inclinó para darle manija. Al encenderse el motor, corrió al asiento del volante y ajustó la palanca de encendido.

—¿No hay nada que quieras decir a ese hombre? —preguntó.

Como ella sacudió la cabeza, se instaló tras el volante y el auto dio una sacudida hacia adelante.

Sólo una vez miró Centaine hacia atrás, después de bambolearse por un kilómetro y medio de caminos arenosos. Lothar De La Rey aún seguía bajo el gran monumento de roca. Era una diminuta figura solitaria en el desierto, que los seguía con la mirada.

Las verdes colinas de Zululandia se diferenciaban totalmente de la desolación del Kalahari y de las monstruosas dunas de Namibia. A Centaine le costaba creer que todo estuviera en el mismo continente. Pero entonces recordó que estaban al otro lado del África, a más de mil quinientos kilómetros del Dedo de Dios.

Garry Courtney detuvo el Fiat en la cima del alto terraplén, por sobre el río Baboonstroom, y, después de apagar el motor, ayudó a descender a ambas mujeres. Tomó a Shasa de brazos de la madre y las guió hasta el borde.

—Allí —señaló—. Eso es Theuniskraal, donde nacimos Sean y yo... y Michael, después.

Estaba al pie de la cuesta, rodeada de jardines desordenados y densos como una selva tropical. Las altas palmeras y los arbustos florecidos servían de soporte a mantos de buganvillas sin podar; los estanques para peces ornamentales mostraban el verde ponzoñoso de las algas.

—La casa fue reconstruida después del incendio, por supuesto. —Garry vaciló. Una sombra pasó por sus ojos turbios, pues en ese incendio había muerto la madre de Michael. Luego prosiguió: —En todos estos años le hice algunas ampliaciones.

Centaine sonrió, pues la casa le hacía pensar en una vieja ridícula, que se hubiera puesto diez prendas diferentes, cada una de distinto estilo, sin que ninguna le sentara bien. Columnas griegas y ladrillos georgianos convivían con aleros pintados de blanco al estilo holandés. Más allá, hasta el horizonte, ondulaban cañaverales verdes que se mecían al viento suave, como la superficie de un mar estival.

—Y por allá está Lion Kop. —Garry señaló hacia el oeste, donde el terraplén describía una curva majestuosa, formando un anfiteatro cubierto de densos bosques en torno de la ciudad de Ladyburg. —Esas tierras son de Sean, todo lo que se ve desde mis lindes. ¡Allí, hasta donde da la vista! Entre los dos poseemos todo el terraplén. Allí está la casa de Lion Kop; se ve el tejado por entre los árboles.

—Qué belleza —susurró Centaine—. Oh, miren, hay montañas más allá, con nieve en los picos.

—Las montañas Krakensberg... están a ciento cincuenta kilómetros.

—¿Y eso? —Centaine señaló, por sobre los techos de la ciudad, con la refinería de azúcar y los aserraderos, una elegante mansión blanca, en la cuesta del valle. —¿Eso también es de los Courtney?

—Sí. —La expresión de Garry se alteró. —De Dirk Courtney, el hijo de Sean.

—No sabía que el general Courtney tuviera un hijo varón.

—A veces él preferiría no tenerlo —murmuró Garry. Y luego, apresuradamente, antes de que ella pudiera retomar el tema: —Vamos; es casi hora de almorzar. Si tenemos suerte y el cartero entregó mi telegrama los criados nos estarán esperando.

—¿Cuántos jardineros emplea usted, *Mijnheer*? —preguntó Anna, en tanto el Fiat traqueteaba por el largo camino de acceso a Theuniskraal, estudiando con un gesto de desaprobación aquella densa espesura.

—Cuatro, creo… o tal vez cinco.

—Bueno, *Mijnheer*, no se están ganando bien el salario —observó ella, severamente.

Centaine sonrió, segura de que, desde ese momento en adelante, los desprevenidos jardineros tendrían que ganar con sudor cada centavo. Algo distrajo su atención.

—¡Oh, miren!

Se levantó impulsivamente, sujetándose del respaldo delantero y sosteniendo el sombrero con la otra mano. Al otro lado de la cerca blanca que corría a lo largo de la ruta, varios potrillos de un año se alarmaron ante la presencia del Fiat y huyeron por la fértil pradera, con las crines al viento y el pelaje reluciente bajo el sol.

—Una de tus funciones, querida, será encargarte de que los caballos hagan ejercicio. —Garry giró en el asiento de conductor para sonreírle. —Y tendremos que elegir un poni para el joven Michel, aquí presente.

—Todavía no tiene dos años —intervino Anna.

—Nunca se es demasiado joven para montar, *Mevrou*. —Garry transfirió la sonrisa a ella, pero convirtiéndola en un gesto lascivo. —¡Ni demasiado viejo!

Aunque su frente siguió rigurosamente fruncida, Anna no pudo evitar que se le suavizaran los ojos antes de desviar la vista.

—¡Ah, bueno, los sirvientes nos están esperando! —exclamó el dueño de casa.

Y frenó el Fiat ante las puertas dobles de la entrada principal. Los criados se adelantaron en orden de antigüedad, para que se los presentara, comenzando por el cocinero zulú y terminando con los palafreneros, todos ellos palmotearon respetuosamente, mostrando los dientes blancos, mientras Shasa brincaba entre los brazos de su madre, entre grititos de entusiasmo.

—Ah, Bayete —rió el cocinero, dedicando al niño el saludo real—. Salve, pequeño jefe. Ojalá crezcas fuerte y erguido como tu padre.

Entraron en Theuniskraal, y Garry les mostró, orgullosamente, aquellos cuartos cavernarios, en los que reinaba un leve desorden. Aunque Anna pasaba el dedo sobre todo lo que caía a su alcance, frunciendo el entrecejo ante el polvo que sacaba, la casa poseía una atmósfera benigna y amistosa.

Centaine se sintió inmediatamente a gusto.

—Oh, qué bueno es volver a tener gente joven en casa, y muchachas bonitas, y un niñito —fue el modo en que lo expresó Garry—. Este vejestorio de casa necesita que lo animen.

—Y una buena limpieza tampoco le vendría mal —gruñó Anna.

Pero Garry estaba subiendo enérgicamente la escalinata principal, ágil como un muchacho excitado.

—Vengan. Quiero mostrarles sus habitaciones.

La que había elegido para Anna estaba junto a su propia suite; aunque Centaine no captó el significado de eso, Anna bajó la mirada, como un pudoroso bull-dog, al ver la discreta puerta que comunicaba con el vestidor de Garry.

—Éste será tu cuarto, querida mía.

Garry condujo a Centaine por la galería superior, haciéndola pasar a una habitación enorme y soleada, cuyas puertas-ventana se abrían a una amplia terraza, con vista a los jardines.

—Es encantadora —exclamó la muchacha, palmoteando, mientras corría a la terraza.

—Necesita redecoración, por supuesto, pero debes ser tú quien elija los colores, las alfombras y las cortinas. Ahora vamos a ver el cuarto del joven Michel.

Cuando Garry abrió la puerta situada frente al cuarto de Centaine, su actitud cambió dramáticamente. Al entrar en el cuarto, la muchacha comprendió por qué.

La presencia de Michael reinaba allí por doquier. Sonreía desde las fotografías enmarcadas, vestido con ropas de rugby; con pantalones de franela blanca, palo de criquet en mano; con un rifle y un par de faisanes. La sorpresa dejó a Centaine demudada.

—Me pareció que sería apropiado asignar a Michel la habitación de su padre —murmuró el coronel, en tono de disculpa—. Claro que, si no estás de acuerdo, querida, hay otros quince dormitorios para elegir.

Centaine, lentamente, miró a su alrededor, observando los

rifles en sus perchas, las cañas de pesca y los palos de criquet, los libros en las estanterías y las chaquetas de tweed.

—Sí —asintió—. Éste será el cuarto de Shasa, y lo conservaremos tal como está.

—¡Oh, bien! —asintió Garry, feliz—. Me alegra mucho que estés de acuerdo.

Y corrió a la galería, dando órdenes en zulú.

Centaine recorrió lentamente el dormitorio para tocar la cama en donde Michael había dormido, deteniéndose a rozar con la mejilla un pliegue de la chaqueta. Le parecía percibir ese olor especial de Michael sobre la tela. Tomó un libro del estante y lo abrió en la portada. "Este libro fue robado a Michael Courtney." Lo cerró para volverse hacia la puerta.

En el pasillo había una leve conmoción. Garry dirigía a dos de los criados zulúes, que se tambaleaban bajo el peso de una enorme cuna, con costados deslizables, cuyo armazón de caoba hubiera podido albergar a un león adulto.

—Era de Michael. Creo que debería ser ahora para su hijo, ¿no te parece, querida?

Antes de que Centaine pudiera contestar, el teléfono sonó, exigente, en el vestíbulo inferior.

—Indícales dónde ponerla, querida —pidió Garry, mientras salía otra vez, apresuradamente.

Estuvo ausente por casi media hora. Centaine oía que el teléfono sonaba a intervalos irregulares. Cuando Garry volvió a subir, venía protestando.

—Ese maldito teléfono no dejaba de sonar. Todo el mundo quiere conocerte, querida. Eres una dama muy famosa. Otro periodista quiere entrevistarte...

—Espero que les haya dicho a todos que no, papá.

Al parecer, en los dos últimos meses no había periodista en Sudáfrica que no hubiese pedido una entrevista. La historia de la joven perdida y rescatada de los páramos africanos con su bebé cautivaba, en esos momentos, el variable interés de todos los editores, desde Johannesburgo y Sydney hasta Londres y Nueva York.

—Los saqué con cajas destempladas —le aseguró Garry—. Pero hay otra persona muy ansiosa por verte otra vez.

—¿Quién?

—Mi hermano, el general Courtney. Ha venido con su esposa desde la casa de Durban a Lion Kop. Quiere que vayamos a almorzar mañana y pasemos el día con ellos. Acepté en tu nombre. Espero no haber hecho mal.

—Oh, no, claro que no.

Anna se negó a acompañarlos a ese almuerzo.

—¡Hay demasiado que hacer aquí! —declaró.

Los sirvientes de Theuniskraal ya la habían apodado *Checha* ("de prisa"); era la primera palabra del idioma zulú que la mujer había aprendido a pronunciar, y todos le tenían un respeto cada vez mayor y más cauteloso.

Garry y Centaine cruzaron el terraplén en el automóvil, con Shasa sentado entre ambos. Al detenerse ante la amplia mansión, con su encantador techo de paja, una silueta familiar, corpulenta y barbada, bajó apresuradamente la escalera frontal para tomar las manos de Centaine.

—Es como si hubieras vuelto de entre los muertos —le dijo Sean, suavemente—. No puedo expresar lo que siento. —Y se volvió para tomar a Shasa de brazos de Garry. —Conque éste es el hijo de Michael.

Shasa gorjeó de alegría y trató de arrancar a puñados la barba del General.

Ruth Courtney, la esposa de Sean, estaba en ese período de la vida, pasados los cuarenta años y sin llegar aún a los cincuenta, en que una mujer magnífica llega al cenit de su belleza y elegancia. Besó a Centaine en la mejilla y le dijo, suavemente:

—Michael nos era muy querido. Tú ocuparás su lugar en nuestro corazón.

Detrás de ella esperaba una joven, a quien Centaine reconoció inmediatamente por la fotografía enmarcada vista en Francia. Tormenta Courtney era aun más hermosa que su retrato; la piel parecía un pétalo de rosa y tenía los relucientes ojos judíos de la madre, pero su boca adorable dibujaba un constante mohín, con la expresión petulante de las criaturas malcriadas hasta el más alto grado de descontento. Saludó a Centaine en francés.

—*Comment vas-tu, chérie*? —Su acento era atroz.

En cuanto se miraron a los ojos, la antipatía fue mutua.

Junto a Tormenta había un hombre joven, alto y delgado, de actitud seria y ojos suaves. Era Mark Anders, secretario privado del General; a Centaine le gustó por instinto, tal como había detestado por instinto a la muchacha.

El general Sean Courtney ofreció un brazo a Centaine y otro a su esposa y las condujo a la mansión.

Aunque sólo unos pocos kilómetros separaban a las dos casas, parecían estar en mundos aparte. El piso de madera, en Lion Kop, relucía de cera; los cuadros eran obras de colores alegres, entre las que Centaine reconoció una caprichosa escena tahitiana de Paul Gauguin. Por doquier se veían grandes ramos de flores frescas.

—Si las señoras nos disculpan un momento, Garry y yo las dejaremos con el joven Mark, que las va a entretener.

Sean se llevó al hermano al estudio, mientras el secretario servía un jugo de fruta para cada una de las damas.

—Estuve en Francia con el General —contó Mark a Centaine, al darle la copa—, y conozco bastante bien su aldea de Mort Homme. Estuvimos acuartelados allí mientras esperábamos para seguir hasta el frente.

—Oh, qué maravilla, poder hablar de mi patria —exclamó la muchacha.

Le tocó impulsivamente el brazo. Desde el otro extremo de la sala, Tormenta Courtney, que estaba acurrucada en el sofá, con aire estudiadamente lánguido, le echó una mirada tan venenosa que ella exultó, para sus adentros: *"Alors, chérie!* ¡Conque así es la cosa!" Y miró a Mark Anders a los ojos, exagerando su gutural acento francés.

—¿Recuerda quizás el *château*, más allá de la iglesia, al norte de la aldea? —preguntó, haciendo que la pregunta sonara como una invitación a gozar de delicias prohibidas.

Pero Ruth Courtney, intuitivamente, captó en el aire olor a pólvora e intervino suavemente.

—A ver, Centaine, ven a sentarte conmigo —ordenó—. Quiero que me cuentes tus increíbles aventuras, paso a paso.

Centaine repitió, por quincuagésima vez desde su rescate, la versión cuidadosamente corregida del naufragio y sus consiguientes vagabundeos por el desierto.

—¡Extraordinario! —intervino Mark Anders, en cierto punto—. Con frecuencia he admirado las pinturas de los bosquimanos en las cuevas de las montañas Drakensberg; algunas son realmente bellas, pero no sabía que todavía existieran bosquimanos salvajes. Se los eliminó en estas montañas hace sesenta años; eran enanitos peligrosos y traicioneros, sin duda alguna.

Tormenta, en su sofá de seda, se estremeció teatralmente.

—No me explico cómo pudiste soportar que te tocara uno de esos pequeños monstruos amarillos, *chérie*. ¡Yo hubiera expirado!

—*Bien sûr, chérie*. ¿Tampoco te habría gustado comer lagartijas y langostas vivas? —preguntó Centaine, dulcemente.

Tormenta palideció.

Sean Courtney volvió al salón pisando fuerte y los interrumpió.

—Bueno, me alegra ver que ya eres de la familia, Centaine. Sé que tú y Tormenta van a ser grandes amigas, ¿no?

—Sin duda, pater —murmuró Tormenta.

Centaine se echó a reír.

—Su Tormenta es tan dulce que ya le he tomado mucho cariño. —Eligió, sin fallar, el adjetivo perfecto para encender rosas furibundas en las perfectas mejillas de la joven.

—¡Bien, bien! ¿El almuerzo está listo, amor mío?

Ruth se levantó para tomar a su esposo del brazo y abrir la marcha hacia el patio, donde se había tendido la mesa bajo un dosel de jacarandaes. El aire mismo parecía colorearse de púrpura y verde a la luz del sol, filtrada por las copas florecidas, como si hubieran estado en un bosquecillo subacuático.

Los criados zulúes, que habían esperado pendientes la llegada, a una señal de Sean se llevaron a Shasa a las cocinas, como si fuera un príncipe. El placer que daban al niño aquellas cara negras y sonrientes era tan obvio como el deleite que él les brindaba.

—Lo malcriarán en cuanto te descuides —advirtió Ruth a Centaine—. Si hay algo que los zulúes aman más que el ganado, es un niño varón. Bueno, ¿quieres sentarte junto al General, querida?

Durante el almuerzo, Sean convirtió a Centaine en el centro absoluto de atención, mientras Tormenta trataba de mostrarse altanera y aburrida, en el extremo de la mesa.

—Y ahora, querida mía, quiero enterarme de todo.

—Oh, pater, por Dios, acabamos de oír todo eso —protestó Tormenta, poniendo los ojos en blanco.

—Habla correctamente, niña —le advirtió Sean. Y dirigiéndose a Centaine: —Comienza por la última vez que te vi y no omitas nada, ¿me oyes?

Durante la comida, Garry se mostró retraído y silencioso, en contraste con su humor bullicioso de las últimas semanas. Después del café se levantó rápidamente, en cuanto Sean dijo:

—Bueno, les pido a todos que nos disculpen por algunos minutos, Garry y yo vamos a llevarnos a Centaine para una pequeña conversación.

El estudio del General estaba decorado con paneles de caoba, con alfombras orientales y una exquisita escultura en bronce de Anton van Wouw; irónicamente, representaba a un cazador bosquimano con el arco en la mano, mirando el desierto. Centaine recordó tan vívidamente a O'wa que contuvo una exclamación.

Sean le indicó, con su cigarro, el sillón puesto frente a su escritorio, donde ella parecía perderse. Garry ocupó el de al lado.

—Estuve hablando con Garry —comenzó Sean, sin preliminares—. Le he explicado las circunstancias en que murió Michael, antes de la boda.

Sentado detrás de su escritorio, hacía girar en el dedo, pensativo, su propia alianza de oro.

—Todos sabemos que Michael era tu esposo en todo sentido, salvo en el legal, y el padre de Michel. Sin embargo, técnicamente Michel es... —Vaciló. —Michel es ilegítimo; a los ojos de la ley es un bastardo.

La palabra espantó a Centaine, que miró al General por entre las crecientes nubes de humo. El silencio se prolongaba.

—Eso no puede ser —dijo Garry, al fin—. Es mi nieto. No se puede permitir semejante cosa.

—No —concordó Sean—. No se puede permitir semejante cosa.

—Con tu consentimiento, querida mía —la voz de Garry era casi un susurro—, quisiera adoptar al niño.

Centaine volvió lentamente la cabeza hacia él, que se apresuró a continuar:

—Sería sólo una formalidad, un modo legal para asegurarle una posición en el mundo. Se puede hacer con la mayor discreción, sin que eso afecte las relaciones entre ustedes. Tú seguirías siendo la madre, con la custodia legal; para mí sería un honor convertirme en su tutor y hacer por él todo lo que su padre no puede hacer. —Como Centaine esbozó una mueca de dolor, él barbotó: —Perdona, querida, pero es necesario hablar de esto. Como ha dicho Sean, todos aceptamos que eres la viuda de Michael; queremos que uses el apellido de la familia y te trataremos como si, aquel día, la ceremonia se hubiera llevado a cabo. —Se interrumpió con una tos grave. —Nadie lo sabrá nunca, salvo los tres que estamos presentes y Anna. ¿Darás tu consentimiento, por el bien del niño?

Centaine se levantó para acercarse a él. Se dejó caer de rodillas ante Garry y le puso la cabeza en el regazo.

—Gracias —susurró—. Es el hombre más bueno que conozco. Ahora sí que ha ocupado el lugar de mi padre.

Los meses siguientes fueron los más satisfactorios que Centaine conociera hasta entonces: seguros, soleados y llenos de recompensas. Gozaba con la risa de Shasa y con la benigna, aunque tímida, presencia de Garry, siempre en el fondo; en primer plano, la figura más sustancial de Anna.

Todas las mañanas salía a caballo, antes del desayuno, y volvía a salir con el atardecer, con frecuencia en compañía de Garry, que la entretenía con historias sobre la niñez de Michael o anécdotas familiares.

El resto del día lo pasaba eligiendo cortinas y empapelados, supervisando a los artesanos que redecoraban la casa, consultando con Anna sobre los detalles domésticos de Theuniskraal. Jugaba con Shasa, tratando de impedir que los criados zulúes lo malcriaran sin remedio. Tomaba lecciones de Garry Courtney sobre el sutil arte de conducir el Fiat; estudiaba las invitaciones que llegaban todos los días, con la correspondencia y, en general, se encargaba del manejo de Theuniskraal, como antes del *château* de Mort Homme.

Todas las tardes, ella y Shasa tomaban el té con Garry en la biblioteca, donde él había pasado la mayor parte del día. Garry, con los anteojos en la punta de la nariz, le leía en voz alta sus escritos del día.

—¡Oh, ha de ser maravilloso tener semejante don! —exclamó ella, un día, mientras él dejaba las páginas manuscritas.

—¿Admiras a los escritores? —preguntó.

—Ustedes son una raza aparte.

—Tonterías, querida. Somos gente muy común, pero con la vanidad suficiente como para creer que otros pueden desear leer lo que pensamos.

—Ojalá pudiera escribir también.

—Puedes. Lo haces muy bien.

—Pero hablo de escribir en serio.

—Puedes. Llévate papel y hazlo, si es lo que deseas.

Ella lo miró, horrorizada.

—Pero, ¿de qué voy a escribir?

—Cuenta lo que te pasó allá, en el desierto. Sería muy buen comienzo, me parece.

Le costó tres días acostumbrarse a la idea y prepararse para el esfuerzo. Después hizo que los criados llevaran una mesa a la glorieta, en el extremo de los prados, y se sentó, lápiz en mano, con una pila de papel en blanco enfrente y terror en el corazón. Desde ese día en adelante, experimentó el mismo terror cada vez que acercó hacia sí la primera hoja en blanco. Pero fue pasando velozmente a medida que las palabras comenzaban a marchar en hileras para cubrir ese vacío.

Para aliviar la soledad de los esfuerzos creativos, llevó a la glorieta cosas familiares y agradables: una linda alfombra para el piso, un florero que Anna llenaba de flores todas las mañanas y, frente a ella, la navaja de O'wa, que usaba para afilar el lápiz.

A la derecha puso un alhajero que contenía el collar de H'ani. Cada vez que se le cortaba la inspiración, dejaba caer el lápiz y tomaba el collar, para frotar las piedras entre los dedos. El contacto liso y fresco parecía calmarla, renovando su decisión.

Toda las tardes, desde que terminaban de almorzar hasta la hora del té, escribía en la glorieta, mientras Shasa dormía en el catre, a su lado, o trepaba por sus pies.

No le costó mucho comprender que jamás podría enseñar a otro ser viviente lo que estaba volcando en el papel. Descubrió que no podía callar nada, que estaba escribiendo con una franqueza brutal, sin admitir reservas ni equivocaciones. Ya fueran los detalles de sus citas con Michael o la descripción del gusto a pescado podrido, mientras agonizaba junto al Atlántico, sabía que nadie podría leer eso sin sentir escándalo y horror.

"Es sólo para mí", decidió.

Al terminar cada sesión guardaba las hojas escritas en el alhajero, sobre el collar de H'ani, con la sensación de haber logrado algo importante.

Había, sin embargo, algunas notas desafinadas en esa sinfonía satisfecha.

A veces, en la noche, alargaba la mano, instintivamente, hacia el cuerpo dorado que hubiera debido estar junto a ella, ansiando tocar los músculos duros y el pelo sedoso, que olía como los pastos del desierto. Cuando despertaba del todo, se odiaba en la oscuridad por esos traicioneros deseos y ardía de vergüenza por haber manchado de tal modo el recuerdo de Michael, O'wa y la pequeña H'ani.

Otra mañana, Garry Courtney la mandó llamar para entregarle un paquete.

—Esto me llegó con una nota. Lo envía un abogado de París.

—¿Qué dice, papá?

—Sé muy poco francés, por desgracia, pero la médula del asunto es que se han vendido las propiedades de tu padre, en Mort Homme, para saldar sus deudas.

—Oh, pobre papá.

—Te suponían muerta, querida, y la venta fue ordenada por un tribunal francés.

—Comprendo.

—El abogado se enteró por los periódicos de tu rescate y me ha escrito para explicar la situación. Por desgracia, las deudas del conde eran considerables y, como bien sabes, el *château* y su contenido quedaron destruidos en el incendio. El abogado envía una cuenta. Pagadas todas las deudas y los gastos legales, incluidos los aranceles de este hombre, te queda muy poco dinero.

Los saludables instintos adquisitivos de Centaine despertaron de inmediato.

—¿Cuánto, papá? —preguntó, directamente.

—Algo menos de dos mil libras esterlinas. Enviará un giro bancario en cuanto reciba nuestra notificación, debidamente firmada y atestiguada. Por suerte podemos hacerlo en privado.

Cuando el giro llegó, por fin, Centaine depositó la mayor parte en el Banco de Ladyburg, al 3,5 por ciento de interés, después de permitirse un solo gusto, el de su nueva pasión por la velocidad: utilizó ciento veinte libras para comprar un Ford T, resplandeciente de bronces y pintura negra. La primera vez que subió por el camino de Theuniskraal, a cuarenta y cinco kilómetros por hora, todo el personal de la casa salió para admirar la máquina. Hasta Garry Courtney acudió desde la biblioteca, con los anteojos subidos a la coronilla. Entonces la regañó por primera vez.

—Antes de hacer estas cosas debes consultarme, querida. No quiero que malgastes tus ahorros. Soy yo quien debe pagar tus gastos. —Y agregó con aire lúgubre: —Además, tenía muchas ganas de comprarte un automóvil para tu próximo cumpleaños. Me has arruinado el proyecto.

—Oh, papá, perdóneme. Ya nos ha dado tanto... Y lo amamos por eso.

Era cierto. Había llegado a amar a esa gentil persona, en muchos aspectos, igual que a su propio padre. En otros aspectos, sin embargo, lo amaba más aún, pues esos sentimientos se basaban en un creciente respeto por sus talentos disimulados y sus cualidades ocultas.

Él la trataba como a la señora de su casa. Esa noche estaban analizando la lista de invitados a una cena que planeaban.

—Debo advertirte en contra de este tal Robinson. Te aseguro que lo pensaría dos veces antes de invitarlo.

Ella, que estaba pensando en otra cosa, dio un respingo y se disculpó:

—Perdone, papá, no oí lo que decía. Creo que estaba soñando.

—Caramba —sonrió Garry—, yo me creía el único soñador de la familia. Te estaba advirtiendo en contra de nuestro invitado de honor.

A Garry le gustaba recibir dos veces al mes. Siempre había diez invitados, ni uno más. "Me gusta escuchar a todos", explicaba. "Detesto perderme una buena anécdota que se esté contando en la otra punta de la mesa".

—Este tal Joseph Robinson puede ser barón, lo cual, en muchos casos, indica a un pillastre sin principios morales, demasiado astuto como para dejarse atrapar. Puede tener más dinero que el mismo Rhodes, ya que la mina de oro Robinson y el Robinson Bank le pertenecen. Pero es lo más perverso que conozco. Es capaz de gastar diez mil libras en una pintura y negar un centavo a un pobre muerto de hambre. Además, es autoritario, codicioso y desalmado. Cuando el Primer Ministro trató de conseguirle el título nobiliario, se produjo tal alboroto que se vio obligado a postergar la idea.

—Si es tan horrible, ¿por qué lo invitamos, papá?

Garry suspiró teatralmente.

—Es el precio que debo pagar por mi arte, querida. Estoy tratando de sonsacar a ese tipo algunos datos que necesito para mi nuevo libro, y es la única persona viviente que me los puede dar.

—¿Quiere que lo conquiste para ablandarlo?

—¡Oh, no, no! No hay por qué llegar a esos extremos. Pero bien podrías ponerte un lindo vestido.

Centaine eligió el de *taffetas* amarilla, con corpiño bordado de perlas y hombros al descubierto. Como siempre, allí estaba Anna para peinarla y ayudarla a vestirse.

Centaine salió del baño privado, uno de los grandes lujos de su nueva vida, con el cuerpo envuelto en una bata de baño y una toalla alrededor de la cabeza. Dejando huellas mojadas en el piso de madera, se acercó al tocador.

Anna, que estaba sentada en la cama, cosiendo los ganchillos que cerraban el vestido por la espalda, cortó el hilo de un mordisco y murmuró:

—Le he soltado tres centímetros. Demasiadas cenas de lujo, jovencita.

Depositó el traje con mucho cuidado y se acercó a Centaine.

—Ojalá te sentaras a la mesa con nosotros —protestó la muchacha—. Aquí no eres criada.

Había que ser ciega para no notar la relación que florecía entre Garry y Anna. Sin embargo, hasta el momento no había hallado oportunidad para hablar del tema. Anna tomó el cepillo y atacó la cabellera de la muchacha con largas cepilladas que le tiraron la cabeza hacia atrás.

—¿Quieres que pierda tiempo escuchando un montón de gansadas? No, gracias. No entiendo una palabra de toda ese cháchara. La vieja Anna es mucho más feliz y más útil en la cocina, vigilando a esos negros pillos.

—Papá Garry quiere que tú compartas la mesa; me lo ha dicho muchas veces. Creo que le gustas mucho.

Anna ahuecó los labios con un resoplido.

—Basta ya de tonterías, jovencita —dijo, con firmeza. Dejó el cepillo y capturó con una fina red amarilla los rizos elásticos de Centaine. —*Pas mal!* —juzgó, apartándose un paso. —Y ahora, el vestido.

Mientras ella iba a buscarlo, Centaine se levantó para quitarse la bata.

—La cicatriz de tu pierna está cerrando bien, pero todavía estás demasiado morena —se lamentó Anna.

De pronto frunció el entrecejo, con el vestido amarillo entre los brazos, mirando fijamente a la muchacha.

—¡Centaine! —Su voz sonaba seca—. ¿Cuánto hace que no te viene la luna?

Centaine se inclinó a levantar la bata pura cubrirse con ella, en un gesto defensivo.

—Estuve enferma, Anna. El golpe en la cabeza… y la infección…

—¿Cuánto hace? —repitió Anna, implacable.

—No comprendes, estuve enferma. ¿No recuerdas que cuando tuve neumonía también me faltó…?

—¡No te viene desde que viniste del desierto! —respondió Anna a su propia pregunta—. Desde que viniste del desierto con ese alemán, con ese mestizo afrikaner.

Y arrojó el vestido sobre la cama para tironear de la bata.

—No, Anna, es que estuve enferma.

La muchacha temblaba. Hasta ese minuto había cerrado la mente a la horrible posibilidad que Anna le estaba presentando. La mujerona puso una mano callosa en su vientre.

—Nunca le tuve confianza. Esos ojos de gato, ese pelo amarillo y ese enorme bulto en los pantalones... —Murmuró Anna, furiosa—. Ahora comprendo por qué no le dirigías la palabra, por qué lo tratabas como a un enemigo y no como a un salvador.

—No es la primera vez que tengo una falta, Anna. Podría ser.

—¡Te violó, mi pobre nena! ¡Te violó! No pudiste evitarlo. Fue así, ¿verdad?

Centaine reconoció la vía de escape que su ex niñera le estaba ofreciendo. Hubiera querido aceptarla, de buen grado.

—Te obligó, nena, ¿verdad? Cuéntale a Anna.

—No, Anna, no me obligó.

—¿Se lo permitiste? —La expresión de la mujer era formidable.

—Estaba tan sola... —La muchacha se dejó caer en el banquillo, cubriéndose la cara con las manos. —Llevaba casi dos años sin ver a otra persona blanca. Y él era tan bueno, tan hermoso... Le debía la vida. ¿No comprendes, Anna? ¡Por favor, di que comprendes!

Anna la envolvió en sus brazos poderosos y ella apretó la cara en el seno suave y cálido. Ambas guardaban silencio, estremecidas y temerosas.

—No puedes tenerlo —dijo Anna, por fin—. Tenemos que deshacernos de él.

El impacto de esas palabras sacudió a Centaine, que trató de negarse a ese horrible pensamiento.

—No podemos traer otro bastardo a Theuniskraal. Ellos no lo soportarían. Sería demasiada vergüenza. Han aceptado a uno, pero *Mijnheer* y el General no aceptarían a otro. Por el bien de todos, por la familia de Michael y por Shasa, por ti misma, por todos aquellos a los que amo, no hay otra solución. Tienes que deshacerte de él.

—No puedo hacer eso, Anna.

—¿Amas al hombre que te lo puso en el vientre?

—Ya no. Lo odio —susurró ella—. Oh, Dios, cómo lo odio...

—Entonces despréndete de ese crío antes de que nos destruya: a ti, a Shasa y a todos nosotros.

La cena fue una pesadilla. Centaine, sentada en un extremo de la larga mesa, sonreía alegremente, aunque los ojos le ardían de bochorno; el bastardo era como una serpiente en su vientre, lista para el ataque.

El hombre alto y entrado en años que habían sentado junto a ella hablaba en un tono particularmente áspero e irritante, dirigiendo su monólogo casi exclusivamente a Centaine. Su cabeza calva había tomado, bajo el sol, el color de un huevo de chorlito, pero sus ojos eran extraños, carentes de vida, como los de una estatua de mármol. Centaine no podía concentrarse en lo que estaba diciendo; era como oír hablar en un idioma desconocido. Su mente vagaba, preocupada por la nueva amenaza que se cernía súbitamente sobre su existencia y la de su hijo.

Sabía que Anna tenía razón. Ni el General ni Garry Courtney podrían permitir la presencia de un bastardo en Theuniskraal. Aun si hubieran podido perdonar lo que ella había hecho (y sobre eso no cabían esperanzas), no les era posible permitirle que arrastrara al escándalo, no sólo a la memoria de Michael, sino a toda la familia. La solución de Anna era la única posible.

De pronto dio un salto en el asiento y estuvo a punto de lanzar un grito. Por debajo de la mesa, su vecino acababa de ponerle una mano en el muslo.

—Disculpe, papá. —Apartó apresuradamente su silla; Garry la miró desde el otro extremo, preocupado. —Debo salir por un momento.

Y huyó a la cocina.

Anna, viendo su inquietud, corrió a su encuentro y la llevó al fregadero, cerrando la puerta con llave.

—Abrázame, Anna, por favor. Estoy tan confundida, tengo tanto miedo... Y ese hombre horrible...

Se estremeció. Los brazos de Anna la tranquilizaron. Al cabo de un rato susurró:

—Tienes razón, Anna. Tenemos que deshacernos de él.

—Mañana hablaremos de eso —le dijo Anna, con suavidad—. Ahora lávate los ojos con agua fría y vuelve al comedor, antes de provocar una escena.

La actitud de Centaine había cumplido su fin: el magnate alto y calvo no volvió a mirarla, siquiera. Estaba hablando con su otra vecina, pero el resto de los comensales lo escuchaba con la atención debida a uno de los hombres más ricos del mundo.

—Aquéllos eran buenos tiempos —estaba diciendo—. El país estaba bien abierto. Había una fortuna bajo cada piedra, por Dios, Barnato empezó con una caja de cigarros (horribles, por otra parte) y cuando Rhodes le compró la firma le extendió un cheque por tres millones de libras, el mayor de que se supiera hasta entonces. Aunque yo mismo he librado algunos por mayor cantidad, desde esa fecha.

—Y usted, Sir Joseph, ¿cómo se inició?

—Con cinco libras en el bolsillo y olfato para distinguir un diamante bueno de un *schlenter*. Así empecé.

—¿Y cómo se hace, Sir Joseph? ¿Cómo se distingue un diamante?

—El modo más rápido es sumergirlo en un vaso de agua, querida. Si sale mojado, es un *schlenter*. Si sale seco, es un diamante.

Las palabras pasaron por Centaine sin dejar, al parecer, impresión alguna, pues estaba demasiado preocupada. Garry le hacía señales, desde la cabecera de la mesa, para que se llevara a las señoras.

Sin embargo, las palabras de Robinson debieron dejar una marca profunda en su subconsciente, pues a la tarde siguiente, mientras contemplaba sin ver los prados bañados de sol, jugueteando angustiadamente con el collar de H'ani, se inclinó de pronto hacia la jarra de cristal y llenó un vaso de agua.

Luego sumergió lentamente el collar en el vaso. A los pocos segundos lo sacó para estudiarlo, distraídamente. Las piedras coloreadas centelleaban de agua. Y de pronto su corazón echó a volar: la piedra blanca, el enorme cristal del centro estaba seco.

Dejó caer el collar en el agua y volvió a sacarlo. Su mano

comenzó a temblar. La piedra blanca y reluciente como el pecho de un cisne, había dejado caer hasta las gotas más pequeñas, aunque relucía con más fulgor que las piedras mojadas que la acompañaban.

Echó en derredor una mirada culpable, pero Shasa dormía de espaldas, con el pulgar en la boca, y los prados estaban desiertos bajo el calor del mediodía. Por tercera vez, puso el cristal en el agua y volvió a sacarlo seco.

—H'ani, mi amada abuela —susurró, suavemente—, ¿nos salvarás otra vez? ¿Es posible que todavía estés cuidando de mí?

Centaine no podía consultar al médico de la familia Courtney; por lo tanto, ella y Anna planearon un viaje a la capital de la provincia de Natal, la ciudad portuaria de Durban. El pretexto era hacer compras.

Confiaban salir de Theuniskraal solas, pero Garry no quiso saber nada.

—¡Ni se les ocurra dejarme aquí! Las dos me han estado fastidiando para que me compre un traje nuevo. Bueno, es una buena ocasión para visitar a mi sastre. Y ya que estoy, hasta podría elegir un par de sombreros o algunas otras baratijas para dos señoras que conozco.

Por lo tanto, el viaje se convirtió en una expedición familiar, con Shasa y sus dos niñeras zulúes; hicieron falta el Fiat y el Ford para trasladarlos a todos a lo largo de aquellos doscientos treinta kilómetros, hasta la costa. En cuanto llegaron al hotel Majestic, Garry pidió las dos suites frontales.

Anna y Centaine tuvieron que combinar todo su ingenio para evadirse de él por algunas horas, pero lo consiguieron. La criada había hecho discretas averiguaciones y tenía la dirección de un médico, con consultorio en Point Road. Lo visitaron bajo nombres supuestos y él confirmó lo que ambas sabían.

—Mi sobrina es viuda desde hace dos años —explicó Anna, delicadamente—. No puede permitirse un escándalo.

—Lo siento, señora, pero no puedo ayudarlas en nada —replicó el médico. Pero cuando Centaine le pagó la guinea correspondiente, murmuró: —Le daré una receta.

Y anotó un nombre con una dirección.

Ya en la calle, Anna la tomó del brazo.

—Disponemos de una hora antes de que *Mijnheer* vuelva al hotel a esperarnos. Iremos a pedir una cita.

—No, Anna. —Centaine se detuvo—. Tengo que pensarlo. Quiero estar sola por un rato.

—No tienes nada que pensar —bufó Anna.

—Déjame, por favor. Volveré mucho antes de la cena e iremos mañana.

Anna conocía ese tono y esa expresión. Alzando las manos, subió al *rikshaw* que las esperaba.

En tanto el zulú se alejaba con ella, en el alto carruaje de dos ruedas, gritó:

—Piensa todo lo que quieras, nena, pero mañana lo haremos a mi modo.

Centaine saludó con la mano y siguió sonriendo hasta que el *rikshaw* giró hacia West Street. Luego giró en redondo y bajó apresuradamente hacia el puerto. Había visto un local al pasar, más temprano: M. NAIDOO, JOYERO.

El interior era pequeño, pero limpio y ordenado; en los armarios se exhibían joyas de poco precio. En cuanto ella entró, un hindú regordete y moreno, con ropas tropicales, franqueó la cortina de cuentas que separaba la trastienda.

—Buenas tardes, honorable señora. Soy el señor Moonsamy Naidoo para servirla.

Tenía cara blanda y pelo ondeado, espeso, reluciente de aceite de coco.

—Me gustaría mirar sus mercancías —dijo Centaine, inclinándose sobre la cubierta de vidrio para estudiar las pulseras de filigrana de plata.

—Un regalo para alguien amado, por supuesto, buena señora. Éstas son piezas de plata auténtica, ciento por ciento pura, hechas a mano por diestros artesanos del mayor calibre.

Centaine no contestó. Sabía el riesgo que estaba a punto de correr y estaba tratando de formarse una opinión de ese hombre. Él estaba haciendo otro tanto. Le miraba los guantes y los zapatos, medidores infalibles de la calidad de una dama.

—Claro que estas joyas son bagatelas. Si la estimada señora quisiera ver algo más digno de una princesa…

—¿Usted comercia con... diamantes?

—¿Diamantes, reverenda señora? —La cara blanda y regordeta se arrugó en una sonrisa. —Puedo mostrarle un diamante digno de un rey... o de una reina.

—Y yo haré lo mismo con usted —replicó ella, en voz baja.

Y puso el enorme cristal blanco sobre el mostrador de vidrio, entre los dos.

El joyero hindú se ahogó por la impresión, agitando las manos como un pingüino.

—¡Dulce señora! —exclamó—. Cúbralo, se lo ruego. ¡Escóndalo de mi vista!

Centaine dejó caer el cristal nuevamente en su bolso y se volvió hacia la puerta, pero el joyero estuvo allí antes que ella.

—Un instante más, devota señora.

Cerró las persianas y la puerta de vidrio; luego hizo girar la llave en la cerradura, antes de acercarse a ella.

—Hay penalidades extremas —dijo, con voz insegura—: diez años de trabajos forzados de la peor especie... y yo no soy muy fuerte. Los hombres de las galeras son feos y muy malos, buena señora. Los riesgos aun infinitos.

—No quiero molestarlo más. Abra la puerta.

—Por favor, querida señora, si quiere seguirme...

Retrocedió hacia la cortina de cuentas, haciéndole reverencias y floridos gestos de invitación.

Su oficina era diminuta; el mostrador la llenaba a tal punto que apenas quedaba espacio para ambos. Una sola ventana, alta y estrecha, servía de ventilación. El aire olía a curry.

—¿Puedo volver a ver ese objeto, buena señora?

Centaine lo puso en el centro del escritorio. El hindú sujetó una lupa de joyero en el ojo antes de recoger la piedra y levantarla hacia la luz de la ventana.

—¿Se me permite preguntar dónde lo obtuvo, señora?

—No.

Él hizo girar lentamente la piedra bajo la lente de aumento. Luego la puso sobre la pequeña bandeja de bronce de su balanza, a un costado del escritorio. Mientras la pesaba, murmuró:

—Compra ilícita de diamantes, señora... Oh, la policía es muy estricta y severa.

Satisfecho con el peso, abrió el cajón del escritorio para sacar un cortavidrios barato, con forma de pluma, pero con un diamante negro en la punta.

—¿Qué está por hacer? —preguntó Centaine, suspicaz.

—Es la única prueba definitiva, señora —explicó el joyero—. El diamante raya a cualquier otra sustancia de la tierra, salvo a otro diamante.

Para ilustrar su afirmación, pasó el estilo de diamante negro sobre el vidrio del escritorio. Chirrió de tal modo que a Centaine se le puso la piel de gallina, pero la punta dejó un profundo tajo en la superficie cristalina. Él le pidió permiso con la mirada. Como Centaine asintiera, sujetó con fuerza la piedra blanca y le pasó la punta del estilo.

Se deslizó suavemente sobre un plano de cristal, como si estuviera lubricada, sin dejar marca alguna en la superficie.

Un gota de sudor cayó de la mejilla del hindú, golpeando audiblemente contra el vidrio. Él, sin prestarle atención, trazó otra línea sobre la piedra, aplicando más fuerza. No hubo ruido ni marca.

Las manos le temblaban. En esa oportunidad apoyó todo el peso de su brazo, en un intento de efectuar el corte. El mango de madera se quebró en dos, pero el cristal blanco quedó intacto. Ambos lo miraron fijamente, hasta que Centaine preguntó con suavidad:

—¿Cuánto?

—Los riesgos son terribles, buena señora, y yo soy un hombre sumamente honesto.

—¿Cuánto?

—Mil libras —susurró él.

—Cinco —dijo Centaine.

—Señora, dulce señora, soy hombre de impecable reputación. Si me aprehendieran en un acto de compra ilegal de diamantes...

—Cinco —repitió ella.

—Dos —graznó él.

Centaine alargó la mano hacia la piedra.

—Tres —se apresuró a corregir el hindú.

La muchacha detuvo la mano, pero le instó con firmeza:

—Cuatro.

—Tres y medio, querida señora. Es mi última y más seria oferta. Tres mil quinientas libras.

—Trato hecho. ¿Dónde está el dinero?

—No tengo tan vastas sumas de lucro sobre mi persona, buena señora.

—Volveré mañana, a esta misma hora, con el diamante. Tenga el dinero preparado.

—No comprendo. —Garry Courtney se retorcía miserablemente las manos. —¿No podríamos acompañarte todos?

—No, papá. Es algo que debo hacer sola.

—Uno de nosotros, entonces, Anna o yo. No puedo dejar que te vayas otra vez.

—Anna debe quedarse para cuidar de Shasa.

—Iré contigo, entonces. Necesitas de un hombre que…

—No, papá. Le ruego que sea indulgente y comprensivo. Tengo que hacer esto sola, completamente sola.

—Centaine, sabes lo mucho que he llegado a amarte. Creo tener algún derecho… el derecho de saber adónde vas, qué piensas hacer.

—Estoy desolada: por mucho que yo lo ame a mi vez, no puedo decirle eso. De lo contrario no tendría sentido hacer el viaje. Considérelo como un peregrinaje que estoy obligada a hacer. Es todo lo que puedo decirle.

Garry se levantó del escritorio para acercarse a las altas ventanas de la biblioteca; con las manos cruzadas a la espalda, se quedó mirando la luz del sol.

—¿Cuánto tiempo tardarás en volver?

—No estoy segura respondió ella, en voz baja—. No sé siquiera cuánto tiempo me llevará… Algunos meses, cuanto menos, quizá mucho más.

Y él bajó la cabeza, con un suspiro. Cuando volvió al escritorio se lo veía triste, pero resignado.

—¿Qué puedo hacer para ayudarte? —preguntó.

—Nada, papá, salvo cuidar de Shasa mientras yo no esté y perdonarme por no poder confesarme plenamente con usted.

—¿Dinero?

—Sabe que tengo dinero, el de mi herencia.

—¿Cartas de presentación? ¿Me dejarás hacer eso por ti, cuanto menos?

—Eso sí. Serían preciosas. Gracias.

Con Anna las cosas no fueron tan sencillas. Ella sospechaba en parte lo que Centaine pensaba hacer. Se mostró enojada y tozuda.

—No puedo dejarte ir. Provocarás un desastre sobre ti y sobre todos nosotros. Basta de locuras. Deshazte del niño como yo te dije; será rápido y definitivo.

—No, Anna. No puedo asesinar a mi propio hijo. No puedes obligarme.

—Te prohíbo que te vayas.

—No. —Centaine se acercó a ella para darle un beso. —Sabes que tampoco puedes hacer eso. Pero sí puedes abrazarme… y cuidar de Shasa cuando me haya ido.

—Al menos dile a Anna adónde vas.

—Basta de preguntas, queridísima Anna. Promete que no tratarás de seguirme y que detendrás a papá Garry si quiere hacerlo.

—¡Oh, qué muchacha perversa y testaruda! —Anna la apresó en un abrazo de oso. —Si no vuelves le quebrarás el corazón a la vieja Anna.

—¿Cómo puedes decir eso, vieja tonta?

El olor del desierto era como el de pedernal y acero al frotarse: un olor seco, quemado, que Centaine podía detectar por debajo del carbón ardiendo de la locomotora. El tren traqueteaba al ritmo de los durmientes, meciéndose al compás.

Centaine, sentada en el rincón del pequeño compartimiento, miraba por la ventanilla. Una plana llanura amarilla se extendía hasta el lejano horizonte, donde el cielo mostraba una leve promesa de montañas azules. Los antílopes más próximos brincaban alto en el aire, y Centaine, dolorosamente, recordó al pequeño O'wa en el acto de imitar a esos animales. El dolor pasó pronto, dejando sólo el júbilo de su memoria; la muchacha sonrió, con la vista perdida en el desierto.

Los grandes espacios, quemados por el sol, parecían atraer su alma, como el imán al hierro. Lentamente fue cobrando conciencia de una creciente expectativa, de ese entusiasmo peculiar que el viajero siente en el último kilómetro de un largo viaje de regreso.

Al atardecer se puso un abrigo y salió al balcón abierto en la parte trasera del coche. El sol descendía entre rojos polvorientos y anaranjados borrosos; las estrellas asomaban en la noche purpúrea. Al levantar la mirada divisó a las dos estrellas especiales, la de Michael y la suya.

"No he levantado la vista al cielo desde que dejé estas tierras salvajes", pensó. Y de pronto, los verdes prados de su Francia natal, las fértiles colinas de Zululandia, fueron sólo un recuerdo afeminado e insípido. "Ésta es la tierra a la que pertenezco: ahora el desierto es mi hogar."

El abogado de Garry Courtney la esperaba en la estación de Windhoek. Se llamaba Abraham Abrahams; era un hombrecito menudo, de grandes orejas en punta y ojos vivaces, muy parecido a los pequeños zorros del desierto. Cuando ella quiso entregarle la carta de presentación de Garry, él la apartó con un gesto.

—Mi querida señora Courtney, aquí todo el mundo sabe quién es usted. La historia de su increíble aventura nos ha motivado la imaginación. En verdad, puedo decir que usted es una leyenda viviente. Es un honor poder prestarle ayuda.

La llevó en su automóvil hasta el hotel Kaiserhof y, después de verificar que estuviera bien instalada y atendida, la dejó por algunas horas, para que pudiera bañarse y descansar.

—El polvo de carbón se mete en todo, hasta en los poros de la piel —expresó, comprensivo.

Más tarde, cuando estuvieron sentados en el salón, con una bandeja de té entre ambos, le preguntó:

—Y ahora, señora Courtney, ¿qué puedo hacer por usted?

—Tengo una lista, una larga lista de cosas. —Se la entregó. —Y como ve, lo primero es encontrar a un hombre.

—Eso no costará nada —replicó él, estudiando la lista—. Ese hombre es bien conocido, casi tanto como usted.

La ruta era desigual, pues la superficie rocosa había sido volada hacía muy poco. Largas filas de obreros negros, desnudos hasta la cintura y centelleantes de sudor, partían las rocas con mazas, rompiendo los terrones para nivelar la autopista. Cuando Centaine pasó, al volante del polvoriento Ford de Abrahams, todos se hicieron a un lado. A su pregunta, señalaron hacia arriba con una sonrisa.

La ruta se tornó más empinada al girar entre las montañas; las cuestas llegaron a ser tan arduas que, en cierto lugar, Centaine tuvo que subir dando marcha atrás. Por fin le fue imposible seguir. Un capataz hotentote le salió al encuentro, corriendo y agitando una bandera roja.

—¡*Pasop*, cuidado, señora! ¡Van a hacer estallar las cargas!

Centaine estacionó a la vera de la ruta a medio construir, bajo un cartel que decía:

COMPAÑÍA DE CONSTRUCCIONES DE LA REY
RUTAS E INGENIERÍA CIVIL

Cuando ella bajó para estirar las piernas, vestida con pantalones de montar, botas y una camisa de hombre, el hotentote le miró fijamente las piernas hasta que ella dijo, secamente:

—Basta ya. Si no vuelve a su trabajo, hombre, su patrón se va a enterar de todo.

Se quitó el pañuelo de la cabeza para esponjarse el pelo. Luego, con un paño mojado en el agua que pendía en una bolsa de lona, al costado del Ford, se limpió el polvo de la cara. Windhoek quedaba a ochenta kilómetros de distancia; estaba sentada al volante desde antes del amanecer. Tomó el cesto de mimbre que llevaba en el asiento trasero y lo puso a su lado; el cocinero del hotel había guardado allí sándwiches de jamón y huevo, además de una botella de té frío endulzado. De pronto sintió hambre.

Mientras comía, contempló las planicies abiertas, allá abajo. Había olvidado el brillo del pasto al sol, como el de un patio con hilos de plata. Y súbitamente pensó en una melena rubia que brillaba del mismo modo; contra su voluntad, el hueco del vientre se le colmó de calor.

De inmediato sintió vergüenza de esa momentánea debilidad. "Lo odio", se dijo, fieramente; "lo odio... y odio esto que me ha puesto dentro".

Casi como si el pensamiento lo hubiera provocado, el niño se movió en sus entrañas, profunda, secretamente; el odio vaciló como la llama de una vela ante la brisa.

"Debo ser fuerte", se dijo. "Debo tener constancia, por el bien de Shasa".

Detrás de ella, en el extremo del paso, sonó un silbato distante, seguido por un silencio de expectativa. Centaine se levantó, sombreándose los ojos con la mano, involuntariamente tensa.

De pronto la tierra dio un brinco bajo sus pies y la onda expansiva de la explosión le golpeó los tímpanos. Una columna de polvo se elevó a gran altura en el aire azul del desierto. La montaña quedó truncada, como por efectos de un hachazo ciclópeo. Los ecos del estallido saltaron de valle en valle, disminuyendo poco a poco, hasta que la columna de polvo se disipó suavemente.

Centaine permanecía de pie, mirando la cuesta. Al cabo de un rato, en la cima se recortó la silueta de un jinete, que se acercaba sin prisa. El caballo iba pisando con timidez sobre el terreno desparejo y traicionero. El hombre, bien erguido en la silla, tenía la gracia de un árbol joven ante el viento.

"Si al menos no fuera tan hermoso", susurró ella.

Él se quitó el sombrero de ala ancha, adornado con su pluma de avestruz, y se sacudió el polvo de los pantalones. Su pelo dorado relumbraba como una fogata para señales; la muchacha se tambaleó ligeramente. A cien pasos de ella, Lothar desmontó y arrojó las riendas al capataz hotentote, que le dijo algo, apresuradamente, señalando a la muchacha.

Lothar asintió y bajó a grandes pasos. A medio camino se detuvo abruptamente, mirándola. A pesar de la distancia, Centaine vio que sus ojos tomaban el brillo de los zafiros. Él echó a correr.

Ella no se movía. Permanecía rígida, mirándolo con fijeza. A diez pasos, cuando su expresión fue visible, él volvió a detenerse.

—Centaine, no esperaba volver a verte, querida mía —dijo Lothar, avanzando otra vez.

—No me toques —le advirtió ella, con frialdad, conteniendo el pánico—. Te lo dije una vez: no me toques nunca más.

—¿A qué has venido, entonces? —preguntó él, ásperamente— ¿No basta con que tu recuerdo me acose desde la última vez que te vi, en todos estos meses largos y solitarios? ¿Tienes que venir en cuerpo y alma a atormentarme?

—He venido a ofrecerte un trato. —La voz de Centaine era gélida, pues había logrado dominarse.

—¿Qué trato es ése? Si tú formas parte de él, lo acepto antes de que digas tus condiciones.

—No. —Ella sacudió la cabeza. —Preferiría matarme.

Lothar levantó el mentón, en un gesto furioso, aunque sus ojos revelaban dolor.

—No tienes misericordia.

—¡Debo haberlo aprendido de ti!

—Di cuáles son tus condiciones.

—Me llevarás al punto del desierto en donde me encontraste. Proporcionarás el transporte, los sirvientes y todo lo necesario para que yo llegue a la montaña y pueda vivir allí por todo un año.

—¿Para qué quieres ir allí?

—Eso no te incumbe.

—No es cierto: me incumbe. ¿Para qué me necesitas?

—Podría buscar por años enteros y morir sin hallar el sitio.

—Es cierto, por supuesto. Pero lo que pides costará mucho. Yo sólo poseo esta compañía; no tengo un solo centavo en el bolsillo.

—Sólo quiero tus servicios —explicó ella—. Yo pagué por los vehículos, el equipo y los salarios del personal.

—Entonces puede ser. Pero, ¿qué me corresponde a mí en el trato?

—A cambio —dijo ella, apoyando la mano derecha en su vientre—, te daré al bastardo que me dejaste.

Lothar la miró, boquiabierto.

—Centaine... —Una intensa alegría se fue esparciendo por su cara. —¡Un hijo! ¡Vas a tener un hijo nuestro!

Instintivamente avanzó otra vez hacia ella.

—No te acerques —le advirtió la joven—. No es hijo nuestro. Es sólo tuyo. No quiero saber nada de él, una vez que haya nacido. Ni siquiera deseo verlo. Te lo llevarás en cuanto nazca y harás con él lo que quieras. No tiene nada que ver conmigo. Lo odio, y odio al hombre que lo puso en mí.

Con las carretas de Lothar, el viaje desde el Sitio de Toda la Vida hasta el Dedo de Dios había demandado semanas. El regreso a la cadena montañosa les llevó sólo ocho días; habría podido hacerse con más celeridad, pero en varios valles rocosos y en muchos ríos secos fue preciso construir la ruta para los vehículos motorizados. En dos oportunidades, Lothar tuvo que recurrir a la dinamita para abrirse paso a través de la roca.

El convoy consistía en el Ford y dos camiones, que Centaine había comprado en Windhoek. Lothar había escogido a seis sirvientes para el campamento, dos conductores negros para los camiones y, como guardaespaldas de Centaine y capataz, a Swart Hendrick, su mano derecha.

—No confío en él —protestó Centaine—. Es como un león cebado en carne humana.

—Puedes confiar —le aseguró Lothar—. Él sabe que, si te falla en lo más mínimo, lo mataré lentamente.

Lo dijo frente a Swart Hendrick, que sonrió con toda la cara.

—Es cierto, señora. Lo ha hecho con otros.

Lothar viajaba en el primer camión, con Swart Hendrick y el equipo de construcción. En terrenos boscosos, los negros corrían delante del convoy, despejando la ruta. Cuando el bosque se abría todos corrían a la parte trasera del camión; entonces el convoy proseguía a buena velocidad. El segundo vehículo, muy cargado de provisiones y equipos, seguía detrás. Centaine cerraba la marcha, al volante del Ford.

Todas las noches ordenaba que se levantara su carpa, a buena distancia del resto. Allí comía y dormía, con un arma cargada junto a la cama. Lothar parecía haber aceptado sus condiciones; mantenía un porte orgulloso, pero cada vez se mostraba más silencioso; le hablaba sólo cuando lo exigía la marcha de la expedición.

Cierta vez, al promediar la mañana, Centaine bajó del Ford durante una detención inesperada y se encaminó hacia la vanguardia, llena de impaciencia. El primer camión había roto ejes al caer en una madriguera de liebres. Lothar y el conductor estaban trabajando para solucionar el desperfecto, y el joven se había quitado la camisa. Estaba de espaldas a Centaine y no la oyó llegar.

Ella se detuvo abruptamente al ver los pálidos músculos de su espalda, abultados al operar la manivela del gato. Sus ojos se clavaron, fascinados, en la fea cicatriz purpúrea dejada por la bala de la Luger, al salir por su espalda.

"¡Qué cerca debió de pasar de su pulmón!"

Con un rápido remordimiento, se alejó. Las palabras furiosas que estaba por decir quedaron sin pronunciar, y volvió suavemente a su sitio.

Al octavo día, por fin, la montaña apareció allá delante, flotando en su centelleante lago de espejismo, como un arca de piedra anaranjada. Centaine se detuvo y trepó al capó del Ford para contemplarla, reviviendo cien recuerdos. La ahogaban muchas emociones contradictorias: la alegría de volver al hogar y, al mismo tiempo, la pesada carga del dolor y la duda.

Lothar la sacó de sus ensoñaciones; se había acercado sin que ella lo viera.

—No me has dicho exactamente adónde debo llevarte.

—Al árbol del león. Al sitio en donde me encontraste.

En el tronco del mopani se veían aún las marcas dejadas por las garras de la fiera; sus huesos estaban esparcidos en el pasto, blancos como estrellas y relucientes bajo el sol.

Lothar trabajó dos días con su equipo de construcción, hasta establecer un campamento permanente para la muchacha. Edificó una estacada hecha con palos de mopani alrededor del árbol solitario y amontonó ramas espinosas contra la parte exterior, para defenderla contra los animales de presa. Cavó una letrina, oculta a la vista y conectada a la estacada por medio de un túnel de palos y ramas espinosas. Luego instaló, en el centro, la carpa de Centaine, a la sombra del mopani, y un hogar abierto enfrente. A la entrada del cerco construyó un pesado portón de madera y una caseta de guardia.

—Swart Hendrick dormirá aquí, siempre al alcance de tu voz.

En el borde del bosque, a doscientos pasos del campamento, se alzó otra estacada, de mayor tamaño, para los sirvientes y los obreros. Cuando todo estuvo terminado, Lothar fue en busca de Centaine.

—He hecho todo lo necesario.

Ella asintió.

—Sí, has cumplido con tu parte en el trato —dijo—. Vuelve dentro de tres meses. Entonces cumpliré yo con la mía.

El joven se marchó una hora después, en el segundo camión, llevando consigo sólo al conductor negro y una provisión de agua y nafta para el viaje de regreso hasta Windhoek.

Mientras el camión desaparecía entre los mopanis, Centaine dijo a Swart Hendrick:

—Lo despertaré mañana a las tres en punto. Quiero que nos acompañen cuatro obreros. Que traigan sus frazadas, ollas para cocinar y raciones para diez días.

La luna alumbraba el camino en tanto Centaine conducía al grupo por el estrecho valle, hasta la caverna de las abejas. Ante la oscura entrada, les explicó adónde iba a llevarlos; Swart Hendrick sirvió de intérprete para quienes no hablaban afrikaans.

—No hay peligro, siempre que permanezcan tranquilos y no corran.

Pero cuando los obreros oyeron los intensos zumbidos que resonaban, por la cueva, retrocedieron apresuradamente y, después de arrojar sus cargas, se reunieron en un grupo amotinado y sombrío.

—Swart Hendrick, dígales que pueden elegir —ordenó Centaine—: O me siguen por aquí o usted los matará de a uno.

Hendrick repitió eso con deleite, preparando el máuser con tanta destreza que todos recogieron apresuradamente las cargas para agruparse tras Centaine.

Como de costumbre, el tránsito por la caverna les destrozó los nervios, pero fue breve. Al salir al valle secreto, la luna plateaba el bosquecillo de mongongo, puliendo los altos acantilados circundantes.

—Hay mucho que hacer. Viviremos aquí, en este valle, hasta que hayamos terminado. De ese modo sólo tendrán que pasar una vez más por la caverna de las abejas, y será cuando nos retiremos.

Abraham Abrahams había dado a Centaine todas las instrucciones necesarias para amojonar una concesión minera, además de redactarle una muestra de solicitud. Con una cinta métrica, le enseñó el modo de marcar una concesión minera cruzando las diagonales y superponiéndolas ligeramente, para no dejar espacio libre donde pudiera entrometerse nadie.

De todos modos, era un trabajo cansador, monótono y caluroso. Aun con la ayuda de los cuatro obreros y de Swart Hendrick, Centaine tenía que efectuar por sí misma cada medida, redactar cada aviso de concesión y sujetarlo a los mojones que ellos iban poniendo por delante.

Todos los días, al atardecer, Centaine se arrastraba, agotada, hasta el estanque termal de la caverna subterránea y se lavaba el sudor y los dolores del cuerpo. Ya comenzaba a sentir el peso del embarazo avanzado. Esa vez su vientre tenía mayor tamaño; el estado se le hacía más duro y cansador que el embarazo anterior. Era casi como si el feto, percibiendo los sentimientos de la madre para con él, respondiera vengativamente. Le dolía la espalda, en especial, y al terminar el noveno día comprendió que no podría continuar por mucho tiempo más sin descansar.

Pero el fondo del valle estaba entrecruzado de mojones. El equipo, que ya se había habituado al trabajo, avanzaba más de prisa.

—Un día más —se prometió Centaine—. Luego podrás descansar.

Al atardecer del décimo día todo estaba hecho. Había amojonado cada metro cuadrado del valle.

—Que empaquen todo —dijo a Swart Hendrick—. Esta noche nos vamos. —Y, en tanto él giraba en redondo: —Buen trabajo, Hendrick. Usted es un león. No dejaré de recordarlo cuando pague los sueldos.

El duro trabajo los había convertido en buenos compañeros. Él le sonrió.

—Si tuviera diez esposas tan fuertes como usted y capaces de trabajar de ese modo, señora, podría sentarme a la sombra y pasarme el día bebiendo cerveza.

—Es el mejor cumplido que nadie me ha hecho jamás —respondió ella, en francés.

Le quedaban fuerzas suficientes para una breve carcajada.

Ya de nuevo en el campamento del árbol, Centaine pasó un día entero descansando. A la mañana siguiente se instaló ante su escritorio de campamento, a la sombra del mopani, para llenar los formularios de solicitud de concesión. Era otro trabajo monótono y exigente, pues había cuatrocientas dieciséis solicitudes a procesar; era preciso transcribir cada número de libreta y hacerlo coincidir con su mapa del valle. Abraham Abrahams le había explicado la importancia de hacerlo, pues el inspector del gobierno revisaría minuciosamente cada solicitud, y cualquier descuido podría invalidar toda la propiedad.

Pasaron otros cinco días antes de que pudiera poner en la pila el último formulario ya completado, para hacer con todos ellos un paquete que selló con lacre.

Estimado señor Abrahams:

Sírvase presentar las solicitudes adjuntas en la oficina minera, a nombre mío, y depositar las concesiones en el Standard Bank de Windhoek, en la cuenta sobre la cual usted tiene poder de representación.

Le agradecería que averiguara quién es el más eminente entre los asesores de minería autónomos. Firme con él un contrato para inspeccionar y evaluar la propiedad motivo de estas solicitudes y envíelo aquí con el vehículo que le lleva esta carta.

Por favor, cuando el vehículo regrese a mi campamento, sírvase encargarse de que venga cargado con las provi-

siones incluidas en la lista adjunta, que usted pagará con fondos de mi cuenta.

Un último favor: le estaría muy agradecida si, sin descubrir mi paradero, tuviera la bondad de telegrafiar al coronel Garrick Courtney para preguntar por mi hijo, Michel, y mi dama de compañía, Anna Stok. Transmítales a los tres mi afecto y mi respeto, asegurándoles que estoy gozando de buena salud y deseosa de volver a verlos.

Para usted, mis mejores deseos y mi más sincero agradecimiento.

Centaine de Thiry Courtney.

Entregó el paquete y la carta al conductor del camión, para que se pusiera en marcha hacia Windhoek. Como la ruta estaba ya bien abierta, el vehículo estuvo de regreso en el término de ocho días. Acompañaba al conductor un caballero alto, entrado en años...

—¿Me permite presentarme, señora Courtney? Me llamo Rupert Twentyman-Jones.

Tenía más aspecto de sepulturero que de ingeniero en minas. Hasta lucía una chaqueta de alpaca negra, cuello alto y corbata negra también. Su pelo, renegrido, estaba aplastado con brillantina, pero las patillas se le esponjaban como vellones de lana, igualmente blancas. La nariz y la punta de las orejas mostraban las úlceras dejadas por el sol tropical, como si estuvieran mordisqueadas por los ratones. Bajo sus ojos había piel abolsada, como la de los perros de caza, y presentaba la misma expresión lúgubre que esos perros.

—Mucho gusto, señor Jones.

—Doctor Twentyman-Jones —la corrigió él—. Unidos por un guión. Tengo para usted una carta del señor Abrahams.

Se la entregó como si fuera una orden de desalojo.

—Gracias, doctor Twentyman-Jones. ¿No quiere una taza de té, mientras la leo?

Abraham Abrahams le aseguraba, en su carta:

por favor, no se deje engañar por la cara triste de este hombre. Era ayudante del doctor Merensky, quien descubrió las elevadas terrazas diamantíferas de Spieregebied y es ahora asesor de De Beers Consolidated Mines. Si necesita más pruebas de su eminencia, tenga en cuenta que, por este trabajo, ha cobrado mil doscientas guineas.

El coronel Courtney me asegura que tanto Mevrou Anna Stok como su hijo Michel gozan de excelente salud; los tres le envían sus amorosos cariños y expresan su esperanza de verla pronto.

Le envío las provisiones solicitadas. Después de pagarlas y abonar por adelantado los aranceles del doctor Twentyman-Jones, el saldo de su cuenta en el Standard Bank es de seis libras, once chelines y seis peniques. Las concesiones mineras están depositadas en la caja fuerte del Banco.

Centaine plegó cuidadosamente la carta. De su herencia y de lo obtenido en la venta del diamante de H'ani, quedaba poco más de seis libras. Ni siquiera lo bastante como pagar su pasaje de regreso a Theuniskraal, a menos que vendiera los vehículos.

Pero el doctor Twentyman-Jones ya había cobrado lo suyo, y ella podía sobrevivir tres meses con las provisiones acumuladas en el campamento.

Levantó la mirada hacia el hombre, que sorbía su té caliente sentado en un silla plegadiza.

—Mil doscientas guineas, señor... ¡Ha de ser bueno!

—No, señora. —El ingeniero sacudió tristemente la cabeza. —Soy, simplemente, el mejor.

Por la noche condujo a Twentyman-Jones por la caverna de las abejas. Cuando salieron al valle secreto, él se sentó en una roca y se secó la cara con un pañuelo.

—Esto no puede ser, señora. Hay que hacer algo con esos repugnantes insectos. Temo que debemos deshacernos de ellos.

—No —replicó Centaine, veloz y decidida—, quiero que

este lugar y sus animales sufran el menor daño posible, hasta tanto...

—¿Hasta tanto, señora?

—Hasta tanto descubramos si es necesario o no.

—No me gustan las abejas. Las picaduras se me hinchan muchísimo. Le devolveré el resto de mis aranceles para que busque a otro asesor.

Y el hombre comenzó a levantarse. Ella lo retuvo.

—¡Espere! He explorado los acantilados, por allí. Hay un modo de llegar al valle por la cima. Por desgracia, habrá que construir un sistema de funicular desde lo alto.

—Eso complicará mucho mis esfuerzos.

—Por favor, doctor Twentyman-Jones, sin su ayuda...

Él hizo unos ruiditos gruñones, sin comprometerse, y echó a andar por la oscuridad, sujetando su lámpara.

Al acrecentarse la luz del alba, inició sus investigaciones preliminares. Centaine pasó todo el día sentada a la sombra de los mongongos; aquí y allá divisaba aquella silueta flaca, con la barbilla pegada al pecho. De vez en cuando él se detenía para recoger un fragmento de roca o un puñado de tierra; luego volvía a desaparecer entre los árboles y las piedras.

Caía ya la tarde cuando él volvió hasta donde Centaine esperaba.

—¿Y bien? —preguntó ella.

—Si me pide una opinión, señora, llevará meses poder...

—¿Meses? —exclamó Centaine, alarmada.

—Por cierto. —Sólo entonces reparó el ingeniero en su cara y bajó la voz. —Usted no me ha pagado semejante suma para que le dé una opinión sin fundamentos. Tengo que abrir y ver qué hay aquí debajo. Eso requiere tiempo y mucho trabajo. Necesito de todos los obreros que usted tenga disponibles, además de los que traje yo.

—No se me había ocurrido.

—Dígame, señora Courtney —preguntó él, suavemente—, ¿qué espera encontrar aquí?

Ella aspiró hondo e hizo la señal contra la mala suerte, escondiendo la mano tras la espalda.

—Diamantes —dijo.

De inmediato la aterrorizó la posibilidad de que el haberlo dicho en voz alta lo arruinara todo.

—¡Diamantes! —repitió Twentyman-Jones, como si acabaran de comunicarle la muerte de su padre—. Bueno, veremos —agregó, con expresión lúgubre—. ¡Ya veremos!

—¿Cuándo comenzamos?

—¿Comenzamos, señora Courtney? Usted no tiene nada que hacer aquí. No permito que nadie me ronde cuando trabajo.

—Pero ¿ni siquiera puedo mirar?

—Ésa es una regla invariable, señora Courtney. Tendrá que contenerse.

Así, Centaine se vio expulsada del valle. Los días pasaban lentamente en el campamento del árbol. Desde la estacada podía ver el equipo de trabajo de Twentyman-Jones, trepando trabajosamente por el acantilado, bajo una carga de elementos, para desaparecer finalmente tras la cima.

Después de esperar por casi un mes, ella misma hizo el ascenso. Fue un trayecto cansador, que le dio plena conciencia de la carga encerrada en su vientre con cada paso. Sin embargo, desde la cumbre gozó de un espectáculo vitalizante: las planicies parecían extenderse hasta el extremo mismo de la tierra; al mirar hacia el valle secreto, fue como contemplar el centro mismo del planeta.

El funicular instalado desde la cima parecía tan insustancial como un hilo de telaraña. Centaine se estremeció ante la perspectiva de meterse en esa bolsa de lona y dejarse bajar hacia las profundidades del anfiteatro. Mucho más abajo, los obreros parecían hormigas, entre los montículos de tierra que habían sacado de las excavaciones. Hasta pudo reconocer el paso de cigüeña de Twentyman-Jones, que pasaba de un grupo a otro.

Le envió una nota en la bolsa: *"¿Ha descubierto algo, señor?"*.

La respuesta llegó una hora después: *"La paciencia, señora, es una de las mayores virtudes"*.

Ésa fue la última vez que Centaine escaló el acantilado, pues el niño parecía crecer como un tumor maligno. Había gestado a Shasa con alegría; ese nuevo embarazo, en cambio, le acarreaba dolores, incomodidades y desdicha. No hallaba alivio, ni siquiera en los libros que llevó consigo, pues le costaba concentrarse hasta llegar al pie de una página. Sus ojos abandonaban siempre la palabra impresa para seguir el sendero de los barrancos, como buscando aquella silueta flaca que podía descender hacia ella.

El calor se iba tornando más y más opresivo, según el verano avanzaba hacia los días suicidas de las postrimerías de noviembre. Ya no podía dormir; tendida en su catre, pasaba las noches sudando. Al amanecer se levantaba a la rastra, sintiéndose vacía, deprimida y solitaria. Estaba comiendo demasiado; su único alivio contra el aburrimiento de esos días lúgubres era comer. Se había aficionado a los riñones a la parrilla, y Swart Hendrick salía de caza todos los días para traérselos frescos.

El vientre se le hinchaba; el niño era tan enorme que le obligaba a separar las rodillas para sentarse, y la maltrataba sin misericordia, pataleando y moviéndose dentro de ella como un gran pez prendido al anzuelo, hasta que ella gemía: "Quédate quieto, pequeño monstruo. Oh, Dios, qué ganas tengo de verme libre de ti".

De pronto, una tarde, cuando ya casi había llegado a la desesperación, Twentyman-Jones bajó de la montaña. Swart Hendrick lo vio en el sendero del acantilado y corrió a la carpa para darle aviso, a fin de que tuviera tiempo de levantarse del catre, lavarse la cara y cambiar su ropa, húmeda de sudor.

Cuando el ingeniero entró por la empalizada, ella estaba sentada ante la mesa del campamento, ocultando tras el mueble su vientre enorme. No se levantó para saludarlo.

—Bueno, señora, aquí tiene su informe —dijo él, poniendo una gruesa carpeta delante de ella.

Centaine desató las cintas y la abrió. Allí, con escritura pulcra y pedante, había páginas y páginas de cifras y números, además de palabras que ella nunca había visto. Volvió lentamente las hojas, mientras Twentyman-Jones la miraba con tristeza. En una oportunidad sacudió la cabeza y pareció a punto de hablar, pero lo que hizo fue sacar el pañuelo del bolsillo superior para sonarse ruidosamente la nariz.

Por fin, Centaine levantó la mirada, susurrando:

—Lo siento, pero no comprendo nada de esto. Explíqueme.

—Seré breve, señora. Cavé cuarenta y seis pozos de prospección, cada uno con una profundidad de quince metros, tomando muestras a intervalos de un metro ochenta.

—Sí, ¿y qué descubrió?

—Descubrí que hay un estrato de tierra amarilla cubriendo toda la propiedad, hasta una profundidad promedio de diez metros con ochenta centímetros.

Centaine se sintió súbitamente mareada y descompuesta. Eso de "tierra amarilla" sonaba ominoso. Twentyman-Jones se interrumpió para sonarse otra vez la nariz. Era obvio que no deseaba decir las palabras fatales que matarían por siempre sus esperanzas y sus sueños.

—Siga, por favor —susurró ella.

—Debajo de ese estrato nos encontramos con... —Bajó la voz; era como si le doliese el corazón por ella. —Nos encontramos con tierra azul.

Centaine se llevó la mano a la boca, como si estuviera a punto de desmayarse.

—Tierra azul. —Parecía aún peor que tierra amarilla. El niño forcejeaba dentro de ella. La desesperación fue como un río de lava ponzoñosa. "Tanto esfuerzo por nada", pensó.

—Es la clásica formación tubular, por supuesto: el compuesto de brecha en descomposición arriba, con la formación más dura e impermeable, azul pizarra, abajo.

—Conque no había diamantes, después de todo —comentó ella, suavemente.

El ingeniero la miró con fijeza.

—¿Diamantes? Bueno, señora, he calculado un valor promedio de veintiséis kilates por cada cien cargas.

—Sigo sin comprender. —Centaine sacudió estúpidamente la cabeza. —¿Qué significa eso, señor? ¿Qué son cien cargas?

—Cien cargas son, aproximadamente, ochenta toneladas de tierra.

—¿Y qué significa veintiséis kilates?

—Vea señora: la Jagersfontein rinde unos once kilates por cien cargas; hasta la Wesselton da sólo dieciséis kilates por cien cargas. Y aun las dos minas de diamantes más ricas del mundo. Esta propiedad es casi dos veces más rica.

—Entonces, hay diamantes, después de todo.

Ante la fija mirada de Centaine, él sacó, de un bolsillo lateral, un manojo de pequeños sobres pardos, atados con un cordel, y los puso sobre la carpeta con el informe.

—Por favor, señora Courtney, no los mezcle. Las piedras obtenidas en cada pozo de prospección están en sobres separados, cada uno con una cuidadosa anotación.

Ella desató el cordel, con dedos torpes e hinchados, para abrir el primero de los sobres, cuyo contenido virtió en la palma de la mano. Algunas de las muestras eran astillas, no mayores que granos de azúcar. Uno tenía el tamaño de una gran arveja madura.

—¿Diamantes? —preguntó otra vez, tratando de asegurarse.

—Sí, señora, y de muy buena calidad, en general.

La joven miró, aturdida, el montoncito de piedras que tenía en la mano. Parecían turbios, pequeños y mundanos.

—Discúlpeme el atrevimiento, señora, pero quisiera hacerle una pregunta. Puede dejarla sin contestar, por supuesto.

Ella asintió.

—¿Usted es miembro de un grupo? ¿Tiene socios en esta empresa?

Ella sacudió la cabeza.

—¿O sea que es la única dueña de toda esta propiedad? ¿Descubrió el yacimiento y presentó las solicitudes solamente por su cuenta?

Centaine volvió a asentir.

—Entonces —manifestó él, sacudiendo la cabeza— en este momento, señora Courtney, usted es una de las mujeres más ricas del mundo.

Twentyman-Jones pasó tres días más en el campamento.

Revisó con ella cada línea de su informe, explicando todo lo que estaba oscuro. Abrió cada uno de los paquetes de muestras y retiró todos los diamantes extraños o típicos, con un par de pinzas para joyería; se los puso en la palma de la mano y le indicó los rasgos distintivos.

—Algunos aun tan pequeños... ¿Tienen algún valor? —preguntó ella, haciendo girar los granos de azúcar bajo el dedo.

—Los industriales, señora, serán como pan con manteca:

con ellos salvará los gastos. Y los grandes, como éste, serán como la mermelada que ponga encima. Mermelada de frutilla, señora, de la mejor calidad. ¡Crosse & Blackwell, si le parece!

Era lo más parecido a una agudeza que ella le oyera jamás, pero aun entonces la cara del hombre era sombría.

La última parte del informe consistía en veintiuna páginas de recomendaciones para la explotación de la propiedad.

—Usted es sumamente afortunada, señora, pues puede abrir esta mina sistemáticamente. Todos los yacimientos grandes, desde Kimberley hasta Wesselton, fueron amojonados por cientos de mineros individuales, cada uno de los cuales inició el trabajo sin relación alguna con los esfuerzos de su vecino. El resultado fue un caos total. —Meneó la cabeza, mientras se tironeaba de las blancas y esponjosas patillas. —Cientos de parcelas, cada una de nueve metros cuadrados, cada una explotada a distinta velocidad, con rutas en el medio y una maraña de cables, poleas y funiculares, ¡El caos, señora, un pandemonio! Costos inflados, hombres muertos por derrumbes, miles de obreros de más… ¡la locura! En cambio usted, señora, tiene aquí la oportunidad de construir una mina modelo, y este informe le explica exactamente cómo debería hacerlo. —Puso la mano sobre la carpeta. —He estudiado el suelo y puse mojones numerados para guiarla. Calculé qué volumen de tierra sacará en cada etapa. Tracé el primer pozo inclinado y expliqué también cómo debe planear cada nivel de excavación.

Centaine interrumpió aquella disertación.

—Doctor Twentyman-Jones, usted se refiere siempre a mí. No supondrá que voy a realizar personalmente tareas tan complicadas, ¿verdad?

—¡Por Dios, no! Necesita un ingeniero, un hombre honrado, que tenga experiencia en el traslado de tierra. Preveo que empleará a varios ingenieros y muchos cientos, tal vez a miles de obreros para la… —Vaciló. —¿Tiene pensado el nombre para la propiedad? ¿Mina Courtney, tal vez?

Ella sacudió la cabeza.

—Mina H'ani. —le dijo.

—Extraño. ¿Qué significa?

—Es el nombre de la mujer pigmea que me guió hasta aquí.

—Muy apropiado, en ese caso. Como le decía, le hará falta un buen ingeniero para encargarse del desarrollo inicial que le he trazado.

—¿Ha pensado en alguien, señor?

—Difícil —musitó él—. Los mejores hombres son empleados permanentes de De Beers. De los otros, el primero que se me ocurre quedó baldado hace poco, en una explosión accidental. —Pensó por un momento. —Ahora bien, he oído hablar bien de un joven afrikaan. Personalmente no he trabajado con él. Caramba, cómo se llamaba. Ah, sí. ¡De La Rey!

—¡No! —exclamó Centaine, violentamente.

—Disculpe, señora. ¿Lo conoce?

—Sí. Con él no.

—Como guste. Trataré de pensar en otro.

Esa noche, en su cama, Centaine se movía de un lado a otro, tratando de encontrar una posición cómoda y de acomodar el sofocante peso de la criatura para poder dormir. Al pensar en la sugerencia de Twentyman-Jones, se incorporó lentamente.

—¿Por qué no? —dijo en voz alta, en la oscuridad—. De todos modos debe volver aquí. Cualquier desconocido que venga en estos momentos podría ver más de lo que yo quisiera. —Y juntó ambas manos bajo el vientre. —Lo necesito sólo para las etapas iniciales. Escribiré ahora mismo a Abraham Abrahams, diciéndole que me envíe a Lothar.

Después de encender la lámpara, cruzó la carpa hasta su mesa de campamento.

Por la mañana, Twentyman-Jones estaba listo para partir. Todo su equipo había sido cargado en la parte trasera del camión, sirviendo de asiento a los obreros negros.

Centaine le devolvió el informe.

—¿Tendría la bondad de dar su informe a mi abogado, en Windhoek junto con esta carta?

—Por supuesto, señora.

—Él querrá estudiar el informe con usted. Además, he dado instrucciones al señor Abrahams para que solicite un préstamo de mi Banco. Probablemente también el gerente del Banco quiera hablar con usted, para conocer su opinión sobre el valor de la propiedad.

—Lo suponía —asintió él—. Puede quedarse tranquila; le informaré sobre el enorme valor de su descubrimiento, señora.

—Gracias. En esta carta he dado instrucciones al señor Abrahams para que le pague, una vez recibido el préstamo, una cantidad igual a la que cobró inicialmente.

—Eso no es necesario, señora, pero sí muy generoso.

—Vea, doctor Twentyman-Jones: en algún momento futuro puedo necesitar de sus servicios como asesor permanente de la Mina H'ani, y quiero que se lleve una buena opinión de mí.

—Para eso no hace falta otro pago, señora Courtney. Usted me parece una joven extraordinariamente enérgica, inteligente y agradable. Para mí sería un honor volver a trabajar con usted.

—En ese caso, le pediré un último favor.

—Lo que guste, señora.

—Por favor, no repita ninguna circunstancia personal que usted haya podido observar aquí.

Los ojos del hombre cayeron, por un instante fugaz, hasta la delantera de su vestido.

—La discreción, señora, no es el menor de los requisitos previos a esta profesión. Además, jamás haría nada que pudiera perjudicar a una amiga.

—Una buena amiga, doctor Twentyman-Jones —le aseguró ella, ofreciéndole la diestra.

—Muy buena amiga, señora Courtney —agregó él, tomándole la mano.

Por un momento increíble, Centaine creyó que ese hombre iba a sonreír. Pero él se dominó y le volvió la espalda para subir al camión.

Una vez más, el viaje desde el campamento a Windhoek y el regreso demandó al camionero apenas ocho días. En ese tiempo, Centaine se preguntó más de una vez si no lo había dejado para demasiado tarde. La criatura estaba ya muy grande y llevaba prisa. Pedía libertad con impaciencia. Por eso, cuando la joven oyó, por fin, el palpitar distante de los motores, al regresar los vehículos, su alivio fue intenso.

Presenció la llegada desde la entrada de su carpa. En el camión delantero iba Lothar De La Rey. Centaine trató de no percatarse, pero su pulso se aceleró al verle bajar de la cabina, alto, elegante y gracioso, a pesar del polvo y el calor del largo viaje.

La siguiente persona que descendió del camión, ayudada por Lothar, tomó a la muchacha por sorpresa: una monja, con el hábito y la toca de la orden benedictina.

"Le dije que trajera una enfermera. No esperaba una monja", se dijo, furiosa. En la parte trasera del camión viajaban dos jóvenes muchachas namas, de piel castaño-dorada y bonitas caras alegres. Cada una de ellas cargaba un bebé a la cadera; sus pechos, pesados de leche, tensaban los vestidos de algodón barato. Por el gran parecido, debían de ser hermanas.

"Las nodrizas", adivinó ella. Al verlas allí, desconocidas de otra raza que amamantarían a su niño, sintió la primera punzada de amargura por lo que debía hacer.

Lothar se acercó a su carpa, altanero y reservado el porte, y le entregó un paquete de cartas antes de presentarle a la monja.

—La hermana Ameliana, del hospital de St. Anne —le dijo—. Es prima mía por parte de madre. Se desempeña como partera, pero sólo habla alemán. Podemos confiar plenamente en ella.

La hermana Ameliana, mujer flaca, de cara pálida, olía a pétalos de rosa secos. Miró a Centaine con ojos gélidos, cargados de desaprobación, y dijo algo a Lothar.

—Quiere revisarte —tradujo Lothar—. Volveré más tarde para hablar del trabajo que quieres encargar a mi compañía.

—No le caigo bien —observó la muchacha, devolviendo a la monja su mirada plana y hostil.

Lothar vaciló antes de explicar:

—No está de acuerdo con nuestro trato. Ha dedicado toda su vida a atender el nacimiento y la crianza de los bebés. No comprende que puedas renunciar a tu propio hijo... y tampoco yo, como verás.

—Dile que ella tampoco me cae bien, pero debe ejecutar la tarea por la que vino y no juzgarme.

—Centaine... —protestó el joven.

—Díselo —insistió Centaine.

Sus compañeros hablaron rápidamente en alemán. Por fin Lothar se volvió hacia ella.

—Dice que ambas se entienden mutuamente. Eso está bien. Ha venido sólo por el niño. En cuanto a juzgar, deja eso por cuenta de nuestro Señor.

—Dile que se ocupe del examen, entonces.

Cuando la hermana Ameliana, después de realizar el examen, se retiró, Centaine se dedicó a leer sus cartas. Había una de Garry Courtney, llena de noticias de Theuniskraal; al pie había impreso la huella digital de Shasa, con la nota: *Michel Courtney, su marca.*

El voluminoso fajo de Anna, cubierto de letra grande, mal formada y difícil de descifrar, dejó en Centaine un cálido resplandor de placer. Por fin rompió el sello de Abraham Abrahams, última carta del paquete.

Mi querida Señora Courtney:

Su carta y las noticias del doctor Twentyman-Jones me dejan en una fiebre de incrédula sorpresa. No hallo palabras para expresar mi admiración por su descubrimiento y el placer que me causa su extraordinaria suerte. Sin embargo, no quiero fatigarla con felicitaciones, por lo que paso a ocuparme de cosas prácticas.

El doctor Twentyman-Jones y yo hemos llevado a cabo extensas negociaciones con los directores y gerentes del Standard Bank, quienes han estudiado y evaluado muestras e informe. El Banco le acuerda un préstamo de cien mil libras, al 5 y medio de interés anual. Puede librar contra él a medida que lo necesite. También se ha acordado que se trata de una mera cifra preliminar, y que las cantidades adicionales le irán siendo informadas en el futuro. El préstamo queda garantizado por las concesiones mineras a su favor.

El doctor Twentyman-Jones se ha entrevistado también con el señor Lothar De La Rey, especificándole deta-

lladamente los requerimientos de la "fase uno" de la explotación a llevarse a cabo en su propiedad.

El señor De La Rey ha solicitado un pago de cinco mil libras por ese trabajo. Haciendo uso de su autorización de usted, he aceptado sus condiciones, entregándole un pago inicial de mil libras, por las que me ha firmado recibo...

Centaine pasó rápidamente por el resto de la carta, sonriendo ante el comentario de Abrahams:

Le envío las provisiones solicitadas. Empero, mucho me ha intrigado el pedido de las dos docenas de mosquiteros. Tal vez algún día quiera explicarme qué piensa hacer con ellos, satisfaciendo así mi ardiente curiosidad.

Apartó la carta para volver a leerla más tarde y mandó buscar a Lothar.

El joven acudió inmediatamente.

—La hermana Ameliana me asegura que todo está bien, que el embarazo es natural y sin complicaciones y que su término está muy próximo.

Centaine asintió, señalando la silla plegadiza que tenía enfrente.

—No te he felicitado todavía por tu descubrimiento —comentó él, mientras se sentaba—. El doctor Twentyman-Jones calcula que tu mina vale, cuanto menos, tres millones de libras esterlinas. Es casi increíble, Centaine.

Ella inclinó levemente la cabeza y le dijo, con voz clara y serena:

—Como va a trabajar para mí, y debido a las circunstancias de nuestra relación personal, creo que, en el futuro, la forma correcta en que debe dirigirse a mí es bajo el apelativo de "señora Courtney". El uso de mi nombre de pila sugiere una familiaridad que ya no existe entre nosotros.

La sonrisa de Lothar desapareció rápidamente. Él guardó silencio.

—Ahora hablemos del trabajo que ha aceptado.

—¿Quiere que comience de inmediato, sin esperar el nacimiento?

—De inmediato, señor —dijo ella, ásperamente—, y yo vigilaré personalmente la limpieza del túnel que lleva al valle, lo cual constituye el primer paso. Comenzaremos mañana por la noche.

Al atardecer ya estaban listos. El sendero que conducía valle arriba, hasta la entrada de la caverna de las abejas, había sido despejado y ensanchado; los equipos de trabajo de Lothar habían dispuesto también montones de leña de mopani.

Se hubiera dicho que las abejas de la gran colmena eran conscientes de la amenaza, pues al ponerse el sol, sus rayos se poblaron con motas doradas de pequeños y veloces insectos. El aire caliente atrapado entre los acantilados vibraba con el zumbido de sus alas, en tanto las abejas se arremolinaban sobre las cabezas de los sudorosos obreros. De no ser por las redes protectoras, todos ellos habrían sufrido repetidas picaduras.

Sin embargo, al caer la oscuridad, los inquietos insectos desaparecieron en las profundidades de la caverna. Centaine dejó pasar una hora, para que la colmena se tranquilizara y fuera asentándose para dormir. Por fin dijo a Lothar, en voz baja:

—Se pueden encender los ahumadores.

Los cuatro hombres más confiables de Lothar se inclinaron sobre grandes latas que antes contuvieron dos kilos y medio de carne en conserva; los costados habían sido perforados y estaban llenas de carbón, más ciertas hierbas que Centaine les había señalado. El secreto de las hierbas era un legado de O'wa; no pudo dejar de pensar en él cuando los hombres encendieron los ahumadores y el acre olor de las hierbas quemadas le escoció en la nariz. Los obreros balancearon las latas en el extremo de un trozo de alambre, para avivar las brasas.

Cuando los cuatro ahumadores estuvieron ardiendo bien, Lothar dio una silenciosa orden a sus hombres, que avanzaron hacia la entrada de la caverna. A la luz de la lámpara parecían horribles fantasmas: tenían la parte inferior del cuerpo protegida por gruesas botas y pantalones de cuero; la red contra mosquitos les cubría la cabeza y el torso. Uno a uno, se inclinaron para entrar en la caverna, envueltos en el espeso humo azul que surgía de las latas.

Centaine dejó pasar una hora más antes de entrar en la caverna, acompañada por Lothar.

El humo acre había empañado el interior a tal punto que sólo se veía a pocos pasos de distancia; las nubes azules le hicieron sentir mareos y náuseas. Pero el zumbido de dínamo de la gran colmena se había adormecido. Las multitudes de centelleantes insectos pendían en drogados racimos del techo y los panales. Apenas se oía un susurro soñoliento.

Centaine salió apresuradamente de la caverna y retiró la red de su cara ardorosa, respirando el fresco aire nocturno para calmar la náusea. Cuando pudo volver a hablar, dijo a Lothar:

—Ahora pueden comenzar a entrar la leña, pero adviértales que no toquen los panales. Están a poca distancia del suelo.

En vez de entrar otra vez, se sentó a un lado, en tanto los hombres de Lothar llevaban al interior las ramas de mopani.

Había pasado ya la medianoche cuando él vino a informarle:

—Ya está.

—Quiero que lleve a sus hombres hasta el fondo del valle. Quédense allí dos horas. Después regresarán aquí.

—No comprendo.

—Deseo estar sola por un rato.

Permaneció aparte, escuchando las voces que se retiraban hacia el vientre oscuro del valle. Cuando todo estuvo en silencio, levantó la vista.

Allá estaba la estrella de O'wa, muy alta sobre el valle.

—Espíritu de la gran estrella león —susurró—, ¿me perdonarás por esto?

Se levantó para avanzar pesadamente hasta la faz del acantilado. Desde allí levantó la lámpara por sobre la cabeza, clavando la vista en la galería de pinturas bosquimanas, que relucían bajo la luz amarilla. Las sombras oscilaban de tal modo que las gigantescas representaciones de Eleótrago y Mantis parecían palpitar de vida.

—Espíritus de Eleótrago y de Mantis, perdónenme. Todos ustedes, guardianes del "Sitio Donde Nada Debe Morir", perdónenme por esta matanza. No lo hago para mí, sino para proporcionar agua buena al niño que nació en este lugar secreto.

Volvió a la entrada de la caverna, con el peso del niño, de la culpa y el remordimiento.

—Espíritus de O'wa y H'ani, ¿me están observando? ¿Me retirarán su protección cuando esto haya sido llevado a cabo? ¿O seguirán amándonos y protegiéndonos, a Niña Nam y a Shasa, después de esta terrible traición?

Cayó de rodillas y rezó en silencio a todos los espíritus de todos los dioses San. No se dio cuenta de que habían pasado las dos horas sino cuando oyó las voces de los hombres que volvían a ascender desde el valle.

Lothar De La Rey llevaba una lata de nafta en cada mano. Se detuvo ante ella, a la entrada de la caverna.

—¡Adelante con el trabajo! —ordenó Centaine.

Y el joven entró en la caverna de las abejas.

Ella oyó el ruido de un cuchillo que perforaba el fino metal de las latas; luego, el borboteo de un líquido al correr. Desde la abertura estrecha, en la roca, surgió el hedor penetrante del combustible. El ruido de un millón de abejas, arrancadas del estupor provocado por las drogas emanadas por ese olor a gasolina, calmó los oídos de la muchacha.

Lothar salió de la caverna caminando hacia atrás, mientras vertía las últimas gotas en el suelo rocoso, dejando un rastro húmedo a su paso. Por fin dejó caer la lata vacía y corrió hacia atrás, pasando junto a ella.

—¡Rápido! —jadeó— ¡Antes de que las abejas salgan!

Varios insectos volaban ya a la luz de la lámpara, posándose en el tul que cubría el rostro de Centaine. Muchos más iban brotando por las aberturas del acantilado, allá arriba.

Centaine retrocedió. Luego balanceó la lámpara y la arrojó hacia la entrada de la caverna. El tubo de vidrio se estrelló, rodando por el suelo desparejo. La llamita amarilla estuvo a punto de apagarse, pero de pronto prendió la gasolina volcada. En una tremenda explosión que pareció sacudir la tierra bajo los pies, arrojando a Centaine hacia atrás, un enorme aliento ígneo se disparó por la garganta de la montaña, llenando de fuego su boca abierta. La caverna tenía la forma de un horno; absorbió una fuerte corriente de aire, y las llamas rojas brotaron por las aberturas, ardiendo como cincuenta antorchas en la cara del acantilado, que iluminó el valle como a mediodía. El viento precipitado pronto ahogó el estruendo agonizante de un millón de abejas quemadas. A los pocos segundos sólo se oía el parejo rugir de las llamas.

Cuando se encendieron los montones de leña, Centaine sintió que el calor saltaba hacia ella como un animal salvaje. Retrocedió, contemplando la destrucción con fascinado horror. De la feroz caverna brotaba un ruido nuevo, que la intrigó: eran cosas pesadas y blandas que caían al suelo de roca, casi como si muchos cuerpos vivientes cayeran desde el techo. Sólo comprendió de qué se trataba cuando vio una serpiente líquida y oscura, lenta y viscosa como el aceite, que brotaba por la abertura.

—¡Miel! —susurró—. ¡Se están derritiendo los panales!

Aquellos enormes panales, producto de un siglo de trabajo, armados por una miríada de abejas, caían, ablandados por el calor, de a cien por vez. El reguero de miel y cera fundidas se convirtió en un arroyo de líquido hirviente, que chisporroteaba en el rojizo resplandor de la caldera. Un olor dulce y caliente parecía dar densidad al aire. Aquel oro fundido hizo que Centaine retrocediera, susurrando:

—Oh, Dios, Dios, perdóname por lo que he hecho.

Pasó el resto de esa noche de pie, mientras las llamas seguían saltando ante ella.

Con la luz del alba, los acantilados aparecieron ennegrecidos de hollín. La caverna era un montón de ruinas negras. El suelo del valle había quedado cubierto de un caramelo negro y pegajoso.

Cuando Centaine llegó al campamento del árbol, cansada y tambaleante, la hermana Ameliana la esperaba para ayudarla a acostarse y lavarle el hollín azucarado.

Una hora después del mediodía comenzó el trabajo de parto.

Era más un combate mortal que un alumbramiento.

Centaine y el niño lucharon, uno contra la otra, por el resto de aquella tarde ardorosa, hasta entrada la noche.

—No voy a gritar —murmuraba ella, apretando los dientes—. No me harás gritar, maldito seas.

Y el dolor venía en oleadas que le hacían pensar en el alto oleaje del Atlántico, rompiendo sobre las playas estériles de la costa del Esqueleto. Ella las montaba una a una, desde la cima hasta la profundidad de cada valle horrendo.

En cada oportunidad, en lo peor del dolor, trataba de incorporarse para adoptar la postura que H'ani le había enseñado, para dar a luz en cuclillas. Pero la hermana Ameliana volvía a ponerla de espaldas y el niño quedaba encerrado dentro de ella.

—Te odio —gruñó Centaine a la monja. El sudor le ardía en los ojos, cegándola. —Te odio... y odio esto que tengo dentro.

La criatura sentía su odio y la desgarraba, retorciendo los miembros para bloquear la salida.

—¡Fuera! —siseaba ella—. ¡Sal de mí!

Hubiera deseado sentir los brazos finos y fuertes de H'ani compartiendo la tensión cada vez que pujaba.

—¡Fuera!

En cierta oportunidad, Lothar preguntó junto a la entrada de la carpa:

—¿Cómo va eso, hermana?

La monja respondió:

—Es algo terrible. Ella pelea como un guerrero, no como una madre.

Dos horas antes del amanecer, en un último espasmo que pareció abrirle la columna vertebral, separando las articulaciones de la pelvis y los muslos, Centaine expulsó la cabeza de la criatura, grande y redonda como una bala de cañón. Un minuto después, el primer grito resonaba en la noche.

—Gritaste tú —susurró, triunfante—. ¡Yo no!

Al distenderse en el catre, toda la fuerza, la resolución y el odio la abandonaron, dejando una cáscara vacía y dolorida.

Cuando Centaine despertó, Lothar estaba de pie ante su catre. La aurora iluminaba la lona de la carpa, detrás de él, marcando sólo una silueta oscura.

—Es un varón —le dijo él—. Tienes un hijo.

—No —graznó ella—. No lo tengo yo. Es tuyo.

"Un hijo", pensó, "un varón, parte de mí, parte de mi cuerpo, sangre de mi sangre..."

—Tendrá pelo dorado —comentó Lothar.

—No quería saberlo. Era parte de nuestro trato.

"Conque su pelo refulgirá al sol, pensó, y será tan hermoso como el de su padre."

—Se llama Manfred, como mi primogénito.

—Ponle el nombre que quieras —susurró ella—, y llévatelo lejos de mí.

"Manfred, hijo mío..." Y sintió que se le partía el corazón, desgarrado como seda en su pecho.

—Ahora está con su nodriza. Ella te lo puede traer, si quieres verlo.

—Jamás. No quiero verlo jamás. Fue nuestro trato. Llévatelo.

Y los pechos henchidos le dolían por no amamantar a su hijo de pelo dorado.

—Muy bien. —Lothar esperó un minuto, por si ella quería hablar, pero la vio apartar el rostro. —La hermana Ameliana lo llevará consigo. Están listos para partir inmediatamente hacia Windhoek.

—Dile que se vaya y que se lleve a tu bastardo.

Como la luz estaba a espaldas del joven, ella no pudo verle la cara. Lothar se retiró de la carpa. Minutos después se oyó el motor del camión que se ponía en marcha, para perderse por la planicie.

Centaine permaneció tendida en la carpa silenciosa, contemplando el amanecer a través de la lona verde. Aspiraba el olor a pedernal del desierto que amaba, pero le llegaba contaminado por el hedor dulzón de la sangre. La sangre vertida en el nacimiento de su hijo. ¿O era la sangre de una pequeña anciana San, coagulándose bajo el ardiente sol del Kalahari? La imagen de la sangre de H'ani sobre las rocas cambió en su mente, convirtiéndose en oscuros charcos de miel hirviendo, que corrían como agua desde los sagrados sitios de los San. El sofocante olor azucarado borró el de la sangre.

A través del humo creyó ver la carita de H'ani, con su forma de corazón, que la miraba tristemente.

—Por el niño —susurró—. Por Shasa.

El rostro se borró, dejando en cambio el de su primogénito.

—Shasa, mi nene, que siempre encuentres agua buena. —Pero también esa imagen se borroneó, y el pelo oscuro se convirtió en oro. —Tú también, mi pequeño. A ti también te deseo agua buena.

Pero en ese momento era la cara de Lothar. O la de Michael. Ya no estaba segura.

—¡Estoy tan sola! —gritó, en los silenciosos espacios de su alma—. Y no quiero estar sola.

En eso recordó ciertas palabras: "En estos momentos, señora Courtney, usted es, probablemente, una de las mujeres más ricas del mundo."

Y se dijo:

"Lo daría todo, hasta el último diamante de la Mina H'ani, por el derecho de amar a un hombre y de que él me amara, por la posibilidad de tener a mis dos bebés, a mis dos hijos, por siempre a mi lado."

Pero aplastó el pensamiento, furiosa.

"Ésas son ideas sentimentales y tontas, las ideas de una mujer débil y cobarde. Estás enferma y cansada. Ahora dormirás —se dijo, ásperamente. Y cerró los ojos. —Y mañana volverás a ser valiente. Mañana."

DEL MISMO AUTOR
Por nuestro sello editorial

La primera serie de los Courtney
CUANDO COMEN LOS LEONES
RETUMBA EL TRUENO
MUERE EL GORRIÓN

La segunda serie de los Courtney
COSTA ARDIENTE
EL PODER DE LA ESPADA
FURIA
TIEMPO DE MORIR
ZORRO DORADO
AVES DE PRESA
EL MONZÓN
HORIZONTE AZUL
EL TRIUNFO DEL SOL
EL JURAMENTO

La serie de los Ballantyne
VUELA EL HALCÓN
HOMBRES MUY HOMBRE
EL LLANTO DE LOS ÁNGELES
EL LEOPARDO CAZA EN LA OSCURIDAD

Otras novelas
RÍO SAGRADO
EL SÉPTIMO PAPIRO
HECHICERO
EL LADO OSCURO DEL SOL
TENTAR AL DIABLO
OPERACIÓN ORO
LOS CAZADORES DE DIAMANTES
PÁJARO DE SOL
RASTRO EN EL CIELO
VIENE EL LOBO
EL OJO DEL TIGRE
VORAZ COMO EL MAR
JUSTICIA SALVAJE
EL CANTO DEL ELEFANTE
EL DESTINO DEL CAZADOR
EL SOBERANO DEL NILO
LA RUTA DE LOS VENGADORES
LOS QUE ESTÁN EN PELIGRO